KB195100

대통령 문재인의 5년

새로운 100년의 여정을 담다

일러두기

대통령 문재인의 5년

새로운 100년의 여정을 담다

편집부 엮음

더휴먼

차례

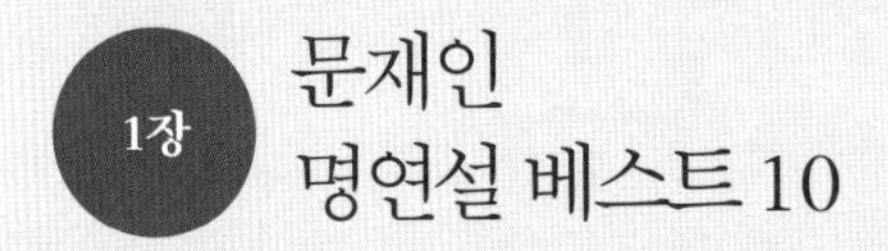

2장

대통령 5년의 기록

2021. 5. 1~2022. 5. 8

5월

6월

7월

8월

9월

10월

12월

2022년

1월

2월

3월

4월

5월

청와대에서 열린 '2022년 신년 인사회'에서 문재인 대통령이 연설에 앞서 마스크를 벗고 있다. 4월 18일 공식적으로 사회적 거리두기가 해제되었다.

들어가며

문재인 정부 5년차는 코로나19의 혼란과 정점으로 치닫고 있던 오미크론 변이바이러스의 창궐 속에서도 사회적 거리두기와 방역 수칙을 잘 지켜준 국민과 함께 대한민국의 새로운 100년을 다지는 시기였다. 백신 접종은 늦게 시작했지만 위대한 국민의 자발적인 도움으로 세계에서 가장 빠른 속도로 세계 최고 수준의 접종완료율을 기록했고, 단계적 일상회복을 시작하는데 만반의 준비를 하는 시간이었다.

집권 5년차의 문재인 정부는 경제적으로 양적, 질적인 면에서 모두 최고의 성적을 보여주고 있다. 반도체, 석유화학, 일반 기계, 자동차 등 전통적인 주력산업과 함께 신성장 유망산업이 모두 선전하며, 사상 최초로 15개 주요 품목 모두 두 자릿수 증가율을 보였고, 특히 바이오헬스, 이차전지, 농수산식품, 화장품 등 신산업의 수출은 모두 역대 최고치를 기록했다. 이 같은 수출 호조에 따라 상반기 세계 시장 점유율에서 주력 산업은 반도체, 조선, 스마트폰, OLED, TV 등이 세계 1위의 점유율을 차지하며 굳건한 지위를 이어가고 있으며, 유망산업들도 급성장하여 SSD는 세계 1위 국가로 부상했고, 전기차 배터리는 전년 대비 두 배 이상 성장하여 1위 중국을 맹추격하고 있다. 화장품 수출도 세계 5위 반열에 진입했다. 코로나 위기 속에서도 수출 호조세에 힘입어 한국 경제는 더욱 강한 경제로 거듭나고 있지만, 내수 회복세가 더딘 것이 민생의 회복을 지연시키고 있다는 평가도 받는다. 문재인 정부는 불가피한 선택으로 고강도 방역조치를 연장했고, 최근에 사회적 거리두기를 해제하였다. 문재인 정부의 노력 끝에 빨리 일상을 회복해야 한다는 목표 역시 점진적인 성과를 보여주고 있다.

전 세계적인 코로나19 팬데믹에서 경제와 방역 등 두 마리 토끼를 모두 잡은 문재인 정부에 대해 세계의 극찬이 쏟아지고 있다. 2022년 6월, 영국 콘월 주에서 열린 G7 정상회의에 2년 연속으로 초청되어 주최국 영국, 초강대국 미국과 함께 헤드테이블에 앉아 어깨를 나란히 한 것은 분명 이전과는 다른 대한민국의 위상을 보여주는 일이다. 박수현 청와대 국민소통수석이 코로나19 대응을 다루는 '보건' 세션 회담장의 실제 대화를 언론에 공개했다.

조 바이든 미국 대통령: 한미회담도 최상이었는데 문 대통령님이 오셨으니 G7도 잘될 겁니다.

보리스 존슨 영국 총리: 그렇죠. (문 대통령을 가리키며) 이 분의 나라는 단연 세계 최고의 방역 모범국이에요. 방역 1등이죠.

안토니우 구테레쉬 UN 사무총장: 맞아요. 한국 대단합니다.

에마뉘엘 마크롱 프랑스 대통령: 다들 생각이 같으시네요.

문재인 대통령: (웃음)

높아진 대한민국 국격에 걸맞게 유엔무역개발회의(UNCTAD)가 작년 우리나라의 지위를 개발도상국 그룹에서 선진국 그룹으로 변경했다. 개발도상국에서 선진국으로의 지위 변경은 유엔무역개발회의가 설립된 1964년 이래 최초의 일로, 다른 나라를 뒤쫓는 나라에서 이제는 선도하는 나라로 대한민국을 이끌기 위한 문재인 대통령의 숨은 노력의 결실임은 분명하다.

지난 대선에서, 국민은 성공한 정권이지만 미증유의 교체를 선택했고, 이제 문재인 정부는 그동안 쌓아 온 업적과 경험을 잘 정리해서 새 정부에 이양하는 일에 전념을 다 하고 있다. 공급망 문제와 에너지 수급, 신냉전 구도가 형성될 조짐이 보이는 국제 안보 환경 속에서 임기 마지막 날까지 헌법이 대통령에게 부여한 책임을 다하는 문재인 정부에 깊은 찬사를 보낸다.

"역사는 때론 정체되고 퇴행하기도 하지만 결국 발전하고 진보한다는 믿음을 가지고 있습니다. 우리의 지나온 역사도 그랬습니다. 격동의 근현대사를 헤쳐 오며 때론 진통과 아픔을 겪었지만 그것을 새로운 발전 동력으로 삼아 결국에는 올바른 방향으로 전진해 왔습니다. 앞으로의 역사도 계속 발전하고 진보해 나가리라 확신합니다. 우리의 역사를 총체적으로 긍정하며 자부심을 가지기를 희망합니다. 그 긍정과 자부심이야 말로 우리가 더 큰 도약으로 나아갈 수 있는 힘이 되기 때문입니다."
_대통령 문재인, 수석보좌관회의 중

대통령 문재인의 5년 —

1장

문재인 명연설 베스트 10

풍요로운 내일은 행동과 실천으로만 지켜낼 수 있습니다

제2회 푸른 하늘의 날 기념 영상메시지 | 2021년 9월 7일 |

존경하는 국민 여러분,

'제2회 푸른 하늘의 날'을 맞아 오랜만에, 하늘이 보이는 야외에서 인사드리게 되었습니다. 자유롭게 숨 쉴 수 있는 맑은 공기, 푸른 하늘의 소중함이 크게 느껴집니다. 푸른 하늘을 되찾아야 한다는 인류의 의지가 높아지고 있습니다. 지난해에 이어 오늘 '제2회 푸른 하늘의 날' 역시 뉴욕, 방콕, 나이로비를 비롯한 세계 각지에서 함께 기념하고 있습니다. 오늘 기념식이 자연과 함께 건강하게 살아가기 위한 지구촌의 협력을 확대하는 계기가 되길 바랍니다.

국민 여러분,

탄소라고 하면, 공장이나 자동차 매연이 먼저 떠오르지만, 플라스틱처럼 우리가 흔히 사용하는 물건들, 매끼 먹는 식사와 편리한 이동수단, 냉난방을 위한 에너지까지 우리 일상의 상당 부분이 탄소 배출의 원인이라 할 수 있습니다. 푸른 하늘은 생활의 작은 불편함을 즐기고, 익숙해진 생활을 하나둘 바꿔 갈 때 누릴 수 있습니다. 지구는 이 순간에도, 예상보다 빨리 뜨거워지고 있습니다. 지난 8월, 기후변화를 연구하는 세계의 과학자들은 '1.5°C 지구 온난화'가 기존 전망 시점보다 10년 정도 앞당겨질 것이라고 경고했습니다. 온실가스 배출이 지금 같은 추세로 계속되면, 얼마 지나지 않아 우리는, 지금 이 순간, 행동하지 않은 것을 후회하게 될 것입니다. 탄소 제로를 위한 행동만이 지구 온난화를 멈출 수 있습니다. 그동안 국민들께서 해 오신 것처럼 저마다 생활 속 작은 실천이 모이면 가능합니다. 우리는 1995년 세계 최초로 전국 단위의 쓰레기 분리수거를 시작했고, 도입 5년 만에 쓰레기양을 절반으로 줄였습니다. 지난 20년간 재활용률은 20% 가량 늘렸습니다. 대단한 시민의식이라고 자부할 만합니다.

한국은 국제사회 협력도 선도했습니다. 녹색기후기금(GCF)과 글로벌 녹색성장기구(GGGI)를 유치했고, 자발적인 기후 재원 조성과 공여로 이웃 국가들과 함께했습니다. 지난 5월 개최한 'P4G 서울 정상회의'에서는 선진국과 개발도상국들을 함께 포용하는 서울선언문을 이끌어냈습니다. 그리고 지난주, '탄소중립기본법'을 제정해, '탄소중립'을 법으로 규정한 열네 번째 나라가 되었습니다. '탄소중립기본법'에는 2030년까지 탄소 배출을 35% 이상 감축하는 중간 목표가 담겨있습니다. 온실가스 배출량이 가장 많았던 2018년을 기준으로 삼은 것입니다. 보다 일찍 온실가스 배출 정점을 기록하고 오랫동안 온실가스 배출을 줄여온 나라들에 비하면 훨씬 도전적인 목표입니다. 하지만 우리는 해낼 수 있습니다. 우리는 이미 2019년과 2020년 2년에 걸쳐 2018년 대비 탄소 배출량을 10% 이상 감축한 바 있습니다. 모두 함께 힘을 모은다면 새로 마련하는 목표도 충분히 달성할 수 있을 것입니다.

국민 여러분,

정부는 자신감을 갖고 '2050 탄소중립 시나리오'와 2030 국가 온실가스 감축 상향 목표를 올해 안으로 확정해 발표할 계획입니다. 푸른 하늘을 향해 우리 사회와 경제 구조를 대전환해야 합니다. '한국판 뉴딜 2.0'에서 그린 뉴딜은 2050 탄소중립을 목표로 한 것입니다. 저탄소 경제 전환을 위해 정부가 앞장서고 국민들과 기업의 노력을 적극 뒷받침하겠습니다. 2025년까지 태양광과 풍력 설비를 지금보다 두 배 이상 확대할 것입니다. 또한 기술혁신과 대형화, 주민 참여 등을 통해 신재생 에너지의 잠재력을 더욱 끌어올리겠습니다.

기업들도 저탄소 산업과 제품에 대한 개발과 투자를 확대하고 있습니다. 탄소중립 목표는 배터리와 수소 경제 분야 등에서 세계적인 경쟁력을 가진 우리 기업들이 도약하고 새로운 일자리를 많이 만들 수 있는 기회이기도 합니다. 정부는 탄소국경세를 비롯한 새로운 국제질서에 우리 기업이 선제적으로 대응할 수 있도록 적극 지원할 것입니다. 장기적으로는 탄소중립 사회로 나아가면서, 지금 당장 우리와 우리 아이들을 위해 미세먼지를 줄여나가는 것도 매우 중요합니다. 지난 4년간 강력한 미세먼지 대책으로 초미세먼지 연평균 농도가 크게 개선되고, 푸른 하늘을 볼 수 있는 날이 늘어났습니다. 특히, 계절관리제를 통해, 겨울철과 봄철에 가장 심했던 탄소 배출과 미세먼지 발생을 대폭 줄였습니다. 올해 세 번째 계절관리제를 통해서는 지역별 특성까지 고려해 오염물질 배출을 최대한 줄이고 우리 아이들의 건강을 더욱 꼼꼼히 지킬 것입니다.

존경하는 국민 여러분,

오늘은 본격적인 가을을 알리는 절기, '백로(白露)'입니다. 농부들은 예로부터 백로에 벼이삭을 유심히 살펴 그해 농사의 풍흉을 가늠했습니다. 백로 전에 벼가 패어야 벼가 잘 익고 풍년이 든다고 합니다. 우리는 밥을 먹고, 밥심으로 하루를 살아가는 한국인입니다. 푸른 하늘이 오늘처럼 곡식과 열매를 키우고 다음 세대에도 전해지길 기원합니다. 건강한 지구, 풍요로운 내일은 행동과 실천으로만 지켜낼 수 있습니다. 지구를 지켜낸 이야기를 대한민국 곳곳 가정과 마을, 공장에서 함께 만들어냅시다.

감사합니다.

누구도 소외되지 않는 따뜻한 나라를 만들겠습니다.

제22회 사회복지의 날 기념식 영상 축사 | 2021년 9월 7일 |

존경하는 사회복지인 여러분,

'제22회 사회복지의 날'을 맞아 사회복지의 소중함을 다시 생각하게 됩니다. 도움이 필요한 분들의 곁을 지켜주는 여러분의 한결같은 마음이 국가가 나의 삶을 지켜줄 것이라는 믿음과 희망을 만들었습니다. 코로나와 같은, 어려운 사람들을 더 어렵게 하는 위기 상황 속에서 사회복지의 역할은 더 중요하게 다가옵니다. 위기에 취약한 계층을 보호하는 것은 온전한 일상 회복뿐 아니라 회복 이후 새로운 도약을 위해서도 반드시 필요한 일입니다. 사회복지인들의 헌신과 사명감이 회복과 도약을 함께 이뤄나갈 수 있는, 든든한 힘이 되고 있습니다. '제22회 사회복지의 날'을 진심으로 축하하며 힘들어도 언제나 묵묵히 애써주신 사회복지 종사자들께 깊이 감사드립니다. 오늘 수상의 영예를 안으신 사회복지 유공자들께도 축하의 마음을 전합니다.

국민 여러분,

우리는 사회안전망을 더욱 강화하여 함께 잘사는 나라로 가야 합니다. 코로나를 통해 우리는 이웃의 안전이 나의 안전이며 이웃의 행복이 나의 행복이라는 것을 다시금 확인했습니다. 정부는 그동안 건강보험 보장성을 강화하고 치매국가책임제를 도입했습니다. 국공립어린이집 확대로 돌봄 격차도 줄이고 있습니다. 아동수당과 한시 생계지원금은 저소득층의 소득을 보전하는 수단이 되고 있습니다. 정부는 불평등과 격차를 해소하고 포용적 회복과 도약을 위해 앞으로도 총력을 다할 것입니다. '한국판 뉴딜 2.0'의 새로운 축인 '휴먼 뉴딜'을 통해 고용과 사회안전망, 사람에 대한 투자를 확대하고 있습니다. 전 국민 고용보험과 생계급여 부양의무자 폐지를 통해 더욱 촘촘하게 취약계층을 챙기고, 한부모·노인·장애인·아동 등을 대상으로 돌봄 안전망을 구축하겠습니다.

존경하는 사회복지인 여러분,

사회안전망의 최전선에 사회복지인들이 계십니다. 정부는 여러분들이 더 나은 환경에서 자부심을 가지고 활동할 수 있도록 최선을 다하겠습니다. 사회복지 종사자의 처우를 개선하고 근로시간을 단축하며 휴식시간을 보장하겠습니다. 인건비 수준을 현실화하고 상해보험 지원을 확대하여 복리후생과 함께 삶의 질을 높이겠습니다. 우리가 꿈꾸는 미래는 누구나 동등한 권리를 누리고 행복하게 살아가는 '포용국가'입니다.

여러분들의 헌신과 노력이 빛날 수 있게 정부가 항상 함께하겠습니다. 누구도 소외되지 않는 따뜻한 나라를 함께 만들어 갑시다.

감사합니다.

문재인 대통령 내외가 2021년 12월 3일 오전 청와대에서 열린 '2021 기부·나눔단체 초청행사'에 참석, 사회복지공동모금회에 성금을 전달하고 있다.

대한민국은 흔들리지 않는 세계 1등 조선 강국입니다

K-조선 비전 및 상생 협력 선포식 모두발언 | 2021년 9월 9일 |

존경하는 국민 여러분, 경남도민과 거제 시민 여러분,

조선산업의 부흥을 응원하기 위한 네 번째 거제 방문입니다. 첫 방문 때는 우리가 만든 세계 최초 쇄빙 LNG 운반선의 출항을 기념했고, '야말 5호'는 지금 북극항로를 힘차게 누비고 있습니다. 두 번째는 우리 기술로 만든 3천 톤급 잠수함을 진수했고, '도산 안창호 함'은 지금 우리 해양안보의 주력이 되고 있습니다. 세 번째 방문 때 명명식을 한 세계 최대 컨테이너선 '알헤시라스 호'는 출항과 동시에 만선으로, 화물 적재 세계 최고 기록을 경신했습니다.

거제에 올 때마다 세계 최강 조선산업 부흥의 희망이 쑥쑥 자라고 있다는 보람을 느낍니다. 위기 극복을 위해 조선산업 관계자들이 오랫동안 흘린 땀과 눈물을 잘 알고 있기에 더욱 보람을 느낍니다. 정부의 강력한 의지에 경남도민과 거제 시민의 열정이 더해져 우리 조선산업과 해운산업이 함께 도약하고 있다는 것을 실감합니다. 우리는 올해 13년 만에 조선 최대 수주량을 달성했고, 세계 최고의 위상을 되찾았습니다. 10년 이상 계속된 세계 조선 시장 불황을 딛고 일어나 다시 힘찬 항해를 시작했습니다. 오늘은 우리 조선산업의 부흥을 이끄는 주역 중 한 곳, 삼성중공업에서 조선·해운 관계자들과 함께 '조선산업 재도약 전략'을 발표하게 되었습니다.

조선산업은 우리의 주력 산업이자 효자 산업입니다. 하지만 오랫동안 지속된 세계 조선 시장의 불황으로 인해 기업도, 노동자도, 지역경제도 많은 어려움을 겪어야 했습니다. 이제 그 경험을 바탕으로 다시는 흔

K-조선 비전 및 상생 협력 선포식에서 모두발언하는 문재인 대통령

들리지 않도록 튼튼한 배가 큰 파도를 넘듯, 우리 조선산업의 체질을 더욱 강하게 만들어야 합니다. '조선산업 재도약 전략'으로 우리 조선산업의 힘을 더욱 강하게 키워 누구도 따라올 수 없는 압도적인 세계 1위로 만들겠습니다.

국민 여러분, 조선·해운산업 관계자 여러분,

거제는 이순신 장군이 임진왜란 첫 승전 '옥포 대첩'으로 나라를 지킨 곳입니다. 이순신 장군의 '학익진'은 당대 가장 획기적인 전술이었습니다. 속도는 느리지만 튼튼하고 방향 전환이 빠른 우리 함선의 특성을 이용한 전술이었습니다. 조선산업의 위기를 극복할 수 있었던 것도 우리의 강점을 최대한 살리는 전략이 있었기에 가능했습니다. 우리는 극심한 세계적인 조선 부진 속에서도 부단히 새로운 기술을 개발해 대형 컨테이너선, 대형 LNG 운반선, 초대형 원유 운반선과 같은 친환경·고부가가치 선박에서 독보적인 경쟁력을 쌓았습니다. 우리 정부는 조선과 해운을 따로 보지 않고, 조선산업과 해운산업을 연계시켜 함께 회복하고 함께 성장하는 전략을 세웠습니다. 한진해운의 파산을 극복하기 위해 2018년 '해운 재건 5개년 계획'을 수립하고, 한국해양진흥공사를 설립하여 국적선을 건조하기 위한 대대적인 정책금융 지원을 시작했습니다. 최대 국적선사 HMM은 우리 조선사들에게 초대형 컨테이너선 서른두 척을 발주하여 스스로 국적선을 확보하면서 조선사들에게 일감과 일자리를 제공했습니다. 과잉 공급을 염려하는 목소리도 있었지만 이 같은 정책적 결단이 해운업과 조선업을 동시에 살리는 윈윈 전략이 되었다고 자부합니다.

기업과 노동자가 함께 체질 개선에 나선 것도 큰 힘이 되었습니다. 노사 협력을 통해 뼈아픈 구조 조정으로 경영 정상화에 힘썼습니다. 대형 조선사와 중소 협력사도 함께했습니다. 지역과 산업 특성에 맞게 노동자를 지원하는 '거제형 고용유지 모델'을 만들었습니다. 강점은 살리고 단점은 보완하는 이 시대의 새로운 '학익진' 전술로 만들어낸 성과입니다.

국민 여러분, 조선·해운산업 관계자 여러분,

체력을 회복한 조선·해운산업을 더욱 강하게 만들 때입니다. 탄소중립과 4차 산업혁명에서 비롯된 친환경화, 스마트화의 물결은 조선·해운산업에서도 거스를 수 없는 흐름입니다. 우리가 강점을 가진 분야입니다. 나는 하늘이 우리에게 준 기회라고 생각합니다. 우리의 목표는 분명합니다. 친환경화、스마트화의 강점을 살려 '흔들리지 않는 세계 1등 조선 강국'을 굳히면서 동시에 세계의 탄소중립에 기여하는 것입니다. 정부는 기업과 함께 새로운 패러다임에 적극 대응하겠습니다. 새로운 기술과 사람에 대한 투자를 늘리고, 지속가능한 산업 생태계를 구축할 것입니다.

첫째, 친환경·스마트 선박 기술력을 더욱 강하게 키우겠습니다. LNG 추진선과 같은 저탄소 선박의 핵심기술을 고도화하겠습니다. 저탄소 선박을 넘어 수소와 암모니아 추진 선박 같은 무탄소 선박 시대도 준비하겠습니다. 무탄소 연료 운반선과 추진선의 앞선 기술 개발을 통해 국제 표준을 선도하겠습니다. 현재 66%인 친환경 선박 세계 시장점유율을 2030년 75%까지 늘리겠습니다. 스마트 선박 개발도 본격적으로 추진합니다. 2030년까지 세계 시장 점유율 50% 달성을 목표로 오는 12월부터 충돌사고 방지, 최적 항로 결정, 고장 예측 진단이 가능한 자율운항시스템을 개발해 시험 운영할 것입니다. 동시에 해운, 철강과 같은 조선 전후방 산업도 스마트화하여 스마트쉽 데이터 플랫폼을 공동 구축하겠습니다.

둘째, 친환경·스마트 선박 수요 증가에 맞춰 사람에 대한 투자를 확대하고, 생산성을 더욱 향상시키겠습니다. 올해 대량 수주한 선박을 건조하기 위해 내년부터 많은 일자리가 생길 것입니다. 숙련된 기술을 가진 분들이 다시 현장으로 돌아와 조선산업 도약에 함께하실 수 있도록 지원하겠습니다. 2022년까지 조선 인력 8,000명을 양성하고, 신규 인력 유입을 확대하겠습니다. 직업훈련과 미래인력양성센터 같은 체계적 인력관리 시스템을 구축하겠습니다. 또한, 생산기술을 디지털화하고, 제조공정을 자동화하여 2030년까지 생산성을 30% 이상 높이겠습니다.

셋째, 대기업과 중소기업이 함께 성장하는 건강한 산업 생태계 구축에 힘쓰겠습니다. 중소 조선소, 기자재업계가 독자적인 수주 역량을 갖출 수 있도록 마케팅·금융·수출·물류까지 체계적으로 뒷받침하겠습니다. 친환경·디지털 선박의 설계부터 제조, 수리, 개조까지 기술력을 갖출 수 있도록 전방위적으로 지원할 것입니다. 2030년까지 관공선의 83%를 친환경 선박으로 전환하여 중소업체들의 국내 수주 기회도 획기적으로 늘리겠습니다.

오늘 스마트쉽 데이터 플랫폼 공동 개발, 미래 인재 양성, 대·중소

기업 상생 협력 등 세 가지 협약이 체결됩니다. 기업과 정부, 유관 기관, 대기업과 중소기업이 상생, 협력할 때 우리 조선산업의 힘은 더욱 더 커질 것입니다.

존경하는 국민 여러분, 경남도민과 거제 시민 여러분,

우리는 지금 또 한 번의 기회와 도전을 눈앞에 두고 있습니다. 지금까지 해 온 것처럼 세계 최고를 향한 집념과 열정으로 상생 협력해 나간다면 또 다른 기적을 만들 것입니다. 우리가 만든 배가 거침없이 전 세계를 누비고, 대한민국은 '흔들리지 않는 세계 1등 조선강국'을 발판 삼아 선도국가로 우뚝 설 것입니다. 더 원대한 미래를 만들어 갈 대한민국 조선과 해운을 국민과 함께 응원합니다.

감사합니다.

바다는 해양국가이자 무역 강국인 대한민국의 힘입니다

제68주년 해양경찰의 날 기념식 영상 축사 | 2021년 9월 10일 |

자랑스러운 해양경찰 여러분,

68주년 해양경찰의 날을 축하합니다. '해양경찰교육원'은 든든한 '국민의 봉사자', '바다의 수호자'들이 태어나는 곳입니다. 오늘 기념식이 해양경찰의 요람에서 열리게 되어 매우 뜻깊습니다. 해경 부활 이후, 지난 4년간 여러분은 국민의 신뢰를 회복하기 위한 노력을 거듭하며 '현장에 강한, 신뢰받는 해경'이 되기 위해 쉼 없이 달려왔습니다. 강도 높은 혁신으로 현장 대응체계를 개선했습니다. 조난사고 대응시간을 30분 내로 단축했고, 해양사고 인명 구조율을 99.6%까지 높였습니다. 우리 정부가 출범한 2017년에 비해, 인명피해가 35%나 감소했습니다.

또한, 서해 NLL부터 남해 이어도와 동해 독도까지 국토면적의 네 배가 넘는 바다를 누비며 해양주권과 국민권익을 빈틈없이 수호했습니다. 외국 어선의 불법조업을 철저히 단속해 어민들의 삶을 보호했고, 해양시설과 선박에 대한 꼼꼼한 안전진단으로 해양오염사고 발생을 줄이며 깨끗한 바다를 지켜왔습니다. 국제 해양범죄 전문 수사와 대응역량을 강화해 바다의 치안도 확립했습니다. 우리 정부에서 해경이 부활하고, 강인하고 유능한 조직으로 거듭난 것을 매우 자랑스럽게 여기며, 스스로 자랑스러운 해경이 되기 위해 부단히 혁신해온 여러분을 더욱 자랑스럽게 여깁니다.

해양경찰 여러분,

바다는 해양국가이자 무역 강국인 대한민국의 힘입니다. 우리에게 바다는 안보이고, 경제이고, 민생입니다. 국가산업단지 마흔네 곳 중 스무 곳이 항만에 인접해 있습니다. 우리 수출입 화물의 99.7%, 원유와 철광석 등 핵심자원의 100%가 바닷길을 이용합니다. 강력한 해양력은 대한민국의 평화와 번영의 근간입니다. 68년 전 해경 창설에 담긴 국민의 꿈이기도 합니다. 우리는 해양력을 상실했을 때 나라를 침탈당하고 빼앗겼던 뼈아픈 역사가 있습니다. 우리 국민들과 해경이 함께 되새겨야 할 부끄러운 역사입니다. 우리나라 지도를 거꾸로 뒤집어볼 때 우리 앞에 펼쳐진 광활한 대양을 우리 국력이 뻗어나갈 자산으로 삼아야 합니다. 그 선두에 해경이 있습니다. 오늘 해경은 해군, 해병대와 함께 대한민국을 지키면서 국제사회의 다양한 합의를 수호하고 해양법을 집행하는 당당한 해양력의 핵심구성원이 되었습니다. 해경이 해양강국의 꿈을 선도하는 국민의 굳건한 동반자가 되어주기를 기대하며 당부합니다.

자랑스러운 해양경찰 여러분,

국민의 생명과 안전을 지키는 일은 한순간도 잊어서는 안 됩니다. 국민이 해경에게 부여한 절대적 사명입니다. 여러분의 열정과 노력은 국민의 신뢰와 사랑으로 돌아올 것이며, 여러분의 긍지와 자신감은 '세계 일류 해양종합 집행기관'으로 가는 원동력이 될 것입니다. 오늘 68주년을 맞은 해양경찰의 날이 해양강국의 담대한 꿈과 각오를 새롭게 다지는 계기가 되길 바라며, 해경의 끝없는 발전을 기원합니다.

감사합니다.

국민의 자유와 평등, 존엄과 권리를 지키겠습니다

국가인권위원회 설립 20주년 기념식 축사 | 2021년 11월 25일 |

문재인 대통령이 명동성당에서 열린 국가인권위원회 설립 20주년 기념식에서
최영미 한국가사노동자협회 대표에게 대한민국 인권상을 수여하고 있다.

존경하는 국민 여러분,

국가인권위원회 설립 20주년을 맞았습니다. 지금은 국가에 독립적인 인권위원회가 있다는 것이 너무나 당연한 일로 여겨지지만, 많은 인권단체와 인권운동가들의 치열한 노력 위에서 김대중 대통령님의 결단으로 이룬 소중한 결실이었습니다. 저도 당시 국가인권위원회 설립을 위한 노력에 참여했던 한 사람으로서 감회가 깊습니다. 우리는 코로나를 겪으면서 서로의 삶이 얼마나 밀접하게 연결되어있는지 경험했습니다. 이웃의 안전이 나의 안전으로 이어진다는 사실을 다시 한번 인식하게 되었습니다. 인권도 그러합니다. 다른 사람의 인권이 보장될 때 나의 인권도 보장됩니다.

인권위가 설립되었던 20년 전, 평화적 정권교체로 정치적 자유가 크게 신장되었지만 인권 국가라고 말하기에는 갈 길이 멀었습니다. 특히 사회·경제적 인권의 보장에는 더욱 부족함이 많았습니다. 우리는 자기 삶의 민주주의를 위해 모두의 민주주의가 필요하다는 것을 깨달았고, 일상 속 민주주의가 확장되며 비로소 사회적, 경제적 약자들을 돌아보기 시작했습니다.

단 한 사람도 빠짐없이 실질적 자유와 평등을 누려야만 민주주의를 완성할 수 있다는 다짐에서 출발한 인권위는 지난 20년간 소수자의 권리를 대변하며 인권 존중 실현의 최전방에서 많은 일을 해 왔습니다. 국가인권위원회법 제1조에 명시된 대로 인간의 존엄과 가치를 실현하고 민주적 기본질서를 확립하기 위한 소명을 다해 왔습니다. 오늘 설립 20주년을 맞아 김창국 초대 위원장님부터 송두환 9대 위원장님까지 역대 위원장님, 또 위원님들, 관계자들의 노고에 깊이 감사드립니다. 인권위의 활동을 지지하고 응원해 오신 국민들께도 감사의 인사를 전합니다.

국민 여러분,

2001년 11월 26일, 인권위가 접수한 첫 번째 진정은 신체장애를 이유로 보건소장에 임명되지 못한 분의 사연이었습니다. 이미 다른 보건소장이 임명된 상황이어서 진정인의 소망이 실현되지는 못했지만 불합리한 차별을 시정하라는 인권위의 권고에 의해 부당한 처분을 한 지자체로부터 손해배상을 받는 것으로 인권을 보호받을 수 있었습니다. 인권위는 더 나아가 장애인 인권을 위한 제도 개선에 힘을 쏟았습니다. 2007년, '장애인차별금지법' 제정은 인권위의 노력이 맺은 값진 결실이 아닐 수 없습니다. 멈추지 않고 긴 호흡으로 꾸준히 의미 있는 변화를 만들어 온 인권위의 모습은 그 자체로 대한민국 민주주의와 인권의 발전 과정이었습니다.

인권위는 이중 처벌 논란이 컸던 보호감호 처분 폐지와 정당한 영장 절차나 재판 절차가 없는 군 영창 제도 폐지를 이끌어냈고, 인권위의 권고로 삼청교육대와 한센인 피해자들의 명예 회복과 보상을 위한 특별법이 제정되었습니다. 인권위의 노력이 밑거름이 되어 학교 체벌이 사라졌습니다. 채용과 승진에 있어서 나이를 이유로 한 차별이 금지되었습니다. 직장 내 괴롭힘이 심각한 인권 문제라는 인식이 자리잡게 되었습니다. 오늘 대한민국 인권상을 수상하게 되었지만 가사노동자들이 근로기준법의 보호를 받을 수 있게 된 데도 인권위의 노력이 컸습니다. 치매 어르신들의 권리와 기초생활 보장제도를 강화해야 한다는 인권위의 권고는 치매 국가책임제와 부양의무자 폐지로 이어졌습니다. 당연하게 받아들여지던 관행에 의문을 제기해 인권의 지평을 넓힌 것은 인권위가 이루어낸 특별한 성과입니다. 아무렇지도 않게 사용하던 '살색'이라는 표현이 인종차별이 될 수 있음을 알렸고, 남학생부터 출석 번호 1번을 부여하던 관행에도 제동을 걸었습니다. 한 사람 한 사람의 생각이 바뀌어야만 우리 모두의 인권이 넓어진다는 것을 깨닫게 해 준 소중한 사례들입니다.

국민 여러분,

인권 존중 사회를 향한 여정에는 끝이 없습니다. 사회가 발전하면서 인권의 개념이 끊임없이 확장되고 있기 때문입니다. 개인의 자유와 권리가 서로 부딪히는 경우도 늘어나고 있습니다. 전 세계는 차별과 배제, 혐오의 문제를 어떻게 해결할지 고민하게 되었습니다. 코로나와 기후 위기, 디지털 전환 속에서 발생하는 격차 문제도 시급한 인권 현안으로 떠오르고 있습니다. 앞으로 인권위의 존재와 역할이 더욱 중요해질 수밖에 없습니다. 대화와 타협, 공감을 이끌고 모두의 인권을 조화롭게 높여나가기 위해 특별히 애써 주기 바랍니다. 때로는 정부 정책을 비판하고 대안을 요구하는 것도 인권위가 해야 할 몫입니다. 정부는 인권위의 독립된 활동을 철저히 보장하겠습니다. 취약계층 지원을 늘리고 사회안전망을 강화하며 국민의 기본권을 높이기 위해 정부가 할 수 있는 일을 해 나가겠습니다. 시대의 변화에 따른 새로운 인권 규범을 만들어 나가는 일도 함께 역량을 모아야 합니다. 20년 전 우리는 인권이나 차별금지에 관한 기본법을 만들지 못하고 국가인권위원회법이라는 기구법 안에 인권 규범을 담는 한계가 있었습니다. 우리가 인권선진국이 되기 위해서 반드시 넘어서야 할 과제입니다.

존경하는 국민 여러분,

세계인권선언 제1조는 '모든 인간은 태어날 때부터 자유로우며 그 존엄과 권리에 있어 동등하다'고 선언하고 있습니다. 그러나 자유와 평등, 존엄과 권리는 언제나 확고한 것이 아닙니다. 오늘날 우리가 누리는 자유와 평등은 수많은 이들의 희생과 헌신이 일궈낸 소중한 성과이며, 우리의 존엄과 권리는 우리가 소홀하게 여기는 순간 빼앗길 수 있는 것입니다. 지금 우리가 함께하고 있는 명동성당은 독재에 맞서 자유와 인권의 회복을 외쳤던 곳입니다. 인권위의 출범을 위해 인권운동가들이 뜻을 모았던 장소이자 인권위의 독립성이 위협받던 시절에 저항의 목소리를 냈던 곳이기도 합니다. 모두의 인권을 폭넓게 보호하는 것이야말로 자신의 인권을 보장받는 길입니다. 우리는 항상 인권을 위해 눈 뜨고 있어야 합니다. 자유와 평등, 존엄과 권리를 위해 생생하게 깨어 있어야 합니다. 오늘, 민주주의와 인권의 전진을 이끈 분들의 숭고한 뜻을 기리며, 인권 존중 사회를 향해 더욱 힘차게 나아갈 것을 다짐합니다. 국민 여러분께서 함께해 주시리라 믿습니다.

감사합니다.

혁신적 포용국가의 열쇠는 국가균형발전에 있습니다

동남권 4개 철도건설사업 개통식 및 시승행사 모두발언 | 2021년 12월 28일 |

문재인 대통령이 울산 태화강역에서 열린 동남권 4개 철도건설사업 개통식에 참석해서 철도 개통이 갖는 의미에 대해 말하고 있다.

존경하는 국민 여러분,

울산·부산·대구·경북 시도민 여러분, 올해를 마무리하는 경제 현장 방문으로 울산 태화강역을 찾았습니다. 오늘 동남권 4개 철도 개통으로 태화강역은 북쪽으로 원주역, 남쪽으로 부전역과 하나의 노선으로 연결됩니다. 저의 올해 첫 경제 현장 방문이 지난 1월 원주-제천 간 복선전철 KTX-이음이 개통된 원주역이었으니, 철도가 두 지역을 잇고 올 한 해의 시작과 끝을 이었습니다. 동남권 4개 철도 개통으로 대구-경주-울산-부산을 잇는 142km 노선의 복선전철이 개통되게 되었습니다. 출퇴근 등 빠르고 편리하게 도시 사이를 오갈 수 있게 되었고, 물류 이동도 획기적으로 늘어날 것입니다. 철도 개통에 힘을 모아 주신 박형준 부산시장님, 권영진 대구시장님, 송철호 울산시장님과 이철우 경북도지사님께 감사드리며, 국가철도공단과 한국철도공사 임직원들의 수고를 치하합니다.

동남권 시도민 여러분,

동남권은 메가시티로 성장 잠재력이 큰 지역입니다. 철도, 항만, 공항의 육해공 물류 플랫폼이 잘 갖춰져 있습니다. 자동차, 조선, 해운, 철강을 비롯한 연관 산업이 네트워크를 이뤄 초광역협력이 가능합니다. 교통망을 통해 동남권을 하나의 경제권으로 잇는다면 인구 1천만 명, 경제규모 490조원의 메가시티가 될 것입니다. 동남권 철도는 메가시티로 가는 첫 걸음입니다. 오늘부터 울산-부산 노선에서 비수도권 최초의 광역

전철이 운행됩니다. 1974년 수도권 광역전철 개통 후 47년, 무려 반세기만의 일입니다. 이제 태화강역에서 부산 일광역까지 37분, 부전역까지 76분에 갈 수 있습니다. 하루 왕복 100회 운영되는 전철로 지역 주민들의 일상과 경제활동이 바뀌고, 두 도시가 대중교통으로 출퇴근할 수 있는 단일 생활권으로 연결됩니다. 2023년 부전－마산구간이 개통되고, 부산－양산－울산구간, 동남권 순환 구간이 추가로 완공되면 동남권은 1시간대 초광역 생활권이 됩니다. 2029년 가덕도 신공항까지 개항되면 동북아 8대 메가시티로 발전할 것입니다.

동남권 철도는 동남권과 다른 지역권을 연결해 지역 성장 기반을 더욱 확장해 나갈 것입니다. 3년 뒤 중앙선의 도담－영천구간이 완공되면 동남권 철도는 제2의 KTX 경부선이 됩니다. 부산 부전과 서울 청량리가 하나의 노선이 되고, 운행시간이 2시간 50분으로 단축됩니다. 수도권과 교류가 더욱 활발해지고 지역경제가 활성화되면서 국가균형발전에도 기여할 것입니다. 더 크게 꿈을 가진다면 동남권 철도는 장차 대륙철도로 연결되는 출발지가 될 것입니다. 2023년 동해중부선, 2027년 동해북부선이 개통되면 부산 부전역에서 시작하는 동해선이 완성되고, 남북철도가 연결된다면 대륙철도까지 이어져 동남권 지역이 유라시아 진출의 거점이 될 것입니다. 부산에서 네덜란드까지를 기준으로 해상운송 대비 운송시간이 60일에서 37일로 단축되고, 운임도 절반 가까이 줄어드는 등 물류비용의 절감이 가져오는 경제 효과가 매우 큽니다.

울산-부산 간 광역전철에 시승한 문재인 대통령

국민 여러분, 동남권 시도민 여러분,

우리가 꿈꾸는 혁신적 포용국가의 열쇠는 국가균형발전에 있습니다. 정부는 국가균형발전 비전과 전략에 더해 한국판 뉴딜의 중요한 축으로 지역균형 뉴딜을 추진하고 있습니다. 초광역협력은 한층 심화된 균형발전 정책입니다. 광역단체 간 연계와 협력을 통해 국가 성장 거점을 다극화하고, 수도권 집중 추세를 반전시키는 것이 목표입니다. 정부는 내년 1분기에 출범하는 부울경 특별지방자치단체처럼 자치단체가 초광역협력을 위해 특별자치단체를 구성하면 초기 설립 비용을 지원하고, 국가 사무도 적극 위임하겠습니다. 또한 특별지방자치단체가 주도적으로 결정하는 초광역 협력사업을 적극 지원할 것입니다. 정부는 내년 초 국가균형발전특별법과 국토기본법을 개정하여 초광역 성공모델을 조속히 안착시키겠습니다. 초광역협력의 성공은 광역교통망에 있습니다. 특히 대량 수송이 가능하며 정시성, 안전성을 갖춘 철도는 지역과 지역을 연결하여 1일 생활권을 형성하고, 균형발전의 거점을 조성하는데 핵심적인 역할을 합니다.

고속철도망의 확대는 탄소중립 목표에도 크게 기여할 것입니다. KTX-이음의 경우 온실가스 배출량이 승용차의 15%, 디젤기관차의 70% 수준이며, 전력소비량도 기존 KTX의 79% 수준인 저탄소 친환경 교통수단입니다. 정부는 광역철도망을 지속적으로 구축해 나가겠습니다. 동남권 4개 철도 개통에 이어 부울경에 2개의 광역철도사업, 대구·경북권에 3개 광역철도사업을 추진합니다. 동남권 지역과 함께 대전·세종·충청권, 광주·전라권, 강원권에도 6개의 광역철도사업을 추진할 것입니다. 총 12조원의 예산을 광역철도사업에 투입해 초광역협력 기반을 적극적으로 마련하겠습니다.

존경하는 국민 여러분,

이곳 태화강역은 100년 역사를 가진 철도역입니다. 1921년 울산과 경주, 대구를 잇는 철도 개통과 함께 '울산역'이라는 이름으로 운영을 시작했습니다. 2010년 지금의 울산역에 이름을 넘겨주었지만 지난 3월 귀신고래 모습의 새 역사를 짓고 울산의 대표 역으로 다시 태어났습니다. 오늘 태화강역에서 새 여정을 시작한 철도는 초광역협력을 선도하며 대한민국 균형발전의 꿈을 앞당길 것입니다. 대구·부산·울산·경북 시도민의 도전을 응원합니다. 동남권의 발전이 대한민국의 새로운 동력이 되고, 동북아 시대를 여는 힘찬 출발 신호가 되기를 바랍니다.

감사합니다.

위기를 완전히 극복하여 정상화하는 원년으로 만들겠습니다

2022년 신년사 | 2022년 1월 3일 |

2022년 신년사 연설을 하는 문재인 대통령

존경하는 국민 여러분,

2022년, 새해의 출발선에 다시 섰습니다. 격동하는 세계사의 한복판에서 우리는 굳건한 희망으로 새해를 맞습니다. 호랑이의 힘찬 기운을 받아 새해 복 많이 받으시고 더욱 도약하는 한 해가 되시길 바랍니다. 코로나로 오랜 기간 어려움을 겪고 있는 국민 여러분께 위로와 격려의 말씀을 드립니다. 병상에 계신 분들의 빠른 쾌유를 기원하며, 특히 코로나로 세상을 떠난 분들과 사랑하는 가족들을 잃은 분들께 깊은 애도의 마음을 전합니다. 지금 이 시간에도 매서운 추위 속에서 방역진과 의료진들이 고군분투하고 계십니다. 거듭 깊은 존경과 감사의 마음을 보냅니다.

지난 임기 동안 정부는 국민을 믿고, 국민과 함께 숱한 위기를 헤쳐왔습니다. 쉴 새 없는 도전에 당당하게 맞서왔습니다. 막힌 길이면 뚫고, 없는 길이면 만들며 전진해 왔습니다. 헌정사상 초유의 대통령 탄핵 국면에서 인수위 없이 출범한 우리 정부는 무너진 헌정질서를 바로 세우고 민주주의를 진전시켰습니다. 권력기관이 더이상 국민 위에서 군림하지 못하도록 견제와 균형의 원리가 작동하는 권력기관 개혁을 제도화했습니다. 권력의 벽은 낮아졌고 국민의 참여는 더욱 활발해졌습니다. 투명성과 개방성이 확대된 사회, 언론자유와 인권이 신장된 나라가 되었습니다. 세계에서 인정하는 '완전한 민주주의 국가' 대열에 합류하며 더욱 성숙한 민주주의로 나아갔습니다. 출범 당시 일촉즉발의 전쟁 위기 상황 속에서 대화의 물꼬를 트고 평화의 길을 만들어나갔습니다. 아직 미완의 평화이고 때로는 긴장이 조성되기도 하지만, 한반도 상황은 어느 때보다 안정적으로 관리되고 있습니다. 분단국가이고 전쟁을 겪은 우리에게 평화보다 소중한 가치는 없습니다. 평화는 번영을 위한 필수불가결한 전제입니다. 하지만 평화는 제도화되지 않으면 흔들리기 쉽습니다. 마지막까지 최선을 다하겠습니다. 우리가 주도해 나간 남북대화와 북미대화에 의해 지금의 평화가 어렵게 만들어지고 지탱되어 왔다는 사실을 잊어서는 안 됩니다. 평화는 튼튼한 안보 위에서 가능합니다. 우리 정부는 대화와 함께 역대 어느 정부보다 국방력을 튼튼히 했습니다. 그 결과, 종합 군사력 세계 6위로 평가되는 강한 방위 능력을 갖추게 되었습니다. 자주국방 실현에도 성큼 다가갔습니다. 첨단 방산제품의 수출이 확대되며 방산 수입국에서 수출국으로 변신했고, K-방산은 더이상 비용이 아니라 우리 경제의 신성장동력으로 급성장하고 있습니다.

전 세계에서 코로나가 대유행한 지난 2년은 그야말로 정부와 국민이 하나가 되어 위기를 헤쳐 온 기간이었습니다. 우리는 위기에 강한 대한민국의 저력을 다시 한번 보여주며, 위기를 오히려 기회로 바꿨습니다. 모든 나라가 함께 코로나를 겪으니 K-방역의 우수함이 저절로 비교되었습니다. 세계는 방역 모범국가 대한민국을 주목했고, 우리는 우리의 위상을 재발견하며 자부심을 느낄 수 있었습니다. 정부의 노력과 의료진의 헌신, 국민의 높은 공동체 의식이 함께 이룬 성과입니다. 매우 자랑스럽게 생각하며 깊이 감사드립니다.

글로벌 리더 G7과 어깨를 나란히 하는 대한민국.
문재인 대통령 옆으로 주최국 영국의 보리스 존슨 총리와 조 바이든 미국 대통령이 보인다.

정부는 위기 속에서 경제와 민생에 더욱 집중했습니다. 저성장과 양극화의 구조적 문제에 더해 자국우선주의, 보호무역, 공급망 재편, 탄소중립 등 급변하는 세계 무역 질서에 기민하면서도 능동적으로 대응해야 했습니다. 특히, 코로나 대유행으로 인한 봉쇄와 최악의 세계 경제 침체 상황에서 국민의 삶을 지키며 우리 경제를 살려야 했습니다. 위기와 격변 속에서 우리 경제는 더욱 강한 경제로 거듭났습니다. 양과 질 모든 면에서 비약적인 성장을 이루었습니다. 선진국 가운데 지난 2년간 가장 높은 평균 성장률을 기록하면서, 세계 10위 경제 대국으로 위상을 굳건히 하였고, 지난해 사상 최대 실적을 올리며 무역 강국, 수출 강국으로 힘차게 나아가고 있습니다. 우리 정부에서 처음으로 1인당 국민소득 3만 달러 시대를 연 데 이어, 지난해 3만 5천 달러로 올라섰고, 4만 달러 시대를 바라보게 되었습니다. 세계 최고 수준의 혁신 역량이 우리 경제의 성장과 도약을 이끄는 힘이 되고 있습니다. 주력 제조업의 경쟁력이 더욱 강화되고, 세계를 선도해 나가는 신산업 분야가 날로 늘어나고 있습니다. K-문화가 세계인의 마음을 사로잡으며 문화콘텐츠 산업까지 새로운 성장동력으로 부상하고 있습니다. 제2벤처붐 확산은 우리 경제를 더욱 역동적으로 변화시키고 있습니다. 우리 경제의 놀라운 성장과 함께 더욱 긍정적 변화는, 소득불평등과 양극화 문제가 지속적으로 개선되고 있다는 것입니다. 지난 임기 내내 5분위 배율, 지니계수, 상대적 빈곤율 등 대표적인 3대 분배 지표가 모두 개선되었습니다. 코로나로 경제적 타격이 심했던 가운데 이룬 성과여서 매우 고무적인 일이 아닐 수 없습니다. 정부가 일관되게 포용적 성장정책을 추진하고, 코로나 위기 속에서 저소득 취약계층의 삶을 지키기 위해 버팀목 역할을 충실히 한 결과입니다. 우리의 경제 체질이 위기 속에서도 튼튼해졌습니다. 성장과 분배, 혁신과 포용 모두 긍정적 변화가 일어났고, 빠른 회복과 강한 도약을 이뤄냈습니다. 경제주체 모두가 힘을 모아 이룬 결실에 대해 대통령으로서 깊이 감사드립니다.

존경하는 국민 여러분,

대한민국은 지난 70년간 세계에서 가장 성공한 나라가 되었습니다. 2차 세계대전 이후 개도국에서 선진국으로 진입한 유일한 나라가 대한민국입니다. 경제력, 군사력, 외교력, 문화역량 등 다방면에서 '세계 TOP 10' 국가가 되었습니다. 알파벳 K가 한국을 의미하는 수식어가 되었습니다. 수많은 K가 세계로 뻗어가고, K－산업이 글로벌 시장을 주도하는 시대를 열고 있습니다. 누구도 우리 국민이 이룬 국가적 성취를 부정하거나 폄하할 수 없을 것입니다. 정부는 지금까지 이룬 국가적 성취가 다음 정부에서 더 큰 도약을 이루는 밑거름이 될 수 있도록 마지막까지 최선을 다하겠습니다.

국민 여러분,

2022년 새해, 위기를 완전히 극복하여 정상화하는 원년으로 만들겠습니다. 세계에서 앞서가는 선도국가 시대를 힘차게 열어나가겠습니다.

첫째, 국민 삶의 완전한 회복을 이루겠습니다. 방역을 튼튼히 하며 일상회복으로 나아가는 것이 모든 회복의 출발점입니다. 국민의 협조로,

강화된 방역조치의 효과가 나타나고 있습니다. 확진자 수 감소 추세가 지속되고 있고, 위중증 환자와 사망자 수도 조만간 감소 추세로 전환될 것으로 기대되고 있습니다. 3차 접종과 청소년 접종도 빠른 속도로 진행되고 있고, 병상과 의료진도 대폭 확충되고 있습니다. 이달부터 먹는 치료제도 사용하게 될 것입니다.

그러나, 안심하긴 이릅니다. 오미크론 변이로 인해 전 세계의 신규 확진자 수가 연일 역대 최대를 기록하고 있고, 국내에서 우세종이 되는 것도 시간문제일 것입니다. 정부는 이 고비를 넘어서는 데 총력을 기울이겠습니다. 정부는 길게 내다보고 국민과 함께 뚜벅뚜벅 어려움을 헤쳐 가면서 일상회복의 희망을 키워가겠습니다. 고강도 방역조치가 연장되고 일상회복이 늦춰지면서 민생에 어려움이 커지고 있어서 매우 안타깝습니다. 특히 연말연초의 대목을 잃고 설 대목까지 염려할 수밖에 없는 소상공인들에게 특별한 위로의 말씀을 드립니다. 소상공인들과 피해업종에 대해 최대한 두텁고 신속하게 보상과 지원이 이뤄질 수 있도록 최선을 다하겠습니다. 고용의 양적, 질적 회복을 위해 민간일자리 창출에 대한 지원도 더욱 강화하겠습니다. 격차를 줄여가는 포용적 회복에 전력을 다하겠습니다.

둘째, 선도국가 시대를 열어나가겠습니다.

지금까지 우리는 '빠른 추격국가'로 성공의 길을 걸으며 박수를 받았습니다. 그러나 이제는 다릅니다. '빠른 추격자 전략'은 더이상 유효하지 않습니다. 세계를 선도하는 위치에 서서, 더 많은 분야에서 우리가 가는 길이 새로운 길이 되고, 새로운 표준이 되도록 하겠습니다. 거대한 시대적 변화에 앞서가야 합니다. 글로벌 공급망 재편과 기술 경쟁에 선제적으로 대응하며, 국가전략산업과 첨단기술 육성에 박차를 가하겠습니다. 한국형 발사체 누리호 발사가 완벽한 성공을 이룰 수 있도록 총력을 기울이겠습니다. 새로운 국가 전략으로 추진하고 있는 한국판 뉴딜로 대한민국 대전환의 속도를 높이겠습니다. 정부와 민간, 대기업과 중소기업의 긴밀한 협력 속에 산업별 K-전략을 가속화하여 세계를 선도하는 경제 강국으로 나아가겠습니다. 한편으로, 미래의 운명을 좌우할 탄소중립 시대를 주도적으로 개척하겠습니다. 산업구조와 에너지 전환을 속도감 있게 추진하면서 공정하고 정의로운 전환을 강력히 지원하겠습니다. 수소 선도국가 전략도 힘차게 추진할 것입니다. 정부는 기업의 과감한 도전과 혁신에 든든한 후원자가 될 것입니다. 탄소중립 선도국과 후발국을 잇는 가교 국가로서 국제적 책임과 역할도 다하겠습니다. 높아진 국제적 위상에 걸맞게 우리 외교를 다변화하고 외교의 지평을 넓히는 노력을 임기 마지막까지 펼치겠습니다. 문화강국의 위상을 드높이며 소프트 파워에서도 세계를 선도해 나갈 것입니다.

셋째, 삶의 질을 선진국 수준으로 높이기 위해 최선을 다하겠습니다. 어느 누구도 소외되지 않고, 더불어 잘 살며 모두 함께 행복한 나라가 진정한 선진국입니다. 우리는 이미 세계에서 가장 장수하는 나라 중 하나가 되었습니다. 모든 세대가 함께 행복할 수 있도록 복지 사각지대를 해소하며 촘촘한 사회안전망을 더욱 튼튼하게 구축하겠습니다. 고용형태와 사회변화에 따른 고용안전망도 더욱 확충하여 전 국민 고용보험 시대로 나아가겠습니다. 주 52시간 근로제를 차질없이 안착시켜 일과 생활이 균형을 이루는 삶을 보장하겠습니다. 안심하고 아이를 낳고 키울 수 있는 나라, 청년들이 희망을 가지는 사회를 만들어나가겠습니다. 교통사고와 산재 사망을 더욱 줄여 더 안전한 나라를 만들겠습니다. 마지막까지 주거 안정을 위해 전력을 기울이겠습니다. 최근 주택 가격 하락세를 확고한 하향 안정세로 이어가면서, 실수요자들을 위한 주택공급에 속도를 내겠습니다. 다음 정부에까지 어려움이 넘어가지 않도록 할 것입니다. 수도권 집중 현상을 극복하기 위한 새로운 전기를 마련하겠습니다.

부산·울산·경남 초광역 협력이 성공모델이 되도록 지원을 아끼지 않겠습니다. 전국 곳곳의 초광역 협력이 대한민국을 다극화하고 수도권과 지방이 상생하는 균형발전의 새로운 열쇠가 되기를 기대합니다.

넷째, 아직 미완의 상태인 평화를 지속 가능한 평화로 제도화하는 노력을 임기 끝까지 멈추지 않겠습니다. 올해는 남북 정부 간 최초의 공식 합의로서, 평화통일을 지향하는 남북대화의 기본정신을 천명했던 '7·4 남북 공동선언' 50주년을 맞는 뜻깊은 해입니다. 평화와 번영, 통일은 온 겨레의 염원입니다. 남북 관계에서 우리 정부 임기 동안 쉽지 않은 길을 헤쳐 왔습니다. 많은 성과가 있었지만, 앞으로 가야 할 길이 먼 것도 사실입니다. 지금은 남과 북의 의지와 협력이 무엇보다 중요한 때입니다. 다시 대화하고 협력한다면 국제사회도 호응할 것입니다. 정부는 기회가 된다면 마지막까지 남북관계 정상화와 되돌릴 수 없는 평화의 길을 모색할 것이며, 다음 정부에서도 대화의 노력이 이어지길 바랍니다.

2021 서울 국제 항공우주 및 방위산업 전시회에 참석한 문재인 대통령

존경하는 국민 여러분,

국가의 미래를 좌우하는 대통령 선거를 앞두고 있습니다. 국민의 삶과 국가의 미래를 놓고 치열하게 경쟁하여 국민의 선택을 받는 민주주의 축제의 장이 되길 바랍니다. 적대와 증오와 분열이 아니라 국민의 희망을 담는 통합의 선거가 되었으면 합니다. 정치의 주인은 국민이며, 국민의 참여가 민주주의를 발전시키고 정치의 수준을 높이는 힘입니다. 국민들께서 적극적으로 선거에 참여해 주시고 좋은 정치를 이끌어 주시기 바랍니다. 우리 역사는 시련과 좌절을 딛고 일어선 위대한 성공의 역사였습니다. 생각이 다르더라도 크게는 단합하고 협력하며 이룬 역사였

습니다. 다시 통합하고 더욱 포용하며 미래로 함께 나아갑시다. 정부는 유한하지만, 역사는 유구합니다. 어느 정부든 앞선 정부의 성과가 다음 정부로 이어지며 더 크게 도약할 때, 대한민국은 더 나은 미래로 계속 전진하게 될 것입니다. 우리 정부는 남은 4개월, 위기 극복 정부이면서 국가의 미래를 개척하는 정부로서 모든 노력을 다하겠습니다. 성과는 더욱 발전시키고 부족함은 최대한 보완하여 다음 정부에 보다 튼튼한 도약의 기반을 물려주는 것이 남은 과제라고 믿습니다. 마지막까지 성원을 부탁드립니다.

감사합니다.

한국은 안정적이고 지속가능하며 매력적인 투자처입니다

외국인투자 기업인과의 대화 모두발언 | 2022년 2월 17일 |

청와대 영빈관에서 열린 외국인투자기업인과의 대화에서 발언하고 있는 문재인 대통령

여러분, 반갑습니다.

외국인투자 기업은 한국경제의 소중한 동반자입니다. 현재 한국에서 활동 중인 외국인투자 기업은 만 육천여 개에 달합니다. 한국의 가능성을 믿고 손잡은 세계 기업들이 있었기에 한국이 세계 10대 경제 강국이 될 수 있었습니다. 한국에 투자해 주신 외국인투자 기업과 각국의 주한 상공회의소 또 외국기업협회에 감사드립니다. 외국인투자를 도운 코트라, 인베스트코리아, 외국인투자 옴부즈만의 노고에도 격려의 말씀을 드립니다. 코로나 위기와 글로벌 공급망 재편으로 세계 경제의 불확실성이 높아지고 글로벌 외국인투자가 위축되는 상황 속에서도 한국에 대한 외국인투자는 오히려 크게 늘었습니다. 우리 정부 들어 지난 5년간 연평균 외국인투자금액이 지난 정부 5년 대비 34% 증가했고, 특히 지난해에는 300억 불에 육박하여 역대 최대 실적을 달성했습니다.

투자 분야도 미래차, 바이오·백신, ICT 등 첨단 신산업 분야, 공급망 안정화에 기여하는 소재·부품·장비 분야, 비대면 서비스, 재생에너지 등 한국판 뉴딜 분야의 투자가 크게 증가하였습니다. 이처럼 외국인투자가 증가한 것은 높아진 한국경제의 위상과 함께 한국 정부가 역점을 두고 추진하는 주요 경제정책이 반영된 것으로 그 의미가 매우 크다고 생각합니다. 외국인투자 기업의 매출과 고용은 한국경제를 활성화하고 경쟁력을 높이는 원동력입니다. 한국은 외국인투자에 힘입어 새로운 성공 신화를 쓰고 있습니다. 외국인투자 기업 역시 한국 투자로 더 크게 성장하고 있으리라 확신합니다.

한국은 외국인투자에 대해 많은 인센티브를 제공하고 있습니다. 투자액의 일정 비율을 현금 지원하고, 임대료를 감면하여 입지를 지원하고 있으며, 투자에 필요한 자본재의 관세를 면제하고, 지방세, 소득세를 감면하고 있습니다. 외국인투자 기업의 청년 고용도 다양하게 지원하고 있습니다. 한국 정부는 지난해 주한 상공회의소와 협력해 외국인투자 기업을 위한 스물두 건의 규제개선을 이뤘습니다. 앞으로도 규제샌드박스와 규제 특례를 통한 지속적인 규제혁신을 진행할 것입니다. 외국인투자 기업과의 상생발전을 위해서도 정책적 노력을 기울이고 있습니다. 반도체, 배터리, 백신과 같은 국가전략기술과 탄소중립에 기여하는 제품의 생산과 투자에 대해 세제와 현금지원을 강화할 것입니다. 외국인투자 기업이 한국을 거점으로 세계 시장에 진출할 수 있도록 신북방과 중남미, 중동과 아프리카로 FTA 네트워크를 확대하겠습니다. CPTPP와 같은 메가 FTA 가입도 추진 중입니다. 투자 애로를 적기에 해소하도록 외국인투자가들과 소통도 강화하겠습니다.

한국은 안정적이고 지속가능하며 매력적인 투자처입니다. 높은 기술력과 생산능력을 기반으로 한 튼튼한 제조업을 보유하고 있으며, 현재 세계 GDP의 85%에 해당하는 FTA 플랫폼을 구축하고 있습니다. 우수한 인력, 세계 최고의 ICT 네트워크, 글로벌 기업가 정신, 높은 수준의 지재권 보호와 같은 강한 혁신 인프라도 갖추고 있습니다. 특히 전 세계적인 팬데믹 상황에서도 한국은 봉쇄조치 없이 물류와 인력의 이동의 안정성을 보장하는 개방적 경제를 유지하였습니다. 그에 힘입어 한국은 코로나 속에서도 주요국 중 경제 타격이 가장 적었고, 빠르고 강한 회복세를 보이며 높은 국가신용등급 속에서 안정적인 투자처로 입지를 굳건히 하고 있습니다. 글로벌 비즈니스를 선도하는 외투 기업인 여러분들이 투자처로서 한국의 매력을 세계에 널리 알리는 '투자 전도사'가 되어주기 바랍니다.

한국은 외국인투자 자금과 기술로 산업 고도화의 기반을 닦았습니다. 세계금융위기와 같은 경제위기도 외투 기업과 함께 극복했습니다. 한국을 믿고 투자해 주신 여러분께서 한국의 변화와 도전에 늘 함께해 주시길 바라며, 외국인투자 기업과 한국의 파트너십이 더욱 강화되어 함께 더 높이 도약할 수 있길 기대합니다.

감사합니다.

일자리에 우리의 일상과 희망이 담겨있습니다

사람중심 회복을 위한 ILO 글로벌 포럼 연설 | 2022년 2월 22일 |

존경하는 가이 라이더 사무총장님, 국제기구와 노사단체 대표 여러분,

코로나로 인해 전 세계에서 일자리 2억 3천만 개가 감소한 것으로 추정됩니다. 코로나 위기는 곧 일자리의 위기입니다. 일자리는 삶의 기반이며, 일자리 하나하나에 우리의 일상과 희망의 이야기가 담겨있습니다. 우리는 지난해 ILO 총회에서 '사람 중심 회복'을 공동의 목표로 세웠고, 일자리 위기 극복을 위해 힘을 모으기로 결의했습니다. 오늘 그 목표의 실행력을 높이기 위한 ILO 글로벌 포럼이 열리게 된 것을 뜻깊게 생각하며, 사람 중심의 포용적인 회복을 위한 공동행동이 즉각 시작되길 바랍니다.

지난 2년, 세계는 나라마다 일자리를 지키기 위한 사투를 벌였습니다. 모든 나라가 전례 없이 확장적인 재정을 운용했고, 1,700개의 고용·

복지 프로그램을 새롭게 시행했습니다. 그러나 일자리 충격을 완전히 극복하기에는 역부족이었습니다. 특히 청년과 여성, 임시·일용직과 영세 자영업자 같은 취약계층에게 일자리의 어려움이 집중되었고, 시장 소득의 불평등이 확대되었습니다. 전 세계적으로 하루 생계비가 1.9달러에 미치지 못하는 절대 빈곤 인구도 1억 명 가량 증가했습니다. 지금 회복 국면에서도 자산과 소득의 격차가 더욱 커지고 있습니다. 많은 사람이 일자리를 잃거나 소득이 줄어들었지만, 상위 계층에게는 더 많은 부의 기회가 되고 있습니다. 물가 상승도 저소득층에게 더 큰 부담이 되고 있습니다.

나라와 나라 사이의 격차도 커졌습니다. 선진국에서는 일자리 사정이 상대적으로 빠르게 나아지고 있지만, 정책 여력이 부족한 개도국에서는 회복이 더디게 이뤄지고 있습니다. ILO는 1919년, "어느 한 나라의 노동 조건 악화는 모든 나라의 노동 조건 개선을 저해한다"고 경고했습니다. 1944년 필라델피아 선언은 다시 한번 "일부의 빈곤은 모두의 번영을 위태롭게 한다"고 천명했고, 양질의 일자리 창출과 노동기본권 향상을 위한 전 지구적 협력을 촉구했습니다. 코로나로 인한 일자리 위기를 이겨낼 해법 역시 ILO가 추구해 온 포용과 상생, 연대와 협력의 정신에서 찾아야 합니다. 우리는 코로나를 겪으며 전 세계가 긴밀히 연결되어 있음을 깨달았습니다. 글로벌 공급망 불안을 경험하며, 한 나라의 위기가 곧 이웃 나라의 위기로 이어진다는 것을 절실히 느끼고 있습니다. 모든 나라 모든 사람이 함께 회복할 수 있도록 연대하고 협력해야 합니다.

다행히 우리는 다양한 분야에서 힘을 모으고 있습니다. WHO를 중심으로 백신을 나누고, IMF를 통해 저소득국 경제 회복을 지원하고 있습니다. 고용과 복지 분야에서도 다자주의 정신이 발휘되어 취약 국가 지원이 본격적으로 추진되길 바랍니다. 구테레쉬 유엔 사무총장이 제안한 '일자리와 사회 보호를 위한 글로벌 액셀러레이터' 협력이 좋은 출발점이 될 수 있을 것입니다. ILO가 구심점이 되어, 회원국과 국제금융기구들의 정책 역량을 결집할 수 있도록 구체적인 실천 방안이 논의되길 기대합니다. 개별국가 차원에서도 취약계층에 대한 특별한 지원을 이어가야 합니다. ILO를 중심으로 각국의 정책 경험을 긴밀히 공유하고 보다 효과적인 지원 방안을 함께 모색해 나가길 바랍니다.

사무총장님, 국제기구와 노사단체 대표 여러분,

'사람 중심 회복'을 완성하기 위해서는 코로나로 인한 일자리의 대변화에 함께 대응해야 합니다. 저탄소 경제 전환으로 인한 일자리의 대변화에도 함께 대응해야 합니다. 디지털과 그린 전환을 양질의 일자리 창출 기회로 만드는 한편, 새로운 불평등을 야기하지 않도록 힘을 모아야 합니다.

첫째, 디지털 전환에 맞춰 새로운 국제 노동 규범을 마련해야 합니다. 디지털 경제의 부상과 함께 새로운 형태의 비대면 서비스 산업이 폭발적으로 성장하고 있습니다. 전통적인 노·사 관계와 다르고 노동자와 사용자의 구분이 어려운 플랫폼 노동이 확산되면서 노동보호법의 사각지대에 놓인 노동자가 늘고 있습니다. ILO는 산업화, 정보화, 세계화의 격변 속에서 일하는 사람을 위한 노동기준 확립에 앞장서 왔습니다. 이제 ILO와 전 세계 노사정이 함께 새로운 형태의 노동까지 보호할 수 있도록 노동기준을 발전시켜야 할 때입니다.

둘째, 탄소중립 사회로의 공정한 전환 방안을 찾아야 합니다. ILO는 친환경 투자와 재생 에너지 산업의 성장으로 2030년까지 1억 개의 일자리가 생겨날 것으로 전망했습니다. 동시에 화석 연료 의존도가 높은 분야를 중심으로 8천만 개의 일자리가 사라질 것으로 내다보았습니다. 일자리의 이동 과정에서 많은 실업이 발생하게 될 것입니다. 노동자들이 새로운 일자리로 원활히 이동할 수 있도록 지금 바로 도움이 시작되어야 합니다. ILO의 '공정한 전환 가이드라인'을 보완·발전시켜 모든 노동자가 함께 녹색 미래로 나아가길 바랍니다.

셋째, 일자리의 대변화에 대응하는 과정에서 사회적 대화를 강화해 나가야 할 것입니다. 대화와 타협은 ILO가 추구해온 핵심 가치 중 하나입니다. 고용형태가 다양해지면서 전통적인 노사정 구도에서 충분한 목소리를 내지 못하는 이들이 생겨나고 있습니다. 비전형 노동자와 미조직 노동자 등을 포함하여 사회적 대화의 주체와 대상을 다양하게 발전시켜 나가야 할 때입니다.

존경하는 가이 라이더 사무총장님, 국제기구와 노사단체 대표 여러분,

한국은 코로나 이전부터 '사람 중심 경제'를 국가 핵심 목표로 삼고 일자리의 양과 질을 높이기 위해 노력해 왔습니다. 코로나 위기가 시작된 이후에는 한국판 뉴딜 정책으로 디지털·그린 일자리 창출과 고용 안전망과 사회 안전망 강화에 힘을 쏟고 있습니다. 지금 한국은 어렵게 위

기 이전의 고용수준을 넘어섰고, 첨단 제조업과 디지털·그린 신산업 분야에서 새로운 일자리가 만들어지며 고용의 질도 나아지고 있습니다. 하지만 소득과 자산의 양극화를 해결해야 하는 숙제는 더욱 커졌습니다. 한국은 그간의 정책 경험을 공유하고, '사람 중심 회복'을 위한 ILO의 노력과 국제 협력에 적극 동참할 것입니다. 지난 2년, 인류는 서로의 안전을 걱정하며 어느 때보다 굳게 하나가 되었습니다. 코로나에 맞서며 키운 연대와 협력의 힘으로 더 포용적이고 지속 가능한 회복을 향해 함께 나아갑시다.

감사합니다.

'사람이 먼저다' 문재인 정치 철학의 시작입니다.

평범함이 이룬 위대한 대한민국을 기억합니다

제103주년 3·1절 기념식 축사 | 2022년 3월 1일 |

3·1절 기념식에 참석한 문재인 대통령 내외

존경하는 국민 여러분, 해외 동포 여러분,

마침내 국민 곁에 우뚝 서게 된 대한민국임시정부 기념관에서 개관과 함께 103주년 3·1절 기념식을 열게 되어 매우 감회가 깊습니다. 지난 100년, 우리는 3·1독립운동과 임시정부가 꿈꿨던 민주공화국을 일궈냈습니다. 모두가 자유롭고 평등하며 억압받지 않는 나라, 평화롭고 문화적인 나라를 만들기 위해 쉼 없이 달려왔습니다. 3·1독립운동과 대한민국임시정부는 선조들이 우리에게 물려준 위대한 유산입니다. 민주공화국의 역사를 기억하고 기리는 일은 오늘의 민주공화국을 더 튼튼하게 만드는 일입니다.

저는 취임 첫해 광복절 기념사에서 대한민국임시정부 기념관 건립을 약속한 데 이어, 그해 중국 방문 때 대한민국 대통령으로서는 처음으로 중경 대한민국임시정부 청사를 찾아, 임시정부기념관 건립을 선열들께 다짐했습니다. 그 약속과 다짐이 드디어 이루어졌습니다. 3·1독립운동의 정신과 임시정부의 역사, 자주독립과 민주공화국의 자부심을 국민과 함께 기릴 수 있게 되어 매우 뜻깊습니다. 기념관 건립에 오랜 시간 애써 오신 임시정부 기념사업회와 김자동 회장님, 기념관 건립위원회와 이종찬 회장님, 광복회와 독립유공자, 독립유공자의 후손들, 소중한 자료를 기증해주신 분들께 깊이 감사드립니다.

대한민국임시정부 기념관은 서대문독립공원과 마주하고 있습니다. 오늘, 고난에 굴하지 않았던 독립운동가와 선열들의 영혼이 임시정부기념관과 3·1독립선언기념탑, 순국선열추념탑을 기쁘게 맞이하는 듯합니다. 임시정부 기념관에는 3·1독립운동의 함성이 담겨 있습니다. 풍찬노숙하며 나라의 독립에 한평생을 바쳤던 지사들의 애국심이 담겨 있습니다. 우리는 민주공화국 대한민국의 뿌리를 결코 잊지 않을 것입니다.

국민 여러분,

우리 역사는 평범함이 모여 위대한 진전을 이룬 진정한 민주공화국의 역사입니다. 1919년 3월 1일, 이름 없는 사람들이 모여 태극기를 들었습니다. 만세 소리 가득한 거리에서 자신처럼 해방된 세상을 꿈꾸는 사람들을 만났습니다. 비폭력의 평화적인 저항이 새로운 시대를 열 수 있음을 보여주었습니다. 독립의 함성은 압록강을 건너고 태평양을 넘어 전 세계에 울려 퍼졌습니다. 북간도와 서간도, 연해주에서 하와이와 필라델피아, 샌프란시스코에서 만세 소리와 함께 태극기가 휘날렸습니다. 선조들은 식민지 백성에서 민주공화국의 국민으로 스스로를 일으켜 세웠습니다. 그해 4월 10일, 서울과 만주, 연해주와 미주, 일본에서 온 민족 대표 독립운동가들이 중국 상해에 모여 대한민국임시정부를 수립하고, 임시의정원을 구성하여, 국민이 민주공화국의 주인이 되었음을 선언했습니다. 민주공화국 대한민국이 탄생하는 순간이었습니다.

"우리 운동은 주권만 찾는 것이 아니다. 한반도 위에 모범적인 공화국을 세워 이천만이 천연의 복락을 누리게 하는 것이다"

안창호 선생은 임시정부 내무총장에 취임하며 이렇게 말했습니다.

1941년 임시정부 국무위원회는 '대한민국 건국강령'을 발표하고, 광복 이후의 새로운 나라에 대한 구상을 제시했습니다. 정치·경제·교육·문화에서 균등한 생활을 누리는 민주공화국이 목표임을 다시 한번 천명했습니다. 우리는 지난 100년, 그 목표를 하나하나 이루어 냈습니다. 식민지와 전쟁을 겪은 가난한 나라 대한민국은 청계천의 작은 작업장에서, 독일의 낯선 탄광과 병원에서, 사막의 뙤약볕과 전국 곳곳의 산업 현장에서 국민 한 사람 한 사람이 흘린 땀방울로 선진국이 되었습니다. 외환위기를 비롯한 숱한 국난도 위기 속에서 더욱 단합하는 국민들의 힘으로 헤쳐 올 수 있었습니다. 부산과 마산에서, 오월 광주에서, 유월의 광장과 촛불혁명까지 민주주의를 지켜낸 것도 평범한 국민들의 힘이었습니다.

우리 정부 역시 국민의 힘으로 탄생했습니다. 이름 없이 희생한 분들의 이름을 찾아드리고, 평가받지 못한 분들에게 명예를 돌려드리는 것을 당연한 책무로 여겼습니다. 지난 5년, 2,243명의 독립유공자를 찾아 포상했습니다. 그중에는 제대로 평가받지 못했던 여성 독립운동가 245명이 포함되어 있습니다. 아직 후손을 찾지 못해 훈장을 드리지 못한 독립유공자도 많습니다. 정부는 마지막 한 분까지 독립유공자와 후손을 찾기 위해 노력할 것입니다. 이역에 묻혔던 독립유공자의 유해 봉환에도 힘썼습니다. 2019년, 중앙아시아 카자흐스탄에서 계봉우·황운정 지사 내외를 봉환했고, 2021년 광복절에는 홍범도 장군의 유해를 고국으로 모셔왔습니다. 정부는 생활이 어려운 독립유공자 자녀와 손자녀에게 생활지원금을 지급하면서, 국가유공자 명패를 자택에 달아드리고 있습니다. 지난해 말까지 독립유공자와 국가유공자 46만 가정에 명패를 달아드렸고, 올해에도 10만 가정에 명패를 달아드릴 것입니다. 평범한 이웃이 독립의 영웅이라는 사실은 지역 사회에도 자긍심을 심어 줄 것입니다.

정부는 지난 5년 위기 극복과 함께 미래를 위한 도전을 멈추지 않았습니다. 일본의 수출규제에 맞서 소재·부품·장비 자립화의 길을 개척했습니다. 위기 극복을 넘어 혁신과 성장을 이끄는 동력을 국민들과 함께 만들어냈습니다. 국민의 성숙한 시민의식은 코로나 터널을 헤쳐 간 일등 공신이었습니다. 방역의 성과를 바탕으로 지난해 우리 경제는 4% 성장률을 달성했고, 1인당 국민소득 3만5,000달러 시대를 열었습니다. 지니계수, 5분위 배율, 상대적 빈곤율 등 3대 분배지표가 모두 지속적으로 개선되어 '위기가 불평등을 키운다'는 공식도 깰 수 있었습니다. 힘든 여건 속에서도 헌신해 주신 의료진과 방역진, 묵묵히 공동체의 일상을 지켜주신 필수노동자, 누구보다 어려움이 컸던 소상공인과 자영업자, 일상의 불편을 감내해주신 국민들, 모두 위기 극복과 새로운 대한민국을 열어가는 주역입니다. 깊이 감사드립니다. 우리는 행복해질 자격이 있는 국민들입니다. 국민 모두의 노력이 헛되지 않도록 임기가 다하는 순간까지 최선을 다하겠습니다.

국민 여러분,

우리는 이제 누구도 얕볼 수 없는 부강한 나라가 되었습니다. 세계가 공인하는 선진국이 되었습니다. 무엇보다 가슴 벅찬 일은, 대한민국이 수준 높은 문화의 나라가 된 것입니다. 3·1독립선언서에서 선열들

3·1절 기념식에서 연설을 하는 문재인 대통령

은, 독립운동의 목적이 "풍부한 독창성을 발휘하여 빛나는 민족문화를 맺고", "세계 문화에 이바지할 기회"를 갖는 데 있다고 밝혔습니다. 대한민국 임시정부의 주석 백범 김구 선생도 "오직 한없이 가지고 싶은 것은 문화의 힘이다. 문화의 힘은 우리 자신을 행복하게 하고, 나아가서 남에게 행복을 주기 때문이다"라고 했습니다. 까마득한 꿈처럼 느껴졌던 일입니다. 그러나 오늘 우리는 해내고 있습니다. 우리 문화예술은 전통과 현대 문화를 한국이라는 그릇에 함께 담아 새롭게 변화시켰습니다. 한 세기 전, 선열들이 바랐던 꿈을 이뤄내고 세계를 감동시키고 있습니다. K-팝으로 대표되는 한류가 세계를 뒤덮고 있습니다. BTS 열풍을 두고

〈포브스〉는 "새로운 표준"이라고 했습니다. 영화 〈기생충〉은 칸과 아카데미를 석권했습니다. 게임, 웹툰, 애니메이션이 세계의 사랑을 받고 〈오징어 게임〉 등 우리 드라마가 연속 홈런을 치고 있습니다. 서양 클래식 음악과 발레 같은 분야에서도 한국인들의 재능이 세계의 격찬을 받고 있습니다. 각 분야 문화예술인들의 열정과 혼이 어우러진 결과입니다.

우리 문화예술을 이처럼 발전시킨 힘은 단연코 민주주의입니다. 차별하고 억압하지 않는 민주주의가 문화예술의 창의력과 자유로운 상상력에 날개를 달아 주었습니다. 첫 민주 정부였던 김대중 정부는 자신감을 가지고 일본문화를 개방했습니다. 우리 문화예술은 다양함 속에서 힘을 키웠고, 오히려 일본문화를 압도할 정도로 경쟁력을 갖게 되었습니다. 영국 월간지 〈모노클〉은 우리의 소프트파워를 독일에 이은 세계 2위에 선정했습니다. 우리 문화예술의 매력이 우리의 국제적 위상을 크게 높여주고 있다는 사실을 저는 순방외교 때마다 확인할 수 있었습니다. '지원하되 간섭하지 않는 것'은 역대 민주 정부가 세운 확고한 원칙입니다. 창작과 표현의 자유는 민주주의 안에서 넓어지고 강해집니다. 우리의 민주주의가 전진을 멈추지 않는다면, 우리 문화예술은 끊임없이 세계를 감동시킬 것입니다. 우리에게 큰 자부심을 주고 있는 문화예술인들과 문화예술을 아껴주신 국민들께 한없는 경의를 표합니다.

국민 여러분,

코로나 위기 속에 국제질서가 요동치고 있습니다. 디지털과 그린 혁신이 가속화되면서 기술 경쟁이 치열하게 전개되고 있습니다. 힘으로 패권을 차지하려는 자국중심주의도 다시 고개를 들고 있습니다. 신냉전의 우려도 커지고 있습니다. 그러나 우리에게는 폭력과 차별, 불의에 항의하며 패권적 국제질서를 거부한 3·1독립운동의 정신이 흐르고 있습니다. 대한민국은 세계 10위 경제 대국, 글로벌 수출 7위의 무역 강국, 종합군사력 세계 6위, 혁신지수 세계 1위의 당당한 나라가 되었습니다. 3·1 독립운동의 정신이 오늘 우리에게 주는 교훈은, 강대국 중심의 국제질서에 휘둘리지 않고 우리의 역사를 우리가 주도해 나갈 수 있는 힘을 가져야 한다는 것입니다. 우리는 지금, 위기를 기회로 바꾸며 새롭게 도약하고 있습니다. 코로나 위기의 한복판에서 시작한 한국판 뉴딜은 세계를 선도하는 대한민국의 미래전략이 되었습니다. 디지털과 그린 뉴딜로 새로운 산업을 일으키고 더 나은 일자리를 만들고 있습니다. 휴먼 뉴딜로 고용안전망과 사회안전망을 확충하고 지역균형 뉴딜로 국가 균형발전시대를 열며 혁신적 포용사회로 확실한 전환을 시작했습니다. 경제가 안보인 시대, 글로벌 공급망의 어려움도 헤쳐 나가고 있습니다. 세계 최고 경쟁력을 갖춘 우리 반도체와 배터리 산업이 글로벌 공급망을 주도하고 있습니다. 이제 우리에게는 다자주의에 입각한 연대와 협력을 선도할 수 있는 역량이 생겼습니다. G7 정상회의에 2년 연속으로 초대받을 만큼 위상이 높아졌습니다. 아세안을 중심으로 한 신남방정책, 유라시아 국가들과의 신북방정책, 중남미와 중동까지 확장한 외교로 경제협력과 외교·안보의 지평을 넓혔습니다. 세계 최대의 FTA, RCEP이 지난달 발효되면서, 우리는 세계 GDP의 85%에 달하는 FTA 네트워크를 갖추게 되었습니다. 우리의 경제영역이 그만큼 넓어진 것입니다.

우리가 더 강해지기 위해 반드시 필요한 것이 한반도 평화입니다. 3·1독립운동에는 남과 북이 없었습니다. 다양한 세력이 임시정부에 함께했고, 좌우를 통합하는 연합정부를 이루었습니다. 항일독립운동의 큰 줄기는 민족의 대동단결과 통합이었습니다. 임시정부 산하에서 마침내 하나로 통합된 광복군은 항일독립운동사에 빛나는 자취를 남겼습니다. 1945년 11월, 고국으로 돌아온 임정 요인들은 분단을 막기 위해 마지막 힘을 쏟았습니다. 그 끝나지 않은 노력은 이제 우리의 몫이 되었습니다. 어느 날, 3·1독립운동의 열망처럼 그날의 이름 없는 주역들의 아들과 딸들 속에서 통일을 염원하는 함성이 되살아날 것입니다. 우선 우리가 이루어야 할 일은 평화입니다. 한국전쟁과 그 이후 우리가 겪었던 분단의 역사는, 대결과 적대가 아니라 대화만이 평화를 가져올 수 있다는 사실을 가르쳐 주었습니다.

우리 정부는 출범 당시의 북핵 위기 속에서 극적인 대화를 통해 평화를 이룰 수 있었습니다. 그러나 우리의 평화는 취약합니다. 대화가 끊겼기 때문입니다. 평화를 지속시키기 위한 대화의 노력이 계속되어야 합니다. 전쟁의 먹구름 속에서 평창 동계올림픽을 평화올림픽으로 만들기를 꿈꾸었던 것처럼 우리가 의지를 잃지 않는다면, 대화와 외교를 통해 한반도 비핵화와 항구적 평화를 반드시 이룰 수 있습니다. 우리는 100년 전의 고통을 결코 되풀이하지 않을 것입니다. 평화를 통해 민족의 생존을 지키고, 민족의 자존을 높이고, 평화 속에서 번영해 나갈 것입니다. 한일 양국의 협력은 미래세대를 위한 현세대의 책무입니다. 우리 선조들은 3·1독립운동 선언에서 '묵은 원한'과 '일시적 감정'을 극복하고 동양의 평화를 위해 함께하자고 일본에 제안했습니다. 지금 우리의 마음도 같습니다. 여러가지 어려움이 많은 지금, 가까운 이웃인 한국과 일본이 '한때 불행했던 과거의 역사'를 딛고 미래를 향해 협력할 수 있어야 합니다. 한일관계를 넘어서, 일본이 선진국으로서 리더십을 가지기를 진심으로 바랍니다. 그러기 위해서 일본은 역사를 직시하고, 역사 앞에서 겸허해야 합니다.

'한때 불행했던 과거'로 인해 때때로 덧나는 이웃 나라 국민의 상처를 공감할 수 있을 때 일본은 신뢰받는 나라가 될 것입니다. 우리 정부는 지역의 평화와 번영은 물론 코로나와 기후위기, 그리고 공급망 위기와 새로운 경제질서에 이르기까지 전 세계적 과제의 대응에 함께하기 위해 항상 대화의 문을 열어둘 것입니다.

존경하는 국민 여러분, 해외 동포 여러분,

우리는 대한민국 임시정부에서 활약한 분들을 임정 요인이라 불러왔습니다. 임정 요인이라는 단어에는 우리 후손들의 존경이 담겨 있습니다. 지금까지 우리 국민 모두는 경제발전과 민주주의의 주역으로 활약했고, 각자의 자리에서 소중한 사람이 되었습니다. 이제 우리는 선도국가라는 새로운 대한민국을 향해 출발했습니다. 그 길에서 국민 한 사람 한 사람이 임정 요인과 같습니다. 모두가 선구자이며, 모두가 중요한 사명을 갖고 있습니다.

이제 누구도 대한민국을 흔들 수 없습니다.

이제 누구도 국민주권을 빼앗을 수 없습니다.

이제 누구도 한 사람의 삶을 소홀히 대할 수 없습니다.

이곳 대한민국임시정부 기념관은 평범함이 이룬 위대한 대한민국을 기억할 것이며, 국민들에게 언제나 용기와 희망의 이정표가 될 것입니다. 독립의 열기로 뜨겁게 타올랐던 1919년의 봄, 고난과 영광의 길을 당당히 걸어가 마침내 우리 모두의 위대한 역사가 된 선열들께 깊은 존경의 마음을 바칩니다.

감사합니다.

2장

대통령 5년의 기록 2021. 5. 1 ~ 2022. 5. 8

5월

함께 회복하고 새롭게 도약하는 세계 노동절입니다

제2차 코로나19 대응 특별방역점검회의 모두발언

울산 부유식 해상풍력 전략 보고 모두발언

어머니, 아버지 사랑합니다

대통령 취임 4주년 특별연설

K-반도체 전략 보고 모두발언

더불어민주당 지도부 초청 간담회 모두발언

제40회 스승의 날 영상 축사

수석보좌관회의 모두발언

어제와 오늘에 머물지 않는 오월입니다

서로의 마음이 다르지 않습니다

한·미 확대 정상회담 모두발언

한·미 공동기자회견 모두발언

한국전 전사자 추모의 벽 착공식 모두발언

한 · 미 백신기업 파트너십 행사 모두발언

최고의 순방이었고, 최고의 회담이었습니다

정당 대표 초청 대화 모두발언

2050 탄소중립위원회 출범식 격려사

P4G 서울 녹색미래 정상회의 개회사

서울선언문 주요 내용 소개

함께 회복하고 새롭게 도약하는 세계 노동절입니다

| 2021-05-01 |

"함께 회복하고 새롭게 도약하는 세계 노동절입니다"

집의 기초가 주춧돌이듯, 우리 삶의 기초는 노동입니다. 필수노동자의 헌신적인 손길이 코로나의 위기에서 우리의 일상을 든든하게 지켜주었습니다. 보건·의료, 돌봄과 사회서비스, 배달·운송, 환경미화 노동자들께 진심으로 감사드립니다. 우리 모두 노동의 가치를 더욱 소중하게 생각하게 되었습니다.

일자리를 지키는 것이 회복의 첫걸음이라는 마음으로 정부는 고용회복과 고용 안전망 강화에 최선을 다하고 있습니다. 하지만 여전히 어려움을 겪고 계신 분들이 많습니다. 일자리를 더 많이, 더 부지런히 만들고, 임금체불과 직장 내 갑질이 없어지도록 계속해서 정책적 노력을 기울이겠습니다. 노동존중사회 실현이라는 정부의 목표는 절대 흔들리지 않습니다. 코로나 위기가 노동 개혁을 미룰 이유가 될 수 없습니다. 노동시간 단축은 일자리를 나누며 삶의 질을 높이는 과정입니다.

ILO 핵심협약 비준도 노동권에 대한 보편적 규범 속에서 상생하자는 약속입니다. 우리 자신과 미래 세대 모두를 위한 일입니다. 우리 경제의 지속가능발전을 위한 길입니다. 잘 안착될수록 노동의 만족도와 생산성이 높아져 기업에게도 도움이 될 것이라 확신합니다. 지난해, 노동자 전태일 열사께 국민훈장 무궁화장을 드렸습니다.

정직한 땀으로 숭고한 삶을 살아오신 노동자와 노동존중사회를 만들기 위해 애써오신 모든 분들께 존경의 인사를 드립니다. 집으로 돌아가는 노동자들의 발걸음이 더욱 가벼워지도록 계속 노력하겠습니다.

제2차 코로나19 대응 특별방역점검회의 모두발언

| 2021-05-03 |

방역 당국과 각 부처가 열심히 하고 있지만, 방역과 접종에 대한 범정부적 대응 수준을 더욱 높이기 위해 특별방역점검회의를 3주 만에 다시 개최하게 되었습니다. 오늘 회의에는 국내 백신 생산기반 확충과 외교적 지원 방안까지 함께 논의하기 위해 산업부와 외교부에서도 참석했습니다. 전 세계적으로 백신 접종에 속도를 내고 있는데도, 코로나 확진자 수는 9주 연속 증가하며 매주 최고치를 경신하고 있습니다. 누적 확진자 수가 이미 1억5천만 명을 넘어섰고, 사망자 수도 320만 명에 이르는 등 매우 엄중한 상황입니다. 우리나라는, 확진자 수가 매일 6~700명대를 오르내리고 있어 다른 주요국들에 비해 상대적으로 잘 통제하고 있지만, 여전히 불안한 상황입니다. 방역진의 노력과 국민들의 협조 덕분에 급격한 확산을 최대한 억제하고 있지만, 어딘가 빈틈을 보인다면

확진자 수가 크게 늘어날 수도 있는 상황입니다.

다행히 아직까지는 인구 대비 코로나 확진자 수가 현저하게 적고, 특히 치명률은 주요 국가들과 비교할 수 없을 만큼 매우 낮은 수준을 보이고 있어, 인구 3,000만 명 이상 국가들 가운데 코로나 위험도가 가장 낮은 나라를 유지하고 있습니다. 선제적 검사와 철저한 역학조사, 신속한 치료라는 K-방역의 장점이 현장에서 유효하게 작동하고 있기 때문입니다. 국산 치료제의 효과와 함께 고위험군에 대한 백신 접종이 거의 완료된 것도 큰 도움이 되고 있습니다. 앞으로 백신 접종대상이 더욱 확대되면 우리 국민들의 생명을 더 안전하게 지켜낼 수 있을 것입니다. 지금으로서는 방역에서 방심하지 않는 것이 가장 중요합니다. 정부는 이동과 만남이 늘어나는 가정의 달을 맞아 경각심을 더욱 높이겠습니다. 특히 변이 바이러스에 대해서도 각별한 경계심을 가지겠습니다. 국민들께서도 사회적 거리두기 장기화로 지치고 답답하시겠지만, 조금만 더 견디자는 마음으로 필수 방역 수칙을 반드시 준수해 주시길 당부드립니다.

백신 도입과 접종은, 당초의 계획 이상으로 원활하게 진행되고 있습니다. 우리나라 인구 두 배 분량의 백신을 이미 확보했고, 4월 말까지 300만 명 접종 목표를 10% 이상 초과 달성하는 등 접종도 속도를 내고 있습니다. 지금처럼 시기별 백신 도입 물량을 최대한 효과적으로 활용한다면, 상반기 1,200만 명 접종 목표를 1,300만 명으로 상향할 수 있을 것이라는 보고도 받았습니다. 11월 집단면역 달성 목표도 계획보다 앞당길 수 있도록 총력을 다해 주기 바랍니다. 또한, 국민들께서 불안감을 가지지 않도록 백신에 대한 정보를 투명하게 알리고, 잘못된 정보가 유통되고 있는 것에 대해서는 바로잡는 노력을 강화해 주기 바랍니다. 5월에도 화이자 백신은 주 단위로 국내에 안정적으로 공급될 것이며, 아스트라제네카 백신은 당초 계획보다 더 많은 물량이 앞당겨 들어옵니다. 정부는 치밀한 계획에 따라 백신별 도입 물량을 1차 접종과 2차 접종으로 가장 효과적으로 배분하고 있습니다.

대규모 백신 접종을 위한 인프라 구축도 신속하게 진행되고 있습니다. 전국에 257개의 예방접종센터가 설치되었고, 이달부터는 1만4천 개의 민간위탁기관도 순차적으로 개소합니다. 일선 보건소와 지자체가, 백신 접종 업무부담 때문에 역학조사나 선별진료소 운영 등의 방역 활동에 어려움을 겪지 않도록 조직과 인력 증원 등의 지원책을 신속히 강구하고, 우리의 우수한 민간 의료자원을 백신 접종에 최대한 활용해 주기 바랍니다.

백신 접종에 관한 국민 편의 서비스도 더욱 확대해 주기 바랍니다. 어르신들을 위한 찾아가는 서비스와 콜센터를 통한 안내서비스를 강화하고, 스마트폰 앱을 통해 보다 손쉽게 정보를 제공받을 수 있도록, 우리가 가진 능력을 100% 활용해 주기 바랍니다. 특별히, 백신 접종에서 지자체의 역할이 중요합니다. 지역별 상황에 맞게 백신 접종의 효율성과 속도를 제고할 수 있도록 지자체의 자율성과 책임성을 함께 높여줄 필요가 있습니다. 백신 확보를 위한 전 세계적인 무한경쟁 속에서, 백신 주권 확보는 무엇보다 중요한 과제입니다. 개발비용의 부담이 매우 크기 때문에 성공 가능성이 높은 국산 제품들에 집중하여 과감하게 지원하는 등 내년에는 우리 기업이 개발한 국산 백신을 사용할 수 있도록 총력을 다해 주기 바랍니다. 한편으로 우리나라는 백신 생산의 글로벌 허브가 될 수 있는 나라로 주목받고 있습니다. 세계 2위의 바이오의약품 생산능력을 보유한 국가이며, 현재 해외에서 개발된 코로나 백신 세 개 제품이 국내에서 위탁 또는 기술이전 방식으로 생산되고 있습니다. 그 밖의 다른 백신 제품에 대해서도 다양한 협력 방안이 논의되고 있습니다. 한국이 백신 생산의 최적지로서 글로벌 허브 국가가 된다면, 국내 공급은 물론 아시아 등 전 세계 백신 공급지로서 크게 기여하게 될 것입니다. 그 목표를 위해 민·관이 적극 협력하면서, 필요한 행정적·외교적 지원을 다해 주기 바랍니다.

성공적 방역 덕분에 우리 경제가 빠르게 회복되고 있습니다. 방역이 좀 더 안정되기만 하면 경제의 회복과 민생의 회복이 더 탄력을 받게 될 것입니다. 백신 접종이 진행되며 일상 회복의 희망도 보이기 시작했습니다. 2차 접종까지 끝낸 백신 접종 완료자들은 요양병원과 시설에서의 면회가 허용되고, 자가격리 면제도 받습니다. 백신 접종률이 높아질수록 그 혜택도 더 넓어질 것입니다. 국민들께서 정부를 믿고 방역과 접종에 계속 협조해 주신다면, 소중한 일상으로의 복귀를 더욱 앞당길 수 있을 것입니다.

감사합니다.

울산 부유식 해상풍력 전략 보고 모두발언

| 2021-05-06 |

존경하는 국민 여러분, 울산시민 여러분,

울산은 까마득한 선사시대부터 바다를 삶의 터전으로 삼아왔습니다. 삼국시대에는 여러 나라의 무역선이 오가는 관문이었고, 우리나라 최초의 임해공업단지가 들어선 1970년대부터는 수출로 대한민국의 공업화를 이끌었습니다. 울산 앞바다 동해 가스전은 우리 기술로 해저 2,000미터의 천연가스를 끌어올려, 우리나라를 세계 95번째 산유국 대열에 올렸습니다. 그리고 오늘, 울산은 바다를 품고 또 한 번 새로운 도전을 시작합니다. 동해 가스전의 불꽃이 사그라드는 그 자리에, 2030년까지 세계 최대 규모의 '부유식' 해상풍력단지가 건설될 것입니다. 민관이 함께 총 36조 원을 투자하고, 21만 개의 일자리가 만들어질 것입니다. '화석연료 시대'의 산업수도에서 '청정에너지 시대'의 산업수도로 울산은 힘차게 도약할 것입니다. 시대의 변화에 발맞춰 담대한 도전에 나서 주신 울산시민과 송철호 시장님을 비롯한 울산시 관계자들, 국내외 기업과 대학, 관련 연구소에 깊은 존경과 감사의 말씀을 드립니다. 울산의 도전을 응원하기 위해 함께해 주신 민주당 송영길 대표께도 감사 인사를 전합니다.

국민 여러분, 울산시민 여러분,

세계 각국은 지금 기후변화 대응과 탄소중립에 총력을 기울이면서 대체 신재생에너지원으로 부유식 해상풍력에 관심을 집중하고 있습니다. 부유식 해상풍력은 해저 지반에 뿌리를 내리는 고정식과 달리 부유체에 풍력발전기를 설치하는 방식입니다. 깊은 바다에 설치가 가능하여, 먼 바다의 강한 바람 자원을 활용할 수 있습니다. 입지 제약이 적어 대규모 단지 조성이 가능하고, 해안으로부터 떨어져 있어 주민들의 불편도 적습니다. 무엇보다 신재생에너지 중 가장 안정적으로 전력을 생산합니다. 전 세계적으로 영국과 포르투갈이 상용화에 성공했고, 노르웨이, 프랑스, 일본 등이 대규모 단지 개발에 나서고 있습니다. 기술적으로 넘어야 할 벽이 높지만 주요 선진국들이 경쟁에 나서면서 세계 시장 규모는 앞으로 10년 동안 100배 수준으로 성장할 전망입니다. 울산이 세계와 어깨를 견주며 그 도전에 나섰습니다. 울산의 바다는 수심 100미터에서 200미터의 대륙붕이 넓게 분포하여, 대규모 해상풍력 단지 건설에 최적의 조건을 갖췄습니다. 초속 8미터 이상의 강한 바람이 불어 경제성이 높습니다. 인근의 원전과 울산화력 등 발전소와 연결된 송·배전망을 활용할 수 있는 이점도 큽니다. 산업기반과 전문 인력도 풍부합니다. 세계적인 조선·해양플랜트 기업들을 비롯하여, 풍력발전기, 케이블, 전력계통 분야의 148개 기업이 울산에 모여 있습니다. 한국석유공사, 한국동서발전 등 에너지 공기업들이 부유식 해상풍력단지 개발에 참여하고, 울산대학교와 울산과기원의 청년들이 혁신의 주역이 될 것입니다. 뿐만 아니라, Equinor, GIG-Total, CIP, KFWIND, ShellCoensHexicon 등 글로벌 부유식 해상풍력 선도기업들도 울산의 잠재력을 높이 평가하여, 울산의 도전에 동참하고 있습니다. 울산의 성공이 대한민국 신재생에너지 산업을 이끌 것입니다. 많은 국내 기업들과 기술협력을 통해 함께 성장할 것이며, 탄소중립화의 과정에서 더욱 커져 갈 세계 시장에 진출할 토대가 될 것입니다.

울산시민 여러분,

바닷바람은 탄소없는 21세기의 석유자원과 같습니다. 드넓은 바다 위 대규모 해상풍력단지는, 국토의 한계를 뛰어넘고 에너지 전환과 탄소중립으로 가는 지름길이 될 뿐 아니라 지역경제를 살리는 미래성장동력이 될 것입니다. 울산 부유식 해상풍력단지는 2030년까지 6기가와트의 전력 생산을 목표로 하고 있습니다. 구형 원전 6기의 발전량으로 576만 가구가 사용할 수 있는 막대한 전력이며, 연간 930만 톤의 이산화탄소를 감축합니다. 정부가 목표로 한 2030년 해상풍력 12기가와트의 절반을 달성해 해상풍력 5대 강국에도 바싹 다가서게 됩니다. 생산된 전력의

20%를 활용하면, 8만4천 톤의 그린수소를 만들 수 있습니다. 울산은 이미 부생수소의 최대 생산지입니다. 여기에 그린수소가 더해지면 울산은 2030년 세계 최고의 수소도시로 도약하여 대한민국 탄소중립을 이끌게 될 것입니다. 지역경제의 희망도 커질 것입니다. 풍력발전 설비의 90% 이상을 차지하는 철강, 해양플랜트와 선박, 해저 송전 케이블, 발전설비 운영·보수 서비스 등 연관 산업의 혜택이 어마어마합니다. 풍력발전의 하부구조물을 활용한 인공어초와 바다목장 조성을 통해 수산업과 해상풍력이 상생하는 길도 기대할 수 있습니다. 더 나아가 울산의 조선·해양, 부산의 기자재, 경남의 풍력 터빈과 블레이드 등 해상풍력발전을 위한 초광역권 협력사업으로 확대되어 부울경이 함께 발전하는 시대를 열게 될 것입니다.

지금부터가 중요합니다. 울산시와 관계 부처를 비롯하여, 국내외 기업과 연구소, 대학이 함께 참여하는 대규모 프로젝트인 만큼, 모두가 한 팀으로 힘을 모아 주시길 바랍니다. 정부가 먼저 앞장서겠습니다. 1단계 예타 사업으로 2025년까지 울산 부유식 해상풍력발전 건설에 공공과 민간을 합해 1조4천억 원 이상을 투자하고, 풍력발전 핵심부품의 경쟁력을 높이겠습니다. 지역주민과 어민들에게도 이익이 되도록 소통하고, 사업에 필요한 제도 개선을 위해 국회와 협력하겠습니다. 올해 안에 '그린수소 발전 로드맵'을 마련하여, 수소경제 활성화에도 속도를 내겠습니다.

존경하는 국민 여러분, 울산시민 여러분,

울산 부유식 해상풍력단지는 바다 위의 유전이 되어 에너지 강국의 미래를 열어 줄 것입니다. 최근 그동안 침체되었던 울산의 3대 주력산업, 조선과 자동차와 석유화학이 살아나고 있습니다. 우리는 오늘 또 하나의 희망을 울산에 만들었습니다. 거친 파도와 바람 너머에 대한민국의 희망이 있습니다. 울산의 도전이 반드시 성공할 수 있도록 정부는 국민과 함께 힘껏 응원하겠습니다.

감사합니다.

어머니, 아버지 사랑합니다

| 2021-05-08 |

"어머니, 아버지 사랑합니다"

제49회 어버이날입니다. 세상 어떤 것으로도 너비와 깊이를 가늠할 수 없는 크나큰 사랑을 기억하고 감사하는 날입니다. 어버이가 계신 분들은 어버이와 함께 사랑을 나누고, 어버이를 여읜 분들은 그리움이 더 깊어지는 날입니다.

코로나 때문에 가족들이 만나기도 쉽지 않습니다. 명절에도 마음만 가는 것이 효도라고 했습니다. 요양 시설에 계신 부모님을 면회하기조차 어렵습니다. 코로나 때문에 힘들어도 우리가 어려움을 이겨낼 수 있는 것은 우리에게 어버이의 사랑이 흐르고 있기 때문입니다. 이제는 우리의 사랑으로 어버이에게 보답할 차례입니다.

지금은 백신 접종이 최고의 효도입니다. 어르신들부터 먼저 접종을 받으시게 하고 가족들도 순서가 오는 대로 접종을 받는다면, 우리는 더 빨리 일상으로 돌아갈 수 있습니다. 가족을 만나는데 거리낌이 없어지고, 요양 시설에서 부모님을 안아드릴 수 있습니다. 정부도 모든 어르신들께 효도하는 정부가 될 수 있도록 더욱 노력하겠습니다. 오늘만큼은 어머니 아버지께, 할머니 할아버지께 꼭 사랑을 표현하시기 바랍니다. 작은 카네이션 한 송이로 충분합니다. '사랑합니다'라고 말한다면 더 좋을 것입니다. 가만히 속삭여도 됩니다.

이 세상 모든 어머님, 아버님 감사합니다.
늘 감사하고 평안하십시오.

대통령 취임 4주년 특별연설

| 2021-05-10 |

존경하는 국민 여러분,

임기 1년이 남았습니다. 보통 때라면 마무리를 생각할 시점입니다. 하지만 저는 남은 1년이 지난 4년 그 어느 때보다 중요하다고 느낍니다. 우리는 여전히 위기 속에 있고, 국민들은 평범한 일상으로 복귀하지 못하고 있습니다. 위기 극복을 넘어 위기 속에서 새로운 미래를 만들어내는 것이 우리 정부의 남은 과제입니다. 더 당당한 대한민국, 더 나은 국민의 삶이 그것입니다. 우리는 이미 희망을 보았습니다. 인수위 없이 임기를 시작하고 쉼 없이 달려왔지만, 임기를 마치는 그날까지 앞만 보고 가야 하는 것이 우리 정부의 피할 수 없는 책무라고 생각합니다.

코로나 사태가 발생한 지 벌써 1년 3개월이 지났습니다. 이렇게 오래갈 줄 몰랐습니다. 이토록 인류의 삶을 송두리째 뒤흔들 줄 몰랐습니다. 감염병과 방역 조치로 인한 고통, 막심한 경제적 피해와 실직, 경험해보지 못한 평범한 일상의 상실, 이루 헤아릴 수 없는 어려움을 겪고 계신 국민들께 깊은 위로의 말씀을 드립니다. 정말로 감사한 것은, 위기의 순간에 더욱 강한 대한민국의 저력을 보여주었다는 점입니다. 우리나라가 어느 선진국보다도 방역 모범국가가 될 것이라고 누구도 예상하지 못했습니다. 그러나 우리는 해냈습니다. OECD 국가 가운데 코로나 이전 수준의 경제를 가장 빠르게 회복하는 나라가 될 것이라고 누구도 상상하지 못했습니다. 그러나 우리는 보란 듯이 해냈습니다.

위대한 국민이 있었기에 가능했습니다. 우리 국민은 고난의 기나긴 터널 속에서도, 서로 인내하며 연대하고 협력했습니다. 세계가 부러워할 성숙한 시민의식을 보여주었습니다. 위기에 강한 대한민국을 재발견하고, 자부심을 갖게 된 것은 오직 국민 덕분입니다. 다시 한번 한없는 존경과 감사의 말씀을 드리며, 마지막 순간까지 최선을 다해 보답하는 정부가 될 것을 다짐합니다.

국민 여러분,

조금만 더 견뎌 주십시오. 코로나와의 전쟁에서 끝이 보이기 시작했습니다. 백신 접종에 속도를 내면서 집단면역으로 다가가고 있습니다. 집단면역이 코로나를 종식시키지 못할지라도, 덜 위험한 질병으로 만들 것이고 우리는 일상을 회복하게 될 것입니다. 빠른 경제 회복이 민생 회복으로 이어지게 하고 일자리 회복, 코로나 격차와 불평등 해결에 전력을 기울이겠습니다. 선도형 경제로의 대전환에 매진하여 선도국가 도약의 발판을 마련하겠습니다. 정부는 위대한 국민과 함께 위기를 박차고 회복과 포용, 도약의 길로 힘차게 나아가겠습니다.

국민 여러분,

방역 상황의 불안을 아직 떨치지 못하고 있습니다. 하지만 전 세계적으로 코로나 확진자가 증가하는 추세 속에서 우리나라는 방역 당국의 관리 범위 안에서 통제되고 있습니다. 특히 가장 중요한 치명률은 다른 나라와 비교할 수 없을 정도로 낮은 수준입니다. 그동안의 백신 접종과 국산 항체 치료제가 치명률을 낮추는 데 큰 역할을 하고 있습니다. 정부는 선제 검사와 철저한 역학조사, 신속한 치료 등 방역의 원칙과 기본을 흔들림 없이 지켜 왔고, 국민들께서 경제적 피해와 불편함을 감수하면서 적극 협조해 주신 덕분에 K-방역이 지금까지 세계의 모범이 될 수 있었습니다.

하지만, 보이지 않는 감염이 지속되고 있고, 변이 바이러스에 대한 우려도 커지고 있습니다. 한순간도 경계를 늦출 수 없습니다. 상황이 안정될 때까지 정부가 더욱 철저한 방역 관리에 나서겠습니다.

백신 접종으로 일상 회복의 대장정이 시작되었습니다. 좀 더 접종이 빨랐더라면 하는 아쉬움이 있는 것이 사실입니다. 백신 접종에 앞서가는 나라들과 비교도 하게 됩니다. 하지만 백신 개발국이 아니고, 대규모 선 투자를 할 수도 없었던 우리의 형편에, 방역 당국과 전문가들이 우리의 방역 상황에 맞추어 백신 도입과 접종 계획을 치밀하게 세우고 계

확대로 차질없이 접종을 진행하고 있는 것은 정당한 평가를 받아야 한다고 생각합니다. 특히 전 세계적인 백신 공급 부족과 수급 불안정으로 인해 백신 확보 경쟁이 치열한 가운데 기업들까지 힘을 보탠 전방위적 노력으로 우리 국민 두 배 분량의 백신을 확보할 수 있었습니다. 3차 접종의 가능성과 변이 바이러스 대비, 미성년자와 어린이 등 접종 대상의 확대, 내년에 필요한 물량까지 고려하여 추가 물량 확보를 위한 노력을 계속해 나갈 것입니다.

접종 속도도 높여 나가고 있습니다. 목표를 상향하여 6월 말까지 1,300만 명 이상 접종할 계획이고, 9월 말까지 접종 대상 국민 전원에 대한 1차 접종을 마쳐, 11월 집단면역 달성 목표를 당초 계획보다 앞당길 것입니다. 정부는 대규모로 백신을 접종할 수 있는 우리의 의료체계와 인프라를 최대한 활용하겠습니다. 국민들께서도 적극 협조해 주시기 바랍니다. 한편으로 정부는 코로나 장기화에 대비한 백신 주권 확보를 위해 국산 백신 개발을 총력 지원하겠습니다. 동시에 세계 2위의 바이오 의약품 생산 능력을 바탕으로 백신 생산의 글로벌 허브가 되도록 전폭적인 지원을 아끼지 않겠습니다.

국민 여러분,

1년 전 오늘, 세계는 코로나 충격으로 국경이 봉쇄되고 글로벌 공급망이 붕괴되는 등 대공황 이후 최악의 경제침체의 한 가운데 있었습니다. 전 세계적으로 수요와 공급이 동시에 타격을 받으며 실물경제와 금융이 함께 위축되는 복합 위기에 직면하고, 기업 활동과 영업의 제한으로 대량 실업 사태가 뒤따르는 초유의 경제 위기 상황이었습니다. 저는 1년 전 이 자리에서 국민과 함께 경제 위기 극복에 모든 역량을 기울이겠다고 약속했습니다. 위기에서 탈출하는데 그치지 않고, 위기를 오히려 기회로 만드는데 전력을 다하겠다고 말씀드렸습니다. 그로부터 1년이 지난 오늘, 같은 자리에서, 우리 경제가 OECD 어느 나라보다 빠르게, 이미 지난 1분기에 코로나 위기 전 수준을 회복했다고, 국민 여러분께 보고드릴 수 있게 되어 매우 다행스럽게 생각합니다. 경제 위기 속에서 꿋꿋이 견디며 이뤄낸 성과입니다. 가계와 기업, 정부가 혼연일체가 되어 이룩한 국가적 성취이며 국민적 자부심입니다.

모든 경제지표가 견고한 회복의 흐름을 보여주고 있습니다. 4월까지 수출 실적이 역대 최대 규모를 기록하고 있고, 설비투자도 빠르게 늘어나고 있습니다. 소비가 살아나고, 경제 심리도 코로나 이전 수준으로 호전되었습니다. 전 세계가 우리 경제의 반등 가능성을 먼저 알아보고, 국제기구들이 우리의 성장전망을 일제히 상향 조정하는 가운데 4% 이상의 성장 전망까지 나오고 있습니다. 정부는 더 빠르고 더 강한 경제 반등을 이루겠습니다. 올해 우리 경제가 11년 만에 4% 이상의 성장률을 달성할 수 있도록 정부 역량을 총동원하고 민간의 활력을 높이겠습니다. 적극적 확장 재정으로 경제 회복을 이끌고, 방역 안정에 맞추어 과감한 소비 진작책과 내수 부양책을 준비하겠습니다. 선제적인 기업투자를 적극 지원하고, 특히 수출에서 역대 최대 실적을 목표로 모든 지원을 아끼지 않겠습니다. 경제지표가 좋아졌다고 국민의 삶이 곧바로 나아지는 것은 아닙니다. 위기가 불평등을 더 심화시키고 있습니다. 경제 회복의 온기를 국민 모두가 느낄 때 비로소 '완전한 경제 회복'이라 말할 수 있을 것입니다. 완전한 경제 회복에 이르는 최우선 과제는 일자리 회복입니다. 고용 상황이 나아지고 있지만 여전히 위기 이전 수준을 회복하지 못하고 있습니다. 최근의 경제 회복 흐름이 일자리 회복으로 연결되도록 정책적 역량을 집중하겠습니다. 무엇보다도 양질의 민간 일자리 창출에 주안점을 두겠습니다. 지난 3월의 고용 회복에서 민간 일자리 증가가 큰 몫을 차지하는 긍정적인 변화가 있었습니다. 디지털, 그린 등 미래 유망 분야에서 대규모 일자리가 창출될 수 있도록 투자 확대와 함께 인재양성과 직업훈련 등을 강력히 지원해 나가겠습니다. 특히 기업과의 소통을 강화하여 규제혁신, 신산업 육성, 벤처 활력 지원 등 민간 일자리 창출 기반을 확대해 나가겠습니다. 조선업 등 경기 회복과 함께 고용 확대가 예상되는 분야에 대해서는 숙련된 인력들이 적기에 공급될 수 있도록 지원하겠습니다. 코로나 충격으로 일자리 격차가 확대된 것이 매우 아픕니다. 특히, 고통이 큰 청년과 여성들에게 각별한 관심을 가지겠습니다. 일자리 예산을 신속히 집행하면서 추가적인 재정 투입도 필요하다면 마다하지 않겠습니다. 임기 마지막까지 일자리를 최우선에 두고 하나의 일자리라도 더 만드는 데 최선을 다하겠습니다.

완전한 경제 회복의 종착점은 코로나 격차와 불평등을 해소하는 것입니다. 우리 정부는 경제적 불평등 완화를 국가적 과제로 삼고, 출범 초기부터 소득주도 성장과 포용정책을 강력히 추진했습니다. 최저임금 인상, 비정규직의 정규직화, 노동시간 단축, 기초연금 인상, 아동수당 도입, 고교무상교육 시행, 건강보험 보장성 강화 등 수많은 정책을 꾸준하게 추진했습니다. 시장의 충격을 염려하는 반대의견도 있었지만, 적어도 고용 안전망과 사회 안전망이 강화되고 분배지표가 개선되는 등의 긍정적 성과가 있었던 것은 분명합니다. 저는 그것이 코로나를 이겨내는 큰 힘이 되고 있다고 믿습니다.

하지만 코로나 위기가 흐름을 역류시켰습니다. 코로나가 할퀴고 드러낸 상처가 매우 깊습니다. 특히 어려운 사람들을 더욱 어렵게 만들어 코로나 격차 속에서 불평등이 더욱 심화되었습니다. 코로나 자체로 인한 직·간접적 피해도 매우 크지만, 코로나로 촉발된 사회·경제의 변화 속에서 승자가 되는 업종과 기업이 있는 반면 밀려나는 업종과 기업이 있습니다. 일자리의 변화는 갈수록 커질 전망입니다. 코로나로 큰 타격을 받은 업종과 소상공인, 자영업자 등의 어려움을 덜어드리기 위해 계속 노력하겠습니다. 고용보험 적용 확대, 국민취업지원제도의 안착을 통해 고용 안전망을 보다 튼튼히 하겠습니다. 실시간 소득파악체계를 구축하여 전 국민 고용보험 시대를 열고, 체계적인 재난 지원과 촘촘한 복지를 실현하는 기반을 만들겠습니다. 상병수당 도입, 부양의무자 폐지 등의 정책도 속도를 내겠습니다. 코로나로 가중된 돌봄 부담과 돌봄 격차 해소에 대해서도 특별한 관심을 기울여 나가겠습니다.

주거 안정은 민생의 핵심입니다. 날로 심각해지는 자산 불평등을 개선하기 위해서라도 부동산 투기를 철저히 차단하겠습니다. 실수요자는 확실히 보호하면서 부동산 시장 안정화에 최선을 다하겠습니다. 민간의 주택공급에 더해 공공주도 주택공급 대책을 계획대로 차질없이 추진해 나가겠습니다. 무주택 서민, 신혼부부, 청년들이 내 집 마련의 꿈을 실현할 수 있도록 실수요자의 부담을 완화하는 다양한 정책적 지원을 확대해 나가겠습니다. 부동산 부패는 반드시 청산하겠습니다. 공직자와 공공기관 직원들의 부동산 투기가 국민들 마음에 큰 상처를 준 것을 교훈 삼아, 투명하고 공정한 부동산 거래 질서 확립과 불법 투기의 근원을 차단하기 위한 근본적 제도개혁을 완결짓겠습니다.

위기의 또 다른 이름은 기회라고 합니다. 코로나 위기가 국제경제 질서를 바꾸어 놓았습니다. 자국의 상황이 급해지자 개방과 협력보다는 각자도생의 길로 나아갔습니다. 각 나라가 국가의 역할을 더욱 강화하여 막대한 국가재정을 쏟고 있고, 자국 중심으로 글로벌 공급망을 재편하기 위해 사활을 걸고 있습니다. 이 같은 엄중한 상황에서 우리 경제는 위기를 기회로 만들며 더욱 강한 경제로 거듭나고 있습니다. 지난해 위기 속에서 세계 10위 경제 강국에 진입했고, 1인당 GDP에서 사상 처음으로 G7국가를 제쳤습니다. 반도체와 배터리 등 우리의 핵심 주력산업은 세계 최고 수준의 경쟁력을 바탕으로 글로벌 공급망을 주도하고 있습니다. 조선산업은 몰락의 위기에서 압도적 세계 1위로 부활했고, 자동차 생산도 전기차, 수소차 등 친환경차에서 앞서가면서 세계 5대 강국으로 진입했습니다. 강한 제조업이 우리 경제를 살리고 있습니다. 정부는 제조업의 혁신과 부흥을 총력 지원해 나가겠습니다. 특히, 우리 경제의 핵심 산업들에 대해서는 거센 국제적 도전을 이겨내며 계속해서 세계를 선도하는 산업이 될 수 있도록, 국익의 관점에서 국가전략산업으로 전방위적 지원을 강화해 나가겠습니다. 글로벌 공급망 확보 경쟁이 가장 치열하게 나타나고 있는 업종이 반도체입니다. 세계 경제의 대전환 속에서 반도체는 모든 산업 영역의 핵심 인프라가 되고 있습니다. 우리 반도체는 10개월 연속 수출 증가를 이루며 세계 1위의 위상을 굳건히 지키고 있고, 시스템반도체까지 수출 주력 품목으로 성장하고 있습니다. 세계 최고 대한민국 반도체의 위상을 굳건히 지키면서, 지금의 반도체 호황을 새로운 도약의 계기로 삼아 우리의 국익을 지켜낼 것입니다.

1년 전 오늘, 저는 이 자리에서, 선도형 경제로의 전환과 한국판 뉴딜 프로젝트를 강력하게 추진하겠다고 말씀드렸습니다. 국판 뉴딜을 포스트 코로나 시대를 대비하는, 비대면 경제와 디지털 경제, 불평등 해소와 일자리 창출을 위한 국가적 프로젝트로 제시했습니다. 격형 경제에서 선도형 경제로, 탄소 의존 경제에서 저탄소 경제로, 불평등 사회에서 포용 사회로 나아가겠다는 대한민국 대전환 선언으로 이어졌습니다. 선언에 따라 정부는 고용 안전망과 사회 안전망의 토대 위에 디지털 뉴딜과 그린 뉴딜의 두 축을 세우고 대한민국 건국 이후 최대 규모인 160조 원 투입을 결정했습니다. 당시로서는 생소한 구상이었을지 모르지만 올바른 방향이었음이 증명되고 있습니다. 이제는 우리만의 길이 아니라 세계 보편의 길이 되었습니다. 1년 전, 우리가 한국판 뉴딜에서 제시한 과제가 지금은 전 세계의 시대적 과제가 된 것입니다. 이제 한국판 뉴딜은 재정 투입을 본격화하며 본궤도에 오르고 있습니다. 지역과 민간으로 확산 속도도 빨라지고 있습니다. 임기 마지막까지 한국판 뉴딜을 힘있게 추진하여 대한민국 대전환의 토대를 확고히 구축해 나가겠습니다.

우리 정부가 미래 신성장산업으로 설정한 시스템반도체, 바이오, 미래차의 3대 신산업은 선도형 경제의 주축으로 확고히 자리를 잡아가고 있습니다. 데이터, 네트워크, 인공지능 산업은 기술 혁신을 선도하며 새로운 시장을 개척하고 있습니다. 선도형 경제의 새로운 주역으로 떠오른 스타트업과 벤처산업은 제2의 벤처붐으로 불릴 정도로 그야말로 눈부시게 성장하고 있습니다. 2016년 두 개에 불과했던 유니콘 기업이 열세 개로 불어났고, 경제 위기 상황 속에서도 벤처 분야 창업과 투자, 펀드 결성액, 일자리 모두 크게 증가했습니다. 특히 벤처기업이 주식시장의 떠오르는 주역이 되고 있는 것은 우리 산업 지형이 크게 변화하고 있다는 것을 보여줍니다. 코스닥 시장에서는 시가총액 20위권 내에 벤처기업이 열세 개로 증가했고, 코스피 시장에서도 네 개 기업이 20위권 내에 자리 잡았습니다. 모두 코로나 시기에 주목받는 바이오 분야와 정보통신 분야의 선도기업들입니다. 제2벤처붐이 코로나 위기 상황에서 더 확산되고 있는 것은 우리 경제의 역동성을 여실히 보여주고 있다고 평가할 수 있을 것입니다. 정부는 신산업과 혁신 벤처를 우리 경제의 미래로 삼고, 더 빠르게 성장하고 더 힘있게 비상할 수 있도록 전폭적으로 지원해 나가겠습니다.

국민 여러분,

뜻이 있으면 길이 있습니다. 한반도에 대립과 갈등의 시대를 끝내고 평화와 번영의 시대를 여는 것은 8천만 겨레의 염원입니다. 남은 임기 1년, 미완의 평화에서 불가역적 평화로 나아가는 마지막 기회로 여기겠습니다. 긴 숙고의 시간도 이제 끝나고 있습니다. 행동으로 옮길 때가 되었습니다. 미국 바이든 신정부도 대북 정책 검토를 완료했습니다.

우리와 긴밀히 협의한 결과입니다. 한반도의 완전한 비핵화를 기본 목표로 싱가포르 선언의 토대 위에서 외교를 통해 유연하고 점진적·실용적 접근으로 풀어나가겠다는 바이든 정부의 대북 정책 방향을 환영합니다. 5월 하순 예정된 한미 정상회담을 통해 한미동맹을 굳건히 다지는 한편, 대북 정책을 더욱 긴밀히 조율하여 남과 북, 미국과 북한 사이의 대화를 복원하고 평화협력의 발걸음을 다시 내딛기 위한 길을 찾겠습니다.

남은 임기에 쫓기거나 조급해하지 않겠습니다. 다만 평화의 시계를 다시 돌리고 한반도 평화프로세스를 진전시켜 나갈 기회가 온다면 온 힘을 다하겠습니다. 북한의 호응을 기대합니다. 함께 평화를 만들고, 함께 번영으로 나아갈 수 있기를 바랍니다. 우리는 외교를 통해 문제를 해결할 수 있다는 분명한 가능성을 보았습니다. 국민들께서도 대화 분위기 조성에 힘을 모아주시기 바랍니다. 특히 남북합의와 현행법을 위반하면서 남북관계에 찬물을 끼얹는 일은 결코 바람직하지 않습니다. 정부로서는 엄정한 법 집행을 하지 않을 수 없다는 것을 강조합니다.

우리 대한민국은 G7에 연속으로 초청되는 나라가 될 만큼 국가적 위상이 매우 높아졌습니다. K-방역이 세계의 표준이 되었고, 세계는 우리 경제의 놀라운 회복력과 성장 잠재력에 주목하고 있습니다. K-팝, K-뷰티, K-푸드, K-콘텐츠는 세계적 브랜드가 되었고, 대한민국의 문화에 전 세계인들이 열광하고 있습니다. 경제, 문화, 예술, 과학, 보건, 민주주의 등 우리가 가진 매력과 국제사회 기여로 대한민국은 소프트 파워 강국으로 나아가고 있습니다. 우리의 자긍심입니다. 높아진 국가적 위상에 걸맞게 국제사회에서의 책임과 역할을 강화하겠습니다. 코로나 이전까지 저는 모두 스물네 차례에 걸쳐 31개국을 방문했고, 코로나 상황에서도 48개국 정상 및 국제기구 수장과 65회 전화 또는 화상 통화를 하며 국제사회의 연대와 협력에 기여하고자 노력했습니다. 앞으로도 인류 공통의 과제인 감염병과 기후변화 대응에 적극적으로 참여하겠습니다.

작년 말, 정부는 '2050 탄소중립'을 선언했습니다. 탄소중립은 인류가 함께 나아가야 할 피할 수 없는 과제입니다. 이미 정부는 석탄화력발전소를 조기에 감축하면서, 태양광과 풍력 등 신재생에너지 비중을 늘려왔습니다. 수소 경제로의 전환에도 박차를 가하고 있습니다. 산업별 에너지 전환에 속도를 내기 위한 민관 협력이 더욱 강화되고 있고, 발전, 산업, 수송, 건물, 도시 인프라 등 사회 전 분야별로 탄소중립 로드맵을 마련해 나가고 있습니다. 정부는 올해를 대한민국 탄소중립 원년으로 삼겠습니다. 저탄소 경제 전환은 단순한 친환경 정책이 아닙니다. 새로운 기술과 새로운 산업을 일으키고 많은 일자리를 만들어내는 엄청난 기회가 될 것입니다. 이달 말 우리나라에서 개최되는 P4G 정상회의는 기후변화 대응을 위한 국제사회의 협력을 강화하면서 우리의 주도적 역할을 보여줄 수 있는 좋은 기회입니다. 책임 있는 중견국가로서 대한민국의 위상을 높이는 계기로 만들겠습니다.

국민 여러분,

남은 임기 1년, 짧다면 짧고, 길다면 긴 시간입니다. 그 1년이 대한민국의 운명을 좌우할 수 있다는 자세로 임하겠습니다. 수많은 위기 앞에서도 단결하며 전진했던 위대한 국민들과 함께 당당하게 나아가겠습니다. 모든 평가는 국민과 역사에 맡기고, 마지막까지 헌신하겠습니다. 진심으로 국민 여러분의 성원을 부탁드립니다.

감사합니다.

K-반도체 전략 보고 모두발언

| 2021-05-13 |

존경하는 국민 여러분,

세계 반도체 시장이 거대한 변혁의 시기를 맞고 있습니다. 코로나로 인해 비대면·디지털 경제 전환이 빨라지고 사물인터넷, 인공지능과 같은 4차 산업혁명 기술이 급격히 성장하고 있습니다. 이에 따라 반도체 수요가 크게 늘고, 장기간에 걸쳐 호황이 이어지는 슈퍼사이클 진입 가능성이 전망되고 있습니다. 세계 각국은 자국 위주의 공급망 재편에 뛰어들며 치열한 경쟁에 돌입했습니다. 우리가 나아가야 할 방향은 분명합니다. 외부 충격에 흔들리지 않을 선제적 투자로 국내 산업생태계를 더욱 탄탄하게 다지고 글로벌 공급망을 주도해 이 기회를 우리의 것으로 만들어야 합니다. 평택 반도체 생산단지는 대한민국 반도체 산업의 미래가 열리고 있는 곳입니다. 오늘 이곳에서 우리 반도체 산업의 비전을 확인하고, 'K-반도체 전략'을 국민들께 보고하고자 합니다. 반도체 업계와 수요기업, 정부와 지자체, 인력양성기관까지 한마음으로 지혜를 모아 마련한 전략입니다. 오늘 함께해 주신 반도체 관련 기업 대표님들, 대학 총장님들을 비롯한 학계, 민주당 반도체특위를 맡고 있는 국회의원님들, 그리고 지자체장들께 감사드립니다. 코로나 상황에서도 많은 분들이 참석해 주셨습니다. 그만큼 우리 반도체 산업의 미래가 중요하기 때문이라 생각합니다. 정부도 늘 함께하면서 반도체 강국 대한민국의 자긍심으로 반드시 글로벌 반도체 경쟁에서 승리하겠습니다.

국민 여러분,

지금까지 세계 반도체 시장은 한국과 미국, 대만이 주도해왔습니다. 메모리반도체 시장점유율은 우리가 20년째 세계 1위를 고수하고 있고, 시스템반도체의 경우 미국이 설계 분야에서 앞서가고 제조 분야에서는 대만이 앞서는 가운데 우리가 뒤쫓는 양강 구도를 형성하고 있습니다. 이제 세계 주요 경쟁기업들이 미래시장 선점을 위한 대규모 투자에 나서고 있습니다. 우리 기업들 역시 도전과 혁신을 계속해왔고, 격변의 시기에 맞설 준비를 마쳤습니다. 그 전진기지가 바로 이곳, 평택 반도체 생산단지입니다. 2017년 문을 연 제1공장과 지난해 가동을 시작한 제2공장이 쉴 새 없이 돌아가며 최첨단 메모리칩을 전 세계에 공급하고 있습니다. 올 하반기에는 시스템반도체가 본격적으로 생산될 것입니다. 축구장 스물다섯 배 규모의 제3공장이 내년 말 완공되면 세계 최대 반도체 생산 라인으로 이름을 올릴 것입니다. 정부도 2019년, '시스템반도체 전략과 비전'을 수립해 '2030년 종합반도체 강국'을 향해 함께 뛰었고, 민관이 힘을 모으며 뚜렷한 성과를 올리고 있습니다. 시스템반도체는 지난해 300억 불 수출을 달성하며 5대 수출 주력 품목으로 자리매김했습니다. 전체 반도체 수출도 10개월 연속 증가하고 있으며, 올해 연간 수출액은 1,000억 불을 넘어설 전망입니다.

이제 우리 기업들은 성큼 더 앞서가고 있습니다. 향후 10년간 총 510조 원 이상을 투자합니다. 삼성전자는 평택과 화성의 메모리반도체와 시스템반도체 복합 생산라인을 대규모로 증설하고, SK하이닉스도 용인에 대규모 생산기지를 새롭게 구축할 계획입니다. 불확실성에 맞서 더욱 적극적으로 선구적인 투자에 나서주신 기업인들의 도전과 용기에 경의를 표합니다.

국민 여러분,

반도체 산업은 기업 간 경쟁을 넘어 국가 간 경쟁의 시대로 옮겨갔습니다. 글로벌 반도체 공급망을 자국 중심으로 재편하기 위해 국가 차원에서 보조금 지원, 세제 혜택 등 파격적 지원에 나서고 있습니다. 우리 정부도 반도체 강국을 위해 기업과 일심동체가 되겠습니다. 기업의 노력을 확실하게 뒷받침하겠습니다. 택·화성·용인·천안을 중심으로 한 경기·충청권 일대에 세계 최고의 반도체 국가 도약을 위한 'K-반도체 벨트'를 구축하겠습니다. 설계부터 제조, 패키징에 이르는 반도체 공정은 물론 소재·부품·장비까지 촘촘한 공급망을 구축할 것입니다. IT기업이 모여 있는 판교에는 팹리스 밸리를 조성해 설계 분야 경쟁력을 키우겠습니다. 청주를 비롯한 충청권은 반도체 칩의 상품성을 더욱 높여 줄 패키징 전문단지로 조성하겠습니다. SK하이닉스의 신규 생산단지가 들어서는 용인을 기술자립형 소재·부품·장비 특화단지로 육성하고, 화성과 천안은 글로벌 선도기업과의 협업을 통해 첨단 반도체 장비 클러스터로 만들어 갈 것입니다. 단지 조성뿐 아니라 기업 투자가 적기에 이뤄지고, 생산능력 확대가 빠르게 이어질 수 있도록 세제, 금융, 규제 개혁, 기반시설 확충까지 전방위적으로 지원하겠습니다. 반도체를 국가 핵심전략기술로 지정해 시설투자에 대한 세제 지원을 최대 여섯 배까지 확대하겠습니다. 연구개발 투자에 대해서는 최대 50%를 세액 공제하겠습니다. 1조 원 이상의 특별 금융 지원 프로그램을 가동해, 시설투자에 저리의 자금을 지원할 것입니다. 각종 인허가 기간을 최대한 단축하고, 송전선로와 용수, 폐수 재활용 시설을 확충하여 반도체 제조시설을 신속하게 구축할 수 있도록 챙기겠습니다. 지속적인 성장 기반 마련을 위해서도 정부의 자원을 총동원하겠습니다. 앞으로 10년간 반도체 핵심인재 3만 6천 명을 양성하고, 차세대 전력 반도체, 인공지능 반도체, 첨단 센서 등 성장 가능성이 큰 핵심기술 개발에 힘쓸 것입니다. 규제 특례, 인력 양성, 신속투자 지원 확대를 위한 '반도체 특별법' 제정 논의도 국회와 함께 본격적으로 시작하겠습니다.

잠시 후, 반도체 생태계 강화를 위한 연대·협력 협약식이 열립니다. 차량용 반도체 수요-공급기업 간 협력 협약과 반도체 고급인력 양성 민관 투자 협약을 바탕으로 차량용 반도체 수급 안정과 반도체 고급인력

양성을 위해 산·학·연과 정부가 함께 노력하겠습니다. 글로벌 반도체 장비 제조업체인 ASML과의 첨단장비 클러스터 투자 협약을 통해 국내 공급망의 부족한 부분도 보완해 나가겠습니다.

존경하는 국민 여러분,

기업의 선제적 투자와 산학연의 상생 노력이 이미 힘을 발휘하고 있습니다. 민관이 힘을 모은 'K-반도체 전략'을 통해 우리는 글로벌 공급망 재편의 거센 파고를 넘어설 것입니다. 메모리반도체 세계 1위의 위상을 굳건히 하고 시스템반도체까지 세계 최고가 되어 '2030년 종합반도체 강국'의 목표를 반드시 이뤄내겠습니다. 반도체 산업의 경쟁력을 바탕으로 산업 각 분야의 경쟁에서 유리한 고지를 선점하고, 포스트 코로나 시대의 선도국가로 도약하겠습니다. 또 한 번의 새로운 신화를 만들어 갈 대한민국 반도체 산업을 국민과 함께 응원합니다.

감사합니다.

더불어민주당 지도부 초청 간담회 모두발언

| 2021-05-14 |

오늘 우리 당 신임 지도부를 이렇게 모시게 되어서 매우 반갑습니다. 송영길 대표님, 윤호중 원내대표님, 또 최고위원님들, 새롭게 우리 당 지도부로 선출되신 것에 대해서 진심으로 축하를 드리며, 또 아주 어려운 시기에 당을 이끌게 되어서 어깨가 아주 무거우시리라고 생각합니다. 우리 정부 임기 1년을 남긴 시점에서 당의 전열이 정비가 되고, 또 국무총리와 여러 장관이 새로 임명되는 등 정부와 여당이 새로운 진용을 갖추며 이렇게 출발할 수 있게 되었습니다. 국가적으로 매우 어렵고 중요한 시기에 정부와 여당이 신발끈을 다시 조여 매고 새롭고 비상한 각오로 힘을 모아서 국정을 운영하고, 미래를 준비해 나가는 그런 계기가 되었으면 합니다.

취임 4주년 특별연설을 준비를 하면서 임기 4년이 지났다고 할지,

임기 1년이 남았다고 할지 생각을 많이 했습니다. 남은 임기 1년이 지난 4년 그 어느 시기보다 중요하다고 생각했고, 또 국민들께서도 과거의 성과보다는 현재와 미래의 과제에 대해서 듣고 싶어 하실 것이라고 생각했습니다. 남은 1년 동안 우리 정부가 특히 무엇을 하고, 미래를 어떻게 준비해 나가야 할지 국민들께 말씀드리고자 했습니다.

지금 코로나 위기는 끝나지 않았고 국가적으로 엄중한 상황이 지속되고 있습니다. 경제가 빠르게 회복되고 있지만 국민들의 삶은 여전히 어렵습니다. 여전히 일상으로 복귀하지 못하고 있고, 고용 상황도 코로나 이전으로 회복되지 못하고 있습니다. 코로나가 더욱 키운 격차와 불평등으로 고통이 더욱 커진, 여전히 지금 고통을 겪고 있는 그런 국민들이 많습니다. 그래서 남은 1년이 더욱 중요합니다. 위기를 극복해야 되고, 경제를 회복해야 하고, 또 불평등을 해소해 나가야 합니다. 뿐만 아니라 선도국가로 도약할 수 있는 그런 기회를 꼭 살려내야 되고, 기회가 온다면 흔들리지 않는 한반도 평화를 만들어내는 일에도 진력해야 합니다. 감염병 대응이나 또 기후변화 대응 같은 전 세계적인 과제에서도 책임있는 역할을 해 나가야 하겠습니다. 무엇보다 유능해야 한다고 생각합니다. 재보선의 패배를 쓴 약으로 삼아서 국민이 가장 아프고 힘든 부분을 챙기는 데서부터 정부와 여당이 유능함을 보여줘야 할 것입니다. 일자리, 부동산, 불평등 해소 등 당·정·청이 함께 풀어가야 할 민생과제가 많고, 또 반드시 해결해야 할 그런 문제들입니다. 한국판 뉴딜, 탄소중립 등 선도국가로 도약하기 위한 그런 토대 구축에도 정부와 여당이 유능함을 보여줘야 한다고 생각합니다. 특히 경제, 사회가 질적으로 달라지고 있는 대전환의 시기에 변화에 앞서가고, 또 잘 준비해 가는 유능한 모습을 국민들께 우리가 함께 보여드릴 수 있기를 바랍니다.

유능함은 단합된 모습에서 나온다고 생각합니다. 모든 문제에서 똑같은 목소리여야 한다고 생각하지 않습니다. 다양한 의견이 나오면서도 그 의견들이 같은 방향으로 향하고, 또 깊이 있는 소통을 통해서 결국은 하나로 힘을 모아나갈 때, 그리고 그런 모습들이 일관되게 지속될 때 국민들께 희망을 드릴 수 있는 것이라고 생각합니다. 임기 마지막이 되면 정부와 여당 간에 좀 틈이 벌어지기도 하고, 또 당도 선거를 앞둔 그런 경쟁 때문에 분열된 모습을 보였던 것이 과거 정당의 역사였습니다. 우리가 새로운 역사를 만들어 나가기를 바랍니다. 새 지도부가 우리 당을 잘 단합시켜 주시고, 또 그 힘으로 당·정·청 간에도 더 긴밀한 소통과 협력으로 국민들께 현재와 미래에 대한 희망을 드릴 수 있기를 바라면서 당부 말씀을 드립니다. 모처럼인 기회여서 하실 말씀이 많으실 것으로 생각합니다. 오늘은 듣는 자리로 그렇게 생각을 하겠습니다. 편하게 말씀들 해 주시기 바랍니다.

감사합니다.

제40회 스승의 날 영상 축사

| 2021-05-15 |

선생님, 감사합니다.

40회 스승의 날을 맞아 모든 선생님들께 존경과 감사의 인사를 드립니다. 모든 인연 가운데, 지혜를 주고받는 인연만큼 오래 남는 인연이 없을 것입니다. 지난해 우리는, 교실에서 배우고, 가르치며, 사랑하는 일이 얼마나 소중한지 새삼 깨달았습니다. 코로나 상황 속에서 아이들을 위해 선생님들이 더 많은 땀을 흘렸습니다. 원격 수업부터 더욱 안전한 학교를 만드는 일까지, 선생님들의 헌신 덕분에 아이들은 친구들과 함께 교실에서 봄을 맞이할 수 있었습니다. 아이들에게 희망을 얘기해준 선생님들께 감사드립니다.

우리에게 교육은 미래를 준비하는 일입니다. 이제 우리 앞에는 누구도 경험해보지 못한 코로나 이후 시대가 놓여있습니다. 교육이 먼저 변화를 두려워하지 않는다면, 우리 아이들이 변화 속의 주역이 될 것입니다. 교육이 새로운 가능성과 마주한다면, 우리 아이들이 새로운 미래와 만나게 될 것입니다. 한편으로, 교육은 현실의 어려움을 극복해야만 하는 고단한 여정이기도 합니다. 코로나로 인한 '학력 격차'를 줄이기 위해 아이들의 손을 놓치지 않으려 애쓰는 선생님들, 아이들의 꿈 꿀 권리를 위해 헌신하고 계신 선생님들이 대한민국의 희망입니다. 정부도 마땅히 해야 할 책무를 잊지 않겠습니다. 선생님들이 긍지 속에서 가르치는 일에 전념할 수 있도록 뒷받침하겠습니다. 학교 현장에서 필요한 것이 무엇인지 경청하고 소통하겠습니다.

아이들에게 선생님은 세상의 기준입니다. 선생님에게서 받은 인정과 사랑은 학생 자신의 참모습과 잠재력을 발견하는 힘이 됩니다. 좋은 스승이 되겠다는 다짐과 제자에 대한 믿음으로 힘든 길을 마다하지 않고 걷고 계신 모든 선생님들께 어느 제자의 마음을 바칩니다.

"선생님이 저를 사랑해주셔서, 저도 저를 사랑할 수 있게 되었습니다" 스승의 날, 이 땅 모든 선생님들의 은혜를 생각합니다.

감사합니다.

수석보좌관회의 모두발언

| 2021-05-17 |

오늘 외부 전문가로 최성진 코리아스타트업포럼 대표님, 지금 곧 오실 것입니다만, 그리고 우리 4차산업혁명위원장을 지내셨던 장병규 크래프톤 의장께서 함께하면서 논의에 참여해 주실 것입니다. 박수로 맞아 주시기 바랍니다. 세상에 쉬운 일이 없지만, 최선을 다해 노력하면 못 할 일도 없습니다. 절실한 마음으로 분명한 목표를 세우고, 용기 있게 도전하고 끈기 있게 실천해 나간다면 이루고자 하는 목표를 반드시 달성할 수 있을 것입니다. 정부는 남은 임기 1년을, 코로나의 위기를 넘어 회복, 포용, 도약의 길로 힘차게 나아가겠다는 분명한 목표를 밝혔습니다. 반드시 이루겠다는 절실한 마음으로 치밀하게 계획하고 신속·과감하게 실행해 나가겠습니다.

우선, 방역에 만전을 기하고 백신 접종을 차질없이 시행하면서, 일상회복의 시기를 조금이라도 앞당기기 위해 최선을 다하겠습니다. 이번 방미를, 백신 협력을 강화하고 백신 생산의 글로벌 허브로 나아가는 계기로 삼겠습니다. 한편으로는, 우리 경제의 빠르고 강한 회복세가 민생 전반의 온기로 확산될 수 있도록 혼신의 노력을 기울이겠습니다. 우리 경제의 강한 반등이 이어지고 있습니다. 이 흐름에 정부의 강력한 의지를 더해 올해 경제성장률 4% 이상 달성이 희망 사항이 아닌 현실로 이뤄질 수 있도록 총력을 다하겠습니다. 이 시기에 더욱 중요한 것은 성장을 분배로 연결시켜, 코로나 불평등을 완화해 나가는 것입니다. 국민의 삶이 실제로 나아져야 완전한 경제 회복이라 할 수 있습니다. 무엇보다 국민의 삶과 가장 직결된 일자리 회복이 급선무입니다. 다행히 최근 일자리 회복 속도가 빨라지고 있습니다. 4월 취업자 수는 6년 8개월 만에 최대 증가 폭을 기록하며 작년 같은 달보다 65만 명 이상 늘었습니다. 일자리 증가의 절반 이상이 민간 일자리인 것도, 또 청년층 취업자 수가 2000년 8월 이후 최대폭으로 증가한 것도, 매우 긍정적인 변화입니다.

하지만, 아직 코로나 이전 수준에 미치지 못하고 있습니다. 일자리 회복 흐름이 몇 달 더 이어져야 코로나 이전보다 나은 수준으로 회복될 수 있습니다. 특히 민간 일자리 창출을 최우선에 두겠습니다. 코로나 위기 속에서도 한국의 코스피와 코스닥 주가 성적이 글로벌 증시에서 최고를 기록한 것은 우리 민간기업의 활력이 그만큼 커지고 있다는 것을 보여줍니다. 선도형 경제로의 대전환 속에서 반도체 등 국가전략 산업, 디지털과 그린, 혁신벤처 등 미래산업에 필요한 소프트웨어 인력과 인공지능 인력이 크게 부족해졌습니다. 기업 수요에 맞춘 인력 양성과 교육훈련 확대 등 양질의 일자리 창출 기반을 대폭 강화하겠습니다. 구인과 구직 사이의 일자리 부조화를 빠르게 해소하는데 역점을 두겠습니다. 이를 통해 일자리 걱정이 큰 청년들과 일자리의 이동이 필요한 분들에게 미래에 맞는 더 좋고, 더 많은 일자리 기회를 제공할 수 있도록 최선을 다하겠습니다. 일과 가정이 양립하고 경력단절 없이 경제활동에 전념할 수 있는 노동환경 조성을 위해서도 더욱 노력하겠습니다. 고용 안전망을 더욱 튼튼히 하고, 당장 일자리가 필요한 취약계층을 위한 공공일자리 사업은 정부가 당연히 힘써야 할 일로써 지속적으로 추진해 나가겠습니다. 완전한 경제 회복은 국민 모두의 삶이 골고루 회복되는 것입니다. 곧 분배지표의 변화를 알 수 있는 1분기 가계동향조사 결과가 발표됩니다. 코로나가 불평등을 심화시키는 악조건 속에서도 정부는, 취약계층 보호와 분배 개선에 최선을 다하고 있습니다. 가계동향조사 결과가 발표되면, 그 결과를 면밀히 분석하여 추가적 대책을 마련하는 등 임기 마지막까지 포용적 회복에 매진하겠습니다.

오늘 특별히, 현장 중심의 적극 행정을 당부합니다. 새로 임명된 총리께서도 평소 현장과 소통을 중시해온 만큼, 총리 중심으로 모든 부처가 함께 현장에서 문제를 찾고 답을 구하는 모습을 보여주기 바랍니다. 기업의 애로 해소와 경제 활력의 제고를 위해서만 현장 중시가 필요한 것이 아닙니다. 요즘, 곳곳에서 발생하고 있는 산재 사망사고 소식에 매우 안타깝고 송구한 마음입니다. 정부는 산재 사망사고를 줄이기 위해, 산업안전보건법을 30년 만에 전면 개정하고, 중대재해처벌법을 제정했으며, 산업안전감독관을 크게 증원하는 한편 패트롤카를 활용한 현장 점검과 감독을 확대하는 등 예산과 조직을 대폭 확충했습니다. 그러나 추락사고, 끼임 사고 등 국민의 마음을 아프게 하는 후진적인 산재 사망사고가 끊이지 않고 있습니다. 문제해결은 회의에서 마련하는 대책에 있지 않고, 현장에 있다는 사실을 다시 한번 명심해 주기 바랍니다.특히 사고 원인 규명과 재발 방지 대책 등 현장에서 답을 찾아 주기 바랍니다. 사고를 예방하는 것도 매우 중요하지만 사고에 대처하는 성의도 못지않게 중요합니다. 자식을 잃은 가족의 아픈 심정으로, 진정성을 다해 발로 뛰며 해결하는 자세를 가져 주기 바랍니다.

어제와 오늘에 머물지 않는 오월입니다

| 2021-05-18 |

다시 우리들의 오월 광주입니다. 5·18민주묘지와 망월공원묘지로 가는 길에 쌀밥같이 하얀 이팝나무 꽃이 피었을 것입니다. 시민군, 주먹밥, 부상자를 실어나르던 택시, 줄지어 선 헌혈. 함께 이웃을 지키고 살리고자 했던 마음이 민주주의입니다. 오늘 그 마음이 촛불을 지나 우리의 자랑스러운 민주주의가 되고, 코로나를 극복하는 힘이 되었다는 것을 감사하게 되새깁니다.

희망의 오월은 진상규명과 명예회복으로 열립니다. 지난해, '5·18민주화 운동진상규명조사위원회'가 인권 유린과 폭력, 학살과 암매장 사건 등을 본격적으로 조사하기 시작했습니다. 올해 3월에는 계엄군이 유족을 만나 직접 용서를 구하는 화해와 치유의 시간이 있었습니다. 지난주 시민을 향해 기관총과 저격병까지 배치하여 조준사격 했다는 계엄군 장병들의 용기 있는 증언이 전해졌습니다. 이렇게 우리는 광주의 진실, 그 마지막을 향해 다가가고 있습니다. 진실을 외면하지 않은 분들께 진심으로 감사드립니다.

우리는 오월 광주와 함께합니다. 옛 전남도청 건물을 1980년 당시의 모습으로 복원하기 위한 기본계획을 마쳤습니다. 박용준 열사는 등사원지에 철필로 원고를 옮겨 적어 광주 시민들의 소식지 〈투사회보〉를 만들었습니다. 계엄군의 총이 앗아간 그의 삶이 '박용준체'를 통해 우리 품으로 돌아옵니다. 민주주의를 새롭게 열어갈 미래 세대들을 위한 오월의 선물들입니다. 우리는 〈택시운전사〉의 기자 '위르겐 힌츠페터'를 기억합니다. 오월 광주의 참상을 전 세계에 알리고 마지막까지 현장을 지키며 기록했던 그의 뜻을 기려, 오는 10월부터 '힌츠페터 국제보도상'을 시상합니다. 광주가 성취한 민주주의의 가치를 세계 시민들과 나누는 선물이 될 것입니다.

우리는 오늘 미얀마에서 어제의 광주를 봅니다. 오월 광주와 힌츠페터의 기자정신이 미얀마의 희망이 되길 간절히 기원합니다. 오월 민주 영령들을 마음 깊이 기리며, 모진 시간을 이겨온 부상자와 유가족께 존경과 위로를 드립니다. 민주와 인권, 평화의 오월은 어제의 광주에 머물지 않고 내일로 세계로 한걸음 한 걸음, 힘차게 나아갈 것입니다.

서로의 마음이 다르지 않습니다

| 2021-05-19 |

부처님이 오신 날입니다.

처마 끝 풍경소리같이 맑은 마음으로 어려운 이웃을 품어주신 스님들과 불자들께 깊이 감사드립니다. 연등회가 지난해 '유네스코 인류무형유산'으로 등재되는 큰 경사가 있었습니다. 축하하고 자랑하고 싶은 마음이 큽니다. 하지만 불교계는 올해도 연등행렬을 취소하고 온라인으로 봉축행사를 진행하기로 했습니다. 방역을 위해 법회와 행사를 중단하면서도 스님들은 산문을 활짝 여셨습니다. 의료진과 방역진, 여행업계와 소상공인, 문화예술인 같은 분들에게 템플스테이를 무료로 개방해 평화와 안식을 주셨습니다. 공동체와 함께해주시는 마음에 존경을 표합니다. 서로의 마음이 다르지 않다는 자비의 실천에 부처님도 염화미소를 짓고 계실 것입니다.

행복한 세상을 기원하며 밝혀주시는 '희망과 치유의 연등'은 서로의 마음과 세상을 환하게 이어 비춰주고 있습니다. 그 원력으로 우리는 코로나를 이겨낼 것입니다. 부처님 오신 날, 부처님의 지혜와 자비가 온누리에 가득하기를 기원합니다.

한·미 확대 정상회담 모두발언

| 2021-05-22 |

바이든 대통령님 감사합니다.

나와 우리 대표단을 따뜻하게 맞아주신 바이든 대통령님과 미국 국민들께 깊이 감사드립니다. 미국이 바이든 대통령님의 리더십에 의해 코로나 극복과 경제 회복, 국민통합에서 성공을 거두며 세계의 모범이 되고 있는 것을 축하합니다. 한미 양국은 70년 넘는 굳건한 동맹국이며, 미국은 한국이 가장 힘들었을 때 한국을 도와주고 이끌어 준 영원한 친구입니다. 코로나 확산 이후 첫 순방지로 미국을 방문하고, 바이든 대통령님과 새 정부에 인사들을 만나게 되어 매우 기쁩니다.

우리 양국은 코로나 위기 속에서도 서로 문을 닫지 않았고, 서로 방역을 도왔으며 교류와 교역을 유지하였습니다. 반도체, 배터리, 통신을 비롯하여 코로나 이후 시대를 이끌 산업에서도 양국 기업들의 성공적인 협력 사례가 늘어나고 있습니다. 세계 비즈니스의 중심인 미국과 동아시아 경제 허브로 도약하고 있는 한국의 협력 확대는 양국은 물론 세계경제 회복의 돌파구가 될 것입니다. 바이든 대통령님과 나는 앞선 회담에서 한미동맹 강화와 한반도 평화의 공동의지를 확인했습니다. 수교 139주년을 하루 앞둔 오늘, 양국 국민들께 기쁜 선물이 되리라 생각합니다. 한반도의 완전한 비핵화와 평화 정착을 위해 한국은 미국과 함께 긴밀히 협력해 나갈 것입니다.

지금 세계는 미국의 복귀를 환영하며, 그 어느 때보다 미국의 리더십을 기대하고 있습니다. 바이든 대통령님도 더 나은 재건을 강조하며 모범의 힘으로 인류 공통의 과제를 해결할 의지를 표명했습니다. 쉽지 않은 도전들이 우리 앞에 놓여 있지만 우리 양국은 가치를 공유하는 동맹으로써 코로나 극복, 경제 회복, 기후변화 대응을 비롯한 글로벌 현안에 대해서도 적극 협력할 것이며 새로운 시대를 열어갈 것입니다. 오늘의 만남에 이어 머지않은 시기에 한국의 서울에서 대통령님과 다시 만나기를 기대합니다.

감사합니다.

한·미 공동기자회견 모두발언

| 2021-05-22 |

바이든 대통령님과 해리스 부통령님, 특별한 환대에 깊이 감사드립니다.

오늘 한미 정상과 대표단이 눈을 마주하고 대화를 나눈 것은 양국 국민들께 코로나 회복의 희망과 함께 수교 139년의 뜻깊은 선물이 될 것이라 생각합니다. 바이든 대통령님과 나는 한국전 참전용사 명예훈장 수여식부터 단독회담, 확대회담까지 여러 시간을 함께하는 동안 오랜 친구처럼 진솔한 대화를 나누었습니다. 민주주의 증진, 포용적 성장, 중산층 강화, 기후변화 대응을 비롯한 많은 부분에서 우리 두 사람의 관심과 의지가 같다는 것을 확인할 수 있었고, 특히 한미동맹의 굳건함을 재확인하고 더욱 강력한 동맹으로 발전시킨다는 공동의 비전을 확인했습니다. 이번 미국 순방을 통해 바이든 대통령님과 나 사이에 쌓인 신뢰는 양국 국민의 우정을 깊이 다지고, 한미동맹의 지속적인 발전을 굳게 뒷받침하는 기반이 될 것이라 확신합니다.

양국이 함께 이루어야 할 가장 시급한 공동 과제는 한반도의 완전한 비핵화와 항구적 평화입니다. 얼마 전 바이든 행정부의 대북 정책 검토가 마무리되었습니다. 싱가포르 공동성명 등 과거 합의를 토대로 현실적이고 실용적인 접근을 통해 북한과의 외교를 모색하겠다는 바이든 정부의 대북 정책 방향을 환영합니다. 검토 과정에서 양국이 빈틈없는 긴밀한 공조를 이룬 것을 높이 평가합니다. 또한 바이든 대통령의 성 김 대북특별대표 임명을 환영합니다. 미국이 북한과 대화를 통한 외교를 할 것이며 이미 대화의 준비가 되어 있다는 강한 의지의 표명이라고 봅니다. 한반도 문제에 대한 전문성이 탁월한 분이 임명이 되어 더욱 기대가 큽니다.

바이든 대통령님과 나는 남북 간, 북미 간 약속에 기초한 대화가 평화로운 한반도를 만들어가는 데 필수적이라는 믿음을 재확인했습니다. 아울러 바이든 대통령님은 남북 대화와 협력에 대한 지지도 표명했습니다. 미국과의 긴밀한 협력 속에서 남북관계 진전을 촉진해 북미 대화와 선순환을 이룰 수 있도록 노력할 것입니다. 앞으로도 한미 양국은 긴밀히 소통하며 대화와 외교를 통한 대북 접근법을 모색해 나갈 것입니다. 북한의 긍정적인 호응을 기대합니다. 강력한 안보가 뒷받침할 때 우리는 평화를 지키고 만들어갈 수 있습니다. 우리 두 사람은 연합 방위태세를 더욱 강화해 나가기로 하고, 전시작전권 전환을 위한 양국의 의지를 재확인했습니다. 또한 기쁜 마음으로 미사일 지침 종료 사실을 전합니다.

바이든 행정부 출범 초기 한미 방위비 협정 타결과 더불어 한미동맹의 굳건함을 대외적으로 과시하는 상징적이고 실질적인 조치입니다. 오늘 정상회담에서 바이든 대통령님과 나는 시대와 환경의 변화에 부합한 새로운 분야의 협력을 확대해 나가기로 했습니다.

첫째, 당면 과제인 코로나 극복을 위해 힘을 모을 것입니다. 미국의 선진 기술과 한국의 생산 역량을 결합한 한미 백신 글로벌 포괄적 파트너십을 구축하기로 했습니다. 양국의 협력은 전 세계에 백신 공급을 늘려 코로나의 완전한 종식을 앞당기는 데 기여할 것입니다. 감염병 대응 역량 강화를 위한 글로벌 보건안보 구상을 통해 다자협력도 지속적으로 추진하기로 했습니다. 이러한 백신 협력이라는 큰 틀에서 한미동맹의 공고함을 보여줄 수 있는 중요한 발표가 있었습니다. 바이든 대통령의 한국군에 대한 백신 공급 발표에 감사의 말씀을 전합니다. 미국의 발표는 한미동맹의 특별한 역사를 보건 분야로까지 확장한 뜻깊은 조치라고 생각합니다.

둘째, 반도체, 전기차, 배터리, 의약품을 비롯한 첨단 제조업 분야의 안정적 공급망 구축을 위해 긴밀히 협력해 나가기로 했습니다. 디지털 시대 전환이 가속화되면서 첨단 신흥 기술 분야의 중요성이 커지고 있습니다. 한미 양국은 포스트 코로나 시대에 대응하여 민간 우주 탐사, 6G, 그린에너지 분야 협력을 강화하여 글로벌 경쟁력을 확보할 것입니다. 또한 해외 원전시장 공동 진출을 위한 협력도 강화하기로 했습니다.

셋째, 기후 위기를 해결하기 위한 한미 간 공조를 더욱 공고히 할 것입니다. 양국은 기후변화 대응을 위한 글로벌 협력을 선도하고 있습니다. 지난 4월 미국에서 기후정상회의가 성공적으로 개최되었고, 한국은 다음 주 P4G 서울 정상회의를 통해 국제사회의 기후변화 대응 의지를 다시 한번 모을 예정입니다. 바이든 대통령님께서 다음 주 P4G 서울 정상회의에 화상으로 참석하시는 것을 환영하며, 국제사회의 의지 결집에 큰 힘이 될 것으로 기대합니다.

바이든 대통령님과 나는 한국전 참전용사 랄프 퍼켓 대령님의 명예훈장 서훈식에 함께했습니다. 영웅들의 숭고한 희생으로 뿌리내린 한미동맹을 바탕으로 양국이 새로운 미래를 함께 열어갈 것이라는 확신을 가질 수 있었습니다. 오늘 바이든 대통령님과 나의 만남, 미국과 한국의 만남은 새로운 시대를 향한 양국 협력의 새로운 이정표가 될 것입니다. 바이든 대통령님께서 보여주신 따뜻한 환대에 다시 한번 깊은 감사의 말씀을 드립니다. 자주 소통하며 긴밀한 협의를 이어 나가기를 희망합니다. 끝으로 어제 이스라엘과 하마스가 휴전이 합의된 것을 다행스럽게 생각하며, 바이든 대통령님의 노력과 지도력을 평가합니다.

감사합니다.

한국전 전사자 추모의 벽 착공식 모두발언

| 2021-05-22 |

존경하는 참전용사와 유가족 여러분,

나는 어제 알링턴 국립묘지를 방문해 개인의 삶을 존중하고 미국과 공동체를 위한 헌신에 최고의 영예와 예우로 보답하는 미국의 굳건한 뿌리를 만났습니다. 자유와 평화로 세계를 전진시킨 미국의 정신을 만났습니다. 71년 전 미국의 청년들은 포연에 휩싸인 한반도로 달려왔습니다. 알지도 못하는 나라, 만난 적도 없는 국민을 지키기 위해 참전한 미국의 아들과 딸들이었습니다. 위대한 건국의 후예들이었습니다.

그들의 헌신과 희생 덕분에 대한민국은 자유와 평화를 지킬 수 있었고 오늘의 번영을 이룰 수 있었습니다. 그러나 우리는 수많은 영웅들을 떠나보내야만 했습니다. 오늘 우리가 첫 삽을 뜨는 추모의 벽에는

43,769명의 이름이 새겨집니다. 우리는 영웅들의 용기와 헌신을 영원히 기억할 것입니다.

지난 2018년 나는 유엔 참전용사들께 추모의 벽 건립을 약속드렸고 3년이 지난 오늘 드디어 그 약속을 지키게 되어 감회가 매우 깊습니다. 함께해 주신 윌리엄 빌 웨버 용사님을 비롯한 참전용사들께 깊은 존경을 표하며, 용사들의 희생이 결코 헛되지 않았다는 것을 대한민국 대통령으로서 분명히 말씀드립니다. 여전히 사랑하는 사람에 대한 그리움을 간직하고 계실 유가족들께도 깊은 위로의 말씀을 드립니다. 어려움 속에서 추모의 벽 건립 사업을 추진해 오신 존 틸럴리 한국전 참전용사 추모재단 이사장님과 관계자 여러분, 함께 힘을 모아주신 대한민국 재향군인회를 비롯한 단체, 기업, 한미여성회와 한인회를 비롯한 교민 여러분께 깊이 감사드립니다. 이 자리를 더욱 빛내주신 로이드 오스틴 미 국방장관과 래리 호건 메릴랜드 주지사님, 동행하신 부인 유미 호건 여사께도 감사의 말씀을 드립니다.

참전용사와 유가족 여러분,

나는 오늘 바이든 대통령님이 취임사에서 말씀하신 힘의 모범이 아닌 모범의 힘을 보여주는 위대한 미국을 떠올립니다. 미국은 가치의 힘으로 세계를 바꿨습니다. 나라의 주인은 국민이며, 차별 없이 누구나 자유롭고 평등해야 한다는 미국의 건국이념은 세계의 보편적 가치가 되었습니다. 한국 역시 그 가치의 힘으로 식민지와 전쟁, 독재와 빈곤을 극복하고 두려움이 아닌 희망의 이야기를 써올 수 있었습니다. 전쟁과 전후 재건이라는 가장 힘들었던 고비에 참전용사들이 있었습니다. 리차드 위트컴 장관은 전쟁의 잿더미에서 일어서기 위해 온 힘을 기울였던 우리 국민의 손을 굳게 잡아주었습니다. "전쟁은 총칼로만 하는 것이 아니다, 그 나라 국민을 위하는 것이 진정한 승리다"라고 위트컴 장군이 미국 의회에서 발언했을 때 의원들은 기립박수를 보냈습니다. 더 많은 구호물자와 지원자금을 결의했습니다. 한국인들에게 큰 감동을 주었던 위트컴 장군은 지금 나의 고향 부산에 있는 세계 유일의 유엔기념공원에서 한국을 사랑했던 39명의 전우들과 함께 잠들어 있습니다.

참전용사의 피와 땀, 우애와 헌신으로 태동한 한미동맹은 사람과 사람, 가치와 가치로 강하게 결속되며 발전해 왔습니다. 선배들의 뒤를 후배들이 잇고 있습니다. 한미동맹은 군사동맹을 넘어 정치, 경제, 사회, 문화를 아우르는 포괄적 동맹으로 발전하고 있습니다. 한국은 자유와 민주주의, 법치와 인권이라는 공동의 가치를 수호하며 역사상 가장 모범적이고 위대한 동맹으로 나아가고 있습니다.

세계는 지금 감염병과 기후변화라는 공동의 위기에 직면했습니다. 그러나 우리에게는 연대와 협력의 힘이 있고, 그 힘이 있기에 우리는 언제나 희망을 말할 수 있습니다. 더 나은 재건은 미국만이 아니라 모든 인류의 희망이 되고 있습니다. 미국과 한국은 고통스러운 역사도 영광스러운 순간도 항상 함께해 왔습니다. 앞으로도 동맹의 힘이 필요한 순간마다 한국은 변함없이 미국과 함께할 것입니다.

참전용사와 유가족 여러분,

나는 취임 후 첫 순방에서 장진호전투 기념비를 찾았습니다. 양국 국민들은 장진호 영웅들의 용기와 숭고한 희생에 깊이 공감하며 하나가 되었습니다. 서로를 격려하고 위로했습니다. 지난해 한국은 새로 발굴된 다섯 분 영웅들의 유해를 최고의 예우를 다해 미국으로 송환했습니다. 참전 영웅들을 사랑하는 가족의 품으로 보내드리며 한국 국민들 역시 큰 감동과 위안을 받을 수 있었습니다. 한국 정부는 마지막 한 분의 영웅까지 떠나온 고향, 사랑하는 가족의 품에 모실 수 있도록 최선을 다할 것입니다. 지난해에 이어 올해에도 연인원 10만 명을 투입해 비무장지대를 포함한 41개 지역에서 한국전쟁 전사자 유해를 찾고 있습니다. 2018년 싱가포르 1차 북미 정상회담 이후 북한이 미국에 송환한 55개 유해함에서 신원이 확인된 분은 74분입니다. 북한 땅에서 잠든 용사들도 가족의 품으로 돌아갈 수 있도록 북한과의 대화 노력을 계속해 나가겠습니다.

알링턴 국립묘지, 한국 묵상의 벤치에는 '전쟁의 종식은 추모에서 시작한다'는 문구가 새겨져 있습니다. 우리는 영웅들의 숭고한 희생을 결코 잊을 수 없습니다. 용사들을 잃은 유가족들의 슬픔도 함께 기억할 것입니다. 022년 우리 앞에 설 추모의 벽에서 미국과 한국의 미래 세대들이 평범하고도 위대한 이름들을 만나길 바랍니다. 1950년 낯선 땅에서 오직 애국심과 인류애로 자유와 평화의 길을 열었던 한 병사의 이름이 위대한 역사의 이야기로 길이 남을 것입니다. 대한민국은 참전용사들의 희생이 얼마나 값진 것인지 계속 증명해나갈 것입니다. 영웅들의 안식과 이 자리에 참석하신 모든 분들의 건강과 행복을 기원합니다.

감사합니다.

한·미 백신기업 파트너십 행사 모두발언

| 2021-05-22 |

여러분, 반갑습니다. 오늘 한미 양국의 보건당국, 그리고 대표적인 백신기업들이 모이는 뜻깊은 한미 백신 파트너십의 자리가 마련된 데 기쁘게 생각합니다. 기업과 기업, 기업과 정부기관이 계약과 협정을 맺고 한미 양국 백신 동맹을 강화하는 뜻깊은 자리에 함께해 주신 하비에르 베세라 미국 보건복지부 장관, 권덕철 보건복지부 장관과 문승욱 산업부 장관께 감사드립니다. 한미 양국의 백신 동맹을 일선에서 만들어 나가고 계신 모더나 스테판 반셀 회장님, 스탠리 어크 노바백스 회장님, 삼성바이오로직스 존림 사장님, SK바이오사이언스의 안재용 사장님과 최태원 회장님, 어제에 이어 다시 한번 중요한 자리에 함께하게 되어 반갑습니다.

어제 바이든 대통령과 정상회담에서 양국은 한미 글로벌 백신 파트너십에 합의하였습니다. 인류를 구할 백신의 공급이 부족한 상황에서 미국의 원천기술과 한국의 생산 능력을 결합하여 전 세계적인 백신 공급을 획기적으로 늘림으로써 코로나 조기 종식에 기여하기 위한 목적입니다. 미국에 이어 세계 2위의 바이오의약품 생산 역량을 가지고 있는 한국은 뛰어난 제조기술과 인적 자원을 바탕으로 이미 아스트라제네카, 노바백스, 스푸트니크V 등 다수의 백신을 위탁생산해 전 세계에 공급하고 있습니다. 품질관리 수준도 우수해 한국에서 생산된 백신에 대한 신뢰도도 매우 높습니다.

오늘 모더나와 삼성바이오로직스가 코로나 백신 위탁생산 계약을 맺습니다. 매우 기쁘고 기대됩니다. 모더나는 mRNA에 기반한 신약과 백신 개발의 최고 기업이고, 삼성바이오로직스는 세계적인 백신 생산 능력을 갖춘 기업입니다. 두 기업의 협력은 전 세계적인 백신 공급 부족을 해소하고, 인류의 일상 회복을 앞당겨 줄 것입니다. 또한 모더나사는 한국의 산업통상자원부 및 보건복지부와 투자 및 생산 협력 MOU를 그리고 국립보건연구원과의 mRNA 백신 개발 MOU를 체결하게 되었습니다. 기존의 위탁생산, 기술이전 계약에 더하여 노바백스사는 SK바이오사이언스 및 한국의 보건복지부와 연구·개발 MOU를 체결합니다. 기술이전 계약의 연장까지 기대하고 있습니다.

이제 미국과 한국은 글로벌 백신 수요에 효과적으로 대응할 수 있는 생산기지를 확보하게 되었습니다. 나아가 동맹국과 개발도상국에 필요한 백신 수요에 더 빠르게 대응할 수 있게 되었습니다. 세계 백신 무기고이자 글로벌 백신 리더로서 미국의 역할을 더욱 공고히 하는 계기가 될 것이라고 생각합니다. 한국 기업들 역시 미국 기업들과의 백신 협력을 통해 전문성과 개발 역량을 높일 기회를 갖게 되었고, 코로나19 백신의 글로벌 수요 증가를 충족할 수 있도록 한국 내 제조시설에서의 백신 생산 능력을 신속히 확대하고, 글로벌 백신 공급의 허브로서 인류에 기여하기 위한 역할을 충실히 해 나갈 것입니다. 정부 각 부처도 양국의 기업 활동을 지원하는 데 최선을 다해 주시기 바랍니다. 그리고 세계 최고의 백신 생산 허브로 나아가는 데 있어서도 정부의 모든 역할을 다해 주시기 바랍니다.

오늘의 만남이 양국 기업의 협력 범위를 넓히고, 한미 글로벌 백신 파트너십이 강화되는 계기가 되기 바랍니다. 성공적인 파트너십을 위해 애쓰신 모더나와 삼성바이오로직스, 또 노바백스와 SK바이오사이언스, 그리고 한미 양국 정부 관계자 여러분께 다시 한번 축하와 감사 인사드립니다.

감사합니다.

최고의 순방이었고, 최고의 회담이었습니다

| 2021-05-23 |

최고의 순방이었고, 최고의 회담이었습니다.

코로나 이후 최초의 해외 순방이고 대면 회담이었던데다, 최초의 노마스크 회담이어서 더욱 기분이 좋았습니다. 바이든 대통령님과 해리스 부통령님, 펠로시 의장님 모두 쾌활하고, 유머있고, 사람을 편하게 대해주는 분들이었습니다. 바이든 대통령님과 펠로시 의장님은, 연세에도 불구하고 저보다 더 건강하고 활기찼습니다. 무엇보다 모두가 성의있게 대해주었습니다. 정말 대접받는다는 느낌이었습니다. 우리보다 훨씬 크고 강한 나라인데도 그들이 외교에 쏟는 정성은 우리가 배워야할 점입니다.

회담의 결과는 더할 나위 없이 좋았습니다. 기대한 것 이상이었습니다. 미국이 우리의 입장을 이해하고 또 반영해 주느라고 신경을 많이

써주었습니다. '백신 파트너십'에 이은 백신의 직접지원 발표는 그야말로 깜짝선물이었습니다. 미국민들이 아직 백신접종을 다 받지 못한 상태인데다, 백신 지원을 요청하는 나라가 매우 많은데 선진국이고 방역과 백신을 종합한 형편이 가장 좋은 편인 한국에 왜 우선적으로 지원해야 하나라는 내부의 반대가 만만찮았다고 하는데 한미동맹의 중요성을 특별히 중시해주었습니다.

성 킴 대북특별대표의 임명 발표도 기자회견 직전에 알려준 깜짝선물이었습니다. 그동안 인권대표를 먼저 임명할 것이라는 관측이 많았으나, 대북 비핵화 협상을 더 우선하는 모습을 보여주었습니다. 성 킴 대사는 한반도 상황과 비핵화 협상의 역사에 정통한 분입니다. 싱가포르 공동성명에 기여했던 분입니다. 통역없이 대화할 수 있는 분이어서 북한에 대화의 준비가 되어있다는 메시지를 보낸 셈입니다. 바이든 대통령님과 해리스 부통령님, 그리고 펠로시 의장님을 비롯한 미국의 지도자들에게 존경과 감사의 인사를 전합니다. 미국 국민들과 우리 교민들의 환대를 잊지 못합니다. 의원 간담회에 참석해주셨던 한국계 의원 네 분께도 특별히 감사드립니다. 한국을 사랑하고 저를 격려해주는 마음을 진심으로 느낄 수 있었습니다.

저는 귀국길에 애틀란타의 SK이노베이션 조지아 공장을 방문하고 돌아가겠습니다.

한국에서 뵙겠습니다.

정당 대표 초청 대화 모두발언

| 2021-05-26 |

오랜만에 여야 정당 대표님들을 모시게 되었습니다. 한미 정상회담의 결과를 설명드리고, 초당적 협력을 부탁드리기 위해 마련한 자리에 흔쾌히 참석해 주셔서 감사드립니다. 이번 정상회담은 한미동맹이 끊임없이 발전하고 있다는 사실을 재확인할 수 있었던 뜻깊은 기회였습니다. 또한 달라진 대한민국의 위상과 그에 따라 높아진 우리의 책임과 역할을 실감할 수 있었습니다. 나와 우리 대표단을 따뜻하게 환대하면서 성의를 다하고, 세심하게 신경을 써준 바이든 대통령과 해리스 부통령, 펠로시 하원의장 등 미국의 정치 지도자들에게 다시 한번 진심으로 감사의 마음을 전합니다. 대한민국과 우리 국민들이 더할 나위 없는 대접을 받았다고 생각합니다.

이번 정상회담은 내용면에서도 기대 이상의 성과가 있었습니다. 한미 간 안보와 평화 협력을 더욱 강화하면서 경제와 기술, 보건과 백신, 기후변화 대응 등 전 분야에 걸쳐 협력의 폭과 깊이가 크게 확대되었습니다. 한미동맹이 그야말로 포괄적 동맹으로 발전한 것입니다. 공동성명에 포함된 것처럼 한미동맹의 새로운 장을 열 수 있었던 것은 코로나 위기 극복 과정에서 보여준 우리 국민들의 저력과 국제사회의 높은 평가 그리고 여야 정치권의 성원 덕분에 가능했다고 생각합니다. 이번 회담의 성과 중 우리 입장에서 특히 중요하다고 생각하는 몇 가지만 말씀을 드리겠습니다.

우선 한미 간에 한반도 평화 프로세스를 진전시킬 수 있는 확고한 공감대가 마련되었습니다. 공동성명에 한반도의 완전한 비핵화와 항구적 평화 구축을 공동의 목표로 명시하고, 이를 실현하기 위한 외교와 대화의 출발점으로 싱가포르 선언과 판문점 선언을 명기한 것은 큰 의미가 있습니다. 기존의 남북 간, 북미 간 합의의 토대 위에서 대화를 재개하고, 평화의 시계를 다시 돌릴 수 있게 된 것입니다. 남북 대화와 협력에 대한 미국의 지지를 공동성명에 담은 것도 남북관계의 발전을 위해 큰 의미가 있습니다. 미국이 대북특별대표를 임명한 것은 북한에게 대화의 재개를 공개적으로 요청한 것과 같습니다. 북한도 호응해 주기를 기대하고 있습니다.

미사일 지침 종료는 방위비 협정 타결과 더불어 한미동맹의 굳건함을 대외적으로 과시하는 상징적이고 실질적인 조치라고 할 수 있습니다. 미사일 주권 확보로 방위력 차원을 넘어 우리의 발사체로 우리의 위성을 우주공간에 올려 보낼 수 있게 됨으로써 우주 산업 발전의 길을 열었습니다. 우리의 독자적인 위성항법시스템 KPS를 확보하여 자율주행차 등 미래 산업의 발전에도 큰 역할을 할 것입니다.

백신 협력은 매우 뿌듯한 성과입니다. 한미 간 글로벌 백신 파트너십을 구축하여 전 세계에 백신 공급을 확대하기로 했습니다. 미국의 기술력과 한국의 생산 능력을 결합하여 세계의 코로나 극복과 보건에 기여하자는 양국의 의지가 모아진 것입니다.

정부 간의 협력에 그치지 않고 세계적인 백신기업들의 협력까지 확보함으로써 실천력을 가지게 되었고, 우리의 백신 확보의 안정성도 크게 높아졌습니다. 그와 별도로 미국이 우선 55만 한국군에게 백신을 지원하기로 한 것은 한미동맹을 중시한 매우 뜻깊은 선물이라고 생각합니다.

반도체와 배터리 등 핵심 산업에 대한 공급망 협력 강화는 우리의 독보적 기업들이 세계 최대 규모 프리미엄 시장인 미국에 진출하여 글로벌 공급망 연계를 강화하는 것으로 협력 업체인 중소·중견기업들의 진출과 부품·소재의 수출, 우리 국민의 일자리 확대 등 연쇄적인 효과를 동반하게 될 것입니다. 우리 기업들이 이룬 성과에 자부심을 느끼며 감사와 격려의 말씀을 전합니다. 6G, 인공지능, 바이오기술, 양자기술 등 첨단기술 협력을 강화하기로 한 것도 한국의 미래 경쟁력을 높이는데 크게 도움이 되리라 기대합니다.

정부는 정상회담의 후속 조치 실행에 만전을 기할 것입니다. 국회의 초당적 협력을 기대하며, 회담의 성과를 잘 살려나갈 수 있도록 정치권이 지혜를 모아 주시면 감사하겠습니다. 미 하원 지도부를 방문한 자리에서 펠로시 하원의장은 양국 의회 차원의 협력을 강화할 것을 제안하였습니다. 성과를 이어 나가기 위한 국회 차원의 외교적 노력에 대해 정부가 필요한 지원을 다하겠습니다. 대한민국의 국가적 위상이 높아지고 국제사회에서 한국의 책임과 역할이 커지고 있습니다. 이번 주말에는 우리나라에서 녹색미래 정상회의인 P4G 정상회의가 열립니다. 각국 정상들과 유엔 등 국제기구 수장들이 화상으로 대거 참석합니다. 기후변화에 대한 한국의 글로벌 리더십을 높여 나갈 좋은 기회입니다. 다음 달에는 G7 정상회의에 초청되어 영국을 방문할 예정입니다. 정부는 방역과 백신, 경제 회복, 기후 위기 대응 등 국제 협력을 위해 책임있는 역할을 다하도록 최선을 다하겠습니다. 국회에서도 많은 관심과 성원을 당부드립니다.

감사합니다.

2050탄소중립위원회 출범식 격려사

| 2021-05-29 |

존경하는 국민 여러분, 탄소중립위원회 위원 여러분,

탄소중립은 인류가 함께 가야 할 피할 수 없는 과제입니다. 우리는 할 수 있습니다. 우리 국민들은 오래전부터 환경에 관심을 가져왔고, 쓰레기 분리수거와 재활용, 음식물 쓰레기와 일회용품 줄이기 같은 일상 속 실천으로 지구를 살리는 일에 동참하고 있습니다. 우리 정부는 석탄 발전을 과감히 감축하고 재생에너지 확대와 친환경차 보급에 역점을 두어 왔으며, 지난해 '2050 탄소중립' 선언으로 기후변화 대응과 지속가능 발전을 함께 이루기 위한 본격적인 도전에 나섰습니다. 제조업의 비중이 높고, 화석연료 의존도가 높은 우리의 산업구조를 감안하면 쉽지 않은 일입니다. 그러나 우리가 어렵다면 다른 나라들도 어렵기는 마찬가지

이고, 다른 나라들이 할 수 있다면 우리도 못해낼 것이 없습니다. 우리는 이미 배터리, 수소, 태양광 등 우수한 저탄소 기술을 보유하고 있고, 디지털 기술과 혁신 역량에서 앞서가고 있습니다. 치열한 국제적인 경쟁 속에서 탄소중립은 오히려 우리가 선도국가로 도약할 수 있는 기회가 될 것입니다.

그러나 우리의 도전이 성공으로 이어지기 위해서는 국민 모두의 역량이 결집되어야 합니다. 국민들의 일상 속 실천과 기업의 혁신적 변화, 정부의 탄탄한 의지가 하나로 뭉쳐야 합니다. 오늘 출범하는 '2050 탄소중립위원회'가 구심점이 될 것입니다. 미국, EU 등 세계 각국이 대규모 그린 투자에 나섰고, 새로운 산업과 기술, 일자리가 태동하며 엄청난 기회가 열리고 있습니다. 탄소중립위원회가 앞장서 주시기 바랍니다. 국제사회와 보조를 맞춰 저탄소사회 전환을 반드시 이뤄 주시기 바랍니다. 중책을 맡아 주신 윤순진 위원장님과 김부겸 총리님을 비롯하여, 아흔일곱 명 위원들께 진심으로 감사의 말씀을 드립니다. 대한민국의 미래를 새롭게 연다는 자부심과 막중한 책임감으로 임해 주시길 당부드립니다.

국민 여러분, 탄소중립위원회 위원 여러분,

탄소중립위원회는 기존의 틀을 과감하게 깨며 탄생했습니다. 우리 사회 모든 곳에서 혁신이 필요한 만큼 기후, 에너지, 산업, 노동, 언론, 종교, 교육, 지자체 등 우리 사회를 대표하는 일흔여덟 명의 민간위원이 중심이 되고, 18개 부처 장관들이 당연직으로 참여합니다. 대통령 직속의 최상위 거버넌스로서 기후변화, 에너지 혁신, 경제 산업, 공정 전환, 과학

기술 등 여덟 개의 분과위원회에서 이행전략을 수립하면, 정부 전체가 일사불란하게 실행에 옮길 것입니다. 청년들과 기업, 시민단체, 지자체 그리고 500여 명의 국민정책참여단과 긴밀히 협의하며, '국민 모두를 위한 탄소중립 시대'를 열어갈 것입니다. 탄소중립위원회의 당면과제는 상반기 안에 '2050 탄소중립 시나리오'를 만들고, 중간 목표로서 2030년 국가 온실가스 감축목표 상향 계획을 조속히 마련하는 것입니다. 앞으로 30년간 기술발전과 사회·경제적 변화 등 많은 불확실성 속에서 탄소중립이라는 확실한 미래를 만들어야 하는 실로 어려운 작업입니다. 국민적 합의에 기반하여 에너지, 산업, 수송, 건물 등 분야별 감축목표를 설정하고, 이행수단을 구체화해 주길 바랍니다.

탄소중립은 기술 혁신과 산업 혁신으로 뒷받침되어야 합니다. 이미 많은 기업들이 자발적 노력에 나섰습니다. 철강, 석유화학, 시멘트 등 탄소 다배출 업종은 물론 자동차, 반도체, 디스플레이 등 총 열두 개 업종에서 탄소중립을 추진하고 있습니다. 기업들은 RE100에 동참하고, ESG 경영에 속도를 내고 있으며, 112개 금융기관들은 기후금융 지지를 선언했습니다. 기술개발 R&D를 확대하고, 기업의 연구개발 지원을 대폭 강화해야 합니다. 탄소중립위원회가 중심이 되어 재정과 공적 금융이 탄소중립을 위한 새로운 투자의 마중물 역할을 할 수 있도록 관련 부처들과 협력해 주기 바랍니다.

세계 3대 연기금인 국민연금기금이 탈석탄 선언을 하고, 투자에 ESG 요소를 고려하기로 한 것처럼 공공부문이 혁신의 마중물이 될 수 있도록 다양한 방법을 총동원해 주기 바랍니다. 한계돌파형 기술개발 투자, 새로운 기술개발을 위한 파격적인 금융·세제 지원 등 저탄소 경제 전환을 위한 특단의 대책을 마련하여 수소차, 배터리, 에너지 저장장치 같은 세계에서 앞서가는 친환경 기술과 제품을 더 많이 육성해야 할 것입니다. 지자체도 탄소중립을 위한 변화에 적극적입니다. 226개 기초자치단체가 기후위기비상선언을 선포하고, 광역자치단체들이 탄소중립협의체를 구성하는 등 함께 호응하고 있습니다. 탄소중립위원회가 지자체와 함께 지역별 특성에 맞는 대책을 마련하고, 산업의 변화에 취약한 기업과 노동자들을 배려하는 포용적이고 공정한 전환을 위한 최선의 방안을 찾아 주시기 바랍니다.

무엇보다 중요한 것은 국민의 공감과 지지입니다. 탄소중립은 미래를 위한 일이면서 동시에 현재의 우리에게 행복한 일이 되어야 합니다. 시민단체와 종교계가 국민의 마음을 하나로 모아 주신다면 탄소중립을 위한 행동 하나하나가 모두 보람 있는 일이 될 것이며, 우리는 탄소중립 모범국가로 거듭날 것입니다. 정부는 국회와 긴밀히 협의하여 탄소중립 기본법을 조속히 마련하겠습니다. 내년부터 기후대응기금을 조성하여 탄소중립위원회의 성공을 확실히 뒷받침하겠습니다.

존경하는 국민 여러분, 탄소중립위원회 위원 여러분,

우리 국민, 기업, 지자체, 시민사회가 탄소중립을 향한 변화의 바람에 동참하고 있습니다. 이제 우리의 역량을 결집해 앞으로 더 빠르게 나아갈 일만 남았습니다. 탄소중립위원회가 대한민국 대전환의 중심축이 되어 과감하게 미래를 향해 전진해 주기 바랍니다. 내일부터 열리는

'P4G 서울 녹색미래 정상회의'에서 우리나라는 기후위기 대응을 위한 국제사회의 협력을 주도합니다. 모두 함께 지금 바로 시작합시다. 정부는 국민의 작은 실천 하나하나를 소중히 여기며 새로운 미래를 희망으로 열겠습니다.

감사합니다.

P4G 서울 녹색미래 정상회의 개회사

| 2021-05-30 |

존경하는 각국 정상과 국제기구 대표 여러분, 전 세계에서 화상으로 함께하고 계신 여러분,

'2021 P4G 서울 녹색미래 정상회의'에 참석해주셔서 감사합니다. '더 늦기 전에, 지구를 위한 행동'을 시작해주신 여러분 모두를 한국 국민들과 함께 진심으로 환영합니다. 오늘은 우리와 지구를 위해 '포용적 녹색 회복을 통한 탄소중립 비전 실현'의 지혜를 함께 모으는 날입니다. 함께 행동하고 실천하는 것이 P4G의 정신입니다. 한국은 지난 월요일부터 'P4G 녹색미래주간'을 시작해 물, 농업·식량, 녹색기술, 해양, 에너지 등 열다섯 개 주제 기후환경 분야 일반 세션을 진행 중입니다. 오늘부터 이틀간 개최되는 정상회의에는 전 세계 50여 개 국가 정상과 20여 개

국제기구 수장이 함께하여 지속가능한 세계라는, 공동의 목표를 향해 나아갈 것입니다. 기후환경 전문가를 비롯한 학계, 기업, 시민사회, 미래세대 등 많은 분들의 지혜가 모이고 있습니다. 이번 회의를 통해 인류의 역사가 공존의 역사로 전환되길 기대합니다.

한국 국민들은 지난날 식민지와 전쟁, 산업화를 겪으며 인간과 자연이 서로에게 얼마나 큰 영향을 미치는지 경험했습니다. 다른 나라에 산림자원을 빼앗기고, 나무를 베어 땔감이나 산업용 연료로 썼습니다. 전쟁의 포탄과 산불로 숲이 더욱 황폐해지면서 물을 보전하지 못해 가뭄과 홍수가 반복되면서 농산물 생산량이 줄어들었습니다. 그러나 한국 국민들은 자연을 되살려냈습니다. 민둥산에 나무를 심었고, 쓰레기를 줄이며 자연을 살리기 위해 행동했습니다. 그 결과, 산림 회복을 시작한 지 불과 20년 만에 유엔식량농업기구로부터 '2차 세계대전 이후 산림녹화에 성공한 유일한 개발도상국'이라는 평가를 받았습니다. 오늘날 한국의 경제성장은 자연의 회복과 함께 이루어졌습니다. 반세기 전 한국 국민들의 노력과 성취는 자연의 회복 없이 삶의 회복이 불가능하며, 함께 행동해야 회복이 가능하다는 것을 보여주었습니다. 지금 인류가 당면한 기후위기를 해결할 수 있는 해답 역시 명확합니다. 다짐을 넘어 함께 실천하는 것이며, 선진국과 개도국이 협력하는 것입니다.

지난해부터, 세계는 코로나 위기 극복에 애쓰면서, 한편으로 세계보건총회와 UN총회, G20, 아세안+3, 기후적응정상회의, 세계기후정상회의를 비롯한 다양한 대화 테이블을 마련하여 협력을 넓히고 있습니다. 이상기후와 신종 감염병의 근본 원인인 기후위기를 해결하기 위해 더 높은 목표를 약속하고, 실천하며, 위기 속에서 새로운 희망을 만들고 있습니다. 한국 역시 국제사회의 기후위기 극복 노력에 선제적이고 적극적으로 동참할 것입니다. 인간과 지구의 공존 속에서 지속가능한 발전을 위해 포용적 녹색회복의 길에 함께할 것입니다.

지구를 함께 지키고 계신 여러분,

나는 '2021 P4G 서울 녹색미래 정상회의'를 통해 기후위기 해결을 위한 우리의 연대가 더욱 굳건해지길 바라며, 한국 국민들을 대표해 국제사회에 몇 가지를 약속하고자 합니다.

첫째, 한국은 '2030 국가 온실가스 감축목표'를 추가 상향하겠습니다. 지난해 선언한 2050 탄소중립 목표의 중간 목표로써 2030년의 NDC를 상향하여 이미 약속드린 대로 오는 11월 제26차 기후변화당사국 총회에서 제시할 것입니다. 해외 신규 석탄발전 공적 금융 지원도 중단하기로 했습니다. 국내에서는 이미 우리 정부 출범과 함께 신규 석탄화력발전소 건설 허가를 전면 중단하고, 노후 석탄화력발전소 열 기를 조기에 폐지하면서 태양광과 풍력 등 재생에너지 발전 비중을 빠르게 늘리고 있습니다. 화석연료와 과감히 작별하기 위한 대한민국의 노력에 이웃 국가들의 동참이 확대되기를 기대합니다.

둘째, 한국이 국제사회의 지원 속에서 산림 회복을 이룬 것처럼, 개발도상국들과 적극 협력하겠습니다. 석탄화력발전 의존도가 큰 개발도상국들의 에너지 전환을 돕겠습니다. 2025년까지 기후·녹색 ODA를 대폭 늘려 녹색회복이 필요한 개발도상국들을 돕는 한편, 글로벌녹색성장

연구소에 500만불 규모의 그린 뉴딜 펀드 신탁기금을 신설하겠습니다. 개발도상국들이 맞춤형 녹색성장 정책을 마련할 수 있도록 지원하겠습니다. 나라마다 경제발전의 단계가 다르고 석탄 화력 의존도에 큰 차이가 있기 때문에, 전 세계적인 저탄소 경제의 전환을 위해서는 개발도상국들에 대한 선진국들의 더 많은 지원이 필요하다는 것을 강조하고 싶습니다. P4G의 지속가능한 운영을 위한 지원도 아끼지 않겠습니다. 400만불 규모의 기금을 신규로 공여하여 창의적인 녹색성장 프로젝트가 확산되는 데 기여하겠습니다.

셋째, 다양한 생물종의 보호를 위해 더욱 노력하겠습니다. 한국은 2019년 평화산림이니셔티브를 제시해 분쟁지역에서 생명의 근원인 땅과 숲을 되살리고, 평화를 정착시키기 위해 노력해 왔습니다. 오는 10월 중국에서 개최되는 제15차 생물다양성 당사국 총회의 성공을 위해 국제사회와 공조할 것입니다. 자연을 위한 정상들의 서약, 생물다양성보호지역 확대 연합, 세계 해양 연합 등의 이니셔티브에 동참하여, '2020년 이후 글로벌 생물다양성 목표'가 채택될 수 있도록 기여하겠습니다. 생물다양성의 보고인 한반도 비무장지대의 자연 생태계 보존을 위해서도 국제사회가 관심을 가져주기 바랍니다. 온실가스의 감축노력은 해운과 선박 분야에서도 이루어져야 합니다. 해양쓰레기를 줄이기 위한 노력도 중요합니다. 플라스틱과 일회용품이 바다로 흘러가 해양 생태계를 파괴하고 인류의 건강을 위협하고 있습니다. 한국도 국토의 3면이 바다인 해양국가로서 유엔 차원의 해양플라스틱 관련 논의가 조속히 개시될 수 있도록 적극 협력하겠습니다.

넷째, 2050 탄소중립을 향한 여정이 지속가능한 발전의 길이 될 수 있도록 적극적이고 선제적인 정책을 펴나가겠습니다. 탄소중립은 인간이 지구와 공존하기 위한 길이지만, 혁신 기술, 혁신 산업, 혁신적인 일자리 등을 많이 만들어낼 수 있는 기회이기도 합니다. 한국은 지난해 '그린 뉴딜 정책'을 통해 '2050 탄소중립 사회'를 향한 담대한 걸음을 시작했습니다. 대통령 직속의 '2050 탄소중립위원회'를 중심으로 목표 달성을 위한 시나리오를 구체적으로 마련해 나갈 예정입니다. 2050 탄소중립을 성공하기 위해서는 기술 혁신이 매우 중요합니다. 한국은 그린 에너지원으로서 수소의 잠재력에 주목해, 세계 최초로 수소 관련 법률을 제정하고, 수소차, 수소충전소, 수소 연료전지 등 수소 생태계 활성화를 위한 기술 혁신에 박차를 가하고 있습니다.

기업과 민간도 함께 노력하고 있습니다. 탄소중립과 RE100을 선언하는 기업들이 늘고 있고, ESG는 기업경영의 새로운 표준이 되었습니다. 수송부문 탄소중립을 위해 국내 110여 개 주요 기업이 2030년까지 보유 차량 120만 대 이상을 전기·수소차로 전환하겠다고 선언했습니다. 112개 금융기관은 2050 탄소중립을 위한 기후금융 지지를 선언했고, 세계 3대 연기금인 국민연금기금도 탈석탄을 선언했습니다. 우리 정부도 2030년까지 정책금융의 녹색 분야 자금 지원 비중을 지금의 두 배인 13%까지 확대하는 한편, 녹색금융이 원활하게 운영될 수 있도록 한국형 녹색분류체계를 구축할 계획입니다. 한국은 '그린 뉴딜'의 경험과 성과를 세계 각국과 공유하며, 2050 탄소중립을 향해 함께 나아가겠습니다.

존경하는 각국 정상과 국제기구 대표 여러분, 화상으로 함께하고 계신 참석자 여러분,

우리는 오늘 개회식을 어린이, 청소년, 청년들의 목소리로 시작했습니다. 미래세대의 절박함에 더 귀를 기울이자는 뜻입니다. 우리의 현재가 미래를 만듭니다. 공존과 상생의 가치를 우리 스스로 느낄 때 미래는 달라질 수 있습니다. '2021 P4G 서울 녹색미래 정상회의'가 미래세대를 포함한 우리 모두의 더 안전하고 지속가능한 미래, 인류의 포용적 녹색회복과 탄소중립을 향한 중요한 걸음이 되기를 바랍니다. 한국은 2023년 제28차 기후변화당사국 총회 유치를 추진하고자 합니다. 또한 앞으로도 개발도상국과 선진국을 잇는 가교 국가로서 책임과 역할을 다할 것입니다. 이번 회의가 실천 가능한 비전을 만들고, 협력을 강화하는 장이 될 수 있도록 개최국으로서 끝까지 최선을 다하겠습니다.

감사합니다.

서울선언문 주요 내용 소개

| 2021-05-31 |

각국 정상, 국제기구 대표들과 함께 '포용적인 녹색회복을 통한 탄소중립 비전 실현'을 주제로 '2021 P4G 서울 녹색미래 정상회의'를 진행했습니다. 열다섯 개 주제별 세션과 이틀간의 정상 세션을 통해 기후위기의 심각성을 다시 한번 공유하고, 이를 극복하기 위해 국제사회와 시민사회, 기업, 미래세대가 함께 노력해 나갈 것을 약속하는 '서울선언문'을 채택하기로 합의했습니다. '서울선언문'의 주요 내용을 말씀드리겠습니다. 정상들은 기후위기가 환경문제만이 아니라 경제, 사회, 안보, 인권에 영향을 미치는 문제라는 데 동의하고, 코로나19 역시 녹색회복을 통해 극복해 나가야 한다는 데 인식을 같이 했습니다. 녹색회복은 지구 온도가 산업화 이전보다 1.5도 이상 올라가지 않도록 하자는 파리협정을 실천하기 위한 방안입니다.

지난해부터 기후위기를 극복하기 위한 국제사회의 노력과 각국의 야심찬 국가온실가스감축목표 제출이 이어지고 있습니다. 지금까지의 국제사회 노력에 더해져 이번 회의를 통해 강화된 민관 협력이 다가오는 11월, 제26차 기후변화당사국총회를 성공적으로 이끌 것이라고 확신합니다. 정상들은 또한, P4G가 유엔 주도의 기후변화 대응과 지속가능발전목표 달성 노력을 보완해왔다는 데 동의를 했습니다. 앞으로 물, 에너지, 식량 및 농업, 도시, 순환경제, 금융, 지자체의 역할 강화, 포용적이고 공정한 전환 분야에서 민관 협력을 강화하기로 했습니다. 나아가 기후행동 확산을 위해 시민사회의 참여와 역할이 중요하다는 데 의견을 같이했습니다. 우리는 기업이 ESG를 지금보다 더 중요하게 여길 것을 촉구합니다. 경제·사회 구조 전반을 저탄소 방식으로 전환해야 미래세대가 생존할 수 있다고 믿습니다. 각국 정부와 국제기구는 오늘 우리의 선택이 미래세대의 삶을 결정한다는 인식하에 청년 세대의 목소리에 늘 귀 기울일 것을 약속합니다.

끝으로, 이번 '2021 P4G 서울 녹색미래 정상회의'를 통해 국제사회의 '포용적 녹색회복을 통한 탄소중립 비전 실현' 의지가 결집되었으며, 이를 위한 한국의 노력을 평가하고, 2023년 콜롬비아에서 개최될 차기 정상회의에 대한 기대를 담았습니다.

이상이 정상들이 합의한 선언문의 내용입니다. '서울선언문'을 지지해주신 국가 정상과 국제기구 대표들께 감사의 말씀을 드립니다.

6월

제66회 현충일 추념사

| 2021-06-06 |

존경하는 국민 여러분, 국가유공자와 유가족 여러분,

오늘 우리는 현충일 추념식 최초로 국립서울현충원과 국립대전현충원, 부산 UN기념공원을 화상으로 연결해 자유, 평화, 민주, 인류애를 위해 헌신한 모든 분들을 기리고 있습니다. 국립서울현충원에는 독립유공자와 참전용사, 전임 대통령들과 무명용사들이 잠들어 있고, 국립대전현충원에는 독립유공자와 참전용사뿐 아니라 독도의용수비대, 연평해전과 연평도 포격전 전사자, 천안함의 호국영령이 계십니다. 우리의 평범한 이웃이었던 분들도 두 현충원에 함께 안장되어 있습니다. 소방공무원과 경찰관, 순직공무원의 묘역이 조성되어 있고, '의사상자 묘역'을 따로 만들어 숭고한 뜻을 기리고 있습니다.

부산 UN기념공원은 세계의 정의와 평화를 위한 연대와 협력의 상징입니다. 세계에서 유일한 곳입니다. 애국심과 인류애로 우리는 무력도발과 이념전쟁에 맞서 승리할 수 있었습니다. 오늘 저는 순국선열, 호국영령, 이웃을 위해 희생한 분들과 함께 UN 참전용사들을 생각합니다. 한 분 한 분, 잊을 수 없는 애국심을 보여주었고, 대한민국의 뿌리가 되어주었습니다. 고귀한 희생과 헌신에 진심으로 존경을 표하며, 유가족들께도 깊은 위로와 감사의 말씀을 드립니다.

국민 여러분,

대한민국은 선열들의 애국심 위에 서 있습니다. 독립과 호국의 영웅들은 대한민국을 되찾았습니다. 어머니와 아버지는 헌신으로 가난을 극복했고, 아들, 딸은 스스로를 희생하며 인권과 민주주의를 발전시켰습니다. 그 숭고한 희생 위에서 오늘의 우리 국민들은 대한민국의 주인공이 되었습니다. 대한민국의 가치와 질서를 스스로 만들어가며 대한민국이 민주공화국임을 증명했습니다. 이제 애국은 우리 모두의 정신이 되었고, 공동체를 위한 실천으로 확장되고 있습니다. 이웃을 구하기 위해 앞장서고 공동선을 위해 스스로 희생하는 것이 바로 애국입니다. 윤한덕 중앙응급의료센터장은 응급환자를 위해 있는 힘을 다하다 과로로 우리 곁을 떠났습니다. 의사상자 묘역 최초 안장자인 채종민 님과 고속도로 추돌 현장에서 다른 피해자를 구하다 희생하신 이궁열 님을 비롯한 의인들, 임무 수행을 위해 용감하게 출동한 소방관과 경찰관들, 모두 우리 시대의 애국자들입니다. 코로나 극복을 위해 생활의 불편을 견뎌주시는 국민들, 방역과 백신 접종 현장에서 헌신하며 최선을 다하고 계신 방역·의료진 역시 이 시대의 애국자가 아닐 수 없습니다. 애국은 또한 이웃에 대한 사랑, 나라에 대한 사랑에서 인류에 대한 사랑으로 넓어졌습니다. 그것을 가장 극적으로 체험한 나라가 대한민국입니다. 유엔 참전용사들은 세계의 자유와 평화를 위해, 들어보지도 못한 나라, 알지도 못하는 사람들을 위해 이 땅에 왔습니다. 세계의 평화와 자유를 지켜낸 최고의 애국이었습니다.

지금 세계는 코로나와 기후위기같이 함께 해결해야 할 문제들이 더 많아지고 있습니다. 지구 차원의 공존을 모색해야 할 때입니다. 이제 애국심도, 국경을 넘어 국제사회와 연대하고 협력할 것을 요구하고 있습니다. 2001년, 일본 도쿄 전철역 선로에서 국경을 넘은 인간애를 실현한 아름다운 청년 이수현의 희생은 언젠가 한일 양국의 협력의 정신으로 부활할 것입니다. 2013년, 우즈베키스탄 노동자를 구하다가 함께 희생된 김자중 님의 진정한 이타심과 용기는 더 넓은 세상과 함께하는 것이 애국임을 보여주었습니다. 우리의 애국심은 공존 속에서 더 강해져야 합니다. 대한민국 곳곳에는 독립과 호국, 산업화와 민주화를 거쳐 이웃을 위한 따뜻한 헌신까지 거대한 애국의 역사가 면면히 흘러내려오고 있습니다. 각자의 자리에서 애국하고 서로의 애국을 존중하며 새롭게 도약하는 대한민국이 되길 희망합니다.

국민 여러분, 국가유공자와 유가족 여러분,

올해 국가보훈처 창설 60주년을 맞았습니다. 상이군경 원호에서 시작한 보훈은 국가유공자에 대한 예우와 보상으로 확대되었고, 지금은 독립과 호국, 민주의 정신적 가치를 계승하는 문화로 확산되었습니다. 국가유공자에 대한 진정한 보훈이야말로 애국심의 원천입니다. 국가가 나와 나의 가족을 보살펴 줄 것이라는 믿음이 있을 때, 우리는 국가를 위해 몸을 바칠 수 있습니다. 정부는 국가보훈처를 장관급으로 격상했고, 보훈 예산 규모도 해마다 늘려 올해 5조 8천억 원에 이릅니다. 정부는 독립유공자 발굴과 포상기준을 합리적으로 개선해 2019년에는 역대 최고 수준인 647명을 포상했고, 지난해에도 585명의 독립유공자께 예우를 다할 수 있었습니다. 독립운동 사료를 끊임없이 수집하여 한 분의 독립유공자도 끝까지 찾아낼 것입니다.

지난 3월 24일, 이곳 국립서울현충원에 국방부 유해발굴감식단 신원확인센터가 세워졌습니다. 2019년부터 지금까지 참전용사 유해 서른세 분의 신원을 확인해 가족의 품으로 모셨습니다. 올해 화살머리고지 유해발굴을 마무리하고 하반기부터는 한국전쟁 최대 격전지였던 백마고지로 확대할 예정입니다. 유해발굴 못지않게 신원확인이 매우 중요합니다. 유해가 발굴되더라도 비교할 유전자가 없으면 가족의 품으로 돌아갈 수 없습니다. 유전자 채취에 유가족 여러분의 많은 참여를 당부드립니다. 정부는 장기간 헌신한 중장기 복무 제대군인들이 생계 걱정 없이 구직활동을 할 수 있도록 '제대군인 전직 지원금'을 현실화할 것입니다. 보훈 급여금으로 인해 기초연금을 받지 못하고, 국가유공자의 희생과 헌신의 가치가 묻혀 버리는 일이 없도록 바로잡겠습니다.

지난 3월, 광주의 계엄군 병사가 유족을 만나 직접 용서를 구한 일은 매우 역사적인 일입니다. 올해 5·18광주민주화운동 추모제에 최초로 여야 정치인이 함께 참석한 것도 매우 뜻깊습니다. 진실이 밝혀지고 용서와 치유가 이어지면서 우리는 서로를 더욱 존중할 수 있게 되었습니다. 4월의 제주, 5월의 광주, 6월의 현충원이 서로의 아픔을 보듬으며 대한민국 발전을 위한 하나의 마음이 되길 기대합니다. 2018년, 미얀마 이주노동자 윈 툿쪼 님은 세상을 떠나면서 우리 국민에게 생명을 나눠주었습니다. 우리는 미얀마 국민에게 변함없는 연대와 우애의 마음을 보냅니다. 5월 광주가 마침내 민주화의 결실을 맺었듯, '미얀마의 봄'도 반드시 올 것입니다.

국민 여러분,

저는 바이든 대통령과 만나 평화와 번영, 민주와 인권의 한미동맹을 더욱 포괄적인 동맹으로 발전시키기로 뜻을 모았습니다. 외국 정상으로서는 최초로 미국 정부가 한국전쟁 참전 영웅에게 드리는 명예훈장 수여식에 바이든 대통령과 함께하며, 참전 영웅들을 최고로 예우하는 미국의 모습을 보았습니다. 특히 군 복무 시절의 공적 사실이 새롭게 밝혀지면 언제든 서훈의 격을 높이고 모든 예우를 갖춰 수여식을 여는 것이 매우 인상 깊었습니다. 워싱턴 '추모의 벽' 착공식에서 우리말로 "감사합니다", "같이 갑시다" 인사를 건넨, 미군 참전용사들과 가족들이 기억에 남습니다. 자유와 민주주의의 가치로 맺어진 우정과 연대를 확인할 수 있었습니다. 정부는 튼튼한 한미동맹을 바탕으로 변화하는 국제질서와 안보환경에 더욱 주도적으로 대응할 것입니다.

이번 회담에서 '미사일 지침'을 종료한 것은 미사일 주권을 확보했다는 의미와 동시에 우주로 향한 도전이 시작되었다는 것을 뜻합니다. 한국은 달에 우주인을 보내는 '아르테미스 약정'에도 열 번째 나라로 가입했습니다. 미국을 포함한 국제사회와 우주 분야 협력을 확대하고, 독자적인 우주발사체 개발을 통해 대한민국의 새로운 우주 시대를 열겠습니다. 바이든 대통령과 저는 강력한 '백신동맹'으로 코로나를 함께 극복하기로 했고, 대화와 외교가 한반도 비핵화와 항구적 평화를 이루는 유일한 길이라는 데 의견을 모았습니다. 한반도 비핵화와 항구적 평화를 향해 다시 큰 걸음을 내디딜 수 있도록 준비하겠습니다.

오늘 저는, 전방 철책과 영웅들의 유품으로 만든 기념패를 자유와 평화를 수호한 호국영령들의 영전에 바쳤습니다. 분단의 아픔을 끝내고, 강한 국방력으로 평화를 만들어가겠습니다. 그것이 독립과 호국, 민주 유공자들의 넋에 보답하는 길이라 믿습니다. 보훈은 지금 이 순간, 이 땅에서 나라를 지키는 일에 헌신하는 분들의 인권과 일상을 온전히 지켜주는 것이기도 합니다. 최근 군내 부실급식 사례들과, 아직도 일부 남아있어 안타깝고 억울한 죽음을 낳은 병영문화의 폐습에 대해 국민들께 매우 송구하다는 말씀을 드립니다. 군 장병들의 인권뿐 아니라 사기와 국가안보를 위해서도 반드시 바로 잡겠습니다. 나는 우리 군 스스로 국민의 눈높이에 맞게 변화하고 혁신할 수 있는 역량을 갖추고 있다고 믿습니다.

존경하는 국민 여러분, 국가유공자와 유가족 여러분,

우리는 지금, 독립과 호국의 영웅뿐 아니라 국민의 생명을 구하다생을 마감한 분들의 숭고한 희생 위에서 나라다운 나라로 가고 있습니다. 국민 한 사람 한 사람, 나라에 대한 책임감이 커지면서 우리의 애국심도 다양한 모습으로 실현되고 있습니다. 애국의 한결같은 원동력은 공동체에 대한 믿음입니다. 독립·호국·민주의 굳건한 뿌리를 가진 우리의 애국은 이제 인류의 문제로까지 확장되어야 합니다. 민주와 인권, 자유와 평화, 정의를 갈망하는 세계인들과 함께 감염병과 기후위기를 극복하고 지속가능한 미래로 나아갈 것입니다. 우리에게 애국이라는 위대한 유산을 물려주신 영령들께 깊은 존경을 바치며, 영원한 안식을 기원합니다.

감사합니다.

제3차 코로나19 대응 특별방역점검회의 모두발언

| 2021-06-07 |

G7 정상회의 출국을 앞두고 특별방역점검회의를 한 달 만에 다시 개최하게 되었습니다. 오늘 회의에는 편안하고 안전한 여름휴가 대책을 함께 논의하기 위해 문체부 장관도 참석을 했습니다. 백신 접종에 대해 일부 우려와 불신이 있었지만 백신 접종률이 가파르게 상승하며 지난주 세계 평균 접종률을 넘어섰고, 앞선 나라들을 빠르게 추월하고 있습니다. 국민의 기대감도 커지고 있습니다. 예약 열풍이 불며 60세 이상 고령층 예약률이 목표치를 웃도는 80%를 훌쩍 넘겼고, 예약자의 실제 접종률은 거의 100%에 육박하고 있습니다. 잔여 백신에 대한 예약과 접종도 효과적으로 진행되어 접종률을 높이는 데 크게 기여하고 있습니다. 백신 도입과 접종, 예약 등 모든 부분에서 계획 이상으로 순조롭게 진행되고 있다고 말씀드릴 수 있습니다. 이달 말까지 1차 접종 목표 1,300만 명

을 달성하고, 방미 성과인 101만 명분의 얀센 접종까지 더하면 상반기 1,400만 명 이상 접종도 가능할 것으로 기대하고 있습니다. 집단면역 시점도 더욱 앞당겨질 것입니다. 모두 국민들의 적극적인 협조와 참여 덕분입니다.

3분기에는 50대부터 시작하여 순차적으로 국민 70%인 3,600만 명에 대한 1차 접종을 완료하게 될 것입니다. 특히 7월 초부터는 유치원과 어린이집, 초중고 선생님들에 대한 접종으로 2학기 학교 운영 정상화에 차질이 없도록 하고, 고3 학생을 포함한 수험생들에 대한 접종도 실시하여 대학 입시를 안전하게 준비할 것입니다.

우리나라는 백신 접종에서도 세계적인 모범 국가가 될 수 있습니다. 코로나 발생 초기 세계에서 두 번째로 확진자가 많았을 때 우리나라가 방역 모범 국가가 될 것이라고 누구도 예상하지 못했습니다. 국민들의 적극적인 참여와 우수한 의료진의 헌신에 더하여 진단키트, 드라이브스루, 마스크 맵 등 방역에서 보여준 우리의 창의성과 IT 기술은 최소 잔여형 주사기, 잔여 백신 앱 등 백신 접종에서도 유감없이 발휘되고 있습니다. 이러한 우리의 장점을 충분히 살려 나간다면 K-방역의 성공에 이어 백신 접종의 성공까지 이루어내어 국민의 자부심이 되고, 세계에도 기여할 수 있을 것입니다. 반드시 그렇게 될 수 있도록 국가의 역량을 총동원하겠습니다. 이달 말까지 1,400만 명이 1차 접종을 받게 되면 전체 인구의 28%가 백신을 맞게 됩니다. 그렇게 되면 위중증률과 치명률 감소에 이어 확진자 감소도 기대되는 등 방역 부담을 크게 줄여 나갈 수 있을 것입니다. 또한 코로나로부터 빼앗긴 일상을 국민들께서 조금씩 회복하는 기쁨도 누릴 수 있을 것입니다. 정부는 코로나에 지친 국민들께 평온한 일상을 하루속히 되찾아 드리기 위해 최선을 다하겠습니다.

우선 다가오는 여름휴가를 국민들께서 좀 더 편안하게 보낼 수 있게 하고, 올 추석도 추석답게 가족을 만나고, 적어도 가족끼리는 마스크를 벗고 대화를 나눌 수 있도록 해드리는 것이 정부의 목표입니다. 곧 여름휴가철입니다. 철저한 방역과 안전대책을 빈틈없이 하면서도 국민들의 휴가 사용이 충분히 보장될 수 있도록 최선을 다하겠습니다. 휴가 시기의 분산과 함께 IT 기술과 빅데이터를 활용한 서비스로 휴가지 혼잡을 최소화하고, 숙박시설 이용이나 스포츠 관람, 박물관과 공연장 이용에 대한 편의 제공 등 세심하고 다양한 대책을 시행하겠습니다. 편안하고 안전한 휴가를 위해서는 정부뿐 아니라 우리 사회 전체의 노력이 필요합니다. 휴가 시기를 최대한 분산하는 등 정부의 권고에 기업들이 적극 협조해 주길 바라며, 국민들께서도 방역수칙 준수를 한시도 잊지 말아 주시기 바랍니다. 언제 종식될지 알 수 없고, 변이에 변이를 거듭하는 코로나에 대응하여 해외 각국은 내년 이후 사용할 백신 준비에 신경을 쓰고 있습니다. 우리도 내년분 백신 계약을 빠른 시일 안에 추진하겠습니다. 3차 접종 연령 확대까지 고려하여 백신 물량을 충분히 확보하는데 차질이 없도록 하겠습니다.

백신 주권은 반드시 확보하겠습니다. 3분기부터 임상 3상에 들어갈 것으로 예상되는 성공 가능성이 높은 제품을 선구매하는 등 국내 백신 개발에 대한 지원의 강도를 더욱 높이겠습니다. 한미 정상회담에서 합의한 글로벌 백신 파트너십 구축도 속도있게 추진하겠습니다. 한미 간 후속 협의를 본격화하면서 국내 백신 생산 역량이 극대화될 수 있도록 지원해 나가겠습니다. 한편으로 방미 중 국내 기업이 모더나와 위탁생산 계약을 체결함으로써 우리나라는 세계적으로 안전성과 효과성을 인정받는 코로나 백신 4종을 생산하는 세계에서 보기 드문 국가가 되었습니다. 우리 기업의 우수한 생산 능력이 세계적으로 인정받고 있는 만큼 정부 차원에서 보다 체계적이고 적극적인 지원을 통해 국내 백신 공급은 물론 백신 공급의 허브로서 세계에 기여할 수 있도록 최선을 다해 나가겠습니다. 이상입니다.

제24회 국무회의(영상) 모두발언

| 2021-06-08 |

제24회 국무회의를 시작하겠습니다.

한미동맹을 포괄적 글로벌 동맹으로 발전시킨 한미 정상회담에 이어 P4G 정상회의를 성공적으로 개최하고, 이번 주에는 영국에서 열리는 G7 정상회의에 참석합니다.

G7 정상회의에 우리나라가 2년 연속 초청된 것은 우리의 국제적 위상이 G7 국가들에 버금가는 수준으로 높아졌다는 것을 의미합니다. 또한 정상회의 참석 자체로 우리 외교가 업그레이드되는 기회가 될 것입니다. 우리나라가 경제에서 세계 10위 정도의 수준으로 발전한 것뿐 아니라 문화, 방역, 보건의료, 시민의식 같은 소프트파워 분야에서도 세계적으로 높은 평가를 받게 된 것이 무척 자랑스럽습니다. 모두 국민들께서 이룬 성취인 만큼 국민들께서도 자부심을 가져 주시기 바랍니다.

이제 국제사회에서의 책임과 역할도 더욱 커졌습니다. G7 정상회의를 글로벌 현안 해결에 기여하는 우리의 역할을 강화하고 외교의 지평을 확대하는 계기로 삼겠습니다. 우수한 바이오의약품 생산 역량을 바탕으로 글로벌 백신 허브의 역할을 강조하고, 기후위기 대응에서 선진국과 개도국 간의 협력을 이끄는 가교 국가로서의 역할을 부각시킬 것입니다. 또한 K-방역, 한국판 뉴딜의 경험과 성과를 공유하는 것과 함께 우리의 뛰어난 디지털 역량이 글로벌 현안 대응에 기여할 수 있다는 것을 알릴 것입니다. 이번 G7 정상회의는 코로나 이후 중단되었던 다자 정상회의가 재개되는 것일 뿐 아니라 주요국과 활발한 양자 정상 외교를 펼칠 수 있는 기회이기도 합니다. 국민들께서도 많은 관심과 성원을 보내 주시기 바랍니다.

수출이 사상 처음으로 2개월 연속 40% 넘는 증가율을 기록했고, 조선업은 5월까지 이미 작년 한 해의 수주량을 뛰어넘었으며, 내수와 소비가 살아나는 등 경제 회복이 가속화되고 있습니다. 하지만 코로나로 인한 장기 불황의 늪에서 벗어나지 못하는 어두운 그늘이 여전히 많이 남아 있습니다. 무엇보다 양극화가 큰 문제입니다. 상위 상장 기업들과 코로나 수혜 업종의 이익 증가가 두드러진 반면 대면서비스업 등은 회복이 늦어지며 업종과 기업 간 양극화가 뚜렷해졌습니다. 소비에서도 양극화 현상이 심각하여 백화점, 대형마트는 회복 속도가 빠르고, 이른바 명품 소비는 크게 증가한 반면, 자영업 위주의 골목 소비, 서민 소비는 여전히 살아나지 못하고 있습니다. 문화, 예술, 공연 분야의 소비도 극도의 침체에서 헤어나지 못하고 있습니다.

일자리의 양극화 또한 심각한 문제입니다. 일자리 상황이 빠르게 개선되고 있지만 청년층과 여성층의 어려움이 지속되고 있으며, 노동시장의 양극화와 산업재해, 새로운 고용형태에 대한 보호 등 해결해야 할 과제가 많습니다. 정부는 코로나 회복 과정에서 양극화와 불평등 해소, 일자리 회복에 최우선 순위를 두고 정책적, 재정적 지원을 집중해 주기 바랍니다. 예상보다 늘어난 추가 세수를 활용한 추경편성을 포함하여 어려운 기업과 자영업이 활력을 되찾고, 서민 소비가 되살아나며, 일자리 회복 속도를 높이는 등 국민 모두가 온기를 함께 누릴 수 있는 포용적 경제 회복을 위해 총력을 기울여 주기 바랍니다. 우리 정부는 그동안 플랫폼 노동자에 대한 보호 대책과 특수고용근로자에 대한 사회안전망 확충 등 노동 보호의 사각지대를 최소화하기 위한 노력을 지속해 왔습니다. 오늘 국무회의에서는 우리 사회의 대표적인 사각지대로 존재했던 가사근로자에 대한 법적 지위를 인정하는 뜻깊은 법이 공포됩니다. 노동존중 사회로 한 발 더 나아가는 계기가 되길 바랍니다.

맞벌이 가구가 늘어나면서 가사서비스와 가족 돌봄 서비스에 대한 수요가 꾸준히 증가하여 우리 사회의 서비스 산업으로 자리잡은지 오래되었고, 경제적으로도 적지 않은 비중을 차지하게 되었지만 그동안 법적 보호를 받지 못해 열악한 근로조건에 놓여있었습니다. 이제 가사근로자는 노동관계법에 따라 보호받고 사회보험을 적용받을 수 있게 되었고, 이용자들로서도 가사 서비스가 표준화되어 믿고 맡길 수 있는 양질의 서비스를 기대할 수 있게 되었습니다. 또한, 여성의 경력단절 방지와 경제활동 참여를 확대하고, 새로운 사회서비스 일자리 확대에도 기여할 수 있게 될 것입니다. 관계 부처는 가사근로자법이 현장에 빠르게 안착 될 수 있도록 각별한 관심과 노력을 기울여 주기 바랍니다.

6월, '민주인권기념관'을 착공합니다

| 2021-06-10 |

평범한 시민이 역사의 주인공입니다. 서른네 번째 6·10민주항쟁 기념일을 맞아 민주 영령들을 마음 깊이 기리며 6월의 광장에서 함께했던 시민들을 생각합니다. 전국 곳곳에서 하나가 되어 외친 함성은 대한민국을 흔들어 깨우며 민주주의를 열었고, 이제 민주주의는 정치의 영역을 넘어 우리 경제와 생활 속에서 더욱 크게 자라고 있습니다.

오늘 우리는 1987년 1월 스물두 살 박종철 열사가 물고문으로 숨졌던 옛 남영동 치안본부 대공분실 자리에 역사적인 '민주인권기념관'을 착공합니다. '남영동 대공분실'에 '민주와 인권의 기둥'을 우뚝 세워 다시는 '국가폭력'이 이 나라에 들어서지 못하게 할 것입니다. 젊고 푸른 꽃들이 진 자리에 맺힌 민주주의의 열매가 참으로 가슴 아리게 다가옵니다. 우리는 많은 분들의 희생 위에서 민주주의를 누리게 됐다는 사실을 결코 잊어서는 안되겠습니다. 오늘 기념식장과 지자체, 해외공관에서 동시에 민주주의 훈포장을 수여합니다. 정부는 지난해부터 민주주의 유공자를 발굴해 훈포상을 전수하고 있으며, 더 많은 분의 공헌을 기리기 위해 올해부터는 정기포상으로 확대했습니다. 독립, 호국, 민주유공자들께 예우를 다하고 그 이름을 자랑스럽게 기억하겠습니다.

6·10민주항쟁의 정신은 미래세대로 계승되어야 할 고귀한 자산입니다. 6월의 뜨거웠던 광장을 회상하면서, 우리의 일상 곳곳에서 민주주의를 성숙하게 실천하고 계신 국민들께 한없는 존경의 마음을 보냅니다.

콘월, G7 정상회의를 마치고

| 2021-06-13 |

G7 정상회의에 초청받아 모든 일정을 잘 마쳤습니다. 보건, 열린사회, 기후환경, 각 주제별로 지구촌의 책임있는 나라들이 진솔한 의견을 나눴습니다. 우리도 지속가능한 세계를 위해 국격과 국력에 맞는 역할을 약속했고, 특히 선진국과 개도국 간의 가교 역할을 강조했습니다.

G7 정상회의를 계기로 가진 만남들도 매우 의미있었습니다. 아스트라제네카 소리오 회장과는 백신생산 협력을 논의했고, 독일 메르켈 총리와는 독일의 발전한 백신개발 협력에 대한 의견을 나눴습니다. 호주 모리슨 총리와는 수소경제 협력, EU의 미셸 상임의장과 라이엔 집행위원장과는 그린, 디지털 협력에 공감했습니다. 프랑스 마크롱 대통령과도 첨단 기술과 문화·교육 분야 등의 미래 협력을 다짐했습니다. 우리의 외교 지평이 넓어지고 디지털과 그린 분야 협력이 확대발전할 기회가 될

것입니다. 스가 총리와의 첫 대면은 한일관계에서 새로운 시작이 될 수 있는 소중한 시간이었지만, 회담으로 이어지지 못한 것을 아쉽게 생각합니다.

G7정상회의에 참석하면서 두 가지 역사적 사건이 마음 속에 맴돌았습니다. 하나는 1907년 헤이그에서 열렸던 만국평화회의입니다. 일본의 외교 침탈을 알리기 위해 시베리아 횡단철도를 타고 헤이그에 도착한 이준 열사는, 그러나 회의장에도 들어가지 못했습니다. 다른 하나는 한반도 분단이 결정된 포츠담회의입니다. 우리는 목소리도 내지 못한 채 강대국들간의 결정으로 우리 운명이 좌우되었습니다.

오늘 대한민국은 세계10위권의 경제대국이 되었고, 세계에서 가장 성숙한 국민들이 민주주의와 방역, 탄소중립을 위해 함께 행동하는 나라가 되었습니다. 이제 우리는 우리 운명을 스스로 결정하고, 다른 나라와 지지와 협력을 주고받을 수 있는 나라가 되었습니다. 많은 나라가 우리나라와 협력하기를 원합니다. 지속가능한 세계를 위해 우리의 목소리를 낼 수도 있게 되었습니다.

참으로 뿌듯한 우리 국민들의 성취입니다. G7정상회의 내내 우리 국민을 대표한다는 마음으로 임했습니다. 대한민국을 자랑스럽게 여깁니다.

진심으로 감사드립니다.

한-오스트리아 대통령 서명식 및 공동기자회견 발언

| 2021-06-14 |

판 데어 벨렌 대통령님, 특별한 환대에 감사드립니다.

내년 양국 수교 130주년을 앞두고 대한민국 대통령으로서 처음으로 오스트리아를 국빈방문한 것을 매우 뜻깊게 생각합니다. 오늘 양국의 협력 방안을 깊이 있게 논의하게 되어 매우 기쁩니다. 우리 두 정상의 만남이 오스트리아의 국화 에델바이스의 꽃말처럼 양국 국민들에게 소중한 추억이 되길 바랍니다.

오스트리아와 한국은 민주주의와 인권, 시장경제를 비롯하여 보편적 가치를 공유하며 경제, 문화, 예술, 과학기술과 같은 다양한 분야에서 협력 관계를 발전시켜 왔습니다. 오늘 대통령님과 나는 오랜 신뢰와 우정을 바탕으로 다양한 분야에서 발전시켜온 양국의 협력을 돌아보았고, 우리의 협력을 더욱 심화시켜 나갈 방안을 논의했습니다. 양국이 코로나 위기 속에서도 교역 규모를 유지하고 있는 것을 높이 평가했으며, 앞으로도 과학기술, 미래 첨단산업 분야에서 협력을 확대해 나가기로 했습니다.

4차 산업혁명 시대를 여는 데 있어서 양국은 서로에게 매우 중요한 파트너입니다. 기초과학 분야에서 다수의 노벨상 수상자를 배출한 오스트리아의 뛰어난 과학기술 역량과 세계적인 수준의 사용화, 산업화 능력을 갖춘 한국 기업들의 결합을 통해 호혜적인 협력 성과를 도출하기로 합의했습니다. 아울러 판 데어 벨렌 대통령님과 나는 코로나 극복, 기후변화 대응, 환경문제를 비롯한 국제사회가 당면한 과제들의 해결 방안을 논의했습니다. 대통령님은 지난 5월 P4G 서울 정상회의의 성공적인 개최를 축하해 주셨고, 나는 오스트리아 국민들과 대통령님의 지지에 깊은 사의를 전했습니다. 대통령님과 나는 포용적 녹색회복과 탄소중립 비전 실현을 위한 공조를 더욱 공고히 해 나가기로 했습니다. 오는 11월 COP26을 포함하여 국제사회의 기후환경 대응 노력에 함께 힘을 보태기로 했습니다. 또한 한국은 2023년에 개최될 COP28을 유치하고자 합니다. 제가 아까 대통령께 COP29라고 수치를 잘못 말씀드린 것 같습니다. COP28을 유치한다는 것으로 수정을 하겠습니다. 당면 과제인 코로나 극복을 위해서도 힘을 모을 것입니다. 대통령님과 나는 코로나 극복과 경제 회복을 위해 백신 수급과 접종 확대가 중요하다는 데 인식을 같이 했습니다. 또한 세계 곳곳의 지역 정세와 지구촌 평화 번영을 위한 협력 방안도 논의했습니다. 특별히 한반도의 항구적인 평화를 위해 한결같이 지지해 주신 오스트리아 정부에 감사를 표합니다.

마지막으로 문화·예술·관광 협력과 미래세대 간 교류 증진에 함께 노력해 나가기로 했습니다. 이번 방문을 계기로 문화협력협정과 청소년 교류 이행 약정 체결이 이루어질 것입니다. 수교 130주년을 앞두고 체결되는 두 협정과 약정은 양국 국민들의 문화·인적 교류를 확대하는 기반이 될 것입니다. 오스트리아 국민들과 대통령님의 따뜻한 환대에 다시 한번 감사의 말씀을 드리며, 양국이 상생과 공영의 든든한 전략적 동반자로서 희망과 번영의 미래를 함께 만들어 나가기를 기대합니다.

감사합니다.

펠리페 6세 스페인 국왕 주최 국빈 만찬 답사

| 2021-06-16 |

존경하는 국왕님, 왕비님, 내외 귀빈 여러분,

부에나스 노체스, 안녕하십니까. 1년 8개월 만에 국왕님 내외를 마드리드에서 다시 뵙게 되어 매우 기쁩니다. 코로나 발생 이후, 첫 국빈으로 초청해 주셔서 무한한 영광입니다. 따뜻하게 맞아주시고, 성대한 만찬을 베풀어주신 데 깊이 감사드립니다. 국왕께서는 2014년 즉위식에서 강조하신 대로 '현실, 그 이상'을 바라보며 스페인의 위대한 전통과 성취를 지속가능한 미래의 유산으로 삼아왔습니다. 국왕님의 비전과 국민들의 통합된 의지가 어우러진 결과, 스페인은 탄탄한 경제를 갖춘 선진 민주국가이자 자연과 인문, 예술의 기쁨을 선사하는 나라가 되었습니다. 국왕님과 왕비께서는 지난해 코로나로 어려움을 겪고 있는 국민들을 격려하기 위해 전국 각지를 순회하셨다고 들었습니다. 지난해 성탄절 연설에서 국왕님은 "2020년은 매우 힘들고 어려운 해였지만, 스페인은 전진할 것"이라 하셨고, 스페인 국민들뿐 아니라, 코로나에 맞선 세계인들에게 용기와 희망을 주었습니다. 국민과 함께, 국민의 손을 잡고 코로나 극복에 탁월한 리더십을 발휘하고 계신 국왕께 경의를 표합니다.

내외 귀빈 여러분,

스페인과 한국은 광대한 유라시아 대륙의 양 끝에 떨어져 있지만, 서로 닮았습니다. 양국 국민들은 열정적이며 정이 많고, 가족과 공동체의 가치를 소중히 여깁니다. 또한 권위주의 시대를 극복하고 민주화와 경제발전을 성공적으로 이루며, 국제사회의 대표적인 중견국으로 도약했습니다. 스페인은 2차 대전 후 독립한 신생국이었던 대한민국이 국제사회의 일원으로 성장하는 데 큰 도움을 주었고, 70년이 넘게 우정을 쌓아왔습니다. 특히 2019년 10월, 국왕님 내외의 방한 이후 스페인과 한국은 더욱 각별한 우호 관계를 맺었고, 코로나 상황에서 긴밀한 협력으로 이어졌습니다. 한국 국민들은 코로나 초기, 아프리카 적도기니에 고립된 우리 국민들의 무사 귀국을 도와준 스페인을 잊지 않고 있습니다. 한국이 스페인에 제공한 신속 진단키트 역시 깊은 우정의 결과입니다.

한국 국민들은 스페인을 좋아합니다. 코로나 직전인 2019년 스페인을 찾은 한국인은 63만 명에 달했습니다. 지난 4월, 한국 국적 항공사가 '무착륙 관광비행' 상품을 선보였는데, 그 첫 번째 국가도 스페인이었습니다. 하지만 세계 2위의 관광 대국, 세계 3위의 유네스코 세계유산 보유국인 스페인의 역사와 문화만 사랑하는 것이 아닙니다. 한국 국민들은 미래를 향해 도전하는 스페인도 사랑합니다. 기후변화 대응과 녹색회복, 4차 산업혁명과 같은 미래를 향한 공동과제에 함께 협력하길 원합니다. 나와 우리 국민은 스페인이 또 한 번 위대한 성취를 이뤄낼 것을 확신하며, 70년 우정을 나눈 친구로서 그 여정에 함께할 준비가 되어 있습니다.

존경하는 국왕님, 왕비님, 내외 귀빈 여러분,

2019년, 8,200여 명의 한국인 순례자들이 산티아고 순례길을 걸으며 삶을 돌아보고, 마음의 평화와 안식을 얻었습니다. 양국 관계의 새로운 70년이 시작된 올해, 스페인과 한국이 함께 걸어갈 길 또한 서로의 여정에 행운을 주는 "부엔 까미노"가 될 것이라 확신합니다. 양국 간의 영원한 우정, 국왕님 내외의 건강, 그리고 한국과 스페인의 무궁한 발전을 위해 건배를 제의합니다.

살룻(Salud)! 무차스 그라시아스!

한-스페인 그린·디지털 비즈니스 포럼 기조연설

| 2021-06-16 |

총리님, 양국 경제인 여러분,

반갑습니다.오늘 스페인과 한국의 경제인들이 함께하는 자리에 산체스 총리님이 귀한 시간을 내주셨습니다. 호세 루이스 보넷 스페인 상공회의소 회장님과 안토니오 가라멘디 경영자총협회 회장님, 그리고 박용만 한-스페인 민간 경협위원회 위원장님도 함께해주셔서 감사합니다. 마드리드에서 양국의 '그린·디지털 비즈니스 포럼'이 개최된 것을 매우 기쁘게 생각합니다. 특별한 비즈니스 행사를 준비해주신 스페인 상공회의소와 대한상공회의소에 감사드립니다.

스페인과 한국은 멀리 유라시아 대륙의 양 끝에서 대륙과 해양을 잇는 교량국가로 독자적인 문화를 꽃피웠고, 세계 10위권의 경제 대국으로 성장했습니다. 2년 전, 펠리페 국왕님의 방한으로 양국은 깊은 우정을 나누고 긴밀한 협력을 약속했습니다.

오늘 그 약속을 이어가게 된 것이 더욱 뜻깊습니다. 진실한 우정을 바탕으로 공동 번영의 미래를 여는 자리가 되길 기대합니다. 1980년, 양국 교역액은 1억 불에 불과했지만, 한-EU FTA가 발효된 지 7년 만에 55억 불로 늘어났습니다. 상호 투자도 제조업, 물류, 재생에너지 분야로 고도화되고, 49억 불을 넘어섰습니다. 총 25개국에서 162억 불을 공동 수주했을 만큼, 제3국 시장에 공동진출한 성과 역시 놀랍습니다.

하지만 양국이 가진 잠재력에 비하면 아직도 시작에 불과합니다. 스페인은 신재생에너지 비율이 40%에 가까운 친환경 에너지 선도국가입니다. 한국은 디지털 경제의 핵심인 반도체와 ICT에서 높은 기술력을 보유하고 있습니다. 각자 강점을 가진 분야의 경험과 노하우를 공유한다면 더 높이 도약할 것입니다. 포스트 코로나 시대를 선도할 양국 협력을 위해 나는 오늘 세 가지를 강조하고 싶습니다.

첫째, 탄소중립 시대를 앞서갈 저탄소 경제 협력입니다. 스페인은 2030년까지 전력의 75%를 신재생에너지로 생산할 계획을 세우고, 전기차 보급과 수소 경제육성에 속도를 내고 있습니다. 한국 역시 2030년까지 발전량의 20% 공급을 목표로 신재생에너지를 늘리고 있으며, 세계 최초 수소차 양산에 더해 친환경 미래차의 수출과 보급에서 앞서가고 있습니다. 양국 기업은 이미 서로의 태양광과 풍력발전소 건설에 활발히 참여해왔습니다. 스페인 기업 '오션윈즈'가 인천 해상풍력단지에, 또 다른 스페인 기업 'EDPR'이 고흥 태양광발전소 건립에 각각 1억 불을 투자합니다. 오션윈즈는 울산 부유식 해상풍력 사업에도 참여한 바 있습니다. 오션윈즈와 EDPR에 감사드리며, 신재생에너지 분야의 상호 투자가 더욱 확대되기를 바랍니다. 최고의 전기차와 수소차, 배터리 기술력을 가진 한국이 차세대 모빌리티 분야에서도 스페인과 새로운 성공 모델을 만들게 되길 기대합니다. 한국은 양국 기업 간의 협력을 적극 지원할 것입니다.

둘째, 디지털 전환 속도를 높일 디지털 경제 협력입니다. 스페인은 '디지털 스페인 2025'와 '경제재건계획'을 마련해 대규모 디지털 인프라 투자에 나섰고, 스마트시티 건설과 전자상거래 시장의 성장 속도도 무섭습니다. 한국은 세계 최초로 5G를 상용화하는 등 세계 최고의 IT 기술력을 보유하고 있고, 2025년까지 '디지털 뉴딜'에 430억 유로를 투자하여, 디지털 경제 혁신을 빠르게 달성하려 합니다. 이미 인천국제공항 항공교통관리 시스템과 스페인 전자상거래 시장에서 양국은 함께하고 있습니다. 유럽 스타트업의 허브인 스페인과 젊고 역동적인 한국의 스타트업이 손잡는다면, 디지털 전환의 세계 모범을 만들 수 있을 것입니다. '한-스페인 스타트업 협력 MOU'를 바탕으로 혁신의 아이콘인 스타트업 간의 교류와 협력도 확대되어, 경제 전반의 디지털 전환이 빠르게 확산되기를 기대합니다.

셋째, 제3국 시장 진출을 고도화하는 협력입니다. 세계는 코로나 위기 극복을 위해 총 13조 불 이상의 재정지출에 나섰고, 디지털과 그린 인프라 시장의 빠른 성장이 예상됩니다. 유럽과 아프리카, 중남미 시장의 교두보인 스페인과 아시아 시장의 교두보인 한국이, 5G, 전기차, 신재생에너지 시장에 함께 진출하여, 양국 경제발전은 물론, 더 나은 세계 경제 재건에 함께하길 기대합니다. 오늘 나와 산체스 총리님은, 양국 관계를 전략적 동반자 관계로 격상하는 데 합의를 하고, 인더스트리4.0, 스타트업, 청정에너지 협력 MOU를 체결합니다. 한국 정부는 기업인들의 든든한 후원자가 되도록, 더 긴밀히 소통하고 협력하겠습니다.

마드리드는 지금 변화의 열기로 가득합니다. 카스테야나 거리에는 첨단공법을 구사한 건물들이 즐비하고, 글로벌 IT 기업들이 속속 모여들고 있습니다. 자유롭고 혁신적인 마드리드에서, 양국 경제도 디지털과 그린의 양 날개를 달고, 더 높이, 더 힘차게 날아가길 기대합니다.

무차스 그라시아스! 감사합니다.

스페인 상·하원 합동연설

| 2021-06-16 |

존경하는 스페인 국민 여러분, 욥 상원의장님과 바텟 하원의장님, 의원 여러분,

양국의 새로운 70년을 여는 첫해, 여러분을 만나게 되어 매우 뜻깊습니다. 대한민국 대통령 최초로 스페인 의회에서 연설할 기회를 마련해 주신 두 분 의장님과 의원여러분께 깊이 감사드립니다.

한때 스페인은 '세상의 끝'이라고 불렸습니다. 그러나 스페인 국민들은 '세상의 끝'에서 '새로운 세상의 시작'을 만들었습니다. 500년 전, 마젤란과 엘카노의 세계 일주를 시작으로 근대사의 전환을 이끌어갔습니다. 지금 스페인은 그 힘으로 다양한 문명을 포용하고 있습니다. 기독교와 이슬람 문명, 고대부터 현대의 시간대가 스페인의 품속에서 공존하고 있습니다. 2005년, 스페인이 주도하여 출범한 '문명의 연대' 역시 인류 역사에 '새로운 시작'을 만들었다고 생각합니다. 마드리드 열차 테러 사건으로 전 세계가 충격에 빠졌지만, 스페인 국민들은 정의와 비폭력 정신으로 맞섰습니다. 오히려 '문명의 연대'를 주도하는 미래지향적인 선진국으로 도약했습니다. 한국은 '문명의 연대 우호국 그룹'의 일원으로 동참하고 있다는 사실을 매우 자랑스럽게 여기고 있습니다.

스페인의 '포용과 연대의 정신'은 코로나를 극복하며 더욱 빛나고 있습니다. 스페인은 지난해 11월, '다자주의 지지 이니셔티브' 출범을 주도하며 '유엔 75주년 기념선언'을 앞장서 실천했습니다. 이베로아메리카 공동체를 주도하며, 중남미 국가들에게 백신 공여를 약속했습니다. 한국은 이베로아메리카 공동체에 옵서버로 가입한 이래 실질 협력을 확대하고 있습니다. 올해 하반기에는 한국의 옵서버 가입 5주년을 기념하여, 미래지향적 발전 방안을 모색하는 세미나도 개최할 예정입니다.

상·하원 의장님, 의원 여러분,

이번 스페인 방문을 통해, 역동적이고 창의적이며, 가족과 이웃, 공동체의 가치를 사랑하는 양국 국민들의 공통점을 다시 한번 느낄 수 있었습니다. 스페인은 포용과 상생, 이해와 협의를 통해 국제적 분열을 해소하는 '연결국가'를 추구합니다. 한국은 대륙과 해양을 잇고, 선진국과 개도국을 연결하며, 아시아의 평화와 번영의 질서를 선도하는 '교량국가'를 꿈꿉니다. 진실로 스페인과 한국은 놀라울 정도로 닮았습니다. 무엇보다 가장 닮은 점은 '민주주의 정신과 실천'입니다. 양국 국민들은 20

세기 내전과 권위주의를 극복하고 반세기의 짧은 시간에 민주화를 이뤄냈으며, 세계에서 "완전한 민주주의 국가"로 인정받고 있습니다. 이웃을 깊이 존중하며 아끼는 마음에서 시작한 민주주의의 힘은 코로나 위기 속에서 더 큰 힘을 발휘하고 있습니다.

지난해 3월, 스페인 국민들이 매일 저녁 8시 정각에 창문을 열고 의료진에 대한 감사와 연대의 박수를 보내는 모습은 세계인에게 깊은 감동을 주었습니다. 지난 5월 9일 새벽 0시, 반년 만에 방역 봉쇄령이 풀려 기뻐하는 스페인 국민들의 모습에 나 역시 지구 반대편에서 같은 기쁨을 느꼈습니다. 한국 국민들도 백신 접종에 속도를 내며 일상을 회복하고 '한국판 뉴딜'로 경제 도약을 이뤄낼 것입니다. 서로를 응원하며 고비를 넘어온 스페인 국민들께 깊은 존경을 표합니다. 연대와 협력의 힘으로 코로나를 극복하고 있다는 사실에 깊은 동질감과 자부심을 느낍니다.

상·하원 의장님, 의원 여러분,

오늘 우리 두 나라가 양국 관계를 '전략적 동반자 관계'로 격상했다는 소식을 기쁜 마음으로 전합니다. 이제 우리는 지난 70년간 굳건히 쌓아온 우정과 신뢰를 바탕으로 더 강화된 협력을 통해 아시아와 유럽은 물론 세계의 공동 번영이라는 새로운 시작을 만들어낼 것입니다. 친환경 에너지 선도국가인 스페인과 디지털 강국 한국의 만남은 포스트 코로나 시대의 핵심인 그린·디지털 분야를 중심으로 경제 협력 분야에서 시너지를 낼 것입니다. 이미 스페인 기업은 한국의 해상풍력발전소 투자에 나서고 있으며, 한국의 기업들은 스페인 태양광 발전사업에 진출하고 있습니다.

오늘 양국이 체결한 인더스트리 4.0, 스타트업, 청정에너지 분야 MOU를 통해 양국 정부와 기업 간 협력이 가속화되길 기대합니다. 제3국 공동진출도 고도화할 것입니다. 그동안의 건설·인프라 분야 협력에 더해 5G, 전기차, 신재생에너지 시장에 함께 진출하여, 아시아, 중남미를 넘어 전 세계를 무대로 동반 성장해 나가게 되길 희망합니다. 양국 의회가 긴밀히 교류하면서 힘을 실어주시길 바랍니다.

이번 방문을 통해 양국은 '상호 방문의 해'를 연장하기로 합의했습니다. 한국 국민들은 산티아고 길을 사랑합니다. 한국 국민들은 스페인이 창조한 불멸의 캐릭터 '돈키호테'를 읽으며 유머와 해학을 넘어선 인간적 고뇌에 공감합니다. 20세기 최고의 천재 화가 피카소의 작품에서 알타미라 동굴 벽화를 그린 인류의 예술적 DNA와 이념을 넘어선 사랑의 가치를 되새깁니다. 가우디의 자연을 닮은 곡선에서는 위대한 포용의 정신을, 타레가의 음악에서는 '알함브라 궁전'의 고색창연함을 만납니다. 스페인 국민들도 한국의 문화예술을 사랑합니다. 한국어를 배울 수 있는 곳이 늘어나고 있으며, 태권도를 통해 한국의 정신과 문화를 접하고 있습니다. K-팝과 한국 영화를 즐기는 스페인 국민들도 늘고 있습니다. 이번에 합의한 '상호 방문의 해' 연장을 통해, 양국 국민들의 우정과 신뢰가 더욱 깊어지길 바랍니다.

존경하는 스페인 국민 여러분, 욥 상원의장님과 바텟 하원의장님, 상·하원 의원 여러분,

양국의 새로운 70년이 시작되었습니다. 스페인과 한국은 포용과 상

생, 연대와 협력으로 새로운 도전에 함께 대응하며 공동 번영의 미래를 열어갈 것입니다. 영광스러운 국회 연설의 기회를 주시고, 경청해 주셔서 감사합니다. 다시 한번 환대에 감사드리며, 스페인 의회의 무궁한 발전을 기원합니다.

감사합니다.

경제인협회 연례포럼 개막 만찬 답사

| 2021-06-16 |

존경하는 국왕님, 파우스 회장님과 경제인 여러분,

제 고향 한국의 부산과 닮은 점이 너무나 많은 바르셀로나에 오게 되어 매우 기쁩니다. 방금 회장님의 인사 말씀에서 바르셀로나에 대한 자부심이 느껴졌습니다. 바르셀로나 경제인협회 연례포럼 60주년을 축하하며, 뜻깊은 자리에 초청해주신 국왕님께 감사드립니다. 스페인과 세계가 도전에 직면할 때마다 연례포럼은 해결책을 제시해 왔고, 포럼의 제안은 경제·정치·사회 전반의 문제를 극복하는 지혜가 되었습니다. 오늘, 코로나를 넘어 '대재건'의 길을 모색하는 자리에 여러분과 함께하게 되어 매우 기쁘게 생각합니다. 스페인과 한국이 함께 해법을 찾길 기대합니다.

국왕님, 스페인 경제인 여러분,

지난 5월 9일 새벽 0시, 바르셀로나를 비롯한 스페인 곳곳에서 수많은 인파가 거리로 쏟아져 나왔습니다. 반년 만에 방역 봉쇄령이 풀리고, 기뻐하는 스페인 시민들의 모습에서 세계는 희망을 보았습니다. 우리는 결국 코로나를 넘어설 것입니다. 백신 보급과 함께 일상이 돌아오기 시작했고, 세계 경제도 반등을 시작했습니다. 놀라운 것은, 위기 전 수준의 회복을 넘어 새로운 도약의 기회를 만들어내고 있는 것입니다. 비대면·온라인 전환이 빨라지면서 디지털 경제가 눈부시게 부상하고, 많은 나라가 탄소중립에 함께하며 친환경·저탄소 산업이 새로운 성장 동력으로 떠오르고 있습니다.

국왕님, 스페인 경제인 여러분,

이제 협력을 잘하는 나라가 세계의 주인공이 될 것입니다. 디지털·그린 경제에서 앞서가는 나라가 세계 경제를 이끌게 될 것입니다. 스페인과 한국이 먼저 시작합시다. 우리가 힘을 모은다면 그 주인공이 될 수 있으리라 확신합니다. 스페인과 한국은 대륙과 해양을 잇는 교량국가입니다. 양국은 새로운 문물을 전하며 새로운 도전을 두려워하지 않았습니다.

국민과 기업인들의 도전 정신이 있었기에 양국 모두 근현대사의 아픔을 딛고 민주주의와 함께 세계 10위권의 경제 강국을 이뤄낼 수 있었습니다. 두 나라 정부의 의지 또한 강력합니다. 스페인은 지난해부터 '디지털 스페인 아젠다 2025'와 '2050년 탄소중립 전략'을 통해 대규모 투자에 나섰습니다. 한국 역시 디지털 뉴딜과 그린 뉴딜을 중심으로 2025년까지 1,200억 유로를 투입하는 '한국판 뉴딜'을 추진하고 있습니다. 서로의 힘을 모으고 투자의 효과를 높일 여지가 많습니다. 양국은 상호 보완적인 산업구조를 갖추고 있습니다. 협력을 통한 시너지도 매우 클 것입니다.

스페인은 신재생에너지 비율이 40%에 가까운 친환경 에너지 선도 국가입니다. 한국은 디지털 경제의 핵심인 반도체와 ICT에서 높은 기술력을 보유하고 있습니다. 미래차, 배터리, 수소경제 등에서 앞서가고 있습니다. 각자 강점을 가진 분야의 경험과 노하우를 공유한다면 함께 포스트 코로나 시대를 선도할 수 있다고 확신합니다. 2년 전, 펠리페 국왕님의 한국 방문을 계기로 양국은 이미 디지털과 그린 분야의 협력을 진행하고 있습니다. 5G 기술 협력이 이뤄지고, 서로 태양광과 풍력발전 사업에 참여하며 다양한 성과가 나타나고 있습니다. 이제 다시 도전합시다. 대륙과 해양을 이어 새로운 인류의 길을 개척합시다. 어제 양국이 체결한 인더스트리4.0, 스타트업, 청정에너지 분야 MOU를 통해 양국 기업 간 실질적인 교류와 협력이 더욱 가속화되길 기대합니다.

존경하는 국왕님, 파우스 회장님과 경제인 여러분,

코로나는 사람 간의 물리적 거리를 넓혔지만, 역설적으로 전 세계가 연결되어 있음을 확인해 주었습니다. 스페인과 한국은 유라시아 대륙의 양 끝단에 위치해 거리가 멀지만 서로를 아끼고 협력하는 마음에서는 가장 가까운 이웃이 될 것입니다. 국왕님, 총리님과의 우정을 바탕으로 우리는 오늘 '전략적 동반자 관계'가 되었습니다. 양국 경제인들도 최고의 비즈니스 파트너가 되어 글로벌 경제를 함께 주도해 나가기를 희망합니다. 디지털과 그린 분야뿐 아니라 건설·인프라, 관광 등 다양한 영역에서 양국 경제인들이 손을 잡고 세계로 뻗어나가길 바랍니다.

무차스 그라시아스! 감사합니다.

제109차 국제노동기구(ILO) 기조연설

| 2021-06-17 |

존경하는 가이 라이더 사무총장님, 각 대륙을 대표하는 국가 정상과 노사정 대표 여러분,

코로나 위기를 넘어 '사람 중심 회복'을 추구하는 ILO의 노력에 감사드리며, ILO 총회 '일의 세계 정상회담'에 아시아·태평양 지역의 대표로 함께하게 되어 매우 뜻깊게 생각합니다. ILO는 지난 100년, 인류의 자유와 존엄, 경제적 안정과 기회의 균등을 실현해왔고, 일자리 창출과 노동기본권 향상의 선두에 서 있었습니다. 코로나 극복의 과정에도 각국 노사정 대표들과 '글로벌 회담'을 개최하여 사회적 대화를 통한 포용적 위기극복을 독려했습니다. 노동의 가치를 지키고, '언제나 일과 함께하는 세계'를 위한 오늘의 정상회담이 포스트 코로나 시대의 일자리 불평

등을 막는 데 지혜와 힘을 모으는 계기가 되길 바랍니다.

사무총장님, 각국 정상과 노사정 대표 여러분,

노동은 인간 존재의 근거이며, 노동을 위한 일자리는 우리 삶의 기초입니다. 노동을 통해 우리는 사회 안에서 연결되고 자아를 실현하면서 인생의 보람과 의미를 찾습니다. 세계는, 경제발전을 통해 일자리의 양과 질을 높여왔습니다. 또한 노동자들은 투쟁을 통해 노동권과 노동의 가치를 향상시켜 왔습니다. 완전 고용과 노동자의 생활 수준 향상을 추구했던 1944년 필라델피아 선언은 아직도 많은 이들의 가슴에 울림을 주고 있습니다. 일자리는 이제 모든 나라의 핵심적인 정책목표가 되었습니다.

나 역시, 정부 출범 초기부터 일자리가 성장이고 최고의 복지라는 믿음으로, 고용의 양과 질을 함께 높이기 위해 최선을 다해 왔습니다. 한국 정부는 각종 세제와 예산을, 고용 중심으로 개편하는 것과 함께 장시간 노동시간을 개선하고, 최저임금을 과감하게 인상하여 소득주도 성장을 포함하는 포용적 성장을 추구했습니다. 또한 사회적 대화를 통해 ILO 핵심협약을 비준하고 비정규직의 정규직 전환과 노동시장 격차 해소, 나아가 노동 존중사회를 향해 한 걸음씩 전진해왔습니다.

그러나 지난해, 감염병이 전 세계를 흔들었습니다. 무엇보다 노동과 일자리가 심각한 위기에 직면했습니다. 전 세계 1억 명이 넘는 노동자가 일자리를 잃었고, 영업 제한과 근로시간 감소까지 고려하면, 전일제 일자리가 2억 5천만 개 이상 사라졌습니다. 세계 금융위기 때보다 몇 배 큰 타격입니다. 문제는 고용위기가 취약계층에게 더 가혹하다는 것입니다. 노동시장에 처음 진입하는 청년층, 대면서비스업 종사 비중이 높은 여성, 고용 보호가 취약한 임시·일용직 노동자들의 일자리부터먼저 충격을 받았습니다. 백신이 보급되면서 세계 경제가 회복되고 있지만, 일자리 위기는 여전히 진행 중입니다. 경기에 후행하는 고용의 특성을 생각하면 노동시장의 어려움은 앞으로도 상당 기간 이어질지 모릅니다. ILO와 함께 모든 나라가 일자리를 지키며 사람 중심의 회복을 추구해야 할 때입니다.

사무총장님, 각국 정상과 노사정 대표 여러분,

우리는 하루빨리 코로나를 극복하고 일상을 회복해야 합니다. 그러나 한 사람, 한 기업, 한 나라의 회복에 그쳐서는 안 됩니다. 모든 사람, 모든 기업, 모든 나라가 골고루 함께 회복해야 일자리를 지키고 불평등이 커지는 것을 막을 수 있습니다. 대면 영업의 위축과 일자리 상실, 소득 감소, 불평등과 같이 코로나가 초래한 경제적 문제들을 해결하기 위해, 포용적인 일자리 회복을 이루어야 합니다. 이미 시작되고 있는 일자리의 대변화로부터 노동자들을 보호하는 것도 매우 중요합니다. 그것이 ILO가 추구하는 '사람 중심 회복'입니다. 그러한 회복이어야만 지속가능하며 복원력 높은 회복이 될 수 있습니다. 어느 한 경제주체의 힘만으로는 이뤄낼 수 없습니다. 시장 기능에 맡겨서는 풀 수 없는 과제입니다. '모두를 위한 양질의 일자리 창출'을 위해 노사정이 사회적 대화를 통해 힘을 모으기로 했던 'ILO 100주년 선언'의 실천이 절실한 시점입니다.

한국은 코로나 위기를 먼저 겪었지만, 국민들이 스스로 방역의 주체가 되어주었고, 연대와 협력의 힘으로 이웃을 배려하며 방역 속에서 일상을 지켜낼 수 있었습니다. 한국은 일자리 위기극복을 위해서도 연대와 협력, 나눔과 포용의 길을 선택했습니다. 코로나로 인해 경제와 고용이 급격히 위축되던 지난해 7월, 한국의 노·사 대표들은인력 조정 대신 휴직과 노동시간 단축에 합의하여 일자리를 지켜낼 수 있었습니다. 한국은 그동안 노사와 지역주민, 지자체가 양보하고 협력해 새로운 일자리를 만드는 '상생형 지역일자리' 모델을 꾸준히 확산해왔습니다. 그중, '광주형 일자리'는 코로나 위기 속에서도 23년 만에 국내 완성차 공장 설립이라는 성과를 이뤄냈습니다. 현재 여덟 개 지역에서 '상생 협약'이 체결되었고, 고용위기 극복에 노사, 지자체가 함께하며 총 460억 불 투자를 통해 13만 개 일자리를 만들고 있습니다.

정부도 노사의 상생 노력을 적극 뒷받침하고 있습니다. 기업의 인건비 부담을 나누기 위해 고용유지지원금을 대폭 확대했습니다. 재정을 통해 취약계층에게 일자리 기회를 제공하면서 공공부문이 일자리의 버팀목이 될 수 있도록 노력하고 있습니다. 국민 취업 지원제도, 전 국민 고용보험 등으로 실직자를 더욱 두텁게 보호하고, 생계급여의 부양의무자 기준 폐지, 상병 수당 도입 등 복지확대에도 속도를 높이고 있습니다. 위기가 불평등을 키웠던 과거의 경험을 반복하지 않기 위해, 고용안전망과 사회안전망을 더욱 강화해 나갈 것입니다.

사무총장님, 각국 정상과 노사정 대표 여러분,

당면한 위기극복을 넘어 더 나은 일자리를 더 많이 만드는 것으로 이어질 때, 진정으로 '사람 중심 회복'이라 할 수 있을 것입니다. 코로나로 디지털·그린 경제 전환이 빨라지고, 일자리의 미래에도 새로운 기회의 문이 열렸습니다. 데이터·네트워크를 활용한 새로운 서비스가 창출되고, ESG 경영을 통해 저탄소 전환에 동참하는 기업들이 늘면서 신기술·신산업 분야 일자리가 빠르게 증가하고 있습니다. 한국도 포스트 코로나 시대의 도전에 대응하고 기회를 활용하기 위해 1,400억 불의 재정을 투자하는 '한국판 뉴딜'을 추진 중입니다. 디지털·그린 분야를 중심으로2025년까지 190만 개 일자리 창출을 목표로 하고 있습니다. 날로 가속화되는 경제·사회 구조변화 속에서사회 구성원 모두가 더 나은 일자리 기회를 누릴 수 있도록 공정한 전환을 이루기 위해 노력할 것입니다. 소프트웨어·인공지능·녹색기술 분야 핵심인재를 양성해 신산업의 성장을 뒷받침하고, 직업훈련체계를 개편하고 취업지원 서비스를 강화하여 노동자들이 새로운 일자리로 원활히 이동할 수 있도록 돕고자 합니다. 새로운 일자리가 만들어지는 과정에서 플랫폼 노동 등 새로운 형태의 고용 관계가 확산되고 있습니다. 노동자와 사용주의 구분을 전제로 한 기존의 노동 보호 체계를 보완할 필요성이 높아지고 있습니다. 지난 100년, 국제노동기준을 확립하며 노동권 확대를 위해 애써온 성과가 이어질 수 있도록 ILO를 중심으로 해결방안을 함께 모색하게 되길 기대합니다.

가이 라이더 사무총장님, 각 대륙을 대표하는 국가 정상과 노사정 대표 여러분,

코로나 위기 속에서 우리는 서로의 노동에 의존하며 일상의 상실을

최소화할 수 있었습니다. 코로나는 역설적으로 그동안 주목받지 못했던 분야의 노동 가치를 느끼게 해주었고, 우리는 '필수 노동자'라는 말을 쓰게 되었습니다. 세계 각국은 필수 노동자의 처우 개선이 결국에는 공동체의 이익으로 돌아간다는 사실을 깨닫기 시작했지만, 충분한 처우 개선에는 아직 거리가 멉니다. '사람 중심 회복'의 시작은 우리 주변에서 마주치는 노동의 가치를 정당하게 평가하고 일자리의 양과 질을 높이기 위해 힘을 모으는 것입니다. '사람 중심 회복'을 통해서만 '사람 중심 경제'가 만들어질 수 있습니다. 코로나 위기를 극복하고 더 나은 일자리를 만들기 위해 사람을 중심에 놓고 연대와 협력, 나눔과 포용의 길로 함께 나아갑시다.

감사합니다.

국가유공자 및 보훈가족 초청 오찬 모두발언

| 2021-06-24 |

존경하는 국가유공자와 보훈 가족 여러분,

귀한 걸음을 해주셔서 감사드립니다. 코로나 이후 처음으로 다시 국가유공자와 보훈 가족들을 청와대에 모시고 건강한 모습을 뵙게 되어 매우 기쁩니다. 또한, 국가보훈 국민훈장과 국민포장을 제가 직접 드리게 되어 더욱 뜻깊게 생각합니다. 젊은 시절 국가를 위해 헌신하고, 평생 나눔과 상생의 정신을 실천해오신 네 분 유공자께 깊이 감사드립니다. 이 자리에는 2019년과 2020년 훈포장을 수상하신 유공자와 서해수호 용사 유가족들도 함께하고 계십니다. 자신을 바쳐 우리 영토와 영해를 지킨 영웅들이고 용사들입니다. 국민을 대표해 경의를 표하며, 유족들께 깊은 위로의 말씀을 드립니다. 국민의 안전과 평화를 지키는 것만이 서해 영웅들의 희생에 보답하는 길이라는 것을 우리는 한순간도 잊어서는 안 될 것입니다.

지난 5월 21일 미국 순방 때 워싱턴에서 한국전 전사자 '추모의 벽' 착공식이 있었습니다. '추모의 벽' 건립에 큰 힘을 모아주신 대한민국 재향군인회 김진호 회장님과 김희중 육군 부회장님, 그리고 미 동부지부 회원들께 진심으로 감사드립니다. 정부는 한국전쟁 참전용사들의 숭고한 뜻을 기리고, 후대에게 그 정신을 전하며, 한미동맹을 더욱 굳건히 다져 나갈 것입니다.

국가유공자와 보훈 가족 여러분,

저는 오늘 국빈을 맞이하는 마음으로 국가유공자와 보훈 가족 여러분을 모셨습니다. 애국은 대한민국의 뿌리입니다. 우리는 언제나 국난 앞에서 애국으로 단합했고, 어떤 난관도 극복할 수 있다는 자신감을 가졌습니다. 지난해 한국전쟁 70주년 기념식에서 저는 "한국전쟁이 '가장 평범한 사람'을 '가장 위대한 애국자'로 만들었고, 세대와 이념을 통합하는 우리 모두의 역사적 경험이 되어야 한다"고 말씀드렸습니다. 우리는 전쟁의 참화에 함께 맞서고 이겨내며 진정한 대한민국 국민으로 거듭났습니다. 자유와 민주주의의 가치를 지킬 힘을 키웠고, 평화의 소중함을 자각하게 되었습니다. 애국은 가난을 이기고 세계 10위권 경제 대국으로 일어서는 바탕이 되었습니다. 독재에 맞서 민주화를 이뤄내는 용기가 되었고, 강한 국방력으로 평화를 만들어 가는 원동력이 되었습니다. 그리고 이제 코로나를 극복하고, 대한민국이 선도국가로 도약하는 구심점이 되고 있습니다.

지난주 열린 G7 정상회의에서 우리 국민들은 대한민국의 달라진 위상과 국격을 다시 한번 확인했습니다. 정상회의에 참석한 열한 나라 가운데 아홉 나라가 한국전쟁 당시 우리를 도왔던 나라들이었습니다. 전쟁과 전후 복구에 피와 땀을 흘려준 나라들과 대한민국이 나란히 인류 공동의 과제를 논의했습니다. 코로나 극복과 기후위기 대응, 열린 사회를 위한 민주주의와 인권, 평화와 번영을 위해 책임있는 중견국가로서 대한민국의 목소리를 전했습니다. 이제 대한민국은 우리의 운명을 스스로 결정하고, 다른 나라들과 지지와 협력을 주고받을 수 있는 나라가 되었습니다. 대한민국의 발전이 비슷한 출발선에 있었던 개도국들에게 '우리도 할 수 있다'는 용기를 주고 있듯이, 코로나를 극복하고 빠른 경제회복을 이루고 있는 오늘의 우리 역시 세계인들에게 희망의 이정표가 되고 있습니다. 세계는 지금 대한민국을 '위기에 강한 나라'라고 부릅니다. 우리의 애국심으로 이룬 성취입니다. 우리 국민이 땀과 눈물로 이룬 대한민국에 자부심을 가져주시기 바랍니다.

국가유공자와 보훈 가족 여러분,

우리 정부는 국가보훈처를 장관급으로 격상하고, 해마다 보훈 예산을 늘려 올해 5조8천억 원에 달합니다. 국가유공자와 보훈 가족의 생활지원과 실질소득 향상을 위해 보상금과 수당을 꾸준히 인상해 갈 것입니다. 치료를 넘어 평생 건강도 책임진다는 정신을 가지겠습니다. 위탁병원과 보훈요양원을 확대해 가까운 곳 어디서나 편안하게 진료와 돌봄을 받으실 수 있도록 하겠습니다. 지금까지 독립유공자, 참전유공자, 민주유공자 등 34만8천여 분의 가택에 국가유공자 명패를 달아드렸습니다. 내년까지 전몰·순직군경과 재일학도의용군, 4·19혁명과 5·18광주민주화운동 희생자, 특수임무유공자 등 대상을 확대하여 모두 22만2천여 분께 국가유공자 명패를 달아드릴 예정입니다. 명패 달아드리기와 함께 국가유공자들의 삶을 발굴해 지역사회와 미래 세대에게 자긍심을 줄 수 있도록 하겠습니다. 지난해 두 곳의 호국보훈회관을 개관하여 네 개 보훈단체가 입주를 마쳤습니다. 앞으로도 보훈회관이 없거나 노후화된 지역에 보훈회관 건립을 추진해 나가겠습니다.

존경하는 국가유공자와 보훈 가족 여러분,

오늘날 애국은 공동체를 위한 희생과 헌신으로 실천되고 있습니다. 또한 국제사회와 연대하고 협력할 수 있는 인류애의 바탕이 되고 있습니다. 더 강한 대한민국을 위해, 국가유공자와 보훈 가족께서 오랫동안 애국의 유산을 전해주시길 바랍니다. 정부는 국가를 위한 희생과 헌신에 끝까지 최상의 예우를 다할 것입니다. 늘 건강하게 국민 곁에 계셔주시기 바랍니다.

감사합니다.

확대경제장관회의 모두발언

| 2021-06-28 |

여러분, 수고 많습니다.

올 하반기는 집단 면역과 일상 복귀 속에서 경제에서도 '더 빠르고 포용적인 회복과 도약'을 이뤄야 하는 매우 중요한 시기입니다. 정부는 '2021년 경제정책방향'에서 '빠르고 강한 경제 회복'과 '선도형 경제로의 대전환'이라는 두 가지 목표를 세운 바 있습니다. 상반기에 비교적 성공적으로 그 토대를 닦았다고 평가합니다. 하반기에는 국민이 체감할 수 있는 성과를 거둬야 합니다. 오늘 '하반기 경제정책방향'을 논의하기 위해 민주당 윤호중 원내대표님과 박완주 정책위의장님도 함께해주셨습니다. 감사합니다.

우리 경제의 회복 속도는 전문가들과 시장이 예상했던 것보다 훨씬 빠릅니다. GDP에서, 주요 선진국 중 가장 먼저 1분기에 코로나 이전 수준을 회복했습니다. 2분기에도 수출이 역대 최대치를 기록하고 투자가 큰 폭으로 증가하면서 경기 개선 흐름이 이어졌습니다. 이제 올해 역대 최고의 수출 실적과 함께 연간 성장률이 당초 목표 3.2%를 훌쩍 넘어 4%를 초과할 것이란 기대도 할 수 있게 되었습니다. 국민들이 만든 방역의 성과에 힘입어 경제에서도 앞서갈 수 있었습니다. 기업과 노동자들이 함께 키워온 우리 경제의 저력이 위기를 맞아 또 한 번 빛을 발한 결과이기도 합니다. 위기관리를 잘해준 방역 당국과 경제부처의 노고도 컸습니다.

모두가 함께 이룬 경제 회복인 만큼, 과실도 함께 나눠야 합니다. 그래야 '완전한 회복'이라 할 수 있을 것입니다. 최근 취업자 수가 회복하고 있지만, 대면 서비스 산업의 일자리는 회복이 지체되고 있습니다. 청년·여성 등 취약계층의 구직난이 여전하고, 자영업자의 희생과 고통도 계속되고 있습니다. 불균등한 회복으로 시장소득의 불평등이 심화되고 있습니다. 그런 가운데서도 정부의 적극적인 재정 정책으로 분배 개선 효과가 크게 높아져, 처분가능소득의 5분위 배율이 두 분기 연속 개선된 것은 긍정적인 성과입니다. 위기 시기 정부의 역할이 여기에 있다고 생각합니다. 올해 하반기, 우리 경제의 최우선 목표는 '일자리를 늘리고, 격차를 줄이는, 완전한 위기 극복'입니다. 정부 역량을 총동원해서 11년 만에 4% 이상의 성장률을 달성하고, 지난해의 고용 감소폭을 뛰어넘는 일자리 반등을 이룰 것입니다. 경기가 개선되면서 재정 여력도 확대되었습니다. 30조 원을 넘을 것으로 예상되는 초과 세수를, 경제 활력을 더 높이고 어려운 국민의 삶을 뒷받침하는데 활용할 수 있도록 2차 추경을 신속하게 추진해주기 바랍니다. 큰 폭의 초과 세수야말로 확장재정의 선순환 효과이자 경기 회복의 확실한 징표라고 할 수 있습니다. 추경뿐 아니라 세제, 금융, 제도개선까지 다양한 정책 수단을 함께 강구해주기 바랍니다. 특히, 고용 창출 효과가 큰 내수와 서비스 산업을 확실히 되살려야 할 것입니다. 방역과 접종 상황을 살피면서 소비 쿠폰, 코리아세일페스타와 같은 이미 계획된 방안들과 함께 추경을 통한 전방위적인 내수 보강 대책을 추진해주길 바랍니다. 위축된 가계 소비 여력을 돕기 위해 서민과 중산층을 지원하고, 과감한 소비 진작 방안을 시행할 필요가 있습니다.

코로나는 우리 사회의 가장 취약한 계층에게 가장 큰 타격을 주었습니다. 정부 지원도 가장 어려운 이들에게 더 많이 집중되어야 합니다. 일자리의 위기를 건널 수 있도록 기업이 일자리를 늘릴 수 있을 때까지 공공부문이 나서서 취약계층을 위한 일자리를 더 많이 만들어야 합니다. 영업이 제한된 자영업자들의 피해를 지원하고, 문화·예술·관광 분야에도 특별한 지원이 있어야 할 것입니다. 코로나 위기 속에서, 청년들은 사회생활의 시작부터 어려움을 겪어야 했습니다. 청년층의 어려움은 곧 부모세대의 어려움이며, 사회 전체의 아픔이기도 합니다. 일자리와 주거를 촘촘하게 지원해서 청년을 위한 '희망 사다리'가 되어야 하겠습니다. 특히 소프트웨어와 인공지능같이 기업에게 필요하고 청년층이 선호하는 질 좋은 일자리를 최대한 많이 만들어내는 데 역점을 두기 바랍니다. 고용안전망과 사회안전망 강화에도 박차를 가해 전 국민 고용보험제도, 상병수당 도입을 차질없이 준비하는 한편, 생계급여 부양의무자 기준 폐지와 같이 사회적 공감대가 이미 형성된 과제들은 시행 시기를 최대한 앞당겨 주길 바랍니다.

지금 세계 각국은 코로나 이후 '대재건'의 길을 모색하고 있습니다. 디지털·그린 분야 경쟁력을 높이기 위한 대규모 재정투자에 나섰고, 글로벌 공급망 재편 움직임도 가속화되었습니다. '한국판 뉴딜'이 포스트 코로나 시대를 앞서가는 옳은 방향임이 확인되었습니다. 우리 정부는 출범 초부터 ICT, 반도체, 배터리, 조선, 해운과 같은 주력업종 경쟁력을 더욱 강하게 키웠고, 특히 시스템반도체, 미래차, 바이오헬스를 3대 신성장 산업으로 육성해 온 것이 적중하여 위기를 기회로 바꿀 수 있었습니다. 대한민국 경제의 저력과 가능성에 대해 세계가 높이 평가하고 있습니다. 올해 초 발표된 '블룸버그 혁신지수'에서 세계 1위를 차지했고, 지난주 공개된 '2021 유럽혁신지수'에서도 미국, 일본, EU를 비롯한 글로벌 경쟁국 가운데 1위에 올랐습니다. 우리 경제는 이제 더 이상 세계 경제의 변방이 아니며, 글로벌 공급망 경쟁에서 중요한 위상을 갖게 되었습니다.

우리는 다시없는 이 기회를 잘 살려야 합니다. 위기 극복을 넘어 포스트 코로나 시대를 앞서가는 선도형 경제로 도약하는 기회로 삼아야 할 것입니다. 그 목표가 이미 실현되기 시작했고, 올 하반기와 내년도의 경제 정책을 통해 더욱 굳건한 목표로 만들 수 있다는 자신감을 가져주기 바랍니다. 코로나 위기 속에서 우리 경제는 지금까지 정말 잘해왔습니다. 위기를 넘어 더 강한 경제를 만들 수 있다는 희망과 자신감도 커졌습니다. 위기와 불균등 회복 속에서 더 심화되기 쉬운 불평등의 확대를 막는 포용적인 회복과 도약을 반드시 이뤄주기 바랍니다. 또한 디지털 경제와 저탄소 경제로의 대전환 과정에서도 기업의 사업재편과 노동자들의 원활한 일자리 이동을 적극 지원함으로써 낙오자를 만들지 않는 공정한 전환을 이루어야 할 것입니다. 지금이야말로 능력과 경쟁이라는 시장지상주의의 논리를 경계하고 상생과 포용에 정책의 중점을 둘 때입니다. 위기의 시대에 커지기 쉬운 시장의 불평등과 불공정을 바로 잡는 것이 이 시기 가장 중요한 정부의 역할이라고 믿습니다. 오늘 함께 마련하는 '2021년 하반기 경제정책방향'을 통해 '완전한 경제 회복'과 '선도국가 대도약'의 희망과 자신감이 현실로 다가오길 바랍니다.

감사합니다.

해운산업 리더 국가 실현전략 선포 및 1.6만TEU급 한울호 출항식 모두발언

| 2021-06-29 |

존경하는 국민 여러분, 부산시민 여러분, 해운·조선산업 관계자 여러분,

부산항은 세계 2위, 동북아 최대의 환적항으로 전국 컨테이너 물동량의 75%가 이곳을 오갑니다. 세계 시장으로 뻗어가는 해운의 심장부로 우리 무역과 경제를 이끌어왔습니다. 지금도 역대 최고의 수출을 뒷받침하며, 우리 경제의 빠른 회복을 앞당기고 있습니다. '해운업 재건'에 시동을 건 지 3년, 한국해양진흥공사 설립과 HMM이 신규 발주한 초대형 컨테이너선 20척을 계기로 우리 해운업이 기적같이 살아났습니다. 지난해 첫 출항한 세계 최대 컨테이너선 '알헤시라스 호'를 시작으로 만선이 계속되고 있습니다. 해운 강국의 자존심을 다시 찾았습니다. 오늘

출항하는 '한울 호'는 한국 해운업의 화려한 부활을 완성하는 HMM의 신규 발주 스무 척의 마지막 선박입니다. '한울 호' 출항과 함께 해운업 재건의 성과와 해운 선도국가를 향한 비전을 국민들께 보고드리게 되어 매우 기쁩니다.

국민 여러분, 4년 전, 우리 정부 출범 직전 세계 7위 국적선사였던 한진해운의 파산은 엄청난 충격이었습니다. 한진해운 물동량 대부분이 외국 선사로 넘어가 우리 해운산업 매출액이 10조 원 이상 줄었습니다. 항만, 조선·기자재, 금융·보험업 등 전후방 산업에서 무려 만 개의 일자리가 사라졌고, 지역경제에도 큰 타격을 주었습니다. 수출기업들도 수출물류에 많은 어려움을 겪었습니다. 한국 해운업의 신뢰가 떨어지고, 40년간 세계 168개 항구에 깔았던 물류망이 사라진 것은 금액으로 환산할 수 없는 막대한 손실이었습니다.

우리 정부는 '해운 재건 5개년 계획'으로 다시 시작했습니다. 해양진흥공사를 설립하고, 총 6조 원의 유동성을 공급했습니다. 최대 국적선사가 된 HMM은 2만4천TEU급과 만6천TEU급 초대형 컨테이너선 20척을 신규 발주했습니다. 세계 3대 해운동맹인 '디 얼라이언스' 가입과 함께 내린 과감한 결단이었습니다. 혁신적인 구조조정 과정을 거치면서 HMM은 지난해 1조 원 가까운 영업이익을 올려 10년 만에 흑자로 전환했습니다. 올해는 1분기에만 영업이익이 1조 원을 넘는, 창사 이래 최대 실적을 거두고 있습니다. 해양진흥공사의 지원으로 중소·중견 선사들의 경영도 안정화되면서 올해 해운 매출액은 한진해운 파산 전 수준을 회복할 것으로 예상합니다.

위기를 함께 극복하며 상생의 힘은 더욱 커졌습니다. 선주-화주 간 협력으로 올해 크게 늘어난 수출 물량의 운송에 최선을 다하고 있으며, 국적선사 이용률이 더욱 높아졌습니다. 지난 3년간 국적선사가 발주한 126척의 배가 국내 조선소에서 건조되면서 어려움에 처했던 조선업도 함께 살아났습니다. 지난해에 선박 부족으로 운임이 급등하는 사태 속에서 수출 물류 차질을 최소화하는 데 미리 확보한 초대형 컨테이너선들이 큰 힘이 되었습니다. 해운사와 조선업계, 정책금융기관과 해양진흥공사를 포함하여 부산시와 경남도, 부산항만공사가 함께 이룬 성과입니다. 해운 재건에 힘을 모아준 모든 관계자들께 진심으로 감사드립니다.

국민 여러분,

해운·조선산업 관계자 여러분, 이제 우리는 더 큰 도전에 나설 것입니다. 컨테이너 선박의 '대형화'와 함께 선박과 항만의 '친환경 전환 가속화'와 '디지털화'를 해운산업 도약의 기회로 삼을 것입니다. 정부가 앞장서겠습니다. 2030년까지 150만TEU 이상의 컨테이너 선복량을 확보하여 해운 매출액을 70조 원 이상으로 끌어올리고, 세계 해운산업 리더 국가로 도약을 이끌겠습니다.

첫째, 컨테이너 선박 '대형화'에 따른 경쟁력을 갖추겠습니다. 남미, 아프리카까지 노선을 넓히고, 미국 서안 등 글로벌 거점 터미널을 확대할 것입니다. 이를 위해 HMM의 만3천TEU급 컨테이너 선박 12척의 추가 확보를 지원하겠습니다. 항만-공항-철도를 연계하는 물류 서비스로 해운 서비스의 경쟁력을 높이겠습니다. 해양진흥공사의 역량도 더욱 높이겠습니다. 합리적 가격으로 선박을 임대하는 '한국형 선주사업'을 도입하고, 컨테이너박스 리스 사업을 확대해 선사들이 경쟁력을 높일 수 있도록 지원하겠습니다. 해운-조선 간, 선주-화주 간 협력의 힘을 더욱 키워 서로의 성장을 돕는 선순환 구조를 정착시키겠습니다.

둘째, 가속화되고 있는 선박의 '친환경화'와 '디지털화'를 우리의 기회로 만들겠습니다. 친환경 선박 기술개발에 2,500억 원을 투자하여 저탄소 선박에 이어 2050년까지 무탄소 선박을 상용화하고, 세계 친환경 해운시장을 주도하겠습니다. 우리는 이미 조선산업에서 친환경 선박 시장을 선도하고 있습니다. 스마트해운물류 시스템 도입에도 속도를 내겠습니다. 광양항을 시작으로 부산신항, 진해신항 등 신규 항만에 자동화 시스템을 도입해, 스마트 항만의 모범을 만들겠습니다. 자율운항선박 기술을 조기에 확보하여 2030년까지 세계 자율운항선박 시장의 50%를 선점할 계획입니다. 단기 과제로 해운 운임 상승으로 인한 수출기업의 어려움을 해소하기 위해 주력 수출 항로에 임시선박을 긴급히 투입하겠습니다. 특히 중소 화주의 전용선적 공간을 더욱 늘려나갈 것입니다.

존경하는 국민 여러분, 부산시민 여러분, 해운·조선산업 관계자 여러분,

부산항은 미래로 열려있습니다. 가덕도 신공항이 완공되고, 언젠가 부산에서 출발하는 열차가 대륙철도로 연결된다면, 부산은 육해공을 아우르는 세계 물류 거점도시가 될 것이며, 동북아의 핵심 항만으로서 부산항의 위상이 더욱 높아질 것입니다. 오늘 부산항에서 '한울 호'의 뱃고

동 소리와 함께 해운 선도국가 '대한민국 호'가 힘차게 출발합니다. 전 세계 크고 작은 항구에 태극기가 휘날릴 것입니다. 조선산업도 함께하며 대한민국이 만든 선박들이 바다를 누빌 것입니다. 파도를 넘으며 대한민국은 더욱 힘차게 도약할 것입니다. 다시 한번 '한울 호' 출항을 축하하며, 무사 항해를 기원합니다.

감사합니다.

헌법기관장 초청 오찬 간담회 모두발언

| 2021-06-30 |

모두 반갑습니다.

지난해 말에 청와대에 한번 모신 그 후에 6개월 만에 다시 모시게 되었습니다. 아시다시피 지난달에 방미 그리고 한미 정상회담을 성공적으로 마친 후에 얼마 전에 G7 정상회의 그리고 오스트리아와 스페인 국빈방문을 마치고 돌아왔습니다. 그 성과를 5부요인들께 직접 설명드리기 위해서 이렇게 모셨습니다. 오늘 노정희 중앙선관위원장님은 재판 일정 때문에 오지 못해서 아주 아쉽고요. 우리 국회의장님께서 곧 출국하실 예정이어서 날짜를 조정하기가 조금 어려웠습니다. 대법원장님께서 잘 좀 말씀을 전해 주시기 바랍니다.

또 한편으로는 이번 제가 오스트리아와 스페인을 방문했을 때 그곳 의회를 방문했는데, 국회의장님께 전달해 드릴 말씀도 있습니다. 그 말씀부터 먼저 드리면 오스트리아에서는 하원의장하고 면담을 했는데, 아마 이미 우리 국회의장님과 이렇게 연락도 드리고 협의를 하고 있다고 들었습니다. 올해 9월에 비엔나에서 세계국회의장회의가 열리는데, 우리 박병석 의장님께서 꼭 좀 와 주십사라는 아주 간곡한 당부 말씀이 있었고, 그때 비엔나로 오시면 그 국회의장회의와 별개로 양국 국회의장 간에 단독 회담도 했으면 좋겠다 그런 뜻을 꼭 좀 전해 달라고 그렇게 부탁을 했습니다. 양국 정부 간에 긴밀한 협력을 하기로 한 만큼 국회 간에도 협력의 수준을 높이면 좋겠다는 그런 말씀이었습니다.

스페인에서는 상원, 하원을 방문해서 상원의장, 하원의장 그리고 또 각 정당 대표, 거기는 다당제 국가여서 정당 수가 무려 스물 몇 개씩 이렇게 됩디다. 그분들에게 상대로 연설을 했는데, 그 연설을 마치고 난 이후에 상·하원의장님의 안내로 의사당을 돌아보면서 특별히 그 의사당의 박물관으로 저를 안내를 해 주었습니다. 19세기에 만들어진 박물관인데, 그런 건물에 대한 자부심도 컸고, 더 나아가서 거기에 소장되어 있는 자료에 대한 자부심이 아주 강했습니다. 그 자료 가운데 스페인이 특별히 준비해서 보여준 것이 “아마 한국 측에서 가장 관심이 많을 자료일 것이라고 생각한다”면서 당시의 전체 세계지도 책 가운데 있는 ‘조선왕국전도’를 특별히 보여주었습니다. 그 자료에 의하면 그것이 18세기에 제작된, 세계에서, 서양에서 우리 한국 이렇게 제작된 첫 조선왕국전도였는데, 울릉도와 독도가 우리나라 영토라는 사실을 확인할 수 있었습니다. 우리가 요청해서 보여 달라고 한 것이 아니라 스페인 측에서 미리 준비해서 그렇게 보여 준 것이어서 우리 한국에게 큰 성의를 보여 준 것이라고 생각합니다. 그러고 난 이후에 상원의장님이 우리 국회와의 사이에, 양국 국회 간에 긴밀한 교류와 협력이 있으면 좋겠다라는 뜻을 박병석 국회의장님께 꼭 좀 전해 달라는 그런 당부 말씀이 있었고, 그렇게 서로 교류 협력하게 되면 스페인 의회 도서관이 소장하고 있는 오래된 자료들도 다 양국이 함께 공유할 수 있을 것이다라는 말씀도 주셨습니다. 의회 외교를 하시는데 참고하시기 바랍니다.

지난번 방미도 그렇고 이번 G7, 또 오스트리아, 스페인 방문도 그렇고, 우리나라의 국제적 위상이 아주 높아졌고 역할도 매우 커졌다라는 것을 확인할 수 있었습니다.

저는 취임 첫해부터 G20, ASEM, APEC 많은 다자 정상회의에 다녔었는데, 그때하고는 또 다른 코로나를 건너면서 훨씬 더 우리나라의 위상, 역할이 높아졌다는 것을 확연하게 느낄 수 있었습니다.

처음 취임 초 그 무렵에는 우리나라가 촛불집회를 통해서 말하자면 대단히 평화적이고 문화적인 방법으로 아무런 물리적 충돌이나 폭력사태 없이 민주주의를 회복하고, 정권 교체를 이루었다라는 그 사실에 대해서 세계 각국이 아주 경탄을 했었는데, 코로나 위기 상황을 건너면서 이제는 한국의 방역 역량, 또는 경제적인 역량, 또 그 속에서 차지하는 글로벌 공급망 속에서 우리가 갖고 있는 어떤 위상, 이런 것에 대해서 대단히 높이 평가하고, 한국과 더 긴밀하게 협력하기를 원했습니다. 그래서 방미 한미 정상회담에서도 기존의 우리 한미동맹의 군사안보, 그 동맹으로서 더 돈독하게 하는 것을 넘어서서 더 나아가서 방역에 대한 협력 그리고 또 우리가 보유하고 있는 반도체, 배터리, 그다음에 이동통신,

백신 같은 이런 글로벌 공급망에 대한 긴밀한 협력을 역시 요청했고, 또 한편으로 기후변화 대응에 대해서도 양국이 긴밀하게 협력하자는 요청이 있었습니다. 그래서 이제 한미동맹은 그런 군사안보 동맹을 넘어서서 더욱더 포괄적이고 글로벌한 동맹으로 발전되고 있다라고 느꼈습니다.

G7 정상회의는 작년에 미국에서 열릴 예정이었던 G7 정상회의에 이어서 2년 연속 초청을 받았고, 이번에 우리와 호주, 인도, 남아공이 함께 참석을 했습니다. 아마 G7의 초청 취지는 지금 글로벌 현안들이 G7 국가들만으로 대응하기가 쉽지 않은 상황이기 때문에 민주주의 가치를 공유하면서 국력에서 어깨를 나란히 할 수 있는 그런 나라들, 또 지역적인 안배까지 고려해서 그런 나라들과 함께 글로벌 현안들을 논의하자라는 것이었다고 생각합니다. 그래서 마찬가지로 방역 보건 협력 그리고 또 기후변화 대응에 대한 협력 그리고 또 민주주의 포함한 열린 사회 협력, 이런 주제로 G7 국가들과 나란히 어깨를 하면서 함께 협의를 할 수 있었고, 또 우리의 목소리를 낼 수가 있었습니다. 오스트리아와 스페인 방문은 코로나 상황 이후에 그 나라들로서는 처음 맞이하는 국빈방문이었습니다. 뿐만 아니라 오스트리아는 우리나라와 수교한지 올해가 129년입니다. 내년이 130주년이 됩니다. 양국이 다 제국이었던 시기에 수교를 했었는데, 그 129년 만에 제가 한국 대통령으로서 처음 오스트리아를 방문한 것이었습니다. 그래서 대단한 관심과 환대를 보여 주었고, 스페인은 작년이 수교 70주년이었습니다. 그래서 수교 70주년을 양국 관계를 특별히 도약시키는 그런 해로 만들기 위해서 그 전 해인 2019년에 펠리페 국왕이 먼저 한국을 국빈방문해 주셨고, 제가 작년에 답방을 하

게 되어 있었는데, 코로나 상황 때문에 작년에 못하고 올해 이렇게 국빈 방문하게 된 것입니다. 그래서 두 나라 모두 이번 국빈방문을 계기로 해서 양자 관계를 전략적 동반자 관계로 격상시키면서 양국의 협력, 이런 것을 더욱더 촉진하고 강화시키기로 그렇게 합의가 되었고, 또 많은 성과들이 있었습니다. 그 계기에 경제 포럼에도 여러 건 참석해서 그 나라들의 경제인들도 많이 만나서 경제 협력에 대해서 특별한 당부를 할 수 있었고, 아스트라제네카와 독일의 큐어백 그쪽 CEO와 만나서 백신에 대한 협력 부분도 함께 협의를 할 수 있었습니다. 어쨌든 이렇게 우리 국민들의 덕분으로 그리고 우리 5부요인들께서도 늘 함께 힘을 모아주신 덕분에 우리의 위상과 역할이 크게 높아지고 커졌다라는 것을 다시 한번 확인할 수 있어서 대단히 참 고맙게 생각하고, 또 한편으로 자랑스러웠다는 말씀을 드립니다. 자세한 성과에 대해서는 나중에 따로 우리 안보실장, 혹시 또 경제 부분에 대해서도 관심이 있으시면 우리 정책실장께서 따로 또 보고가 있을 것입니다. 오늘 좋은 시간, 또 좋은 대화 있기를 바라겠습니다.

감사합니다.

7월

자치경찰제가 오늘부터 본격 시행됩니다

대한민국 소재·부품·장비 산업 성과 간담회 모두발언

제29회 국무회의 모두발언

한-네덜란드 정상회담

K-배터리 발전전략 보고 모두발언

코로나19 대응 수도권 특별방역점검회의 모두발언

한국판 뉴딜 2.0 기조연설

'짧고 굵은' 4단계를 위해서는 모두의 노력과 협력이 절실합니다

수석보좌관회의 모두발언

선수단 여러분, 잊지 마십시오. 5천만 국민이 여러분과 함께 하고 있다는 사실을.

코로나19 중앙재난안전대책본부 회의 모두발언

유엔군 참전의 날 기념 유엔군 참전용사 훈장 수여식 모두발언

'한국의 갯벌'이 유네스코 세계유산이 됐습니다

민생경제장관회의 모두발언

자치경찰제가 오늘부터 본격 시행됩니다

| 2021-07-01 |

자치경찰제가 오늘부터 본격 시행됩니다. 경찰 창설 이후 76년 만의 변화입니다. 이제 경찰은 국가경찰, 국가수사본부, 자치경찰이라는 3원 체제로 바뀌게 되었습니다. 자치경찰제는 우리 정부가 역점적으로 추진한 권력기관 개혁작업의 중요한 내용입니다. 경찰권을 분산하고 민주적 통제를 강화하는 한편, 치안에 있어서도 현장성, 주민밀착성을 높임으로서 궁극적으로는 국민의 안전보호와 편익 증진을 위한 것입니다.

자치경찰제는 주요 선진국들이 이미 시행하고 있는 제도입니다. 국가에서 지방으로 치안 패러다임이 전환된다는 데 중대한 의미를 가집니다. 시도자치경찰위원회가 자치경찰사무를 지휘하고 감독함으로써 지역주민의 요구와 지역 사정에 맞는 차별화된 치안서비스가 가능해질 것입니다. 가정폭력, 아동학대 등 범죄를 예방하고 약자를 보호하며, 생활

안전, 교통, 경비 등 지역별 사정에 맞는 지역맞춤형, 주민밀착형 치안이 강화될 것입니다. 지역별로 마련한 자치경찰 1호 시책들을 보면, '고위험 정신질환자 응급입원 체계 개선', '안전한 어린이 통학로 조성'등 주민 의견을 적극 수렴하여 내놓은 차별화된 정책들이 많습니다. 지역별로 경쟁적으로 시행되며 성공사례가 확산된다면, 민생치안의 질이 한층 높아질 것입니다.

새로운 제도가 완벽히 정착되려면 시간이 필요합니다. 시행 초기 생길 수 있는 혼선이나 우려를 조속히 불식하고 현장에 빠르게 안착할 수 있도록 유관기관들이 서로 긴밀히 협력해야 할 것입니다. 정부도 자치경찰제가 튼튼히 뿌리내려 지역주민들의 삶의 질이 향상될 수 있도록 적극적으로 뒷받침하겠습니다. 지역주민들께서도 우리가 운영하는 경찰이라고 여기시고, 적극적으로 활용해주시길 바랍니다.

대한민국 소재·부품·장비 산업 성과 간담회 모두발언

| 2021-07-02 |

여러분, 반갑습니다.

기습공격하듯이 시작된 일본의 부당한 수출규제 조치에 맞서 '소재·부품·장비 자립'의 길을 걸은 지 2년이 되었습니다. 우리 경제에 큰 충격이 될 것이라는 우려가 많았지만, 우리 기업들과 국민들이 힘을 모아 위기를 극복해냈습니다. 오히려 핵심품목의 국내 생산을 늘리고 수입 선을 다변화하여 소부장 산업의 자립도를 획기적으로 높이는 계기로 만들었습니다. 오늘, 위기를 기회로 바꾼 주역들과 함께 '소부장 자립'의 성과를 나눌 수 있게 되어 매우 기쁩니다. 함께해 주신 구자열 무역협회 장님과 기업인 여러분께 진심으로 감사드립니다.

지난 2년, 우리는 상생과 협력으로 '아무도 흔들 수 없는 나라'를 향해 전진했습니다. 무엇보다 기쁜 것은 우리가 자신감을 갖게 되었고, 협력의 방법을 알게 되었다는 것입니다. 우리는 위기극복의 성공 공식을 찾았습니다. 소부장 수요기업인 대기업은 중소·중견기업의 손을 잡았습니다. 핵심기술을 빠르게 국산화할 수 있도록 연구개발 단계부터 실증, 양산 과정까지 함께 전력을 다했습니다. 정부도 힘껏 뒷받침했습니다.정부 부처들 간에도 협업했습니다. '소부장 특별회계'를 신설해 올해까지 5조8천억 원을 공급하고, 인허가 기간 단축, 신속통관까지 전방위적인 지원에 나섰습니다. 국민들도 소부장 펀드에 적극 가입해 금융을 제공하고 소부장 기업을 응원했습니다.

그리고 그 성과는 우리가 기대했던 것보다 훨씬 크고 뚜렷하게 나타나고 있습니다. 3대 품목의 공급망이 안정적으로 구축되었습니다. 반도체 제조공정의 핵심으로 대일 의존도가 절대적이었던 소재들입니다. 50%에 육박하던 불화수소의 일본 의존도를 10%대로 낮췄습니다. 불화폴리이미드는 자체기술 확보에 이어 수출까지 하게 되었습니다. EUV 레지스트 또한 글로벌 기업의 투자를 유치해 국내 양산을 앞두고 있습니다. 더 나아가 국내 산업에서 높은 비중을 차지하는 100대 핵심품목에 대한 일본 의존도를 25%까지 줄였습니다. 이 과정에 중소·중견기업들의 활약이 대단히 컸습니다. 통상 6년 이상 걸리던 기술개발 기간을 18개월로 단축하며 소부장 산업의 가파른 성장을 이끌었습니다. 불과 2년 사이에 시가총액 1조 원 이상의 소부장 중소·중견기업이 13개에서 31개로 크게 늘었습니다. 소부장 상장기업 매출액도 다른 업종의 두 배 가까운 증가율을 기록했습니다.

이제 대한민국 소부장은 더 큰 목표를 향해 나아갑니다. '소부장

2.0 전략'을 토대로 '소부장 으뜸기업' 100개를 육성하고, 글로벌 생산 허브가 될 '5대 첨단 특화단지'를 조성하여 우리 기업들의 도전을 더 든든하게 지원할 것입니다. '소부장 자립'을 이뤄낸 경험과 자신감은 코로나 위기 극복의 밑거름이 되었습니다. 코로나 위기 극복에서도 정부와 민간, 대·중소기업 간의 협력모델이 가동되었습니다. 또한 온 국민이 함께 세계적인 방역 모범사례를 만들었고, 주요 선진국 중 가장 빠른 경제 회복을 이루고 있습니다. 특히, 제조업은 역대 최대 수출을 이끌며 도약의 전기를 마련하고 있습니다. 외국인 직접투자도 소부장과 신산업 등을 중심으로 증가하여 올해 상반기 역대 2위의 실적을 기록했습니다.

지난해부터 우리는 '한국판 뉴딜'을 추진하며 위기를 기회로 바꾸는 발판을 다졌습니다. 소부장 분야의 성과는 더 강한 경제를 향해 나아가는 원동력이 되고 있습니다. 글로벌 공급망의 핵심이자 코로나 이후 '대재건'의 동반자로서 세계가 대한민국을 주목하고 있습니다. 이제 대한민국은 포스트 코로나 시대를 이끄는 선도국가로 우뚝 설 것입니다. '한국판 뉴딜'을 가속화해 디지털·그린 경제를 선도하고, 반도체·배터리 등 세계 최고의 첨단 제조업 역량과 소부장 경쟁력을 토대로 글로벌 공급망 안정을 위한 국제협력을 주도해 나갈 것입니다. 세계 2위의 바이오의약품 생산역량을 바탕으로 글로벌 백신 생산 허브의 입지도 공고히 다져나갈 것입니다.

지난 2년, 일본 수출규제와 코로나 위기를 연이어 겪으며 우리는 '위기에 강한 대한민국'의 저력을 증명해냈습니다. 우리 정부는 뭐든지 자립해야 한다고 생각하는 것이 아닙니다. 국제적인 분업체계와 공급망을 유지하는 것은 여전히 중요합니다. 정부는 일본의 수출규제에 대해서도 외교적인 해결을 위해 노력하고 있습니다. 그러나 우리는 코로나 위기 상황 때에도 전 세계적으로 글로벌 공급망이 멈추고 생산에 차질이 빚어지는 것을 경험한 바 있습니다. 지금도 세계적으로 글로벌 공급망의 재편 경쟁이 이뤄지고 있습니다. 우리가 갖게 된 교훈은 글로벌 공급망 속에서 우리의 강점을 살려나가되, 핵심 소부장에 대해서는 자립력을 갖추고 특정 국가 의존도를 낮추지 않으면 안 된다는 것입니다. '소부장 자립'의 길을 더 튼튼하게 발전시켜나가야 하는 이유입니다. 그 길에 기업인 여러분이 선두에 서주시기 바랍니다. 정부도 힘껏 뒷받침하겠습니다. 상생과 협력은 위기를 기회로 바꾸는 대한민국의 힘이며, 대한민국만의 방식입니다. 다 함께 더 힘차게, 더 큰 미래를 향해 뜁시다.

감사합니다.

제29회 국무회의 모두발언

| 2021-07-06 |

제29회 국무회의를 시작하겠습니다.

유엔무역개발회의(UNCTAD)가 우리나라의 지위를 개도국 그룹에서 선진국 그룹으로 변경했습니다. 개도국에서 선진국으로의 지위 변경은 유엔무역개발회의가 설립된 1964년 이래 최초의 일로 매우 자랑스러운 일입니다. 유엔 회원국들의 만장일치 합의에 의해 우리나라는 명실상부하게 선진국임을 국제적으로 인정받게 되었습니다.

우리나라는 세계 10위권의 경제 규모로 성장했으며, P4G 정상회의 개최와 G7 정상회의 2년 연속 초청 등 국제무대에서의 위상이 높아지고 역할이 확대되었습니다. 코로나 위기 대응에서도 우리 국민들의 우수한 역량과 높은 공동체 의식이 세계적인 모범 사례로 평가받고 있습니다. 이제 대한민국은 당당한 선진국이라는 긍지 속에서 국제사회에서의 책임과 역할을 더욱 충실히 이행하며 선도국가로 도약하기 위해 계속 전진해 나갈 것입니다. 국민들께서도 피와 땀으로 이룬 자랑스러운 성과라는 자부심을 가져 주시기 바랍니다.

오늘 국무회의에서는 손실보상법이 공포됩니다. 감염병에 대한 방역 조치로 인해 소상공인이 경영상 손실을 보게 될 경우 체계적으로 보상할 수 있는 제도적 기반을 최초로 마련하였다는 점에서 매우 의미가 큽니다. 준거로 삼을 만한 해외의 입법례를 찾을 수 없어서 쉽지 않은 작업이지만 보상의 대상과 기준 및 액수 등 구체적 사항을 하위 법령을 통해 세밀하게 마련하고, 집행 준비에도 만전을 기하여 신속하고 원활한 보상이 이루어질 수 있도록 최선을 다해 주기 바랍니다. 손실보상 법제화에 따른 보상과 법안 공포 이전의 피해 지원을 위해 2차 추경의 신속한 국회 통과가 필요합니다. 어려운 국민들과 기업들에게 하루속히 지원될 수 있도록 국회의 신속한 논의와 처리를 당부드립니다. 재정이 경제 회복의 마중물로서 국민의 삶을 지키는 버팀목으로서 역할을 하고 있습니다. 적극적 재정 지출을 통해 불균등 회복으로 벌어지는 시장 소득 격차를 완화하며, 분배를 개선하고 성장률을 높이는 데에도 크게 기여하고 있습니다. 재정 지출의 선순환 효과가 세수 확대로 이어져 재정 건전성에도 도움이 되고 있습니다. 확장적 재정 정책이 1석3조의 정책 효과를 내고 있는 것입니다. 이번 추경도 우리 경제와 민생을 살리는 데 큰 역할을 하게 될 것입니다.

오늘 산업부의 에너지차관을 신설하는 정부조직법 개정도 공포됩니다. 2050 탄소중립을 위한 에너지 전환을 가속화하고, 수소 등 미래에너지 산업을 육성하는 사령탑 역할을 하게 될 것입니다. 탄소중립은 피할 수 없는 새로운 국제질서가 되었습니다. 우리 정부는 그린 뉴딜을 선도국가 도약을 위한 전략인 한국판 뉴딜의 핵심축으로 제시하고 산업, 건물, 수송 등 전 부문의 저탄소 전환을 추진해왔습니다. 특히 세계적 흐름에 발맞추어 2050 탄소중립 선언했습니다. 정부는 오는 10월 국가온실가스 감축목표 상향과 함께 2050 탄소중립의 구체적인 시나리오를 발표할 계획입니다. 에너지차관 신설을 계기로 각 부처가 긴밀히 협업하여 에너지 혁신을 강력히 추진해야하겠습니다. 태양광, 풍력 등 재생에너지 보급 확대와 수소경제 산업 생태계 조성에 속도를 내야 할 것입니다. 에너지 효율 향상을 위한 스마트 전력망 구축과 산업단지의 고효율 저탄소화, 녹색산업 활성화도 중요한 과제입니다. 한편으로는 에너지 전환 과정에서 기존 산업의 충격과 피해를 최소화하고, 일자리의 변화에 신속하게 대응하는 공정한 전환에도 총력을 기울여야 할 것입니다.

중앙지방협력회의법도 매우 의미가 큽니다. 내년부터 시행되는 중앙지방협력회의는 대통령과 시도지사 전원이 함께하는 회의로, 자치분권과 국가균형발전 관련 주요 정책을 심의하면서 지방정부가 명실상부한 국정운영의 동반자로 자리매김하게 되는 계기가 될 것입니다. 우리 정부는 지방분권 확대를 위해 최선의 노력을 기울여왔습니다. 지방분권형 개헌은 무산됐지만 지방소비세율을 21%까지 인상하고, 국가보조사업을 지자체의 일반사업으로 전환하는 등 지방재정을 획기적으로 확충하고 자율성과 책임성을 강화했습니다. 지방일괄이양법도 제정하여 주민생활과 밀접한 사무를 지자체가 책임지고 수행하는데 속도를 낼 수 있도록 했습니다. 특히 32년 만의 지방자치법 전부개정으로 주민조례발안제 도입 등을 통해 주민주권을 강화하고, 자치입법권 강화, 지방의회 인사권 독립 등 강화된 자치제도를 전면적으로 도입했습니다. 이번 달부터 시행되는 자치경찰제는 권력기관 개혁과 자치분권의 일환으로 추진되어 지역맞춤형 치안행정을 가능하게 함으로써 국민의 삶에서 치안서비스의 체감을 높여 줄 것입니다. 앞으로 저출산·고령화, 4차 산업혁명, 기후변화 대응 등 세계가 함께 직면한 국가적 과제에 있어 지방정부의 역할은 더욱 중요해질 것입니다. 중앙정부와 지방정부, 수도권과 지방의 상생을 위해 최선을 다하겠습니다.

감사합니다.

한-네덜란드 정상회담

| 2021-07-07 |

루터 총리님, 반갑습니다.

먼저 지금 네덜란드가 겪고 있는 충격에 대해서 위로의 말씀을 드립니다. 지난 5월 P4G 정상회의에 이어 다시 만나게 되어 매우 기쁩니다. 양국 수교 60주년에 화상 정상회의를 갖게 되어 더욱 뜻깊습니다. 네덜란드와 한국은 2016년 총리님 방한을 계기로 포괄적 미래지향적 동반자 관계가 되었습니다. 총리님은 2018년 평창 동계올림픽에 직접 참석해 평화 올림픽으로 치르는 데 큰 힘을 실어 주셨습니다. 네덜란드 국민들과 총리님의 변함없는 우정에 깊이 감사드립니다.

네덜란드는 한국에게 각별한 나라입니다. 한국 국민들은 한국전쟁에 참전한 네덜란드 참전용사들의 고귀한 헌신을 가슴깊이 기억하고 있습니다. 양국은 수교 이래 다양한 분야에서 협력해 왔습니다. 네덜란드는 유럽에서 한국에 가장 많이 투자하는 나라가 되었고, 한국이 세 번째로 많이 투자하고 있는 유럽국가입니다. 지난해 코로나 위기 속에서도 교역 규모가 20% 이상 증가할 만큼 서로에게 중요한 나라가 되었습니다.

양국 국민들은 모두 창의적이며 역동적입니다. 양국은 혁신과 도전 정신을 바탕으로 반도체, 신재생에너지를 비롯한 첨단 산업을 함께 개척하고 있습니다. 민주주의와 인권, 자유무역과 다자주의의 가치를 공유하며 글로벌 현안에 대해서도 긴밀히 공조하고 있습니다. 오늘 정상회담이 60년간 이어온 양국 국민들의 우정과 신뢰를 한 차원 더 높은 관계로 발전시키는 계기가 되기를 바랍니다.

감사합니다.

K-배터리 발전전략 보고 모두발언

| 2021-07-08 |

존경하는 국민 여러분,

반도체에 이어 배터리는 대한민국의 또 하나의 자랑입니다. 오늘날 우리는 배터리로 시공간의 제약을 극복하고 있습니다. 큰 에너지를 작은 공간에 담게 되면서 전기차부터 드론, 로봇, 공작 장비, 무선청소기, 노트북, 휴대전화, 스마트 워치까지 우리의 일상이 획기적으로 변화하고 있습니다. 선박도, 항공기도, 철도까지 배터리로 움직이는 시대가 오고 있습니다. 배터리는 미래산업의 중심으로 급부상하고 있습니다. 반도체가 정보를 처리하는 두뇌라면 배터리는 제품을 구동시키는 심장과 같습니다. 사물인터넷으로 온 세상이 무선으로 연결되고, 모든 물체가 배터리로 움직이는 '사물 배터리 시대'가 도래하고 있습니다. 탄소중립의 열쇠도 배터리에 있습니다. 전기차를 비롯해 미래 수송 수단의 핵심이 될 배터리 기술의 발전은 한국 경제를 선도형 경제로 전환시키는 핵심 동력입니다.

오늘, 대한민국 배터리 산업의 중심 충북에서 더높은 도약을 위한 'K-배터리 발전전략'을 국민들께 보고드리게 되어 기쁩니다. 오늘 이 자리에는 배터리 선진국의 꿈을 꾸는 학생들과 대학 총장님들이 함께해 주셨고, LG에너지솔루션, 삼성SDI, SK이노베이션 등 배터리 제조기업 CEO와 수요 기업, 소부장 기업, 관련 협회, 금융기관 대표들이 참석해 주셨습니다. 민주당 박완주 정책위의장을 비롯한 국회의원들도 함께해 주셨습니다. 진심으로 감사드립니다. 배터리 산업의 새로운 도약을 위해 기업과 대학, 정부와 지자체, 국회까지 모두의 역량을 결집하는 계기가 되길 바랍니다.

국민 여러분,

글로벌 배터리 시장은 최근 5년간 두 배로 커졌고, 2025년에는 메모리 반도체 시장을 넘어설 것으로 전망됩니다. 2030년이 되면 현재의 여덟 배에 달하는 3,500억 불의 시장이 될 전망입니다. 엄청난 기회이며, 동시에 도전입니다. 공급망 확보 경쟁이 가속화되면서 미국과 유럽 국가들이 투자 유치를 넘어 자국 배터리 기업 육성에 본격적으로 나섰습니다. 글로벌 전기차 제조업체들은 연이어 배터리의 자체 생산을 선언하고 있습니다. 기술 혁신의 속도가 빨라지며 전고체 전지, 리튬황 전지, 리튬금속 전지와 같이 더 안전하고 더 가벼운 차세대 배터리 개발에 전력을 쏟고 있습니다. 우리는 2011년, 일본을 넘어 소형배터리 시장 점유율 세계 1위로 올라섰습니다. 중대형 배터리에서도 중국과 선두 각축을 벌이고 있습니다. 우리의 목표는 분명합니다. 2030년까지 '명실상부한 배터리 1등 국가'가 되는 것입니다.

기업들이 먼저 과감하게 나섰습니다. LG에너지솔루션은 공장을 증설하고, 오늘 오창 2공장을 착공합니다. LG에너지솔루션, 삼성SDI, SK이노베이션이 중소기업들과 힘을 합쳐 2030년까지 총 40조 원 이상을 투자합니다. 언제나 한발 앞서 도전하는 기업인 여러분의 용기에 존경과 응원의 박수를 보냅니다.

국민 여러분,

정부는 오늘 발표되는 'K-배터리 발전전략'을 통해 우리 기업들의 노력을 든든하게 뒷받침할 것입니다.

첫째, 파격적인 투자 인센티브를 제공하겠습니다. 배터리를 반도체, 백신과 함께 '국가전략기술'로 지정하고, R&D 투자의 최대 50%, 시설투자의 최대 20%까지 세액공제하여 세제 지원을 강화하겠습니다. 1조5천억 원 규모의 'K-배터리 우대금융지원 프로그램'도 가동하겠습니다.

둘째, 차세대 배터리 기술을 조기에 확보하겠습니다. 리튬황 전지 2025년, 전고체 전지 2027년, 리튬금속 전지는 2028년까지 상용화를 이루겠습니다. 이를 위해, 5천억 원 이상의 초대형 R&D 사업을 추진하고, 연구, 실증 평가, 인력 양성 등을 종합지원하는 '차세대 배터리 파크'도 조성할 것입니다.

셋째, 새로운 배터리 시장을 창출하겠습니다. 2025년 플라잉카 상용화와 함께 선박과 건설기계, 철도까지 저탄소·친환경 전환 속도를 높이겠습니다. 전기차 배터리를 대여하거나 교체해서 사용할 수 있는 새로운 서비스도 도입하겠습니다.

넷째, 연대와 협력의 산업생태계를 구축하겠습니다. 핵심 원재료를 안정적으로 확보하기 위해 광물자원 보유국과 긴밀히 협력하는 한편, 민간의 해외 광물개발 사업에 대한 지원을 늘리겠습니다. 소재·부품·장비 기술의 해외 의존과 인력 부족 문제도 확실히 해결할 것입니다. 배터리 제조 대기업과 소부장 중소·중견기업이 함께 핵심기술 개발에 나설 수 있도록 협력 R&D 사업을 집중지원하겠습니다. 대학과 인력양성기관, 업계, 정부 간 협업을 통해 현장 수요에 맞는 전문 인력도 매년 1,100명 이상 양성하겠습니다. 나아가 배터리 업계와 수요 기업 간의 강력한 동맹을 구축할 수 있도록 적극 지원하겠습니다.

오늘, 차세대전지 개발을 위한 산학연 연대·협력 협약식, 이차전지 R&D 혁신펀드 조성 협약식, 사용 후 배터리 연대 협력 협약식 등 상생 협력을 위한 세 가지 협약이 체결됩니다. 산학연이 힘을 모으고 정부와 대기업, 금융기관이 공동으로 800억 원 이상의 펀드를 조성해 배터리 소부장 기업의 기술 개발을 뒷받침할 것입니다. 사용 후 배터리의 재활용을 위해서도 관련 업계와 중앙·지방정부가 긴밀히 협력할 것입니다. 우리 배터리 산업의 힘이 상생과 협력으로 더욱 강해질 것이라 확신합니다.

존경하는 국민 여러분,

대한민국 경제는 세계시장의 변화를 기회로 만들며 발전해 왔습니다. 이제 그 선두에 배터리 산업이 설 것입니다. '제2의 반도체'로 확실히 성장하여 세계를 선도하는 대한민국의 더 큰 미래를 만들어 갈 것입니다.

감사합니다.

코로나19 대응 수도권 특별방역점검회의 모두발언

| 2021-07-12 |

코로나가 국내에 유입된 이래 최대 고비를 맞이했습니다. 특히 수도권의 확산이 크게 늘어난 가운데 확산세가 지속되고 있고, 나아가 전국적인 확산의 진원지가 되고 있는 상황이어서 긴급하게 수도권 세 분 단체장들과 함께 수도권 특별방역점검회의를 갖게 되었습니다. 수도권에서 오늘부터 2주 동안 사회적 거리두기 4단계 시행에 들어갔습니다. 봉쇄 없이 할 수 있는 가장 고강도의 조치로서, 방역에 대한 긴장을 최고로 높여 '짧고 굵게', 상황을 조기에 타개하기 위한 것입니다. 일상의 불편과 경제적 피해를 감수해야 하는 일이지만 방역 상황을 조속히 안정시키고, 더 큰 피해와 손실을 막기 위한 비상 처방입니다. '짧고 굵게' 끝낼 수만 있다면, 일상의 복귀를 앞당기고 경제적 피해를 최소화할 수 있는 지름길이 될 것입니다. 정부는 여기서 막아내지 못한다면 더는 물러

설 곳이 없다는 비상한 각오로 임하겠습니다. 수도권 지자체들과 협력하여 확산세를 반드시 조기에 끊어내도록 하겠습니다.

이번 확산의 양상은 특정 시설이나 집단 중심으로 발생했던 과거와 달라 대응하기가 훨씬 까다롭고 어려운 것이 사실입니다. 인구가 밀집되어 있고 이동량이 많은 지역에서, 활동력이 높은 청장년층 중심으로, 동시다발적으로 발생하고 있어 확산세 차단이 쉽지 않습니다. 특히 전파력이 높은 델타 변이의 급속한 확산으로 더욱 우려가 큰 상황입니다. 이럴 때일수록 기본으로 돌아가지 않을 수 없습니다. 우리가 알고 있는 방법, K-방역의 장점을 극대화하는 것이 가장 효과적 대응입니다. 진단검사와 역학조사, 격리치료로 이어지는 삼박자를 빈틈없이 가동하는 것입니다. 정부는 수도권 지자체와 함께 가용자원을 총동원하여 대규모 진단검사와 철저한 역학조사를 실시하는 등 보다 촘촘한 방역망을 구축하겠습니다. 확진자 급증에 따른 의료 대응체계도 강화하여, 일시적으로 부족해질 수 있는 생활치료센터를 신속히 확충하는 등 병상 확보에도 만전을 기해야 할 것입니다. 특히 지금은 무증상 또는 경증 환자가 다수인 상황이므로 생활치료센터의 조속한 확보가 무엇보다 시급한 과제가 될 것입니다.

오늘 함께해 주신 시·도지사님들은 수도권의 방역 사령탑입니다. 진단검사와 역학조사, 취약시설 점검, 생활치료센터 확충 등 일선 현장의 방역에서 지자체의 역할이 절대적으로 중요합니다. 강화된 방역 조치의 실행력을 높이는 데도 지자체의 협력이 필수적입니다. 정부는 지자체와의 협업을 더욱 강화하면서 방역활동에 대한 지원을 아끼지 않겠습니다다. 백신 접종도 더욱 속도를 내겠습니다. 고령층 등 고위험군에 대한 접종이 코로나 감염을 막고 위중증 환자와 사망률을 줄이는데 크게 기여하고 있음을 확인할 수 있듯이, 백신 접종은 코로나 확산 저지의 중요한 방패막이면서 동시에 코로나를 덜 위험한 질병으로 만들어 줍니다. 정부는 도입되는 백신 물량을 최대한 효율적으로 활용하여 접종 시기를 보다 앞당길 수 있도록 최선을 다하겠습니다. 이스라엘과 백신 스왑으로 들여온 백신은 내일부터 서울과 경기지역에서 대민 접촉이 많은 버스, 택시, 택배 기사, 교육·보육 종사자들에게 우선 접종함으로써 수도권 방역에 도움이 되도록 하겠습니다.

K-방역의 핵심은 성숙한 시민의식입니다. 지난 1년 반, 코로나 상황이 엄중할 때마다 성숙한 시민의식으로 서로 단합하며 위기의 파고를 넘어왔습니다. 지금은 그 어느 때보다 국민들의 협조가 절실합니다. '잠시 멈춘다'는 마음으로 이동과 모임을 최대한 자제해 주시고, 마스크 착용 등 방역수칙을 철저하게 준수해 주시기 바랍니다.

풍선 효과를 막기 위해 휴가 기간도 최대한 분산하여 사용해 주실 것을 당부드립니다. 또다시 국민들께, 조금 더 참고 견뎌내자고 당부드리게 되어 대단히 송구한 마음 금할 수 없습니다. 무엇보다 희망을 가지기 시작했다가 다시 막막해진 중소상공인들과 자영업자들을 생각하면 무척 마음이 무겁고 가슴이 아픕니다. 이분들을 위해서라도 '짧고 굵게' 끝내도록 전력을 다하겠습니다. 영업 제한으로 인한 손실에 대해서는 손실보상법과 추경 예산을 활용하여 최대한 보상함으로써 어려움을 조금이라도 덜어드릴 수 있도록 최선을 다하겠습니다. 이번 확산을 통해 방역과 경제를 조화시키면서 함께 성공해낸다는 것이 얼마나 어려운지를 새삼 느낄 수 있었습니다.

그러나 지금까지 잘해왔듯이 정부와 지자체와 국민이 힘을 모은다면 우리는 해낼 수 있습니다. 거리두기 4단계 조치를 '짧고 굵게' 끝내고, 백신 접종 확대로 연결시키면서 기필코 상황을 반전시킬 수 있을 것입니다. 이 고비를 빠르게 극복할 수 있도록 국민들께서 힘을 모아 주십시오. 정부는 지자체와 함께 총력체제로, 지금의 확산과 4단계 조치를 조속히 종식시키고 일상 회복, 민생 회복의 희망을 되살려내겠습니다.

감사합니다.

한국판 뉴딜 2.0 기조연설

| 2021-07-14 |

존경하는 국민 여러분,

오늘 한국판 뉴딜 선언 1주년을 맞아 그 성과와 함께 더 진화된 '한국판 뉴딜 2.0' 추진계획을 국민들께 보고드리고자 합니다. 코로나의 위협이 여전하고, 수도권 거리두기 4단계의 엄중한 상황을 맞이했지만, 한국판 뉴딜은 계속 전진해야 합니다. 한국판 뉴딜은 위기의 한복판에서 시작한 프로젝트입니다. 당면한 위기극복뿐 아니라 선도국가로 도약하는 국가발전전략으로, 진화를 거듭하며 희망을 만들어 왔습니다. 처음엔, 코로나 위기에 대응하기 위한 대규모 일자리 창출 전략으로, '디지털 뉴딜'에 중점을 두고 출발했지만, 기후변화 대응과 저탄소 경제 전환의 속도를 높이기 위해 '그린 뉴딜'을 또 다른 축으로 세우며 본격적으로 한국판 뉴딜의 진화가 시작되었습니다. 추가적으로 고용안전망과 사회안전망 확충을 한국판 뉴딜의 토대로 삼으며, 비로소 완전한 모습을 갖추게 되었습니다. 여기에 멈추지 않고, 지역균형 뉴딜이 한국판 뉴딜의 정신으로 정립되며 지역 확산의 발판도 마련되었습니다.

160조 원 규모의 투자계획이 세워졌고, 위기를 기회로 만드는 대담하고 원대한 국가발전 전략이 되었습니다. 국제사회에서도 한국판 뉴딜을 코로나 위기극복과 기후위기 대응을 위한 대표적인 국가발전 전략으로 평가하고 있습니다. 이제, 한국판 뉴딜은 세계가 함께 가는 길이 되었습니다. 우리가 1년 전 제시한 국가발전전략이, 세계가 추구하는 보편적 방향이 되었음을 G7 정상회의에서도 확인할 수 있었습니다. 오늘, 우리의 선택이 옳았다는 자신감과 함께 보다 강화된 '한국판 뉴딜 2.0'을 발표하게 되었습니다. 그동안의 성과를 바탕으로 한국판 뉴딜을 더욱 확장하고 발전시키기 위한 한 단계 진전된 전략입니다.

국민 여러분,

한국판 뉴딜은 대한민국 대전환의 문을 힘있게 열었습니다. 디지털 혁신과 그린 혁신의 바람을 일으키고, 포용의 힘을 더욱 키웠습니다. 그 힘으로 우리는 코로나로 인한 경제충격을 빠르게 극복할 수 있었고, 선도국가로 나아갈 수 있었습니다. 적극적 재정투자가 마중물이 되어 변화의 동력이 되었습니다. 빅데이터 플랫폼과 인공지능 학습용 데이터가 구축되고 개방되었습니다. 전국 초중고에 스마트 기자재가 보급되는 등 미래 교육 인프라 구축과 함께 산업, 교통, 물류 등 SOC 디지털화에도 속도를 내고 있습니다. 전기차와 수소차의 보급을 확대했고, 재생에너지 개발과 보급을 지원하는 등 저탄소 경제 전환의 기반도 마련해 나갔습니다. 학교와 마을, 건물과 산단 등 삶의 공간과 일터가 녹색 공간으로 바뀌고 있습니다. 고용안전망과 사회안전망도 튼튼히 구축해가고 있습니다. 전 국민 고용보험 시대를 앞당기기 위해 보험가입 대상을 지속적으로 늘렸고 국민취업지원제도를 시행했으며, 소프트웨어 인재양성 등 전문인력을 늘리면서 고용 충격을 완화하는 효과를 거두고 있습니다. 한국판 뉴딜을 안정적으로 추진하기 위한 제도적 기반도 마련되고 있습니다. 데이터기본법이 추진되고 있고, 세계 최초로 수소법을 제정했으며 고용안전망을 강화하기 위한 소득파악체계를 구축하고 있습니다.

민간의 참여도 활성화되고 있습니다. 데이터, 네트워크, 인공지능 사업에 대한 투자가 확대되고 있으며, 세계 최대 해상풍력 단지, 부유식 해상풍력단지 등 대규모 신재생에너지 투자계획이 발표되고 있습니다. 주요 기업들이 디지털 인재양성에 적극적으로 나서고 있고, 디지털 격차 해소 등 사람에 대한 투자에 민간의 참여가 확산되고 있습니다. 이 같은 성과와 변화로 국민들도 일상 속에서 한국판 뉴딜을 체감하기 시작했습니다. '닥터 앤서', '인공지능 국민비서', 배달 로봇 등을 일상 속에서 쉽게 접할 수 있게 되었고, 주거와 교통, 경제 등 삶의 모든 영역에서 '그린'이 일상의 언어가 되며 삶의 질을 향상시키고 있습니다. 한국판 뉴딜에 대한 관심과 참여도 높아지고 있습니다. 민간 뉴딜펀드가 지속적으로 출시되고 있고, '국민참여 뉴딜펀드'는 조기에 완판되었습니다. 코로나 위기 속에 이룬 성과들이어서 더욱 값집니다. '한국판 뉴딜 2.0'은 일상에서의 변화와 성과를 더욱 빠르게 체감시켜 줄 것입니다.

국민 여러분,

세계는 디지털 경쟁에서 우위를 확보하기 위해 나서고 있고, 저탄소 경제를 미래 성장동력으로 육성하기 위한 전략을 강력히 추진하고 있습니다. '한국판 뉴딜 2.0'은 이 같은 국제 환경의 변화에 능동적으로 대응하며 디지털 전환과 그린 전환에 더욱 속도를 높이는 계획입니다. 격차 해소와 안전망 확충, 사람투자에 더 많은 관심을 기울이고, 산업구조의 급속한 변화에 따른 노동이동 등 포용적 전환에 대한 지원도 확대하려는 것입니다.

첫째, 한국판 뉴딜의 '디지털 뉴딜'과 '그린 뉴딜'에 추가하여 '휴먼 뉴딜'을 또 하나의 새로운 축으로 세우겠습니다. '휴먼 뉴딜'은 고용안전망과 사회안전망을 한층 확대하고 발전시킨 것입니다. 이에 따라 한국판 뉴딜은 디지털, 그린, 휴먼이라는 세 축을 세우게 되었고, 지역균형의 정신을 실천하는 포괄적 국가프로젝트로 한 단계 더 진화하게 되었습니다. '휴먼 뉴딜'을 통해 전 국민 고용안전망 구축, 부양의무자 기준 전면폐지 등 고용안전망과 사회안전망을 더욱 튼튼히 하면서, 저탄소·디지털 전환에 대응하여 사람투자를 대폭 확대해 나가겠습니다. 사회 변화의 핵심 동력인 청년층을 집중 지원하고, 날로 커지고 있는 교육과 돌봄 격차 해소에 중점을 두겠습니다. 소프트웨어 인재 9만여 명을 비롯하여, 시스템 반도체, 바이오헬스, 미래차 등 신성장산업 인재를 기업과 대학이 중심이 되어 실효성 있게 양성할 수 있도록 최대한 지원하겠습니다.

대한민국의 미래인 청년들에게 맞춤형 자산 형성을 지원하고, 주거 안정, 교육비 부담 완화를 위한 정책적 지원을 아끼지 않겠습니다. 양질의 직업교육 프로그램과 창업지원 등으로 청년들의 일자리 창출과 함께 혁신의 주역이 되도록 적극 뒷받침하겠습니다. 교육격차 해소를 위해 4대 교육 향상 패키지를 도입하고, 양질의 돌봄 서비스 기반을 대폭 확충하여, 취약계층의 돌봄 안전망을 강화하겠습니다.

둘째, 디지털 전환과 그린 전환에 더욱 속도를 높이겠습니다. 국민의 일상과 전 산업에 5G와 인공지능을 결합하여, 디지털 초격차를 유지하겠습니다. 메타버스, 클라우드, 블록체인, 사물형 인터넷 등 ICT 융합 신산업을 지원해 초연결, 초지능 시대를 선도하겠습니다. 탄소중립과 온실가스 감축목표의 차질 없는 이행을 위해 '그린 뉴딜' 속에 탄소중립 추진 기반을 구축하겠습니다. 온실가스 측정·평가시스템을 정비하고, 탄소 국경세 도입 등 국제질서 변화에 적극 대응하겠습니다. 녹색 인프라를 더욱 확충하고, 전기차와 수소차 등 그린 모빌리티 사업을 가속화하면서, 탄소저감 기술개발과 녹색금융으로 저탄소 경제 전환을 촉진할 것입니다.

셋째, 공정한 전환을 이루겠습니다. 디지털 경제와 저탄소 경제 전환을 위한 기업들의 사업구조 개편을 적극 지원하고, 직무 전환 훈련과 재취업 지원을 통해 노동자들이 새로운 일자리로 원활하게 이동할 수 있도록 돕겠습니다.

마지막으로, 한국판 뉴딜의 진화에 따라 투자를 대폭 확대하겠습니다. 2025년까지 한국판 뉴딜 총투자 규모를 기존의 160조 원에서 220조

원으로 확대할 것입니다. 지역의 적극적 참여는 한국판 뉴딜의 강력한 추동력입니다. 우수한 지역 뉴딜 사업을 지원하여, 대한민국 구석구석까지 그 성과를 빠르게 확산할 것입니다. 국민참여형 뉴딜펀드 1,000억 원을 추가로 조성하여 한국판 뉴딜의 성과를 국민과 공유하겠습니다.

존경하는 국민 여러분,

우리는 코로나 위기를, 오히려 기회로 만들어 우리 역량을 제대로 발휘했습니다. 한국판 뉴딜이 우리의 가장 강한 정책 도구가 될 것입니다. 한국판 뉴딜은 코로나 극복의 희망이며 우리 정부를 넘어선 대한민국 미래전략입니다. 한국판 뉴딜은 계속 발전하고 진화할 것입니다. '한국판 뉴딜 2.0'에 머물지 않고, 선도국가를 향해 앞으로 나아갈 것입니다. 한국판 뉴딜의 주인은 국민입니다. 진화의 주역도 국민입니다.

국민들께서 깊은 관심과 애정으로 동참해주시길 바랍니다. 포용적이고 지속가능한 미래, 선도국가를 향해 국민과 함께 힘차게 가겠습니다.

감사합니다.

‘짧고 굵은’ 4단계를 위해서는 모두의 노력과 협력이 절실합니다

| 2021-07-16 |

델타 변이의 확산이 무섭습니다. 그러나 우리의 삶이 바이러스에 휘둘릴 수는 없습니다. 우리는 어떤 변이라도 이겨내고 일상을 되찾아야 합니다. 이번 주말이 매우 중대한 기로가 되었습니다. ‘짧고 굵은’ 4단계를 위해서는 모두의 노력과 협력이 절실합니다. 특히, 이번 주말을 잘 넘겨야 합니다. 불편함과 어려움이 크신데도, 정부의 방역 강화조치에 묵묵히 따르면서 협조해 주시고 계신 국민들께 대단히 감사하면서도 송구한 마음입니다. 답답하고 힘드시겠지만, 최대한 이동과 만남을 자제하며 코로나 확산 저지에 힘을 모아주시길 당부드립니다.

의료진과 방역 현장에서 수고하시는 분들의 헌신과 노고에도 깊은 위로와 감사의 마음을 전합니다. 폭염 속의 견디기 힘든 인내와 고통이 작년에 이어 되풀이 되고 있습니다. 국민들께서 혹시라도 답답하고 지칠

때면 이분들의 헌신을 생각해 주시기 바랍니다. 정부는 국민의 생명과 안전을 지키는 일선에서 분투하고 계신 분들의 힘겨움을 조금이라도 덜어드리기 위한 지원에 최선을 다하겠습니다.

정부는 지자체와 함께 고위험 시설에 대한 빈틈없는 관리와 대규모 진단검사, 철저한 역학조사로 확산의 고리를 끊어내는데 전력을 다하겠습니다. 백신 접종 속도도 높아질 것입니다. 비상한 각오로 엄중한 코로나 상황을 타개하고 일상회복의 시간을 앞당기는데 모두가 힘을 모아주시기 바랍니다.

수석보좌관회의 모두발언

| 2021-07-19 |

전 세계가 코로나 변이 확산과 자연 재난으로 어렵고 힘든 시기를 보내고 있습니다.

전파력이 강한 델타 변이 바이러스가 무서운 속도로 확산되며 세계의 코로나 대응에 비상이 걸린 가운데, 기상이변으로 인한 폭염과 폭우, 산사태, 대형 산불 등으로 지구촌 곳곳에서 피해가 속출하고 있습니다. 재해·재난으로 고통받고 희생당한 전 세계 모든 분들께 애도와 위로의 말씀을 드립니다.

우리나라도 예외가 아닙니다. 코로나 상황은 최대 고비를 맞이했고, 본격적으로 폭염이 시작되며, 어느 때보다 힘든 여름나기가 예상되고 있습니다. 정부도, 국민도 함께 경각심을 최고로 높이면서 힘을 모아야 할 때입니다. 정부는 코로나 대응과 폭염 대비를 철저히 하면서, 재난에 취약한 분들을 보호하기 위해 최선을 다하겠습니다.

당면한 최대 과제는, 코로나 확산 차단을 위한 고강도 방역 조치를 '짧고 굵게' 끝내는 것입니다. 정부는 이번 주에도 수도권 거리두기 4단계를 시행하며, 전국적으로 단계 상향과 사적 모임 제한을 강화하는 등 방역의 고삐를 더욱 단단하게 조이고 있습니다. 진단검사 대폭 확대와 철저한 역학조사, 생활치료센터와 치료병상 확충, 취약시설과 휴가지 집중점검 등 현장 대응력을 배가하며 코로나 상황을 조속히 반전시키기 위해 총력을 기울이고 있습니다. 방역 조치를 준수하는데 누구도 예외나 특권이 있을 수 없습니다. 힘들어도 방역 조치를 준수하는 대다수의 선량한 국민을 위해서라도 방역 조치 위반 행위에 대해 단호하고 엄정한 책임 추궁이 불가피할 것입니다. 불편과 희생을 감수하면서도 이동과 만남을 자제하며 강화된 정부의 방역 조치에 적극 협조해 주고 계신 국민들께 깊이 감사드립니다.

의료진들과 방역 종사자들의 희생과 헌신도 눈물겹습니다. 1년 반 이상 코로나 대응으로 누적된 피로에 더하여 최근 폭염으로 어려움이 가중되고 있는데도, 최일선에서 국민의 생명과 안전을 지키기 위해 분투하고 있습니다. 무한한 존경과 감사의 마음을 전합니다.

어려울수록 서로를 격려하고 단합하는 것이 절실한 때입니다. 우리는 수많은 위기 앞에서 단합하며 이겨냈습니다. 국민들의 협조와 의료진·방역진의 헌신이 반드시 성과를 거둘 것입니다. 정부는 국민과 함께 지금의 고비를 잘 극복하고 하루속히 일상을 회복할 수 있도록 전력을 다하겠습니다. 정부는 철저한 방역과 함께 백신 접종 속도를 더욱 높여 나가겠습니다. 오늘부터 고3 수험생들과 교직원들에 대한 1차 접종이 시작되며, 이번 주에 50대 사전예약도 마무리 짓게 됩니다. 백신 물량을 효율적으로 활용하는 방안과 함께 40대 이하 국민에 대한 백신 접종 계획도 조속히 마련하여 '내가 언제 백신을 맞게 될지' 예측할 수 있도록 하겠습니다.

가장 안타깝고 송구한 것은, 코로나 재확산과 방역 조치 강화로 인해 소상공인들과 자영업자들의 피해가 더욱 커지고 있는 점입니다. 정부는 보다 적극적이고 세심한 지원 방안을 마련하도록 하겠습니다. 추경안을 국회 논의 과정에서 보완하여 소상공인들과 자영업자들에게 지원을 확대하겠다는 정부의 의지는 분명합니다. 피해 지원의 범위를 더 두텁고 폭넓게 하고, 추경 통과 즉시 신속히 집행되도록 준비하겠습니다.

손실보상법에 의한 지원도, 강화된 방역 조치 상황을 반영하여 충분한 보상이 이뤄지도록 지원 규모를 확대하고, 빠른 집행을 위해 준비해 나가겠습니다. 국회에도 협조를 부탁드립니다. 어려운 분들에 대한 지원 확대에 모두가 공감하는 만큼 소상공인·자영업자 피해 지원에 초점을 맞춰 우선적으로 논의해 주시고, 신속한 추경 처리로 적기에 집행될 수 있도록 협조해 주시길 당부드립니다.

폭염의 기세가 예사롭지 않습니다. 정부는 재난안전법을 개정하여 폭염을 재난에 추가하고, 폭염 피해를 줄이기 위한 범정부적 노력을 기울여 왔습니다. 올해도 폭염 종합대책을 일찌감치 마련하며 대비해 왔습니다. 정부는 관계기관 합동으로 비상 대응체제를 가동하고, 특히 취약계층 지원을 강화하는 데 역점을 둬야 하겠습니다.

폭염에 취약한 노인층에 대한 보호 대책을 시행하고, 노숙인과 쪽방 주민들을 위한 현장 활동을 강화해야 할 것입니다. 열사병 등 온열 질환에 노출될 위험이 큰 건설 현장 노동자 등 옥외에서 일하는 사람들의 보호 대책과 현장 감독을 강화해 주기 바랍니다. 특히 폭염 시간대에는 충분한 휴식 시간을 보장하는 것이 무엇보다 중요할 것입니다. 농어촌 지역에 대한 피해 예방과 예찰 활동을 강화하고, 국민들에게 폭염 상황과 행동요령에 대해 제때 정확하게 알리는 노력도 매우 중요합니다. 특히, 방역 때문에 폭염 대책이 소홀해지지 않도록 양자를 잘 조화시키는 데 최선을 다해주기 바랍니다. 또한 폭염기 전력 예비율 관리에도 만전을 기해주기 바랍니다.

선수단 여러분, 잊지 마십시오. 5천만 국민이 여러분과 함께 하고 있다는 사실을

| 2021-07-23 |

우여곡절 끝에 도쿄올림픽이 드디어 내일 개막됩니다. 여전히 염려가 적지 않지만 모든 어려움을 이겨내고 안전하고 성공적인 세계인의 축제가 되길 바라며, 올림픽을 통해 세계가 하나되고 연대와 협력의 가치를 되새기는 계기가 되길 기원합니다. 스포츠가 가진 치유와 화합의 힘을 믿습니다. 국가적으로 어려운 시기마다 우리 국민들은 스포츠를 통해 큰 위안을 얻고 감동을 받으며 하나가 되었습니다. 도쿄올림픽이 코로나로 지친 우리 국민들에게 위로와 희망을 주며 국민들을 하나로 묶는 무대가 되길 기대합니다.

1년 더 구슬땀을 흘리며 준비한 우리 국가대표 선수들의 선전을 기대합니다. 경기를 즐기면서 포기하지 않고 끝까지 최선을 다하는 모습에 국민들은 성원을 아끼지 않을 것입니다. 가장 중요한 것은 선수단의 안전과 건강입니다. 정부는 선수들이 코로나로부터 안전하게 경기를 치르고 최상의 컨디션을 유지할 수 있도록 최선을 다하겠습니다. 선수들을 세심하게 지원하며 정성을 다하고 있는 대한체육회 임직원들과 영양사, 조리사, 행정인력 등 관계자 모두에게 감사의 말씀을 전합니다.

이번 올림픽은 코로나로 인해 관중석의 응원 없이, 평소와 다른 환경에서 경기를 치러야 합니다. 그러나, 국가대표 선수단 여러분, 잊지 마십시오. 5천만 국민이 여러분과 함께 하고 있다는 사실을. 우리 국민들은 여러분들이 '더 빨리, 더 높이, 더 힘차게, 다 함께' 뛰는 모습을 보며 뜨겁게 응원하진 못하지만, 온 마음을 다해 여러분을 응원하겠습니다.

대한민국 선수단 파이팅!

코로나19 중앙재난안전대책본부 회의 모두발언

| 2021-07-25 |

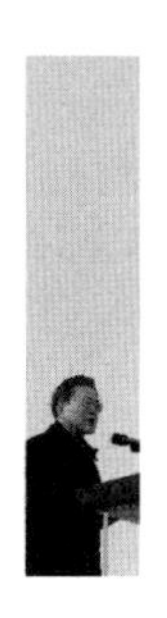

코로나 유행 이후 가장 위기가 높아진 엄중한 상황에서, 범국가적 역량을 모아 총력 대응하기 위해 중앙재난안전대책본부 회의를 직접 주재하게 되었습니다. 지금 세계는 백신 접종률이 높아지고 있는 상황에서, 전파력이 강한 델타 변이가 급속히 확산되며 또다시 큰 몸살을 앓고 있습니다. 전 세계적으로 4주 연속 확진자수가 증가했고, 매일 60만여 명의 신규 확진자가 발생하여 누적 확진자 수가 2억 명에 육박하고 있습니다. 우리나라도 델타 변이가 우세종으로 자리 잡아가면서 지난 세 차례의 확산 때보다 훨씬 큰 규모와 빠른 속도로 확산이 진행되고 있습니다. 감염 양상도, 특정 시설과 집단 중심이 아니라, 일상생활에서 이용하는 시설과 모임을 통해 산발적이고 광범위한 양상으로 확산되고 있고, 활동성이 큰 연령층의 비중이 높아, 과거 어느 때보다 통제가 쉽지 않은

상황입니다. 이같이 엄중한 상황 속에서 우리는 지금, 코로나 확산세가 증가하느냐, 아니면 확산세를 저지하고 통제하느냐의 중대 기로에 서 있습니다. 정부와 지자체가 모든 방역 역량과 행정력을 집중하고, 국민이 함께 힘을 모아 총력전을 펼쳐야 하는 절체절명의 시간입니다.

정부는 확산세를 하루속히 차단하고 상황을 반전시키기 위한 절박한 심정으로, 수도권 거리두기 4단계를 다시 2주 연장하였습니다. 국민들이 감내해야 할 고통의 시간이 길어지게 되어 매우 송구하고 안타까운 마음입니다. 지난 2주간의 고강도 조치에 의해, 확산을 진정시키진 못했지만, 확진자의 급증세를 어느 정도 억제할 수 있었습니다. 그 효과를 계속 이어가 앞으로 2주, 확실하게 확산세를 꺾기 위한 것입니다. 국민들께서 어렵고 힘들겠지만, 지난 2주간 적극 협조해 주신 것처럼 조금 더 인내하며, 지금의 고비를 빠르게 넘길 수 있도록 힘을 모아주시기 바랍니다.

최근 가장 우려가 되는 것은 비수도권의 확산세입니다. 수도권 거리두기 강화에 따른 풍선효과와 함께 휴가지 중심으로 이동량이 많아지며 비수도권 확진자 비중이 35%를 넘어서는 등 전국으로 확산되고 있는 양상이 뚜렷합니다. 그에 대한 대책으로, 비수도권에서도 내일부터 거리두기 단계를 3단계로 일괄 상향하는 등 강화된 방역조치를 시행하기로 했습니다. 강력하고 촘촘한 방역망 구축을 위해 협조하고 결단해 주신 지자체장들께 감사드립니다.

수도권과 비수도권, 정부와 지자체가 합심하여 전국적 차원에서 범국가 총력체제로 대응해야 하겠습니다. 이중삼중으로 휴가지와 다중이용시설 등 감염 위험지역과 시설에 대한 현장점검을 더욱 강화하고, 방역수칙 위반을 엄중하게 단속해 주시기 바랍니다. 생활치료센터 확충과 병상 확보 등 의료 대응에도 만전을 기해 주시기 바랍니다. 지자체의 주도적 역할이 어느 때보다도 중요한 시점입니다. 지역의 특성에 맞는 방역대책을 빈틈없이 추진해 주시길 당부드립니다. 정부는 지자체의 노력을 적극적으로 뒷받침하며 필요한 지원을 아끼지 않겠습니다.

방역 조치가 연장되고 강화됨에 따라 소상공인들과 자영업하시는 분들에 대한 걱정이 앞섭니다. 국회의 협조로 어제 새벽에 통과된 추경안을 신속하게 집행하여 조금이라도 어려움을 덜어드릴 수 있도록 최선을 다하겠습니다. 무엇보다도 이 상황을 하루빨리 진정시키고 생업이 정상화되도록 하는 데 전력을 기울이겠습니다.

한편으로는, 내일부터 50대 접종에 들어가면서 백신 접종이 본격적으로 속도를 내게 될 것입니다. 백신 예약시스템의 미흡한 부분도 신속하게 보완하고 있습니다. 8월에 예정된 40대 이하 예약은 차질이 없도록 준비하겠습니다. 장기간 계속되는 방역 조치에 적극 협력해 주시는 국민들과 폭염 속에서 사투를 벌이고 있는 방역진, 의료진, 일선 지자체 공무원들의 헌신과 노고에 거듭하여 깊은 존경과 감사의 마음을 전합니다. 최근 임시선별검사소의 인력 쉼터로 소방청과 경찰청이 재난현장 회복차량과 기동대 버스를 제공한 것은 매우 모범적인 사례입니다. 각 부처와 지자체는 냉방물품과 장비 지원, 추가인력 투입 등을 통해 충분한 휴식시간과 휴식공간을 제공하는 등 조금이라도 힘겨움을 덜어드릴 수 있도록 세심하게 살펴주시길 당부드립니다.

나아가 지금처럼 유행이 발생할 때마다 군·경, 공무원을 임시방편으로 동원하거나 임시직을 활용하는 방식은 한계가 있을 수밖에 없고, 오래 지속할 수도 없습니다. 보건소 간호인력 등 공공의료 인력을 확충하고 공공의료를 강화하는 등의 근본 대책을 중앙정부와 지자체가 함께 마련하는 데 강력한 의지를 모아주시기 바랍니다.

이번 위기도 우리는 끝내 이겨낼 것입니다. 정부와 지자체, 국민이 함께 최고의 경각심을 가지고 힘을 모은다면, 지금의 위기를 반드시 극복하고 집단면역과 일상회복, 민생회복의 시간을 앞당길 수 있을 것입니다. 지금과 같은 거리두기 단계가 지속된다면, 민생경제뿐 아니라 교육과 돌봄에도 큰 어려움을 겪게 될 것입니다. 정부는 코로나 확산세를 안정시키면서, 백신 접종의 속도를 높이기 위해 총력을 기울이겠습니다. 이상입니다.

유엔군 참전의 날 기념 유엔군 참전용사 훈장 수여식 모두발언

| 2021-07-27 |

존경하는 국민 여러분, 유엔군 참전용사 가족과 내외 귀빈 여러분,

오늘은 한국전쟁 정전 68주년이자, 아홉 번째 맞는 '유엔군 참전의 날'입니다. 유엔은 창설 이후 처음으로 한국전쟁에 참전해 연대와 협력이 한 나라의 자유와 평화를 지킬 수 있다는 것을 세계 역사에 깊이 각인했습니다. 코로나로 인해 연대와 협력의 소중함을 더 절실히 느끼고 있는 이때, 유엔군 참전의 의미를 되새기게 되어 매우 뜻깊습니다.

오늘 우리는 특별한 손님을 맞았습니다. 레이먼드 카폰, 리 카폰 내외, 캐서린 칸 님과 이매진 스미스 님입니다. 카폰 내외는 '한국전쟁의 예수'라고 불렸던 에밀 카폰 신부님의 조카이고, 캐서린 칸 님과 이매진 스미스 님은 한국전쟁에 참전했던 호주왕립연대 제1대대 소대장 콜린 칸 장군님의 조카 손녀, 조카 증손녀입니다. 코로나의 어려움을 뚫고 먼 길을 와주셨습니다. 깊이 감사드립니다. 조금 전 학생들로부터 에밀 카폰, 콜린 칸 두 영웅의 헌신적인 생애를 소개받았습니다. 변성문 학생은 카폰 신부님의 정신을 잇고 있는 광주 살레시오고등학교 학생이고, 원예슬 학생은 호주대사관에서 가평전투 장학금을 지원하고 있는 가평고등학교 학생입니다. 한국전쟁으로 맺어진 깊은 우정의 만남입니다.

저는 오늘 故 카폰 신부님과 칸 장군께 우리 국민을 대표해 훈장을 수여합니다. 그동안 '유엔군 참전의 날'에 국무총리가 수여했는데, 오늘은 제가 역대 대통령 최초로 영광스러운 임무를 수행하게 되었습니다. 자유와 평화를 수호한 두 분의 정신이 우리 국민의 마음속에 영원히 기억되길 바랍니다.

국민 여러분,

올해 3월, 신원불명 전사자들이 안장된 미국 하와이 국립태평양기념묘지에서 70년 만에 카폰 신부님의 유해를 찾았습니다. 기적 같은 일입니다. 카폰 신부님은 부상당하고 포로가 된 극한 상황에서도 자유와 평화, 신앙을 지키는 굳건한 용기를 보여주셨고, 부상자들을 돌보고 미사를 집전하며 적군을 위해 기도하는 지극한 사랑을 실천하셨습니다. 우리 국민들은 신부님의 삶에서 희망의 힘을 지닌 인류애를 만날 수 있었고, 신부님의 정신은 대한민국 가톨릭 군종의 뿌리가 되었습니다. 1993년 로마 교황청은 카폰 신부님에게 '하느님의 종' 칭호를 수여했고, 성인으로 추앙하는 시성 절차를 밟고 있습니다. 염수정 추기경님을 비롯한 한국

천주교회에서도 카폰 신부님의 시복 시성을 위해 노력하고 있습니다. 신부님의 성스러운 생애는 미국과 한국은 물론 인류의 위대한 정신적 유산이 될 것입니다. 오늘의 훈장이 유가족과 신부님의 정신을 따르는 많은 이들에게 따뜻한 격려가 되기를 바랍니다.

한국전쟁 때 파병된 호주군은 영연방군과 함께 1951년 4월, 가평에서 사흘 밤낮으로 싸워 적군의 서울 진입을 막아냈습니다. 칸 장군님은 용맹한 호주왕립연대 소대장이었습니다. 1952년 11월, 심각한 부상으로 죽음의 고비를 넘기고, 전쟁 후에는 대한민국의 발전상을 호주 전역에 알리는 일에 앞장섰습니다. 이 자리에 비록 함께하지는 못했지만, 칸 장군님은 호주에서 건강하게 지내고 계십니다. 우리는 전쟁 때 함께 싸웠고, 전후 복구에도 큰 힘이 되어준 장군님과 호주 참전용사들을 오래오래 기억할 것입니다. 오늘 드리는 훈장이 장군님의 헌신에 작은 보답이 되길 바라며, 부디 오랫동안 우리 곁에 계셔주시길 기원합니다.

존경하는 국민 여러분, 유엔군 참전용사 가족과 내외 귀빈 여러분,

카폰 신부님과 칸 장군님을 비롯한 스물두 개 나라 195만 유엔 참전용사들의 숭고한 희생과 헌신은 대한민국의 긍지이자 자부심이 되었습니다. 정부는 지금까지 참전용사와 가족의 한국 방문과 현지 감사 행사, 미래세대 교류 캠프와 후손 장학사업을 진행해왔으며 지난해 3월에는 '유엔 참전용사의 명예선양 등에 관한 법률'도 제정했습니다. 정부는 '참전으로 맺어진 혈맹의 인연'을 되새기며 참전용사들의 희생과 헌신에 보답할 것입니다. 국제사회와 연대하고 협력하여 코로나와 기후변화 같

은 세계가 직면한 위기도 함께 헤쳐 나갈 것입니다. 카폰 신부님과 칸 장군님 두 분의 영웅과 참전용사들께 다시 한번 깊은 경의를 표하며, 함께하신 모든 분들의 건강과 행복을 기원합니다.

감사합니다.

‘한국의 갯벌’이 유네스코 세계유산이 됐습니다

| 2021-07-27 |

매우 기쁜 소식입니다. 등재추진단과 관계 부처가 힘을 모아 우리 갯벌의 소중한 가치를 적극적으로 알리고 설득한 결과입니다. 이제 우리나라는 열다섯 곳의 세계유산을 보유하게 되었습니다. 자연유산으로는 2007년 ‘제주 화산섬과 용암동굴’ 이후 두 번째입니다. 세계유산위원회에서는 등재를 결정하면서 ‘지구상의 생물 다양성 보전을 위한 중요한 서식지’라는 가치를 인정했습니다. 특히, 멸종위기 철새의 기착지로서 보존의 가치가 매우 크다고 평가했습니다.

이번에 등재된 곳은 서해안에 펼쳐진 서천, 고창, 신안, 보성·순천 갯벌로서, 2,000여 종 이상의 생물이 서식하는 생태계의 보고이자, ‘넓적부리도요’ 등 멸종위기에 처한 물새들의 생존을 위해 가장 중요한 지역입니다. 갯벌을 생활 터전으로 지켜오신 지역 주민들의 애정과 관심에 감사드립니다. 정부는 지자체와 협력하여 갯벌의 생태계를 보전하고, 지역사회 발전, 더 나아가 세계인이 함께 공유하는 소중한 세계유산이 될 수 있도록 최선을 다해 지원하겠습니다.

아울러 우리나라의 더 많은 갯벌이 세계유산에 등재되도록 노력하겠습니다.

민생경제장관회의 모두발언

| 2021-07-29 |

코로나 상황이 매우 엄중합니다. 수도권에서 시작된 4차 유행이 전국으로 확산되면서 민생경제 회복도 지연되지 않을까 걱정이 큽니다. 방역이 어려워질수록 더욱 민생을 살펴야 합니다. 오늘 '민생경제장관회의'는 고강도 방역 조치에 따른 민생경제의 피해를 신속하게 지원하기 위해 마련했습니다. 경제부총리를 중심으로 모든 경제부처들이 각오를 새롭게 다져 주기 바랍니다. 방역 상황으로 민간 경제활동에 어려움이 커질수록 정부가 적극적 재정 운영으로 민생의 버팀목이 되어 주어야 합니다. 추경도 코로나 확산 상황을 감안해 규모가 33조 원에서 34조 9천억 원으로 늘어났고, 코로나 피해계층 지원이 대폭 확대되었습니다.

지금부터는 속도입니다. 절박한 소상공인 피해지원에 최우선을 두고 신속하게 집행하기 바랍니다. 무엇보다, 소상공인과 취약계층이 견디고 있는 고통의 무게를 덜어드리는 일이 시급합니다. 잠시의 대책이 아니라 장기적인 대책이 필요합니다. 법률에 의한 손실보상에 있어서도, 10월에 시행이 되는대로 신속하고 원활한 보상이 이뤄질 수 있도록 보상심의위원회 구성 등 준비에 만전을 기해 주기 바랍니다. 손실보상 제도화 이전에 발생한 피해를 지원하는 희망회복자금도 지급 개시일인 8월 17일에 맞춰 최대한 신속하게 지급할 수 있는 시스템을 차질없이 구축해야 할 것입니다.

일자리가 민생경제의 핵심입니다. 여행업, 관광업을 비롯한 코로나 취약업종을 중심으로 고용유지 지원을 더욱 확대해야 할 것입니다. 취업에 어려움을 겪는 청년·여성·어르신들을 대상으로 다양한 방안의 일자리 지원 사업을 차질없이 진행해 주길 바랍니다. 청년들에게 코로나 위기가 '잃어버린 시간'이 되어서는 안 됩니다. 미래를 향한 '준비의 시간'이 될 수 있도록 다각적인 지원 노력을 당부합니다. 우리는 코로나 위기를 겪으며 감염병 유행의 충격이 사회의 가장 약한 계층에 집중된다는 것을 확인했습니다. 위기가 지속되는 내내 저소득층과 취약계층을 더욱 두텁게 지원하는 것은 물론, 외환위기 때처럼 양극화가 고착되지 않도록 긴 관점으로 멀리 내다보면서 정책적 노력을 기울여야 할 것입니다. 오는 10월 생계급여 부양의무자 기준이 전면 폐지되면 5만여 가구가 추가로 혜택을 받을 수 있습니다. 전 국민 고용보험제도 역시 계획대로 차질없이 추진하고 있습니다. 고용안전망과 사회안전망 강화로 위기가 격차를 심화시키는 것을 반드시 막아야 합니다. 정의 직접적인 역할 못지않게 정책서민금융을 확대하는 것이 매우 중요합니다. 신용등급이 낮고 소득이 낮은 국민들도 활용할 수 있는 새로운 정책서민금융 상품들을 통해 금융접근성을 더욱 높여 주길 바랍니다. 코로나로 생업에 어려움을 겪으면서 부득이 채무를 제때 갚지 못하는 분들도 발생하고 있습니다. 신용회복위원회를 통한 채무조정제도의 활용도를 높이고, 일시 연체가 있었더라도 이후 성실하게 연체 채무를 전액 상환한 차주에 대한 신용회복 지원 방안도 신속하게 마련해 주길 바랍니다.

위기 대응 과정에서 유동성이 증가하는 등 전 세계적으로 물가상승 우려가 큽니다.

폭염 등 공급 측면의 불안요인도 있습니다. 농축수산물을 비롯해 국민들의 일상에서 높은 비중을 차지하는 품목을 중심으로 생활물가를 안정시키는데 집중적인 노력을 기울여주길 바랍니다. 특히, 추석 물가가 급등하지 않도록 성수품 공급량을 조기에 확대하여 선제적으로 대응해 줄 것을 당부합니다. MF는 이틀 전, 올해 우리 경제성장률 전망을 3.6%에서 4·3%로 큰 폭으로 상향 조정하였습니다. 우리 국민의 저력과 우리 경제에 대한 신뢰가 반영된 결과입니다. 하지만 방역에 성공하지 못한다면 자신할 수 없습니다. 우리는 세 차례의 유행을 극복하며 방역과 경제에서 세계적 모범사례를 만들어냈습니다. 지금까지 잘해 온 것처럼 4차 유행을 빠르게 진정시켜야만 성장 목표를 이루고, 민생 회복의 불씨를 더욱 크게 키울 수 있을 것입니다. 국민들께서 한 번 더 마음을 모아 주시길 당부드립니다. 정부는 코로나 피해가 큰 계층을 더욱 두텁게 지원하는 공정한 회복, 격차를 줄이는 포용적 회복, 일자리의 회복까지 이루는 완전한 회복을 위해 최선을 다할 것입니다.

감사합니다.

8월

K-글로벌 백신 허브화 비전 및 전략 보고대회 모두발언

폭염 대응 소방관서 격려 방문 모두발언

갈고닦은 기량을 마음껏 펼쳐준 대한민국 선수들과 코치진 그리고 아낌없는 응원을 보내주신 국민들께 깊이 감사드립니다

건강보험 보장성 강화대책 4주년 성과 보고대회 모두발언

일본군 '위안부' 피해자 기림의 날 영상메시지

제76주년 광복절 경축사

Ariel Henry 총리님과 아이티 국민에게 깊은 위로의 뜻을 전합니다

故 홍범도 장군 훈장 추서식 모두발언

한-카자흐스탄 정상회담 모두발언

한-카자흐스탄 주요 경제인 간담회 모두발언

홍범도 장군 유해 안장식 추모사

전북 군산형 일자리, 에디슨모터스 공장 준공식 영상 축사

제2벤처붐 성과 보고회 모두발언

K-글로벌 백신 허브화 비전 및 전략 보고대회 모두발언

| 2021-08-05 |

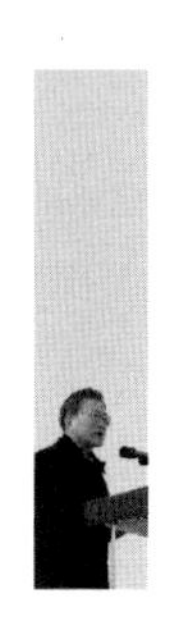

국무총리를 위원장으로 하는 민관합동 '글로벌 백신 허브화 추진위원회'가 출범해 오늘 첫 회의를 열게 되었습니다. 관련 부처들과 함께, 백신 분야 최고의 전문가들이 민간위원으로 참여하고 있습니다. 오늘 회의에는 백신 개발과 생산 기업 대표들도 함께해 주셨습니다. 감사합니다.

전파력이 강한 델타 변이바이러스가 확산하며 전 세계적으로 코로나 상황이 다시 악화하고 있습니다. 끝이 잘 보이지 않는 코로나와의 전쟁에서 가장 효과적인 방어수단은 백신입니다. 최근 발생한 확진자와 사망자 대부분이 백신 미접종자 중에서 나오고 있고, 백신 접종이 위중증률과 치명률을 크게 낮추는 등 백신은 코로나로부터 인류의 생명과 안전을 지켜 주는 핵심 역할을 하고 있습니다.

하지만, 세계적인 백신 부족 상태가 지속되고 있고, 특히 백신 보급의 국가별 격차가 심각하여 일부 백신 부국들은 '부스터 샷'을 계획하는 반면 다수의 저소득 국가는 내년까지도 접종 완료가 어려운 백신 불평등이 심화되고 있습니다. 모든 나라에 백신이 충분히 보급되지 않고서는 계속되는 변이의 발생과 코로나 확산을 막을 수 없습니다. 결국 문제 해결의 근본 해법은 백신 공급을 획기적으로 늘리는 것일 수밖에 없습니다.

대한민국이 문제 해결에 앞장서겠습니다. '글로벌 백신 허브'를 국가전략으로 강력히 추진하여 인류 공동의 감염병 위기 극복에 기여하겠습니다. 우리는 충분한 역량을 가지고 있습니다. 세계 최고 수준의 바이오의약품 생산 능력을 갖추고 있고, 현재 세계적으로 안전성과 효과성을 인정받는 코로나 백신 네 종을 생산, 공급하고 있습니다. 백신 산업에 대한 기업들의 도전 의지와 정부의 육성 의지도 확고합니다. 바이오산업은 우리의 산업 혁신을 이끌 3대 신산업으로 성장하여 주력 수출 산업으로 도약하고 있습니다. 그러나 백신 분야에 있어서는 여전히 기술 격차가 크고 해외 의존도가 높으며, 글로벌 시장 점유율도 낮습니다. 지금이 글로벌 백신 허브를 향해 과감하게 도전해야 할 적기입니다. 정부는 역량과 자원을 총동원하여 인류의 보건 위기 대응에 기여하고, 백신 산업을 우리 경제의 새로운 성장동력으로 힘 있게 육성하고자 합니다. 앞으로 다가올 미래 신종 감염병의 출현에 대응하는 길이기도 합니다.

2025년까지 '글로벌 백신 생산 5대 강국'으로 도약하겠습니다. 정부는 백신을 반도체, 배터리와 함께 '3대 국가전략기술' 분야로 선정하여 앞으로 5년간 2조2천억 원을 투입할 계획입니다. 연구개발과 시설투자에 대한 세제 지원을 대폭 확대하고, 필수 소재·부품·장비의 생산과 기술을 자급화해 국내 기업들이 생산 역량을 극대화할 수 있도록 하겠습니다.

백신 산업 생태계 조성도 중요합니다. 연간 200명 이상의 의과학자를 새롭게 육성하고, 임상시험 전문인력 1만 명, 바이오 생산 전문인력 연간 2천 명 등 바이오의약품 산업 인력 양성에 힘쓰겠습니다. K-바이오랩 허브를 구축하고, 첨단투자지구도 지정하여 각종 인센티브를 제공하겠습니다. 글로벌 협력체계도 더욱 강화하겠습니다. 한미 정상회담에서 합의한 글로벌 백신 파트너십이 실질적 성과로 이어지도록 긴밀히 협력하면서 독일, 영국 등 다른 국가와도 백신 파트너십을 확대하겠습니다. WHO 등 국제기구, 글로벌 백신 연구소와 기업들과의 소통과 협력도 강화하겠습니다. 외국인 투자를 활성화하고 글로벌 기업을 유치하는 등 글로벌 백신 허브로서의 발판을 마련하겠습니다.

백신 자주권 확보를 위한 국산 백신의 신속한 개발도 매우 중요합니다. 이달 중에 국내 기업 개발 코로나 백신이 임상 3상에 진입할 예정이며, 내년 상반기까지 국산 1호 백신의 상용화가 기대되고 있습니다. 차세대 백신인 mRNA백신 개발도 속도를 내고 있습니다. 생산 핵심기술의 국산화가 이뤄지고 있으며, 올해 안에 임상시험 진입도 가시화되고 있습니다. 정부는 국산 백신의 신속한 개발을 위해 임상에 필요한 비용을 지원하고, 원부자재 국산화, 특허 분석 지원 등 다방면의 지원체계를 가동하겠습니다. '글로벌 백신 허브화 추진위원회'는 비록 늦더라도 이번 기회에 mRNA 백신까지 반드시 개발하여 끝을 본다는 각오를 가져 주기 바랍니다. 대한민국은 많은 위기를 겪었지만 그때마다 위기를 기회로 만들어내는 놀라운 힘을 보여 주었습니다.

코로나 위기에서도 이런 면모를 유감없이 보여 주고 있습니다. 이제는 더 나아가 글로벌 백신 허브로서 인류의 감염병 극복의 중추적 역할을 하면서, 백신 선도국가로 도약하는 기회를 만들어내도록 합시다.

감사합니다.

폭염 대응 소방관서 격려 방문 모두발언

| 2021-08-06 |

인력 2만 명 증원, 그리고 지금 진행되고 있습니다만 국립소방병원 건립 이런 약속들을 제가 차근차근 다 이렇게 지킬 수 있어서 아주 다행스럽게 생각합니다. 그런데 오늘은 그 때문에 온 것은 아니고, 정말 요즘 아주 역대급 폭염이죠. 연일 계속되고 있어서 여러분들 정말 고생이 많습니다. 원래 일자체가 아주 고되고 위험한 일인데, 이 폭염 때문에 훨씬 고생이 심하게 되었습니다.

그래도 여러분들 고생 덕분에 많은 온열질환자들을 아주 신속하게 이송이 돼서 필요한 처치를 받을 수 있게 되고, 또 폭염에 취약한 쪽방촌이나 고지대, 또는 축산농가 이런 쪽에도 출동해서 살수를 해 준다든지 생활용수를 공급해 준다든지 이렇게 해서 국민들을 폭염 피해로부터 국민들의 안전과 생명을 지키는데 아주 큰 역할을 해 주고 계십니다. 정말 감사하게 생각합니다.

뿐만 아니라 코로나 대응에 있어서도 우리 소방의 그 역할이 너무나 큽니다. 검역, 공항 검역의 지원부터 (안 들림) 방역 활동에 대한 지원들 그리고 확진자나 의심환자들에 대한 신속한 이송 그리고 또 요즘은 심지어 백신 접종자 가운데 이상반응이 생기는 사람들을 빠르게 이송해서 필요한 치료를 받게 하는 그런 일들까지 정말 수고 많습니다.

특히 근래에 더 아주 감동적으로 다가왔던 것은 선별진료소, 임시선별검사소 여기에, 일반 기왕에 있는 선별검사소의 경우에는 냉난방들이 충분히 갖추어져 있기 때문에 그나마 나은데, 임시선별검사소의 경우에는 폭염 속에 그냥 천막으로 그늘막치고 방역 작업을 하고 있기 때문에 우리가 얼음조끼를 제공하고 얼음팩을 제공하고, 그다음에 이동식 에어컨을 제공하기도 하고, 선풍기를 제공하기도 하고 많은 지원을 하고 있어도 역부족이었는데, 우리 소방청에서 회복지원차량을 지원해 주면서 아주 훌륭한 쉼터를 제공해 줬고, 그것이 정말 무더위에 고생하는 방역진에게 아주 큰 위로와 그다음에 또 감동을 주었습니다. 외신에서도 또 하나의 K-방역이라고 아주 칭찬이 많습니다. 정말 창의적인 방안이었다고 생각하고, 소방청이 그렇게 선도적인 역할을 해 주니까 경찰에서도 기동대 버스를 제공하고, 각 지자체에서도 여러 가지 다양한 냉방차량들을 제공해서 방역에 임하는 분들이 그래도 때때로 휴식을 취하면서 방역활동을 할 수 있도록 그렇게 되었습니다.

지금 또 날씨가 더워지면 벌도 피해가 많아져서 심지어 벌 퇴치하는 작업까지도 해야 되고, 또 앞으로 태풍이나 비가 많이 오게 되면 그에 대한 질병, 여러 가지 구조, 구급 이런 일들을 해야 될 텐데, 끝까지 힘드시더라도 국민들의 건강과 안전을 위해서 최선을 다해 주시기를 바라고, 또 그러는 가운데에서도 우리 소방관들 자신의 안전도 많이 지켜 주시기를 바랍니다.

아까 여러 가지 더위를 피할 수 있는 그런 장비들을 보기는 했지만 현장에서 잘 그것이 운용되어야 하겠고, 특히 출동근무는 어쩔 수 없는 일이지만 자체적으로 교육이나 훈련하고 할 때에는 폭염 특보가 내려진 그런 상황에서는 야외훈련이나 교육은 일종에 금지하고 전부 실내 교육과 훈련으로 대체하고, 충분한 휴식시간을 제공하도록 그렇게 노력을 해 주시기를 바랍니다. 소방국가직화하고 난 이후에 정부가 우리 소방관들의 근무 여건과 처우를 개선하기 위해서 많은 노력을 기울이고 있지만 여전히 아쉽고 부족한 것이 많을 것이라고 생각합니다. 정부가 여러분들이 보다 더 좋은 환경 속에서 근무할 수 있고, 소방 역량도 높여갈 수 있도록 정부는 지원에 최선을 다하겠습니다. 함께 우리 더 안전한 대한민국 만들어 가도록 합시다.

고맙습니다.

갈고닦은 기량을 마음껏 펼쳐준 대한민국 선수들과 코치진 그리고 아낌없는 응원을 보내주신 국민들께 깊이 감사드립니다

| 2021-08-08 |

도쿄올림픽이 끝났습니다. 갈고닦은 기량을 마음껏 펼쳐준 대한민국 선수들과 코치진 그리고 아낌없는 응원을 보내주신 국민들께 깊이 감사드립니다. 여전히 어려운 시기에 열린 이번 올림픽에서 우리 선수들은 정직한 땀방울을 통해 국민들에게 위로와 희망의 메시지를 전해주었습니다.

메달 소식도 자주 들려주었습니다. 첫 메달이었던 양궁 혼성단체부터, 대회 막판 감동을 준 남자 근대5종까지 우리 선수들이 획득한 스무 개의 메달은 세계에 우리의 실력을 증명해보였습니다. 메달의 색깔은 중요하지 않습니다. 메달을 못 땄어도 최선을 다한 것만으로도 아름답습니다. 특히 이번 올림픽에는 경기 자체를 즐긴 젊은 선수들이 많았고, 긍정의 웃음 뒤엔 신기록까지 따라왔습니다. 수영 황선우, 다이빙 우하람, 높이뛰기 우상혁, 역도 이선미, 배드민턴 안세영, 스포츠클라이밍 서채현 선수가 보여준 패기와 열정에 국민들은 아낌없는 박수를 보냈습니다. 한국 최초로 올림픽 메달레이스에 진출한 요트 하지민 선수와 럭비 대표팀의 투혼도 기억에 남습니다. 탁구 신유빈, 역도 김수현, 레슬링 류한수 선수가 흘린 아쉬움의 눈물은, 곧 성취의 웃음으로 바뀔 것입니다. 유도 조구함, 태권도 이다빈 선수는 승리한 상대 선수를 존중하며 품격있는 패자의 모습을 보여주었습니다.

어려움 속에 있는 국민들에게 위로와 감동을 선사한 대한민국 대표팀 29개 종목 354명의 선수단, 모두 수고 많았습니다. 앞으로도 대한민국 대표선수의 자부심으로 도전하고, 경기를 즐기며, 성취하는 모습을 기대합니다.

건강보험 보장성 강화대책 4주년 성과 보고대회 모두발언

| 2021-08-12 |

존경하는 국민 여러분,

'문재인 케어'라고 불린 건강보험 보장성 강화대책 발표 4주년을 맞아 그동안의 성과와 보완 과제를 살펴보는 자리를 마련했습니다. 직접 경험한 사례를 들려주기 위해 도쿄올림픽 태권도 동메달리스트 인교돈 선수와 김성준, 곽동훈, 조은영, 정원희 님이 함께해주셨습니다. 김민석 국회 보건복지위원장님도 참석하셨습니다. 감사합니다.

건보 보장성 강화는 '돈이 없어 치료받지 못하고, 치료비 때문에 가계가 파탄나는 일이 없도록 하자'는 정책입니다. 우리 사회 전체의 회복력을 높여 민생과 경제 활력을 뒷받침하는 길이기도 합니다. 그 정책에 의해 우리는 개인 질환뿐 아니라 코로나 예방과 진단, 치료비용부터 야

간 간호료와 의료인력 지원 비용에 이르기까지 감염병과 연관되는 모든 분야에서 신속하고 적절하게 대응할 수 있었습니다. 건강보험이 코로나 방역의 최후방 수비수 역할을 든든하게 해줬습니다. 국민들의 지지 덕분에 정부는 '문재인 케어'를 과감하게 시행할 수 있었고, 국민들로부터 가장 좋은 평가를 받는 정책 중 하나가 되었습니다. 건보 보장성 강화를 위해 노력해주신 건보공단과 의료진, 관계자들께 진심으로 감사드립니다. 정부는 특히 의료비 부담이 큰 암을 비롯한 중증질환을 중심으로 보장성 강화에 노력해왔습니다. 특진비로 불렸던 선택진료비를 폐지하고, 상급 병실료에 건강보험을 적용하였으며, 간호、간병 통합 서비스를 확대했습니다. MRI와 초음파 검사의 보장 범위를 확대하고, 응급실과 중환자실, 의약품 중 비급여 항목의 급여전환도 지속적으로 추진하고 있습니다. 또한 의료비 때문에 생계가 어려워지는 것을 막기 위해 저소득층 4대 중증질환에 대해서는, 재난적 의료비 지원을 제도화했습니다. 이제 모든 질환에 대해 최대 3,000만 원을 지원받을 수 있고, 연간 본인 부담 상한액을 인하하여 최대 150만 원 이내에서 진료비 걱정 없이 치료받으실 수 있게 되었습니다.

특히, 병원 찾을 일이 많은 5세 이하 어린이와 65세 이상 어르신, 장애인들의 보장률이 크게 높아졌습니다. 15세 이하 어린이 청소년 입원진료비는 본인 부담이 5%로 줄었고, 중증 치매는 68만 원, 어르신 틀니는 36만 원, 임플란트는 32만 원 이상 비용이 낮아졌습니다. 장애인 보장구 의료보험 보장 범위도 넓혔습니다. 그 결과 지난해 말까지 3,700만 명의 국민이 9조2천억 원의 의료비를 아낄 수 있었습니다. 하지만, 가계의 의료비 부담을 더욱 줄여주기 위해서는 건강보험의 보장성이 더욱 강화되어야 합니다. 진료기술이 발전하고 의료서비스가 세분화되면서 새로 생겨나는 비급여 항목도 많습니다. 갑상선과 부비동 초음파 검사는 비용 부담에도 불구하고 자주 이용하는 검사입니다. 당초 계획을 앞당겨 올 4분기부터 비용 부담을 줄여드릴 예정입니다. 내년까지 중증 심장질환, 중증 건선, 치과 신경치료 등 필수 진료의 부담도 덜어드리겠습니다.

어린이들을 위한 전문적인 진료도 빠르게 확충하겠습니다. 어린이 공공전문진료센터에 지원을 확대하고, 내년에 중증소아 단기입원서비스센터를 설립할 것입니다. 올 하반기에는 지역 중증거점병원을 지정하여 중증환자가 가까운 곳에서 치료받을 수 있도록 하겠습니다. 소득이 낮을수록 재난적 의료비를 더 많이 지원받을 수 있도록 소득수준별 지원비율도 조정하겠습니다. 4년 전, 건보 보장성 강화 정책을 마련할 때 건보 재정의 적자를 걱정하는 목소리가 적지 않았습니다. 정부는 당시 20조 원의 적립금 중 10조 원을 보장성 강화에 사용하고 10조 원의 적립금을 남겨둘 것을 약속했습니다. 그 약속대로 건보 보장 범위는 대폭 확대하면서 재정은 안정적으로 관리했습니다. 지난해 말 기준으로 건보 적립금은 17조4천억 원으로, 2022년 말 목표인 10조 원을 훨씬 뛰어넘을 것으로 예상됩니다.

국민들께서 손씻기, 마스크 착용과 같은 일상적인 건강수칙을 지키는 것으로 코로나뿐 아니라 다른 질병들도 잘 예방해주신 덕분입니다. 우리 국민들의 수준 높은 시민의식이야말로 건강보험의 지속가능성을 뒷받침하는 중요한 축입니다. 참으로 고맙고 자랑스럽게 생각합니다. 정부 역시, 건보재정을 더욱 투명하고 철저하게 관리할 것입니다. 건강보험이 의료기술 발전을 촉진하는 마중물이 되고, 건보의 지속가능성 확보와 보장성 확대라는 두 마리 토끼를 모두 잡을 수 있도록 더욱 노력해 나가겠습니다. 건보 보장성 강화는 국민 건강의 토대이며, 포용적 회복과 도약을 위한 발판이 되어줄 것입니다. 오늘, 다섯 분의 경험과 전문가들의 이야기를 통해 '문재인 케어'가 우리 삶에서 어떻게 작동하고 있는지 확인하실 수 있기를 기대합니다.

정부는 '병원비 걱정 없는 든든한 나라'를 만들기 위해 앞으로도 최선을 다하겠습니다.

감사합니다.

일본군 '위안부' 피해자 기림의 날 영상메시지

| 2021-08-14 |

존경하는 국민 여러분, 일본군 위안부 피해 할머니와 가족 여러분,

고 김학순 할머니께서 피해 사실을 공개 증언한 지 30년이 되었습니다. 30년 전 "일본군대 '위안부'로 강제로 끌려갔던 김학순입니다", 이 한 문장의 진실이 세상에 나왔습니다. 김학순 할머니를 비롯한 피해 할머니들은 가슴에 묻어온 고통을 증언했고, 우리는 할머니들을 통해 결코 잊을 수 없는 역사를 성찰할 수 있었습니다. 인간의 존엄과 권리를 지키는 일이 역사를 바로 세우는 일입니다. 공동체의 발전과 사회의 성숙 역시 피해자의 아픔을 보듬는 일에서 시작된다는 것을 우리는 깊이 깨달을 수 있었습니다. 국내외 법정과 증언장에서 울려 퍼진 할머니들의 증언은 여성의 인권과 평화의 가치를 실현하기 위한 국제사회의 관심과

논의를 크게 진전시켰습니다.

할머니들께서 역사를 바꿔 오셨습니다. 전쟁과 전후, 수많은 고난과 역경을 딛고 일어나 꺾이지 않는 인간의 존엄을 증명해주신 할머니들께 깊은 존경과 감사의 인사를 드립니다. 지난 30년, 많은 할머니들이 '나비'가 되어 우리 곁을 떠나셨습니다. 정부에 등록된 이백사십 분의 피해자 할머니 중 우리 곁에 생존해 계신 분은 열네 분에 불과합니다. 모든 할머니들이 살아계실 때 한을 풀어드리지 못해 죄송합니다. 정부는 존엄의 회복을 요구하며 싸워온 할머니들의 역사를 결코 잊지 않고 있습니다. '피해자 중심 문제 해결'이라는 국제사회의 원칙과 규범을 확고히 지키며, 한 분 한 분의 명예가 회복되고 마음의 상처가 아물 수 있도록 소통하고 지원하겠습니다. 위안부 문제의 해결이 불행한 과거를 되풀이하지 않는 일입니다. 할머니들의 증언과 시민사회, 학계의 노력으로 만들어진 역사적 진실의 토대 위에 용서와 화해의 미래가 꽃필 수 있도록 하겠습니다. 추가적인 기록물의 발굴부터 연구와 보존, 전시의 추진까지 소홀함이 없도록 하겠습니다. 미래세대들이 일본군 위안부 문제에 대해 정확하게 배우고 이해할 수 있도록 피해자 증언의 번역과 발간사업에 더욱 힘쓰겠습니다. 한일 양국과 세계의 젊은이들이 피해 할머니들의 삶 속에서 서로를 이해하길 바랍니다. '역사의 정의'로 이어진 기억과 연대의 길을 함께 걸을 수 있도록 항상 노력하겠습니다.

내일은 76주년을 맞는 광복절입니다. 할머니들의 명예를 회복하고 아픔을 치유하는 일은 한 사람의 광복을 이루는 것이며, '완전한 광복'에 한 걸음 더 다가가는 길입니다. 우리에게 인권과 평화를 향한 희망과 용기, 연대와 포용이라는 위대한 유산을 물려준 할머니들께 경의를 표하며, 부디 오래도록 건강하게 우리 곁에 계셔 주시길 기원합니다.

감사합니다.

제76주년 광복절 경축사

| 2021-08-15 |

존경하는 국민 여러분, 독립유공자와 유가족 여러분, 해외동포 여러분,

광복 76주년을 맞은 오늘, 마침내 홍범도 장군의 유해가 고국에 도착합니다. 홍범도 장군은 역사적인 봉오동 전투와 청산리 전투를 승리로 이끈 대한 독립군 사령관이었으며, 뒷날 카자흐스탄 고려인 동포들의 정신적 지주가 되었습니다. 장군의 유해를 봉환하기 위한 우리 정부의 외교적 노력이 결실을 맺게 되어 매우 기쁩니다. 물심양면으로 협력해주신 토카예프 카자흐스탄 대통령과 고려인 동포들께 깊이 감사드립니다. 광복 직후인 1946년, 윤봉길 의사와 이봉창 의사를 시작으로 오늘 홍범도 장군까지 애국지사 백마흔네 분의 유해가 고향산천으로 돌아왔습니

다. 독립 영웅들을 조국으로 모시는 일을 국가와 후대들이 마땅히 해야 할 책무이자 영광으로 여기며 끝까지 최선을 다하겠습니다. 우리 선열들은 어떤 어려움 속에서도 자주독립의 꿈을 잃지 않았고, 어디서든 삶의 터전을 일구며 독립운동을 펼쳤습니다. 그 강인한 의지가 후대에 이어져 지금도 국난극복의 힘이 되고 있습니다. 선열들과 독립유공자, 유가족들께 깊은 존경과 감사의 인사를 드립니다.

국민 여러분,

오늘 기념식이 열리는 '문화역 서울284'는 일제강점기, 아픔과 눈물의 장소였습니다.

우리 땅에서 생산된 물자들이 수탈되어 이곳에서 실려 나갔습니다. 고난의 길을 나는 독립지사들과 땅을 잃은 농민들이 이곳에서 조국과 이별했고, 꽃다운 젊음을 뒤로 하고 전쟁터로 끌려가는 학도병들과 가족들이 이곳에서 눈물을 흘렸습니다. 그러나 광복과 함께 역과 광장은 꿈과 희망의 공간이 되었습니다. 만주와 연해주에서 출발한 기차에는 고향으로 돌아오는 사람들로 가득했습니다. 부산, 인천, 군산을 비롯한 항구도시들도 희망에 찬 귀향민으로 북적였습니다. 광복의 감격과 그날의 희망은 지금도 우리의 미래입니다. 모두가 새로운 나라를 세우자는 꿈으로 가슴이 벅찼습니다. 아버지, 어머니는 자식들을 가르치는 데 힘을 쏟았습니다. 전국 145만 명이었던 초·중·고 학생이 해방 후 불과 2년 만에 235만 명으로 60% 이상 증가했습니다. 뜨거운 교육열로 의무교육이 시작되었고, 우수한 인재들이 대한민국의 성장동력이 되었습니다.

농산물 생산도 크게 증가했습니다. 일제의 수탈로 억눌렸던 작물 생산량이 농지개혁 이후 급증했습니다. 1970년대에 이르러 식민지 시절의 세 배로 늘었고, 마침내 보릿고개를 넘어섰습니다. '우리도 한번 잘살아보자'는 국민들의 의지는 1960년대 경제개발 5개년 계획부터 경제·사회개발 계획, 신경제 계획과 IT산업 육성, 녹색성장과 창조경제로 이어지며, 세계 10대 경제 대국으로 올라서는 토대가 되었습니다. 2017년 3만 불을 넘어선 1인당 GDP도 지난해 G7 국가를 넘어섰습니다. 자주국방은 지난 100년 간 우리의 절실한 꿈이었습니다. 육군은 독립군과 광복군의 정신을 이어받아 세계 최고 수준의 K2전차, K9자주포, K21장갑차를 운용하는 '첨단 강군'으로 성장했습니다. 일본군이 버리고 간 경비정과 녹슨 전함으로 창설한 해군은 이지스함을 포함한 구축함 아홉 척, 잠수함 열아홉 척 등 모두 150여 척의 함정을 운용하는 대양해군이 되었습니다. 1949년, 스무대의 경비행기밖에 갖추지 못했던 공군은 세계에서 여덟 번째로 첨단 초음속전투기 KF-21을 자체 개발하고, 강력한 우주공군으로 비상하고 있습니다. 지금 우리는 종합군사력 세계 6위에 오른 군사강국입니다. 4차 산업혁명과 우주 시대의 새로운 안보환경에 대비하며 누구도 넘볼 수 없는 방위력을 이뤄가고 있습니다.

백범 김구 선생은 '높은 문화의 힘을 가진 나라'를 꿈꿨습니다. 오늘 우리 문화예술은 세계를 무대로 그 소망을 이뤄내고 있습니다. BTS는 신곡을 이어가며 빌보드 순위 1위를 지키는 최초의 기록을 세우고 있습니다. 영화 〈기생충〉은 칸 영화제와 아카데미를 석권했고, 윤여정 배우는 아카데미 여우조연상을 수상했습니다. K-팝과 영화뿐만 아니라 게임, 드라마, 웹툰, 애니메이션을 비롯한 다양한 분야의 콘텐츠가 전 세계에서 사랑받으며, 지난해 수출액이 사상 처음 100억 불을 돌파했습니다. 우리 문화·예술의 높은 역량은 현대적이고 대중적인 분야에 그치지 않습니다. 클래식 음악과 발레 같은 전통 문화·예술 분야에서도 우리 문화예술인들의 성취는 탁월합니다. 전통과 현대를 조화롭게 수용한 우리 문화예술인들이 창의성과 열정으로 이룬 것입니다. 문화예술을 사랑하는 우리 민족의 저력입니다.

국민 여러분,

우리는 언제나 새로운 꿈을 꾸었습니다. 꿈을 잃지 않았기에 여기까지 왔습니다. 독립과 자유, 인간다운 삶을 향한 꿈이 해방을 가져왔습니다. 지난 6월 유엔무역개발회의는 만장일치로, 개발도상국 중 최초로 우리나라를 선진국으로 격상했습니다. 이제 선진국이 된 우리는 다시 꿈꿉니다. 평화롭고 품격 있는 선진국이 되고 싶은 꿈입니다. 국제사회에서 제 몫을 다하는 나라가 되고자 하는 꿈입니다. 우리는 누구도 가보지 못한 길을 열어왔습니다. 식민지와 제3세계 국가에서 시작해 개발도상국의 '새로운 성공 모델'을 만들어냈습니다. 우리의 성장 경험을 개도국들과 공유할 수 있다는 것이 우리만이 가진 가장 큰 강점이 되었습니다. 코로나의 거센 도전에 맞서며 우리 국민이 가진 높은 공동체 의식의 힘을 보여주었고, 인류가 위기를 극복하는 모범이 되었습니다. 우리에게는 선조들에게서 물려받은 강인한 '상생과 협력의 힘'이 있습니다.

식민지배의 굴욕과 차별, 폭력과 착취를 겪고서도 우리 선조들은 해방 공간에서 일본인들에 대한 복수 대신 포용을 선택했습니다. 우리는 언제나 꿈을 이루기 위해 마음을 모았습니다. 위기 앞에서는 더욱 뭉쳤습니다. 서로에게 힘이 되며 숱한 위기를 기회로 반전시켰습니다. 상생 협력의 힘이 있기에 우리는 새로운 꿈을 향해 나아가며, 포스트 코로나 시대를 선도하게 될 것입니다. 촛불혁명으로 국민 모두가 함께 꾼 꿈은 '나라다운 나라', '함께 잘 사는 나라'였습니다. 우리는 주52시간제와 최저임금 인상, ILO 핵심협약 비준으로 노동기본권을 확대하고 있습니다. 고용보험 확대와 기초연금 인상, 건강보험 보장성 강화와 치매국가책임제로 우리 사회의 포용성을 높이고 있습니다. 코로나 위기 역시 어느 선진국보다 안정적으로 극복하고 있습니다. 델타 변이 확산으로 인한 4차 유행도 반드시 이겨낼 것입니다. 백신 접종도 목표에 다가가고 있습니다. 10월이면 전 국민의 70%가 2차 접종까지 완료할 것이며, 목표 접종률을 더욱 높일 것입니다.

우리는 함께 회복하고, 함께 도약할 것입니다. 코로나로 인한 소상공인의 피해를 두텁게 보상하고, 양질의 일자리 창출과 취약계층의 고용 기회를 늘리는데 있는 힘을 다하겠습니다. 저소득층 생계지원을 확대하여 격차를 줄이는 포용적 회복을 이루겠습니다. 세계 질서가 새롭게 형성되고 있습니다. 대한민국은 역사의 중요한 분기점에 서서 선도국가로 나아갈 기회를 맞고 있습니다. 선도형 경제는 창의적인 아이디어를 핵심 경쟁력으로 삼는 경제이며, 사람을 중심으로 성장하는 경제입니다.

지난해까지 유니콘 기업이 열다섯 개로 늘었고, 올해 상반기 벤처투자가 역대 최대 실적을 기록하는 등 제2벤처붐이 확산되고 있습니다.

조선 수주 세계 1위, 자동차 세계 5강, 메모리 반도체에 이어 시스템 반도체와 배터리, 바이오에서도 선전하며 역대 최대 수출 기록을 새롭게 쓰고 있습니다. 정부는 경제에 혁신과 상생과 포용의 가치를 심어 더욱 강하게 만들 것입니다. 2025년까지 총 220조 원을 투자하는 한국판 뉴딜은 '사람' 중심의 '혁신적 포용국가'를 향한 로드맵이자, 새로운 도약을 이룰 국가발전 전략입니다. 정부는 한국판 뉴딜에 디지털 뉴딜, 그린 뉴딜과 함께 휴먼 뉴딜을 또 하나의 축으로 세웠습니다. 전 국민 고용보험, 생계급여 부양의무자 기준 전면 폐지 등 사회안전망을 더 촘촘히 구축하고, 사람에 대한 투자로 디지털과 그린 전환을 이끌겠습니다. 소프트웨어와 인공지능을 비롯한 미래 인력양성을 통해 청년들에게 좋은 일자리를 제공할 것입니다. 디지털과 그린 전환의 과정에서 뒤처지는 국민이 없도록 공정한 전환에도 힘쓰겠습니다. 우리 정부가 추구해온 국가균형발전의 꿈은 지역균형 뉴딜을 통해 이뤄질 것입니다. 지방 재정 분권을 더욱 강화하고, '동남권 메가시티'와 같은 초광역 협력모델의 성공과 확산을 통해 수도권 집중 추세를 반전시켜야 합니다. 경기가 빠르고 강한 회복세를 보이고 있지만, 아직 그 온기가 미치지 못하는 곳이 많습니다. 경제회복의 혜택을 모두에게 나누어 '함께 잘 사는 나라'의 꿈을 반드시 체감할 수 있는 현실로 만들겠습니다.

품격있는 선진국이 되는 첫 출발은 존중하고 배려하는 문화입니다. 차별과 배제가 아닌 포용과 관용의 사회로 한 발 더 전진해 나가야 하겠습니다. 사회적 약자를 배려하고 서로의 처지와 생각이 다름을 인정하고 존중할 때, 우리 사회는 품격 있는 나라, 존경받는 선진국으로 나아갈 수 있을 것입니다.

존경하는 국민 여러분,

우리는 선진국으로 도약하는 과정에서 국경을 넘어 상생과 협력을 실천해왔습니다. 개방과 통상국가의 길을 걸으며 7대 수출 대국으로 성장했고, 세계 경제 발전에 기여했습니다. 우리 정부 들어서도 RCEP을 비롯해 인도네시아, 캄보디아, 이스라엘과 FTA를 타결하며 협력의 폭을 넓혔습니다. 세계가 함께 대응하지 않으면 코로나를 이길 수 없고, 기후위기를 극복할 수 없습니다. 대한민국은 선진국과 개도국의 상생협력을 이끄는 가교 국가 역할을 해나갈 것입니다. 대한민국이 G7정상회의에 2년 연속 초청된 것은 새로운 세계질서의 태동을 의미합니다. 개방과 협력으로 키운 우리의 역량을 바탕으로 코로나 위기 극복과 함께 코로나 이후 세계 경제 재건과 평화질서에 적극 이바지할 것입니다. 특히, 개도국에서 선진국으로 발전한 우리의 성장 경험과 한류 문화, K-방역을 통해 쌓은 소프트파워를 토대로 새로운 시대의 가치와 질서 형성에 앞장설 것입니다.

첫째, '백신 허브 국가'로 도약하겠습니다. 우리는 세계 2위의 바이오 의약품 생산능력, 한미 백신 파트너십 등에 기반해 인류 공동의 감염병 위기 극복에 앞장설 것입니다. 지난 5일 출범한 '글로벌 백신 허브 추진위원회'가 중심이 되어 백신 원부자재 개발부터 수급까지 집중 지원하겠습니다. 내년 상반기까지 국산 1호 백신을 상용화하는데 정부가 기업과 함께 하겠습니다.

둘째, 글로벌 공급망에서 우리의 역할을 더욱 높이겠습니다. 세계 최고의 경쟁력을 갖추고 있는 반도체와 배터리 산업은 우리가 글로벌 공급망 안정에 기여할 수 있는 분야입니다. 기술격차를 더욱 벌려 글로벌 선도기지의 위상을 공고히 하겠습니다.

셋째, 기후위기 대응에 우리가 해야 할 책임을 다하겠습니다. 우리는 지난해, '2050 탄소중립 선언'이라는 새로운 이정표를 세웠습니다. 환경을 위해 자발적으로 실천해 온 우리 국민들과, ESG 경영에 적극적으로 나선 기업들의 노력이 있었기에 세울 수 있었던 이정표입니다. 정부는 지난 5일 발표한 '2050 탄소중립 시나리오'를 토대로 국민 여론을 폭넓게 수렴하고 올해 안에, 실현가능한 2030년 감축목표를 공약하여 국제사회의 일원으로서 책임을 다할 것입니다.

'2050 탄소중립'은 결코 쉽지 않은 목표지만 그렇다고 부담으로만 인식할 필요는 없습니다. 탄소중립을 위한 전 세계적인 사회·경제적 대전환은 지금까지 유례가 없었던 새로운 혁신을 일으키고 많은 일자리를 만들어 낼 것입니다. 우리가 선도국가로 도약할 수 있는 절호의 기회이기도 합니다. 정부는 친환경차와 배터리, 수소경제를 미래 성장동력으로 키워왔고 석탄 발전을 줄이면서 태양광, 해상풍력과 같은 신재생에너지를 확충하고 있습니다. 우리가 앞서가고 있는 분야를 중심으로 선도적으로 저탄소 경제 전환을 추진해갈 것입니다. 국제적인 연대와 협력의 폭도 넓혀 가겠습니다. 특히 석탄화력발전 의존도가 큰 개발도상국들의 에너지 전환을 돕고, 우리의 '그린 뉴딜' 경험과 녹색 기술을 공유하겠습니다.

존경하는 국민 여러분,

해방 다음날인 1945년 8월 16일, 민족의 지도자 안재홍 선생은 삼천만 동포에게 드리는 방송 연설을 했습니다. 조선건국준비위원회 부위원장이었던 선생은 패전한 일본과 해방된 한국이 동등하고 호혜적인 관계로 나아가자고 제안했습니다. 식민지 민족의 피해의식을 뛰어넘는 참으로 담대하고 포용적인 역사의식이 아닐 수 없습니다. 해방으로 민족의식이 최고로 고양된 때였지만, 우리는 폐쇄적이거나 적대적인 민족주의로 흐르지 않았습니다. 아시아를 넘어 세계 평화와 인류의 행복을 추구하는 것은 3·1독립운동의 정신입니다. 대한민국임시정부와 해방된 국민들이 실천해 온 위대한 건국의 정신입니다. 대한민국은 한결같이 그 정신을 지켜왔습니다.

한일 양국은, 국교 정상화 이후 오랫동안 민주주의와 시장경제라는 공통의 가치를 기반으로 분업과 협력을 통한 경제성장을 함께 이룰 수 있었습니다. 앞으로도 양국이 함께 가야 할 방향입니다. 우리 정부는 양국 현안은 물론 코로나와 기후위기 등 세계가 직면한 위협에 공동대응하기 위한 대화의 문을 항상 열어두고 있습니다. 바로잡아야 할 역사문제에 대해서는 국제사회의 보편적인 가치와 기준에 맞는 행동과 실천으로 해결해 나갈 것입니다. 한일 양국이 지혜를 모아 어려움을 함께 극복해 나가며, 이웃 나라다운 협력의 모범을 보여주게 되길 기대합니다.

올해는 남북이 유엔에 동시 가입한 지 30년이 되는 해입니다. 그 1년 전인 1990년, 동독과 서독은 45년의 분단을 끝내고 통일을 이뤘습니다. 동독과 서독은 신의와 선의를 주고받으며 신뢰를 쌓았고, 보편주의, 다

원주의, 공존공영을 추구하는 '독일모델'을 만들었습니다. 또한 과거에 대한 진정성 있는 반성으로 통일에 대한 주변국들의 우려를 극복하며, 세계의 보편적 가치와 기준을 이끌어가는 EU의 선도국이 되었습니다. 우리에게 분단은 성장과 번영의 가장 큰 걸림돌인 동시에 항구적 평화를 가로막는 강고한 장벽입니다. 우리도 이 장벽을 걷어낼 수 있습니다. 비록 통일에는 더 많은 시간이 걸릴지라도 남북이 공존하며, 한반도 비핵화와 항구적 평화를 통해 동북아시아 전체의 번영에 기여하는 '한반도 모델'을 만들어 낼 수 있습니다.

'동북아 방역·보건 협력체'는 지금 정보공유와 의료방역 물품 공동비축, 코로나 대응인력 공동 훈련 등 협력사업을 논의하고 있습니다. 코로나의 위협이 결코 일시적이지 않다는 것이 분명해진 지금 그 중요성은 더욱 커졌다고 할 수 있습니다. 협력을 확대해 나가면서 동아시아 생명공동체의 일원인 북한도 함께 참여할 수 있도록 노력하겠습니다. 한반도의 평화를 공고하게 제도화하는 것이야말로 남과 북 모두에게 큰 이익이 됩니다. 특히 대한민국이, 이른바 코리아 디스카운트를 떨쳐내고, 사실상의 섬나라에서 벗어나 대륙으로 연결될 때 누릴 수 있는 이익은 막대합니다. 우리가 지치지 않고 끊임없이 한반도 평화를 꿈꾼다면, 우리의 상상력은 한반도를 넘어 유라시아를 넘나들 것입니다. 화해와 협력의 노력을 그치지 않는다면, 강고한 장벽은 마침내 허물어지고, 우리가 상상하는 이상의 새로운 희망과 번영이 시작될 것입니다.

존경하는 국민 여러분, 독립유공자와 유가족 여러분, 해외동포 여러분,

우리는 식민지와 전쟁의 폐허 속에서도 더 나은 미래를 향한 열정과 꿈을 간직했습니다. 보란 듯이 발전한 나라, 나와 이웃이 함께 잘 사는 나라, 분단을 극복하고 평화를 지향하는 나라를 향해 걸어왔습니다. 외국에 나가게 되면 누구나 느끼게 되지만 우리는 우리 스스로 생각하는 것보다 훨씬 높은 평가를 받고 있습니다. 국제 사회는, 경제와 방역, 민주주의와 문화예술을 비롯한 많은 분야에서 대한민국이 보여주는 역량과 성취에 놀라워하고 있습니다. 우리는 지난날의 대한민국이 아닙니다. 우리 스스로 자부심을 가지고 새로운 꿈을 꿀 차례입니다. 그 꿈을 향해 국민 모두가 함께 나아가길 바랍니다. 자유와 평화를 향한 강인한 의지와 공동체를 위한 헌신, 연대와 협력의 위대한 유산을 물려주신 선열들께 마음을 다해 존경을 바칩니다.

감사합니다.

Ariel Henry 총리님과 아이티 국민에게 깊은 위로의 뜻을 전합니다

| 2021-08-16 |

8월 14일 아이티에서 발생한 지진으로 많은 인명피해와 손실이 이어지고 있는 것을 매우 가슴 아프게 생각합니다. 대한민국 정부와 국민을 대표하여 Ariel Henry 총리님과 아이티 국민에게 깊은 위로의 뜻을 전합니다. 총리님을 중심으로 아이티 국민이 하나가 되어 이번 사태가 조속히 수습되고, 지진 피해자와 그 가족, 그리고 아이티 국민 모두가 슬픔과 고통으로부터 하루빨리 회복되기를 진심으로 기원합니다. 대한민국 정부는 아이티의 긴급 구호를 위한 국제사회의 지원 노력에 동참해 나갈 것입니다.

故 홍범도 장군 훈장 추서식 모두발언

| 2021-08-17 |

존경하는 국민 여러분, 내외 귀빈 여러분,

지난 15일 광복절 날 대한민국 독립전쟁의 영웅이자 겨레의 긍지인 홍범도 장군을 마침내 조국에 모셨고, 오늘 대한민국 최고의 훈장을 추서하게 되었습니다. 장군은 1907년 의병대를 조직해 일본군과 맞섰고, 1919년 3·1독립운동으로 분출된 민족의 의기를 모아 대한독립군을 창설해 국내진공작전을 펼쳤습니다. 이듬해인 1920년, 일본군 정규부대에 맞서 '독립전쟁 첫 대승리'인 봉오동 전투와 청산리 대첩을 승리로 이끌며 독립전쟁사 최고의 전과를 일궈냈습니다. 장군은 일본군조차 '하늘을 나는 장군'이라 부르며 경외했을 정도로 용맹했지만, 카자흐스탄에서는 한없는 인자함과 겸손함으로 고려인 공동체의 화합과 발전을 이끌었습니다. 한반도를 떠나 간도로, 다시 연해주에서 머나먼 중앙아시아 크즐오르다까지 장군이 걸어간 길은 자유와 평화, 정의와 평등을 향한 장엄한 여정이었습니다.

그토록 바라던 조국의 광복을 2년 앞둔 1943년 10월 25일, 장군은 크즐오르다에서 향년 75세를 일기로 별세하셨습니다. 그리고 지난 15일, 평생의 소원대로 독립을 이룬 고국으로의 마지막 여정을 마치셨습니다. 봉오동 전투와 청산리 전투가 있은지 100년 만입니다. 장군께 드리는 건국훈장 대한민국장은 대한민국의 영광인 동시에, 장군의 정신을 지키겠다는 굳은 다짐입니다.

국민 여러분, 내외 귀빈 여러분,

50년 전인 1962년, 대한민국 정부는 장군께 건국훈장 대통령장을 수여했습니다. 그러나 안타깝게도 장군의 후반기 생애는 1980년대에 이르기까지 우리 국민에게 잘 알려지지 않았습니다. 1992년 한국이 카자흐스탄과 수교한 후에야 일제강점기 연해주의 우리 동포들이 중앙아시아에 강제이주될 때 카자흐스탄이 우리 동포들을 따뜻이 품어 주었고, 우리 동포들도 카자흐스탄의 발전과 화합에 적지 않은 기여를 했다는 사실이 알려졌습니다. 그와 함께 카자흐스탄은 물론 중앙아시아 고려인들의 자부심이자 정신적 기둥이었던 장군의 전 생애가 전설 속에서 걸어 나와 위대한 역사적 사실로 우뚝 서게 되었습니다. 한국과 카자흐스탄 양국의 우정은 이처럼 단순한 외교 관계가 아닙니다. 양국 사이에는 홍범도 장군과 고려인 동포들이 있고, 포용과 상생의 힘으로 고난의 역사를 극복해온 공통의 경험이 있습니다.

한국과 카자흐스탄은 장군의 유해 봉환을 위해 긴밀히 협력해왔습니다. 특히 토카예프 대통령께서는 2019년 계봉우, 황운정 지사에 이어 장군을 고국에 모시고자 하는 우리 국민의 열망에 깊은 공감과 존중을 표명해 주셨습니다. 유해 봉환에 각별한 관심과 지원을 보내 주신 토카예프 대통령님과 카자흐스탄 정부에 대한민국 국민의 마음을 담아 깊은 감사의 인사를 드립니다. 장군과 함께 공동체를 일궈낸 고려인 1세대들을 비롯하여 장군을 가장 사랑했던 고려인 동포들께도 깊이 감사드립니다. 홍범도 장군의 유해 봉환이 토카예프 대통령님의 국빈 방한과 함께 이루어져 더욱 뜻깊게 생각합니다. 대통령님은 오늘 장군에 관한 소중한 기념물까지 직접 기증해 주셨습니다. 이제 장군은 양국 우정과 신뢰의 굳건한 상징이 되었습니다. 장군의 정신은 양국 간 상생과 포용, 평화와 번영을 향한 협력의 이정표가 될 것입니다.

한국 정부는 국민들과 함께 장군의 정신을 기리고, 카자흐스탄과의 우정을 양국 번영으로 실현하기 위해 최선을 다할 것입니다. 양국 정상회담에 앞서 장군에 대한 최고 훈장 추서식을 토카예프 대통령님과 함께 갖게 되어 더욱 뜻깊게 생각하며, 함께해 주신 토카예프 대통령께 다시 한번 감사드립니다. 장군을 생각할 때마다 카자흐스탄과 고려인 동포들을 함께 생각하겠습니다.

감사합니다.

한-카자흐스탄 정상회담 모두발언

| 2021-08-17 |

토카예프 대통령님,

2년 전 누르술탄에서 받았던 환대가 생생한데 이번에 서울에서 대통령님을 뵙게 되어 매우 반갑습니다. 코로나 이후 한국 국민들이 맞는 첫 국빈입니다. 카자흐스탄 독립 30주년, 대한민국 광복 76주년을 맞아 특별손님으로 방문해 주셔서 기쁩니다. 홍범도 장군이 이끈 봉오동 전투와 청산리 전투는 한국 국민들에게 아주 중요한 항일독립운동의 역사입니다. 한국 국민들은 2019년 계봉우 지사와 황운정 지사에 이어 장군의 유해 봉환에 협조해 주신 대통령님과 카자흐스탄에 매우 감사하며, 오래도록 기억할 것입니다.

카자흐스탄은 독립 이후 적극적인 대외 개방과 협력을 통해 중앙아시아에서 가장 빠르게 성장하고 있습니다. WTO 각료회의 의장국, CICA 창설 주도국이자 의장국으로서 다자 협력에서도 리더십을 발휘하고 있습니다. 대통령님의 탁월한 지도력을 중심으로 2050년까지 목표대로 세계 30대 선진국이 될 것이라 확신합니다.

한국 국민들은 카자흐스탄에 많은 애정을 가지고 있습니다. 유라시아 대륙의 중심, 동서양이 만나서 빚어낸 아름다운 문화를 자랑하고, '카자흐'라는 이름처럼 개방적이고 관용적입니다. 양국 간의 인연은 고대 실크로드 시대의 교류로까지 거슬러 올라갑니다. 또한 80여 년 전 극동에서 이주해 온 고려인 동포들을 따뜻하게 품어 준 카자흐스탄 국민들의 포용적인 마음을 한국 국민들은 매우 고맙게 기억하고 있습니다.

카자흐스탄은 중앙아시아 내 한국의 최대 교역국이자 투자 대상국입니다. 양국은 수교 이래 30년간 우호 협력 관계를 발전시켜 왔고, 지난해 코로나 상황 속에서도 활발하게 비대면 교류를 하며 긴밀하게 소통했습니다. 카자흐스탄은 우리 정부가 추진하고 있는 신북방정책의 중요 파트너로서 양국 관계는 앞으로 더욱 발전해 나갈 많은 잠재력을 가지고 있습니다. 이번 대통령님의 국빈 방한이 양국의 우정을 더욱 깊게 하고, 함께 번영의 길로 나아가는 계기가 되길 바랍니다.

토카예프 대통령님,

카자흐스탄 국민들과 고려인 동포들이 보여 주신 애정에 다시 한번 진심으로 감사드리며, 양국 관계가 형제국가처럼 더욱 발전하게 되길 기대합니다. 감사합니다.

한-카자흐스탄 주요 경제인 간담회 모두발언

| 2021-08-17 |

토카예프 대통령님, 카자흐스탄과 한국의 경제인 여러분,

코로나 위기를 넘어 회복과 도약의 길을 열고 있는 두 나라 경제 주역들이 한자리에 모였습니다. 코로나에 맞서는 힘이 '연대와 협력'에 있듯이 경제 재건의 열쇠 또한 얼마나 잘 협력하느냐에 달려 있습니다. 오늘 간담회가 양국의 경제 협력을 굳건히 다지는 계기가 되길 기대합니다.

경제인 여러분,

1992년 수교 이후 양국은 활발한 경제 교류를 이어왔습니다. 한국의 카자흐스탄 투자는 210만 불에서 40억 불로 늘어났고, 천만 불에 그

쳤던 교역 규모도 2019년 40억 불을 넘어섰습니다. 그러나 아직 시작에 불과합니다. 상호보완적 경제구조와 공통의 목표를 가진 두 나라가 더 긴밀하게 협력한다면 훨씬 큰 시너지를 만들어낼 수 있습니다. 카자흐스탄은 풍부한 자원을 활용해 독립 30년 만에 눈부신 성장을 이뤘고, 2050년 세계 30대 선진국 진입을 목표로 산업 다변화와 디지털·그린 경제 전환에 힘쓰고 있습니다. 한국의 뉴딜 정책과 경제 발전 경험, 기술력을 함께 나눈다면 카자흐스탄의 새로운 도약에 추동력을 더하게 될 것입니다.

한국 경제도 카자흐스탄과 함께 더 멀리 뻗어 나갈 수 있습니다. 유럽과 중동, 아시아의 교차점에 자리한 카자흐스탄은 '누를리 졸' 정책을 추진하며 교통과 물류, 에너지, 산업 인프라 구축에 박차를 가하고 있습니다. 한국의 신북방 정책과 결합한다면 양국 경제 발전은 물론 유라시아의 공동 번영에도 기여하게 될 것입니다. 중앙아시아 최초의 민관 합작 투자 프로젝트인 '알마티 순환도로 건설사업'에 한국 기업이 참여하고 있습니다. 두 나라 기업이 합작 설립한 알마티 자동차 공장은 올해부터 본격적인 생산에 돌입했고, 한국의 PCR 진단 기업이 카자흐스탄에 진출해 코로나 대응에 힘을 보태고 있습니다. 오늘 오전 토카예프 대통령님과 정상회담에서 빅데이터, 5G, 바이오헬스, 우주개발까지 신산업 분야 협력을 한층 강화하기로 합의했습니다. 중장기 협력 프로그램 '프레시 윈드'의 성과를 높여 나가는 한편, 수자원 관리, 무역 분야 MOU를 체결해 협력의 범위를 확대하기로 했습니다. 양국 기업에게 실질적인 도움이 되길 바랍니다.

양국 경제인 여러분,

카자흐스탄과 한국은 멀리 떨어져 있지만 까마득한 고대 시기부터 실크로드를 통해 문화를 주고받았습니다. 연대와 협력의 가치가 어느 때보다 소중한 지금, 두 나라 기업과 정부가 손을 맞잡고 상생번영의 미래를 향해 새로운 실크로드를 열어가길 기대합니다.

감사합니다.

홍범도 장군 유해 안장식 추모사

| 2021-08-18 |

존경하는 국민 여러분, 국내외 동포 여러분,

3·1 독립운동의 정신 위에서 수립된 대한민국임시정부는 1920년을 '독립전쟁의 원년'으로 선포했습니다. 그해 치러진 '독립전쟁 1회전', '독립전쟁 첫 승리'라고 불렸던 봉오동 전투와, 독립전쟁 최대의 승리, 청산리 대첩을 이끌었던 독립전쟁의 영웅, 대한독립군 총사령관 홍범도 장군이 오늘 마침내 고국산천에 몸을 누이십니다. 봉오동 전투와 청산리 전투 101주년, 장군이 이역만리에서 세상을 떠나신 지 78년, 참으로 긴 세월이 걸렸습니다. 장군의 유해봉환을 위해 적극 협력해주신 카자흐스탄 정부와 고려인 동포 여러분께 다시 한번 깊은 감사의 마음을 전합니다.

장군이 안식을 취할 이곳 국립대전현충원에는 많은 애국지사들이 잠들어 계십니다. 지난 2019년, 카자흐스탄에서 먼저 조국으로 돌아오신 황운정 지사 부부, 장군과 함께 봉오동 전투에서 싸웠던 이화일, 박승길 지사, 청산리 전투에서 함께 싸웠던 김운서, 이경재, 이장녕, 홍충희 지사가 잠들어 계십니다. 장군을 이곳에 모시며, 선열들이 꿈꾸던 대한민국을 향해 끊임없이 전진할 것을 다시 한번 다짐합니다.

봉오동 전투와 청산리 전투는 평범한 사람들이 함께 만든 '승리와 희망의 역사'입니다. 나라를 되찾겠다는 의기 하나로 모여든 무명의 청년들과 간도 지역으로 이주한 수십만 동포들이 승리의 주역이었습니다. 모두가 함께 만든 승리는, 나라를 잃은 굴종과 설움을 씻고, 일제 지배에 억압받던 삼천만 민족에게 강렬한 자존심과 자주독립의 희망을 심어주었습니다.

국민 여러분,

장군은 독립전쟁의 전투에서 많은 승리를 거두었지만, 망명지 연해주에서 17만 고려인 동포들과 함께 머나먼 중앙아시아로 강제이주되었습니다. 1937년 9월, 극동에서 출발한 열차가 처음 도착한 곳은, 카자흐스탄 우슈토베였습니다. 당시 카자흐스탄도 대기근을 겪은 직후의 어려운 환경이었습니다. 카자흐스탄 국민들은 자신들이 어려운 가운데서도 기꺼이 고려인 동포들에게 도움의 손길을 내밀고 따뜻하게 품어주었습니다. 독립운동가들의 강인한 정신을 이어받은 고려인 동포 1세대는 정착 초기의 어려움과 고난을 극복하고 새로운 삶의 터전을 일궈냈습니다.

척박한 중앙아시아 지역에서 처음으로 논농사를 시작하여 벼 재배의 북방한계선을 끌어 올렸습니다. 장군은 중앙아시아 고려인 공동체의 정신적 지주가 되었고, 중앙아시아인들은 고려인들의 근면함에 크게 감동받았습니다. 고려인 동포들은 민족의 자부심과 정체성을 지키면서, 카자흐스탄과 우즈베키스탄을 비롯한 중앙아시아 나라들의 발전에 크게 기여했습니다. 작가와 예술가들은 모국어를 지키며 우리 문화와 예술을 이어갔고, 카자흐스탄에서만 460명의 석·박사, 68명의 노동 영웅, 150여 명의 공훈근로자를 비롯해 정치, 경제, 문화, 과학기술 등 사회 모든 분야에서 존경받는 많은 인재들을 배출했습니다.

장군의 불굴의 무장투쟁은 강한 국방력의 뿌리가 되었습니다. 1,800톤급 잠수함 '홍범도 함'은 긍지와 함께 필승의 신념으로 동해 앞바다를 지키고 있습니다. 육군사관학교는 2018년, 99주년 3·1절을 기념해 생도들이 훈련에 사용한 탄피 300kg으로 장군을 비롯한 독립 영웅들의 흉상을 육사 교정에 세웠습니다. 신흥무관학교 설립자 이회영 선생과 홍범도, 김좌진, 지청천, 이범석 장군의 숭고한 애국정신 위에서 대한민국은 종합군사력 세계 6위의 군사 강국으로 자주국방의 꿈을 이어가고 있습니다.

존경하는 국민 여러분, 국내외 동포 여러분,

장군은 우리 민족 모두의 영웅이며, 자부심입니다. 매년 수많은 사람들이 크즐오르다에 조성된 '홍범도 거리'와 공원 묘역을 찾고 있습니다. 정부는 카자흐스탄에 있는 장군의 묘역 관리 등 고려인 사회의 자부심이 변함없이 이어질 수 있도록 적극 지원하겠습니다. 조국을 떠나 만주로, 연해주로, 중앙아시아까지 흘러가야 했던 장군을 비롯한 고려인 동포들의 고난의 삶 속에는 근현대사에서 우리 민족이 겪어야 했던 온갖 역경이 고스란히 배어있습니다. 우리는, 다시는 그런 역사를 되풀이하지 않도록 절치부심해야 합니다. 선조들의 고난을 뒤돌아보며 보란 듯이 잘사는 나라, 누구도 넘보지 못하는 강한 나라, 국제사회에서 존중받는 나라를 반드시 만들어야 합니다. 그러기 위해선 우리 스스로 우리를 존중해야 합니다. 우리의 독립운동사를 제대로 밝히고, 독립유공자들과 후손들을 제대로 예우하는 것이 그 시작일 것입니다. 아직도 조국으로 돌아오지 못한 애국지사들이 많고, 제대로 평가받지 못한 독립운동가들이 많으며, 가려진 독립운동의 역사가 많습니다. 열 권 분량의 〈홍범도〉 대하 서사시를 완결한 바 있는 이동순 시인은, 이제야 긴 여행을 끝내고 고국으로 돌아온 장군의 마음을 이렇게 표현했습니다.

> "나 홍범도, 고국 강토에 돌아왔네. 저 멀리 바람 찬 중앙아시아 빈 들에 잠든 지 78년 만일세. 내 고국 땅에 두 무릎 꿇고 구부려 흙냄새 맡아보네. 가만히 입술도 대어보네. 고향 흙에 뜨거운 눈물 뚝뚝 떨어지네."

우리는 수많은 시련과 역경을 이겨내며 민주주의와 경제발전을 이뤘고, 드디어 선진국으로 도약했습니다. 장군의 귀환은 어려운 시기, 서로를 믿고 의지하며 위기극복에 함께하고 있는 대한민국 모든 국민들에게 큰 희망이 될 것입니다. 장군이 고향 흙에 흘린 눈물이 대한민국을 더 강하고 뜨거운 나라로 이끌어줄 것입니다.

홍범도 장군님, 잘 돌아오셨습니다.

부디 편히 쉬십시오.

감사합니다.

전북 군산형 일자리, 에디슨모터스 공장 준공식 영상 축사

| 2021-08-19 |

존경하는 국민 여러분, 전북도민과 군산시민 여러분,

'군산형 일자리' 1호 공장 에디슨모터스 공장의 준공을 진심으로 축하합니다. 지역의 양대 노총이 함께 상생협약을 마련했고, 군산시민들의 참여까지 더해진 소중한 성과입니다. 우리사주제, 노동자 이사회 참관제로 노사 간 협력 관계를 구축했으며, 기업들은 '벨류 체인 협약'으로 R&D, 마케팅, 물류 등 협력사업에서 상생하기로 약속했습니다. 일자리가 줄어드는 어려운 상황에서 도약의 기회를 만들어낸 결실입니다. 참으로 값진 일이 아닐 수 없습니다.

에디슨모터스 공장의 준공은 군산의 전기차 시대를 알리는 힘찬 기적소리이기도 합니다. 앞으로 군산과 새만금 일대에 5,171억 원이 투자

될 것입니다. 1,700여 개의 일자리가 만들어지고, 연간 11만대의 전기차가 생산될 것입니다. 지역의 우수한 청년들이 성장하는 발판이 될 것이며, 지역의 기술력 있는 중견·벤처기업이 지역 인프라를 기반으로 공정한 산업 생태계를 만들어낼 것입니다. 전기차는 수소차와 함께 미래차 산업의 핵심입니다. 군산과 새만금 일대에 마련되는 친환경 미래차 산업 생태계는 대한민국 경제의 새로운 성장 동력이 될 것입니다.

국민 여러분, 전북도민과 군산시민 여러분,

군산형 일자리를 비롯한 상생형 일자리는 광주, 밀양, 횡성, 부산, 대구, 구미, 신안 등 전국 여덟 개 지역에서 국가 균형 발전이라는 대한민국의 꿈을 실현하고 있습니다. 정부는 상생형 일자리를 통해 고용 안전망을 촘촘하게 구축하겠습니다. '한국판 뉴딜 2.0'의 중요한 축인 '휴먼 뉴딜'의 실현으로 전국 모두 살기 좋은 곳으로 바꿔내겠습니다. 함께하면 해낼 수 있다는 것을 에디슨모터스 공장이 증명해 주었습니다. 정부는 지자체의 노력을 힘껏 지원하고, 일하기 좋고 기업하기 좋은 환경을 제공할 것입니다. 규제개혁, 연구개발 지원과 같은 지역 맞춤형 패키지 지원으로 상생형 일자리 사업이 지속 가능하도록 돕겠습니다.

군산은 개항 이후 위기를 수차례 겪었지만, 언제나 위기를 새로운 기회로 만들어 왔습니다. '군산형일자리' 역시 친환경 전기차, 상생형 일자리의 성공 모델이 될 것입니다. 에디슨모터스 공장의 성공으로 전국에 희망을 전파합시다. 정부도 언제나 함께하겠습니다.

감사합니다.

제2벤처붐 성과 보고회 모두발언

| 2021-08-26 |

존경하는 국민 여러분, 벤처기업인 여러분,

대한민국은 이제 '추격의 시대'를 넘어 '추월의 시대'를 맞고 있습니다. 4차 산업혁명과 포스트 코로나 시대를 주도하며, '추격형 경제'에서 '선도형 경제'로 나아가고 있습니다. 그 중심에 벤처기업인들이 있습니다. 20년 전, 1세대 벤처기업인들이 IT 강국으로 가는 디딤돌을 놓았고, 이제는 2세대 후배들이 우리 경제의 새로운 도전을 이끌고 있습니다. 오늘 그 주역들, 선후배 벤처기업인과 예비 창업자, 벤처투자자들이 함께 모였습니다. 우리는 성공과 실패의 경험을 공유하며, 더 높이 비상할 것입니다. 창의적인 아이디어와 도전 정신으로 미래를 열고 있는 벤처기업인 여러분께 깊은 감사의 인사를 드리며, 지금까지의 성과를 돌아보고 새롭게 도약하는 자리가 되길 바랍니다.

국민 여러분, 벤처기업인 여러분,

'제2벤처붐'은 규모와 질 양면에서 모두 첫 번째 벤처붐 보다 성숙하고 진화된 모습을 보여주고 있습니다. 벤처기업 수가 3만8천 개로 늘어나 당시의 네 배가 넘습니다. 코로나 상황 속에서도 연간 신규 벤처투자 규모가 지난해 사상 처음으로 4조 원을 돌파하여 20년 전보다 두 배 넘게 확대되었습니다. 법인 창업과 펀드 결성액도 역대 최고 기록을 세우고 있습니다. 상생의 벤처생태계가 자리잡으며 스타트업과 벤처기업의 성장 사다리가 견고하게 구축된 것도 크게 달라진 점입니다. 1세대 벤처기업인들이 창업투자회사나 창업기획사를 설립해 후배들을 이끌고, 대기업도 사내벤처 육성 등 혁신의 파트너로서 벤처기업의 성장을 지원하고 있습니다. 정부도 힘을 보탰습니다. 우리 정부 유일한 신생부처인 중소벤처기업부를 출범시키고, 모태펀드에 4조8천억 원을 출자해 대규모 자금을 공급했으며 정책금융 연대보증 폐지, 규제샌드박스 등 제도를 혁신했습니다. 제1벤처붐과 다른, '준비된 벤처붐'으로 우리 벤처기업들은 더 높이 도약했습니다. 2017년 세 개에 불과했던 유니콘 기업이 열다섯 개로 늘었습니다. 예비 유니콘 기업도 357개에 달합니다.

주식시장에서도, 또 세계시장에서도 우리 벤처기업들이 힘차게 약진하고 있습니다.

코스피 시가총액 상위 20위권 내에 벤처 출신 기업이 네 개나 진입했고, 코스닥 시가총액 상위 20위권 내에는 벤처기업이 열세 개에 달합니다. 뉴욕증권거래소 상장을 비롯한 글로벌 진출과 해외 투자 유치 사례도 늘고 있습니다. 닷컴 기업에 집중되었던 첫 번째 벤처붐과 달리 정보통신과 바이오·의약, 디지털 기반의 유통·서비스까지 다양한 신산업 분야에서 성공 모델이 창출되고 있어 더욱 반갑습니다. 벤처기업은 일자리에서도 든든한 주역이 되었습니다. 이미 4대 대기업 그룹의 고용 규모를 뛰어넘었습니다. 올해 상반기에는 벤처기업 일자리가 지난해 같은 기간에 비해 6만7천 개 늘어나 코로나 고용 위기 극복에 큰 힘이 되었습니다.

벤처기업인 여러분,

앞으로도 정부가 힘껏 뒷받침하겠습니다. 창업부터 성장, 회수와 재도전까지 촘촘히 지원하여 세계 4대 벤처강국으로 확실하게 도약하겠습니다.

첫째, 혁신적인 기술창업을 더욱 활성화하겠습니다. 유망 신산업 분야에 창업 지원 예산을 집중하고 지역별 창업클러스터도 신속히 구축하겠습니다. 연간 23만 개 수준의 기술창업을 2024년까지 30만 개로 늘릴 것입니다.

둘째, 인재와 자금 유입을 촉진해 벤처기업의 빠른 성장을 뒷받침하겠습니다. 우수한 인재 유치를 위해 스톡옵션의 세금 부담을 대폭 낮춰, 실질적인 인센티브가 되도록 하겠습니다. 벤처투자에 대한 지원도 더욱 늘릴 것입니다. 위험부담이 큰 초기 창업기업 투자 확대를 위해 1조 원 규모의 전용 펀드를 신규로 조성하겠습니다. 민관 합작 벤처펀드의 경우

손실은 정부가 우선 부담하고 이익은 민간에 우선 배분하여 더 많은 시중 자금이 벤처기업으로 흘러들게 할 것입니다. 경영권 부담 없이 대규모 투자를 받을 수 있는 여건도 조성하겠습니다. 비상장 벤처기업의 복수의결권 주식 발행 허용 법안이 조속히 통과될 수 있도록 국회에 협조를 구하겠습니다.

셋째, 투자 자금의 원활한 회수와 재투자를 위해 M&A 시장을 활성화하겠습니다. 중소·중견기업의 벤처기업 인수를 지원하는 기술혁신 M&A 보증 프로그램을 신설하겠습니다. 2천억 원 규모의 M&A 전용 펀드도 새롭게 조성할 것입니다. 상장기업들이 펀드를 활용해 벤처기업 합병에 적극적으로 나설 수 있도록 관련 규제를 합리적으로 바꾸어 나가겠습니다.

존경하는 국민 여러분, 벤처기업인 여러분,

도전하는 만큼 진보하고, 혁신하는 만큼 도약할 수 있습니다. '추격의 시대'에 쌓은 자신감은 간직하면서 '추월의 시대'에 맞는 새로운 성공 전략을 찾아야 합니다. 벤처산업이 그 해법을 쥐고 있습니다. 벤처는 그 자체로 혁신이며 도전입니다. 벤처 창업이 빠르게 늘어나고 성장할 때, 수많은 아이디어와 가능성이 우리 앞에 현실이 되어 있을 것입니다. 우리 경제의 현재이자 미래인 벤처기업인들의 꿈과 도전을 응원합니다. 함께 선도경제로 나아갑시다.

감사합니다.

9월

국회의장단 및 상임위원장단 초청 오찬 간담회 모두발언

수석보좌관회의 모두발언

한-몽골 화상 정상회담 모두발언

9 · 11 테러참사 20주년을 맞아, 바이든 대통령님과 미국 국민들에게 깊은 위로의 말씀을 전합니다

호주 외교 · 국방장관 접견 모두발언

2021년 글로벌 바이오 콘퍼런스 축사

제40회 국무회의 모두발언

'국제 연안정화의 날'을 맞았습니다

'왕이' 중국 국무위원 겸 외교부장 접견 모두발언

광주형 일자리 1호차 생산 기념 서면 축사

주요 경제국 포럼(MEF) 모두발언

SDG Moment(지속가능발전목표 고위급회의) 개회 세션 모두발언

제76차 유엔 총회 기조연설

화이자 회장 접견 모두발언

한미 백신 협력 협약 체결식 모두발언

글로벌 코로나19 정상회의(화상) 모두발언

독립유공자 훈장 추서식 모두발언

한미 유해 상호 인수식 기념사

국회의장단 및 상임위원장단 초청 오찬 간담회 모두발언

| 2021-09-03 |

박병석 국회의장님과 김상희, 정진석 두 분 국회 부의장님, 그리고 21대 국회 여야 상임위원장님들을 처음으로 청와대에 함께 모시게 되어서 매우 반갑고 뜻깊게 생각합니다. 새로 선출된 정진석 부의장님과 상임위원장님들께 개인적으로 축하드리고, 또 의장단 구성과 여야 간 상임위원장 배분이 원만하게 이루어진 것에 대해서도 축하 말씀을 드립니다. 코로나 위기 상황 속에서 여야 간에 본격적인 협치가 시작되는 그런 계기가 될 것으로 기대합니다.

박병석 의장님은 원만한 국회 운영을 위해서 노고가 많으셨고, 또 최근에 터키와 아제르바이잔 해외 순방에서 아주 좋은 성과를 많이 거두어 주셔서 그에 대해서도 감사를 드립니다. 정진석 부의장님은 세종의사당 설치를 위한 국회법 개정안을 야당에서 유일하게 대표발의를 하셨다고 들었는데, 여야 간의 합의를 통해서 그 법안이 아주 원만하게 잘 처리가 되기를 기대합니다. 우리 김상희 부의장님은 아직 안 오셨습니다만 홀로 부의장직을 수행하시느라고 외로웠을 텐데 이제 조금 여유를 가질 수 있을 것 같고, 특히 여야 간에 대화와 타협을 이끌 파트너가 생겨서 아주 기쁠 것이라고 생각합니다.

우리 정부는 말년이라는 것이 없을 것 같습니다. 임기 마지막까지 위기 극복 정부로서 사명을 다할 책임이 있다고 생각하고, 끝까지 최선을 다할 것입니다. 코로나로 인한 여러 가지 위기 상황을 극복하고, 또 일상 회복과 새로운 도약을 이루는 과제는 우리 정부에서 끝나지 않고 다음 정부로 이어질 수밖에 없는 그런 과제이기 때문에 국회에서도 여야를 초월해서 많이 도와주시기를 바랍니다. 대선을 앞두고 있어서 여야 간에 경쟁하지 않을 수는 없는 것이지만 경쟁은 경쟁이고 민생은 민생이라고 그렇게 생각해 주시고, 국민의 삶을 지키고 더 발전시키는 일에 함께 힘을 모아 주실 것을 당부드립니다.

특히 국회에서 입법과 예산이 뒷받침되어야 하는 그런 과제들은 어느 것 하나 쉬운 것이 없다고 생각합니다. 여·야·정 간에 대화와 타협을 통한 진정한 협치가 아주 절실하게 필요한 때입니다. 이번 정기국회가 지금까지 해결하지 못한 사회적 난제에 대해서 합의를 도출하고, 민생의 어려움을 보살피면서, 또 새로운 도약의 계기를 마련하는 그런 협치의 장이 되도록 함께 노력하자는 말씀을 드립니다.

정부는 회복, 포용, 도약의 의지를 담은 22년 예산안을 국회에 제출했습니다. 완전한 회복과 새로운 도약의 계기를 마련할 수 있도록 잘 살펴 주시기를 부탁드립니다. 또한 절반 이상을 다음 정부에서 사용하게 될 예산이다라는 점도 감안해 주시기를 바랍니다. 이번 정기국회는 우리 정부로서는 국정과제들을 매듭지을 수 있는 마지막 기회이고, 또 시급한 민생 개혁 과제들을 처리할 수 있는 소중한 시간입니다. 여기 계신 분들과 국회의 협조 없이는 불가능한 일입니다. 국정의 마지막까지 정부가 소임을 다할 수 있도록 도와주셨으면 합니다. 오늘 모처럼 함께하는 자리가 마련되었으니 하시고 싶은 말씀들 편하게 해 주시고, 또 좋은 소통의 자리가 되기를 바라겠습니다.

감사합니다.

수석보좌관회의 모두발언

| 2021-09-06 |

오늘 외부전문가로 홍성인 산업연구원 선임연구위원님 그리고 정석주 한국조선해양플랜트협회 상무님, 함께해 주셨습니다. 오늘 안건 토론에 참여해 주신 것에 대해서 다들 박수로 이렇게 맞아주시기 바랍니다.

코로나 유행의 장기화로 모두 힘든 시간을 보내고 있습니다. 서로를 위로하고 격려하며 함께 일상복귀와 민생경제의 희망을 만들어나가길 기대합니다. 지금까지 잘해 왔습니다. 어느 나라보다 위기를 잘 극복해왔고, 위기에 강한 나라, 위기일 때 더 돋보이는 대한민국의 위상을 높여왔습니다. 하지만 그 바탕에는 많은 국민들의 고통과 협력이 깔려 있다는 사실을 잘 알고 있습니다. 늘 감사한 마음입니다.

오늘부터 국민지원금 지급 절차가 시작됩니다. 지난해 전 국민 재난지원금 지급 때, 아름답고 눈물겨운 사연들이 많이 보도되었습니다. 이번에도 국민지원금이 힘든 시기를 건너고 있는 분들께 조금이나마 위로와 격려가 되었으면 합니다. 특히 취약계층과 전통시장, 동네 가게, 식당 등 소상공인, 자영업자들에게 도움이 되고 민생과 지역 경제 활성화에도 기여하길 바랍니다.

정부는 국민의 불편을 최소화하면서 신속히 지급될 수 있도록 최선을 다하겠습니다.

특히 세계 최초로 개발되어 활용되고 있는 내 손안의 개인비서, '국민비서' 알림 서비스를 통해 맞춤형 정보를 손쉽게 안내받고, 간편하게 신청하여 지급받는 시스템을 갖추었습니다. 정부는 국민지원금의 신청과 지급에 디지털 강국, 전자정부 선도국가의 역량을 최대한 발휘할 것입니다.

우리 수출이 회복을 넘어 대한민국 수출 역사를 다시 쓰고 있습니다. 8월 수출도 34.9% 증가하여 같은 달 기준으로 사상 최고치를 기록했습니다. 6개월 연속 월별 수출액 최고 기록을 경신한 것으로, 역대 최단기간 안에 수출 4천억 달러를 돌파한 것입니다. 이 추세를 유지한다면 올해 사상 최고 수출기록을 달성하게 될 것입니다.

위기 속에서 대한민국 제조업의 저력을 보여주고 있는 기업들과 노동자들의 노고에 감사와 격려의 마음을 전합니다. 양적인 면에서 놀라운 성장세와 함께 질적인 면에서도 한국 경제의 강한 경쟁력을 보여주고 있습니다. 품목별 수출 성장세를 보면, 더욱 탄탄해진 우리 경제의 면모를 알 수 있습니다. 반도체, 석유화학, 일반 기계, 자동차 등 전통적인 주력산업과 함께 신성장 유망산업이 모두 선전하며, 사상 최초로 15개 주요 품목 모두 두 자릿수 증가율을 보였습니다. 특히 바이오헬스, 이차전지, 농수산식품, 화장품 등 신산업의 수출은 모두 역대 최고치를 기록했습니다.

이 같은 수출 호조에 따라 상반기 세계 시장 점유율에서 주력 산업은 반도체, 조선, 스마트폰, OLED, TV 등이 세계 1위의 점유율을 차지하는 등 세계 시장에서 굳건한 지위를 이어가고 있습니다. 유망산업들도 급성장하여 SSD는 세계 1위 국가로 부상했고, 전기차 배터리는 전년 대비 두 배 이상 성장하여 1위 중국을 맹추격하고 있습니다. 화장품 수출도 세계 5위 반열에 진입했습니다. 코로나 위기 속에서 한국 경제는 더욱 강한 경제로 거듭나고 있는 것입니다. 앞으로 디지털 경쟁력을 더욱 강화해 나가면서 시대적 대세인 친환경·저탄소 경제 전환에 사활을 걸고 속도를 높여나간다면 우리 수출 산업의 미래경쟁력은 더욱 막강해질 것입니다.

수출 호조세가 지속되고 있지만, 내수 회복세가 더딘 것이 민생의 회복을 지연시키고 있습니다. 특히 대면 서비스업과 관광·문화업, 소상공인과 자영업 하시는 분들에게 고통의 시간이 길어지고 있어 안타까운 마음 금할 길이 없습니다. 정부는 불가피한 선택으로 고강도 방역조치를 연장하고 있지만, 최대한 빨리 일상을 회복해야 한다는 목표에 대해 한마음을 갖고 있습니다. 백신 접종률이 높아지는 대로 백신 접종 완료자들에 대한 인원 제한을 완화하는 등 앞으로 점점 더 영업 정상화의 길로 나아갈 수 있도록 최선을 다하겠습니다.

다행스럽게도 국민들의 적극적 참여 덕분에 백신 접종률이 빠르게 올라가고 있습니다. 1차 접종자 수가 3천만 명을 넘어서며 18세 이상 성인의 접종률이 70%에 다가가고 있고, 접종 완료율도 40%를 넘어 가파르게 상승하는 등 최근 세계에서 가장 빠른 접종 속도를 보이고 있습니다. 우리가 백신 접종에서도 앞서가는 나라가 되는 것이 얼마 남지 않았습니다. 백신 접종률이 높아지는 만큼 코로나 상황이 진정되어 나가면 방역과 일상을 조화시킬 수 있는 새로운 방역체계로의 점진적인 전환을 모색할 수 있을 것입니다. 마지막 고지를 바라보며 함께 힘을 내자는 말씀을 드립니다. 이상입니다.

한-몽골 화상 정상회담 모두발언

| 2021-09-10 |

후렐수흐 대통령님,

새응배노(Сайн байна уу), 안녕하십니까, 총리로 방한하셨던 지난 2018년에 반갑게 만난 후 3년 만에 화상으로 뵙습니다. 지난 6월 역대 가장 높은 득표율로 대통령에 당선되신 것을 다시 한번 축하드립니다. 대통령께서는 몽골 국민의 깊은 존경과 신뢰를 받고 계십니다. 혁명 100주년을 맞은 몽골이 대통령님의 탁월한 리더십과 '비전 2050' 정책을 중심으로 더 큰 발전과 도약을 이루리라 믿습니다.

대통령님의 첫 번째 정상회담 상대국이 되어 큰 영광이며, 한-몽 관계의 새로운 30년을 향해 내딛는 양국 정상의 첫걸음이라는 점에서 의미가 더욱 각별합니다. 한국은 몽골의 5대 교역국이고 몽골은 우리 신북방정책의 주요 파트너입니다. 양국은 수교 당시에 비해 교역 규모가 110배나 증가할 만큼 빠르게 협력을 확대해 왔고, 연간 상호 방문 인원이 20여만 명에 달할 정도로 우의를 쌓아 왔습니다.

하지만 아직 충분하지 않습니다. 양국은 지금까지의 성과보다 더 큰 협력 잠재력을 가지고 있습니다. 친환경, 투자, 유통, 광물업을 비롯한 다양한 분야에서 우리는 새롭게 협력하며 공동 번영을 이뤄갈 수 있습니다. 몽골과 한국은 오늘 양국 관계를 「전략적 동반자 관계」로 격상하기로 했습니다. 새로운 30년을 향해 더욱 굳건하게 손을 잡았습니다. 오늘 대통령님과의 정상회담에서 다양한 분야의 실질 협력을 모색하게 되길 바랍니다.

감사합니다.

9·11 테러참사 20주년을 맞아, 바이든 대통령님과 미국 국민들에게 깊은 위로의 말씀을 전합니다

| 2021-09-11 |

9·11 테러참사 20주년을 맞아, 바이든 대통령님과 미국 국민들에게 깊은 위로의 말씀을 전합니다.

20년이 지났지만, 그날의 충격과 기억은 수많은 이들의 가슴속에 지워지지 않는 깊은 상처로 남아 있습니다. 우리는 어떠한 폭력도 평화와 포용을 넘어설 수 없음을 알고 있습니다. 이러한 비극은 두 번 다시 발생해서는 안 될 것입니다.

테러는 어떤 이유로도 정당화될 수 없습니다. 어떤 목적도 무고한 시민들의 목숨보다 값지지 않습니다. 대한민국은 앞으로도 미국의 굳건한 동맹으로서 미국과 국제사회의 테러척결 노력에 적극 동참할 것입니다.

My deepest sympathies go out to President Joe Biden and the American people as we commemorate the 20th anniversary of 9·11 terrorist attack.

20 years have passed, but the shock of that day still remains as deep wounds in the hearts of so many. We know that no violence can win against peace and inclusiveness. We should not let such tragedy happen again.

Terrorism can never be justified whatever the reason. There is no cause that is more valuable than a life of an innocent citizen. The Republic of Korea, as America's strong ally, will continue to actively join your and the international community's efforts to combat terrorism.

호주 외교·국방장관 접견 모두발언

| 2021-09-13 |

페인 외교장관님, 그리고 더튼 국방장관님,

방한과 또 청와대 방문을 환영합니다. 그리고 레이퍼 주한대사님을 비롯해서 함께 오신 분들도 아주 반갑습니다. 양국 수교 60주년을 맞은 해에 호주의 외교·안보 수장이 함께 한국을 방문한 것은 한국과의 관계를 중시하고, 또 전략적 동반자 관계를 더욱더 강화하겠다는 호주의 강한 의지를 보여준다고 생각합니다. 한국 역시 호주와의 외교·안보 협력을 매우 중요하게 여기고 있습니다. 나는 G7 정상회담 때 모리슨 총리와 양국 관계를 「포괄적 전략적 동반자 관계」로 격상하는 데 합의를 했습니다. 오늘 열릴 양국 외교·국방 장관 회의에서 구체적인 논의가 진행되기를 바랍니다.

호주는 한국전쟁에 참전하여 함께 피 흘리며 한국의 평화와 자유를 지켜 준 고마운 나라입니다. 그 후 양국은 민주주의와 인권, 법치라는 같은 가치를 공유하고 같은 목표를 추구하며 함께 발전해 왔습니다. 양국은 아시아태평양 지역을 대표하는 중견국이자 모범적인 민주주의 국가로서 당면한 감염병 대응과 기후환경, 그리고 군축·비확산 등 다양한 글로벌 분야의 전략적 소통을 강화해야 한다고 봅니다.

호주는 우리의 대양주 지역 최대 교역 상대국이고, 한국은 호주의 4위 교역 상대국입니다. 코로나 발생 이전인 2019년에는 양국 국민 44만 명이 오고가는 등 인적 교류가 활발했고, 15만여 명의 우리 동포가 호주에 뿌리내리고 있습니다. 양국 관계가 더욱 돈독해지고 양국 간 교류와 협력이 다시 활발해지기를 바라며, 이번 한-호주 외교·국방 장관 회의 개최를 통해 양국의 전략적 동반자 관계가 더욱더 깊어지기를 희망합니다.

감사합니다.

2021년 글로벌 바이오 콘퍼런스 축사

| 2021-09-13 |

'2021년 글로벌 바이오 콘퍼런스' 개최를 축하합니다.

세계 각국에서 온라인으로 참여하신 바이오 전문가와 기업인 여러분, 진심으로 환영합니다. 올해 7회를 맞은 글로벌 바이오 콘퍼런스는 바이오의약품 산업의 미래를 모색하며 세계 석학의 연구와 현장의 목소리를 담아내는 중요한 행사로 자리매김했습니다. 그동안 콘퍼런스를 이끌어온 한국바이오 의약품협회와 식약처에 감사드립니다. 코로나 상황 속에서도 소중한 만남과 소통의 장을 이어나가게 되어 매우 뜻깊게 생각합니다.

바이오 전문가와 기업인 여러분,

바이오의약품 산업은 코로나에 맞서고 있는 인류에게 희망이 되고 있습니다. 놀라운 기술혁신으로, 통상 10년 이상 걸리던 백신 개발 기간을 10분의 1로 단축했고, 여러 종류의 백신과 치료제를 개발했습니다. 전 세계 바이오 전문가와 기업인들이 국경을 넘어 긴밀히 협력했기에 가능한 일이었습니다. 코로나 유전체 정보를 해독해 모든 나라가 신속히 공유했고, 글로벌 제약사와 벤처기업, 대학과 연구기관은 자금력과 아이디어를 결합해 공동 개발에 나섰습니다. 각국 정부 또한 R&D 지원과 사전구매 계약, 긴급사용 승인 등을 통해 힘껏 뒷받침했습니다. 원활한 백신 공급을 위해서도 다양한 방식으로 함께 노력하고 있습니다. 위탁생산과 기술이전이 활발해지고, 서로 경쟁해왔던 세계 최대 제약사들까지 손을 잡고 공동 생산에 착수했습니다. 한국 역시 네 종류의 백신을 위탁 생산하며, 백신 공급에 힘을 보태고 있습니다. 앞으로 5년간 2조2천억 원을 투자해 백신 생산 역량을 획기적으로 늘리고 코로나 극복에 더 적극적으로 기여할 것입니다. 글로벌 백신 생산 허브의 한 축을 맡아 언제 또 닥쳐올지 모를 신종 감염병 대응에도 앞장서겠습니다.

바이오 전문가와 기업인 여러분,

경계를 넘어선 협력과 열린 혁신이 바이오의약품 산업을 강하게 키웠습니다. 산·학·연 협업 체계를 단단하게 구축하고 인공지능·빅데이터 같은 신산업 분야까지 협력의 지평을 넓힌다면, 바이오의약품 산업은 한 단계 더 높이 도약할 것입니다. 오늘부터 3일간 진행되는 이번 콘퍼런스에서는 코로나 백신과 치료제를 포함한 첨단 기술 개발부터 규제 개혁 방안까지 다양한 논의가 펼쳐집니다. 바이오의약품을 통해 코로나를 완전히 극복하고, 새로운 신종 감염병에 대응하며, '오래 건강하게 사는' 인류의 꿈을 향해 전진할 수 있도록 함께 지혜를 모으는 자리가 되길 바랍니다. 다시 한번 글로벌 바이오 콘퍼런스 개최를 축하하며, 참여해 주신 모든 분의 건강과 발전을 기원합니다.

감사합니다.

제40회 국무회의 모두발언

| 2021-09-14 |

제40회 국무회의를 시작하겠습니다. 추석 연휴가 며칠 앞으로 다가왔습니다. 그 기간 동안 저는 유엔 총회에 참석할 예정입니다. 코로나 장기화로 이번 추석도 어려움 속에서 맞이하게 되었지만, 국민 모두 마음만큼은 따뜻하고 넉넉한 한가위가 되길 기원합니다. 특히 어려운 이웃들을 살피고 온정을 나누는 명절이 되었으면 합니다. 국민지원금이나 근로장려금과 자녀장려금, 소상공인 지원대책 등 정부의 지원도 보탬이 되길 바랍니다.

여전히 코로나 확산의 경계를 늦출 수 없습니다. 특히 수도권의 확진자 수 증가로 추석 연휴가 전국적 확산의 계기가 되지 않을까 걱정됩니다. 정부는 긴장감을 높이고 추석특별방역에 만전을 기하겠습니다. 국민들께서도 추석 연휴 동안 방역수칙을 잘 지켜 주시고, 특히 고향을 찾으시는 분들은 선제적 진단검사에 적극 참여해 주실 것을 당부드립니다. 국민들께 약속했던 추석 전 3,600만 명 1차 백신 접종을 이번 주에 달성할 수 있게 되었습니다. 적극적으로 접종에 참여해 주신 국민들 덕분이며, 백신 수급을 위한 정부의 전방위적 노력과 함께 우수한 백신 접종역량과 최선을 다해 주신 의료진의 노고가 더해진 결과입니다.

앞으로 접종 속도는 더욱 빨라질 것이며, 접종 연령과 대상 확대로 전 국민 80%, 18세 이상 성인 90% 접종률에 다가갈 것입니다. 2차 접종도 속도가 붙어 10월 말로 앞당겼던 국민 70% 2차 백신 접종 목표도 조기에 달성할 것으로 기대하고 있습니다. 그렇게 되면 우리나라는 1차 접종률은 물론 접종 완료율에서도 세계에서 앞선 나라가 될 것입니다. 지금 OECD 최저 수준의 신규 확진자 수와 치명률에 높은 백신 접종률까지 더해지면 코로나로부터 가장 안전한 나라가 될 것입니다. 단계적 일상 회복 방안도 방역 완화가 재확산으로 이어진 다른 나라들의 사례를 참고하면서 치밀하게 준비하겠습니다. 접종과 방역과 일상이 조화되는 새로운 K-모델을 창출하여 이 또한 세계의 모범이 될 수 있도록 최선을 다하겠습니다.

오늘 '탄소중립 기본법'이 공포됩니다. 우리나라는 '탄소중립'을 법으로 규정한 열네 번째 나라가 됩니다. '2050 탄소중립' 의지를 분명히 하고 체계적으로 이행할 법적 근거가 마련된 것입니다. 정부는 시행령 마련 등 후속 조치에 만전을 기해 주기 바랍니다.

가장 시급한 과제는, 다음 달까지 2050 탄소중립 시나리오와 함께 상향된 2030년 온실가스 감축 목표를 제시하는 것입니다. 최대한 의욕적이면서 실현 가능한 목표를 세우고 반드시 실천해냄으로써 국제사회의 일원으로서 책임을 다하고, 내부적으로도 과감한 에너지 전환과 경제사회 구조 혁신 등 저탄소 사회 대전환을 이루어내야 할 것입니다.

산업계와 기업들의 움직임도 빨라지고 있습니다. 탄소규제가 강화되는 새로운 무역질서가 현실로 다가온 상황에서 탄소중립은 기업들에게 더욱 절실한 생존의 문제입니다. 지난주 국내 10대 그룹을 포함해 열다섯 개 기업들이 모여 수소기업협의체를 출범시켰습니다. 대단히 의미 있는 일입니다. 탄소중립 시대를 위한 선도산업으로서 수소산업을 활성화하겠다는 우리 기업들의 협력과 투자 의지를 확인할 수 있었습니다. 정부는 여러 차례 천명한 것처럼 수소경제 선도국가의 비전을 분명히 세우고 수소산업 생태계 조성 등 다각도의 지원 방안을 강구하겠습니다.

철강, 석유화학, 시멘트 등 탄소 배출량이 많은 산업계에서도 탄소 저감 기술 개발 투자 등 본격적인 탄소 배출량 감축 행동에 나섰습니다. 자동차 업계에서도 탄소중립의 조기 달성을 선언했습니다. 정부는 기업들의 노력에 응원을 보내면서 필요한 지원을 아끼지 않겠습니다. 특히, 탄소중립 흐름에 중소기업들도 뒤처지지 않고, 빠르게 발맞춰 나갈 수 있도록 정책적인 노력을 기울이겠습니다. 천주교에서 탄소중립을 2040년까지 조기에 달성하기 위한 생활실천운동을 선포한 것에 감사드립니다. 탄소중립은 시민들의 적극적인 참여 없이는 해낼 수 없는 과제입니다. 탄소중립에 참여하는 사회운동이 더욱 확산되길 기대합니다.

대대적인 군 사법체계의 변화를 의미하는 '군사법원법' 개정도 오늘 공포됩니다. 군 사법제도에 대한 국민적 불신을 해소하고, 군 장병들의 공정하게 재판받을 권리와 피해자의 인권을 보장하기 위한 우리 정부의 국방개혁 과제가 마침내 결실을 보게 되었습니다. 이 법에 따라 성범죄 사건, 군 사망 사건, 입대 전 범죄 사건에 대해서는 일반 국민과 같이 수사와 재판을 받게 됨으로써 사건 처리의 공정성에 의문이 없도록 했습니다. 군사법원 사건도 항소심은 모두 민간법원으로 이관되고, 관할관, 심판관 제도도 폐지하여 군 사법체계에 대한 군 지휘관의 영향력이 배제되었습니다.

군사범죄의 특수성을 감안하면서도 수사와 재판의 공정성을 확립하여 군 인권과 병영문화 개선에 기여하는 중대한 전기가 되길 기대합니다.

'국제 연안정화의 날'을 맞았습니다

| 2021-09-15 |

'국제 연안정화의 날'을 맞았습니다. 1986년 미국 텍사스주에서 처음 해양보전을 실천한 이후, 매년 9월 셋째 주 토요일 전후로 100여 개국 50만여 명이 참여하고 있고, 우리나라도 2001년부터 함께하고 있습니다. 해양환경보전을 위해 함께해주신 모든 분께 감사의 말씀을 전하며, 오늘 해양쓰레기 해결의 공로로 표창을 받는 유공자들께 존경의 마음을 표합니다.

잠깐 쓰고 버려지는 플라스틱이 분해되는 데에는 450년이 걸립니다. 미세플라스틱은 해양생물은 물론 우리의 건강까지 위협합니다. 다행히 우리나라 연안의 미세플라스틱 농도가 해양생물에 영향을 주는 수준은 아닌 것으로 나타났지만 안심할 수 없습니다. 정부는 친환경 어구를 보급하고 해양쓰레기 수거와 처리를 위한 전용 선박과 시설을 확충하고 있습니다. 해양쓰레기를 효율적으로 재활용하기 위한 기술개발도 병행하며 국내 해양 플라스틱쓰레기 발생량을 2030년까지 60% 줄이고, 2050년까지 제로로 만들 것입니다. 해양쓰레기 문제 해결을 위한 국제협력도 더욱 강화해나갈 것입니다.

우리는 작은 실천으로 큰 변화를 만들어왔습니다. 플라스틱 사용량을 줄이고, 바닷가 쓰레기를 줍는 작은 행동 하나하나가 모여 거대한 생명의 바다를 꿈틀거리게 할 것입니다. "바다를 마중하다"라는 올해 '국제연안정화의 날' 슬로건처럼 우리와 미래세대가 깨끗한 바다를 온전히 마중하기를 기원합니다.

‘왕이’ 중국 국무위원 겸 외교부장 접견 모두발언

| 2021-09-15 |

왕이 국무위원 겸 외교부장의 방한을 환영합니다. 지난해에 이어서 올해 다시 방한해 주셨는데, 코로나 상황 속에서도 양국 간 고위급 교류가 긴밀하게 지속되고 있어서 기쁘게 생각합니다. 내년 수교 30주년을 앞두고 더 성숙한 한중관계의 미래를 함께 열어 나가야 할 시점에 방한하여 더욱 뜻깊습니다. 시 주석께도 안부 인사를 전해 주시기 바랍니다.

나와 시 주석님은 코로나 상황에도 긴밀히 소통하며 방역 협력과 인적 교류 활성화에 합의하였습니다. 양국은 신속통로 제도, 또 동북아 방역·보건협력체 출범 등 모범적인 코로나 대응 협력 사례를 만들어 왔습니다. 나와 시 주석님은 미래를 함께 열어가는 데에도 뜻을 같이 하고 있습니다. 한중문화교류의 해를 선포하여 양 국민 간 상호 이해와 우호 정서를 증진할 계기를 마련하고, 한중관계 미래발전위원회를 출범하여 앞으로 30년의 양국 관계 발전을 위해 함께 준비해 나가기로 했습니다.

나와 시 주석님이 뜻을 함께한 중요한 합의들이 원만하게 이행되고, 또 만족할 만한 결실을 거두어 전략적 협력 동반자 관계가 더 높은 단계로 발전되어 나가기를 기대합니다.

그간 한반도 평화 프로세스 추진 과정에서 중국의 역할과 기여를 평가합니다. 앞으로도 우리 정부는 중국을 포함한 국제사회와 함께 한반도의 비핵화와 평화 정착을 위해 노력할 것입니다. 중국의 변함없는 지지를 바라며, 앞으로도 우리 왕이 위원이 한중관계 발전과 한반도 비핵화 및 평화 정착을 위한 우리 정부의 노력을 뒷받침해 주는 큰 역할을 해 주시기를 기대합니다.

감사합니다.

광주형 일자리 1호차 생산 기념 서면 축사

| 2021-09-15 |

광주형 일자리 '광주 글로벌 모터스'의 첫 번째 차, '캐스퍼'가 출시됐습니다. 2019년 1월 사회적 대타협부터 오늘 신차 출시까지 한마음으로 이뤄낸 일입니다. 진심으로 축하합니다. 힘써주신 분들께 깊이 감사드립니다.

'캐스퍼'는 광주 시민과 노사, 이용섭 시장님을 비롯한 지자체 관계자들이 함께 힘을 모아 만든 자동차입니다. 힘차게 상생의 첫걸음을 내디디며 광주가 포용과 나눔의 도시임을 다시 한번 보여주었습니다. 이제 고용 창출 효과도 본격화될 것입니다. 간접고용까지 포함해 모두 1만 2천 개의 일자리가 생겨납니다. 청년들에게는 희망이 되고, 지역경제에는 활력을 불어넣을 것입니다. 성능에서 디자인까지 매력적인 '캐스퍼'에 국민들도 뜨거운 반응을 보이고 있습니다. 저도 한 대를 예약했습니다. '광주형 일자리'에 대한 애정까지 더해져 국민들의 큰 관심을 불러왔다고 생각합니다. 나눔이 협력으로 이어지고, 협력이 능력을 배가시켜 더 좋은 제품을 만들고, 국민들은 그 제품을 신뢰하는, 아름다운 선순환이 시작되길 희망합니다.

'상생형 지역 일자리' 협약이 전국 여덟 개 지역으로 퍼져나가 총 51조 원의 투자와 13만 개 일자리를 만들고 있습니다. 지역 주도의 맞춤형 발전은 '지역균형 뉴딜'로 이어졌고, 노동자와 기업의 동반성장 노력은 '휴먼 뉴딜'로 이어졌습니다. 정부는 '상생형 지역 일자리'가 더욱 폭넓게 확산되도록 지원할 것입니다. 지자체들의 새로운 상생 모델 발굴도 돕겠습니다. '광주형 일자리'는 국가균형발전 시대를 열고 사람 중심 경제로 나아가는 길에 앞장서고 있습니다. 국민과 함께 '광주형 일자리' 1호 신차, '캐스퍼'의 힘찬 질주를 응원합니다.

감사합니다.

주요 경제국 포럼(MEF) 모두발언

| 2021-09-17 |

존경하는 바이든 대통령님, 정상 여러분,

'에너지와 기후에 관한 주요 경제국 포럼(MEF)' 개최를 진심으로 환영하며, 바이든 대통령님의 리더십에 경의를 표합니다. 파리협정 이행 원년인 올 한 해, 세계는 4월 기후정상회의부터 오늘 주요 경제국 포럼까지 주요 계기마다 기후위기 대응에 머리를 맞댔습니다. 앞으로도 유엔총회와 G20, COP26 등의 계기를 통해 함께 성과를 점검하고 지혜를 모으게 될 것입니다. 세계가 지구를 살리기 위해 본격적으로 행동하기 시작한 것은 매우 고무적인 일입니다. 한국도 국민과 정부, 기업과 지자체가 함께 저탄소 경제 전환을 위한 최선의 방향을 모색하고 있습니다. '탄소중립' 목표를 추가한 '한국판 뉴딜 2.0'을 발표했고, '탄소중립기본법'을 제정해 '탄소중립'을 법으로 규정한 열네 번째 나라가 되었습니다. 그에 따라 다음 달 '2050 탄소중립 시나리오'를 확정할 예정이며, 11월 COP26에서 추가 상향한 '2030 NDC'를 발표하기 위해 막바지 준비에 힘쓰고 있습니다.

기업들도 자발적으로 RE100에 동참하고, 재생에너지 투자를 확대하며 ESG 경영과 '탄소중립'에 속도를 내고 있습니다. 한국 경제를 대표하는 열다섯 개 민간 기업들이 수소동맹을 결성하여 2030년까지 수소경제 전 분야에 43조4,000억 원을 투자할 것을 약속했습니다. 자동차 업계도 2045년까지 자동차의 생산공정까지 포함하여 완전한 탄소중립을 달성할 것을 선언했습니다. 정부는 기업들의 자발적인 노력이 새로운 도약의 기회가 될 수 있도록 정책적인 노력을 집중할 것입니다.

한국의 243개 모든 지자체는 세계 최초로 2050 탄소중립을 공동선언했습니다. 또한 가톨릭 교단은 자체적으로 2040년 탄소중립을 실현하기 위한 실천운동을 선언했습니다. 정부는 종교계와 시민사회단체들이 전개하고 있는 탄소중립 사회운동이 범국민운동으로 확산되도록 뒷받침할 것입니다. 그동안 한국 국민들은 '녹색기후기금(GCF)'과 '글로벌녹색성장연구소(GGGI)'를 유치했고, 자발적인 기후 재원 조성과 공여로 이웃 국가들과 함께했습니다. 한국은 국제적 메탄 감축 협력에도 적극 공감합니다. 한국은 지금 에너지, 농업, 폐기물 분야에서 구체적인 메탄 감축 계획을 세우고 있습니다. 한국은 국가 온실가스 배출량에서 메탄의 비중이 다른 나라에 비해 적지만, 2030 NDC 상향 과정에서 메탄 감축 방안을 적극 모색할 예정입니다. 2차 세계대전 후 가난한 신생 독립 국가로 시작해 선진국으로 도약한 한국의 경험은 개도국과 선진국을 함께 연결시키며 보조를 맞출 수 있는 영감을 줄 수 있을 것입니다. 지난 5월 'P4G 서울 정상회의'에서 선진국과 개도국의 공동 지지 속에 '서울선언문'을 채택한 것은 국제사회의 연대의식을 높이는데 기여했다고 자부합니다. 한국은 2023년 COP28 개최를 통해 탄소중립을 위해 더욱 적극적인 역할을 하고자 합니다. 정상 여러분의 관심과 지지를 부탁드립니다.

탄소중립은 매우 어려운 과제이며, 나라마다 형편이 다릅니다. 온실가스 배출이 정점에 이른 시기도 나라마다 다릅니다. 그러나 세계는 코로나의 어려움 속에서도 탄소중립을 위한 힘찬 발걸음을 시작했고, 우리는 자연과의 공존을 위해 반드시 함께 성공을 거두어야 합니다. 오늘 탄소중립을 위한 의지를 재확인하면서 우리의 연대와 협력이 더욱 강력해지기를 기대합니다.

감사합니다.

SDG Moment(지속가능발전목표 고위급회의) 개회 세션 모두발언

| 2021-09-20 |

압둘라 샤히드 의장님, 안토니우 구테레쉬 사무총장님, 귀빈 여러분,

제2차 SDG Moment 행사에 함께하게 되어 매우 기쁩니다. 특별한 자리를 마련해 주셔서 감사드립니다. 얼마 전, UN대학의 연구소는 '지구촌의 모든 재난은 서로 연결되어 있다'는 연구보고서를 발표했습니다. 예를 들면, 북극의 폭염과 미국 텍사스의 한파, 코로나 팬데믹과 방글라데시의 사이클론이 탄소 배출과 환경 파괴를 고리로 밀접하게 이어져 있다는 것입니다. 문제가 연결되어 있다면, 해법도 연결되어 있을 것입니다. 인류가 국경을 넘어 협력하는 것이야말로 위기 극복의 첫걸음입니다.

6년 전, 유엔은 바로 이 자리에서 지속가능발전목표(SDGs)에 합의했고, 2년 전에는 2030년까지 '행동의 10년'을 약속했습니다. 포용적 미래를 향한 인류의 발걸음은 코로나로 인해 지체되었지만, 코로나는 역설적으로 그 목표의 중요성을 더욱 절실하게 일깨워주었습니다. 우리의 실천 의지는 더욱 강해졌습니다. 우리는 단지 위기 극복을 넘어서서 '보다 나은 회복과 재건'을 이루어야 합니다. 서로 연결된 공동의 실천이 이뤄진다면 분명 우리는 해낼 수 있습니다.

첫째, 우리는 포용과 상생의 마음을 지금 즉시, 함께 행동으로 옮겨야 합니다. 코로나 백신에 대한 국제사회의 공평한 접근과 배분이 시작입니다. 한국은 G7 정상회의에서 코백스 2억 불 공여를 약속했습니다. 글로벌 백신허브의 한 축으로서 백신 보급과 지원을 늘리려는 노력도 계속할 것입니다. 나아가, WHO를 비롯한 국제 보건 협력 강화에 적극 기여하겠습니다.

둘째, 국경을 넘는 협력으로 기후위기에 대응해야 합니다. 지구는 예상보다 빠르게 뜨거워지고 있으며, 이상기후가 세계 곳곳에서 속출하고 있습니다. 탄소중립 목표에 선진국과 개도국이 보조를 맞추어야 합니다. 그러기 위해서는 기후 선진국들의 경험과 기술이 개도국들과 공유되고, 전수되고, 협력이 이뤄져야 합니다. 한국은 2050 탄소중립 시나리오를 오는 10월 말 확정하고, COP26 계기에 상향된 NDC 목표를 제출할 계획입니다. 한국은 그린 뉴딜 ODA를 확대하고, 개도국에서 선진국으로 성장한 우리의 경험과 기술을 공유하며 개도국의 녹색 회복과 탄소중립을 적극적으로 돕겠습니다.

셋째, 지속가능한 발전을 위해 4차 산업혁명 시대의 기술을 적극 활용해야 합니다.하지만 디지털 기술과 인프라는 한편으로 새로운 격차와 불평등을 낳고 있습니다. 디지털 격차와 불평등을 해소하는 것이 또 하나의 시대적 과제입니다. 이는 에너지 전환 과정에서도 발생하는 문제입니다. 사람을 소외시키지 않는 포용적인 디지털 전환과 그린 전환을 이루지 않으면 안 됩니다.

마지막으로, 미래세대를 존중하며 세대 간 공존의 지혜를 모아야 합니다. 세대 간 생각과 문화의 차이를 넘어서야 합니다. 모든 세대는, 국적과 인종, 성별을 뛰어넘어 서로 소통하고 교감하는 '지구공동체의 일원'이라는 인식을 가져야 합니다. 빈곤과 불평등, 기후변화 같은 기성세대가 해결하지 못한 위기에 대해 미래세대의 목소리에 더 귀 기울이는 것은 기성세대의 의무이기도 합니다. 기성세대가 변화에 대한 두려움 때문에 해결하지 못한 문제들에 대해 젊은 세대의 감수성과 공감 능력이 해법을 찾을 수도 있습니다. 특히 미래는 미래세대의 것이라는 것을 잊지 말아야 할 것입니다.

오늘 이 자리에는 전 세계 청년들과 교감하고 있는 탁월한 청년들, BTS가 '미래세대와 문화를 위한 대통령 특별사절'로 함께하고 있습니다. 최고의 민간 특사 BTS와 함께하는 오늘의 자리가 지속가능발전을 향한 미래세대의 선한 의지와 행동을 결집하는 계기가 되기를 바랍니다. 한국 국민들은 모두가 안전하지 않으면 누구도 안전하지 않다는 생각으로 '누구도 소외되지 않는' 포용적 국제 협력의 여정에 언제나 굳건한 동반자로 함께할 것입니다.

감사합니다.

제76차 유엔 총회 기조연설

| 2021-09-22 |

압둘라 샤히드 의장님, 안토니우 구테레쉬 사무총장님과 각국 대표 여러분,

2년 만에 다시 유엔총회장에 서게 되니 잃어버린 일상에 대한 소중함이 느껴집니다. 76차 유엔 총회 의장으로 취임하신 샤히드 의장님의 리더십으로, 글로벌 위기 극복을 위한 국제사회의 지혜와 협력이 모아지길 기대합니다. 또한 지난 5년간 유엔의 발전과 개혁을 위해 헌신해온 구테레쉬 사무총장님의 연임을 축하하며 경의를 표합니다. 사무총장께서 역점을 두어 온 평화유지 활동과 기후변화 대응, 지속가능발전목표에 큰 진전을 이루시길 기원합니다. 이번 유엔 총회가 코로나와 기후위기로부터의 회복과 지속가능발전이라는 희망의 메시지를 세계인들에게 줄

수 있기를 바랍니다.

의장님, 사무총장님, 각국 대표 여러분,

인간은 공동체를 이루어 사는 존재입니다. 인류는 공동체를 통한 집단 지성과 상호 부조에 기대어 수많은 감염병을 이겨내며 공존해 왔습니다. 코로나 팬데믹 역시 인류애와 연대의식으로 극복해낼 것이며, 유엔이 그 중심에 설 것입니다. 우리는 코로나 대응을 위해 국경을 초월해 유전체 정보를 공유하고, 긴밀한 협업을 통해 백신 개발에 성공했으며, 치료제 개발도 빠른 진전을 이루고 있습니다. 코로나를 이기는 것은 경계를 허무는 일입니다. 우리의 삶과 생각의 영역이 마을에서 나라로, 나라에서 지구 전체로 확장되었습니다. 나는 이것을 '지구공동체 시대'의 탄생이라고 생각합니다. '지구공동체 시대'는 서로를 포용하며 협력하는 시대입니다. 함께 지혜를 모으고 행동하는 시대입니다. 지금까지는, 경제 발전에 앞선 나라, 힘에서 우위를 가진 나라가 세계를 이끌었지만, 이제 모든 나라가 최선의 목표와 방법으로 보조를 맞추어 지속가능한 발전을 추구해야 합니다.

협력과 행동의 중심으로 유엔의 역할은 더욱 커질 것입니다. 유엔의 창립자들은 두 차례 세계대전의 참화를 겪으며 국제평화의 질서를 모색했습니다. 이제 유엔은 '지구공동체 시대'를 맞아 새로운 규범과 목표를 제시해야 할 것입니다. 다자주의 질서 안에서 호혜적으로 협력할 수 있도록 국가 간의 신뢰를 구축하는 유엔이 되어야 합니다. 국제사회의 의지와 역량을 결집하고 행동으로 이끄는 유엔이 되어야 합니다. 유엔이 이끌어갈 '연대와 협력'의 국제질서에 한국은 적극적으로 동참할 것입니다. 2차 세계대전 후 신생 독립국이었던 한국은 유엔과 국제사회의 지원에 힘입어 민주주의 발전과 경제성장을 함께 이룰 수 있었습니다. 이제 국제사회의 책임 있는 일원으로 국가 간 상생과 포용을 위해 더욱 노력하겠습니다. 선진국과 개도국이 함께 공유할 수 있는 협력과 공생의 비전을 제시하고 실천하는데 선도적 역할을 하겠습니다.

'지구공동체'가 해야 할 당면 과제는 코로나 위기로부터 포용적 회복을 이루는 일입니다. 저소득층, 고령층과 같은 취약계층이 코로나의 위협에 가장 크게 노출되었습니다. 오랫동안 누적되어온 경제·사회적 문제들도 코로나를 계기로 수면 위로 드러났습니다. 빈곤과 기아가 심화되었고, 소득·일자리·교육 전반에 걸쳐 성별·계층별·국가별 격차가 커졌습니다. 유엔은 이미 수년 전부터 '2030 지속가능발전목표'를 제시하며 이러한 불균형 문제의 해소를 촉구해 왔습니다. 이제 유엔의 모든 구성원이 '2030 지속가능발전목표' 달성을 위해 더욱 진지하게 노력해야 합니다. 한국은 모든 사람, 모든 나라가 코로나의 위협에서 벗어날 수 있도록 함께하겠습니다. 코백스에 2억 불을 공여하기로 한 약속을 이행하고, 글로벌 백신 생산 허브의 한 축을 맡아 코로나 백신의 공평하고 빠른 보급을 위해 힘쓸 것입니다.

지속가능발전목표 달성에도 앞장서겠습니다. 한국은 코로나 위기 극복과 새로운 도약을 위한 '한국판 뉴딜' 정책을 추진하고 있습니다. 특히, 고용 안전망과 사회 안전망을 확충하고 사람 투자를 확대하는 '휴먼 뉴딜'을 통해 사람 중심의 포용적 회복에 힘쓰고 있습니다. 한국판 뉴딜 정책의 경험을 국제사회와 함께 공유해 나가겠습니다. 개발도상국들이 함께 지속가능발전목표를 향해 나아갈 수 있도록 코로나 이후 수요가 높아진 그린·디지털·보건 분야를 중심으로 ODA도 확대하겠습니다. '지구공동체'가 해결해야 할 또 하나의 시급한 과제는 기후위기 대응입니다. 지구는 지금 이 순간에도 예상보다 빠르게 뜨거워지고 있습니다. 국제사회가 더욱 긴밀하게 힘을 모아 '탄소중립'을 향해 전진해야 합니다.

한국은 지난해 '2050 탄소중립'을 선언했고, '탄소중립기본법'을 제정하여 그 비전과 이행체계를 법으로 규정했습니다. 다음 달에는 '2050 탄소중립 시나리오'를 확정하고, 11월 COP26을 계기로 '2030 NDC(국가온실가스 감축 목표)'를 상향해 발표할 것입니다. 석탄발전소를 조기 폐쇄하고, 신규 해외 석탄발전에 대한 공적 금융지원을 중단했으며, 신재생 에너지 비중을 늘리기 위해 노력하고 있습니다. '탄소중립'은 개별국가는 물론 모든 나라가 꾸준히 협력해야만 이룰 수 있는 목표입니다. 실천 방안 역시 지속 가능해야 합니다. 한국은 '그린 뉴딜'을 통해 '탄소중립'을 신산업 육성과 일자리 창출의 기회로 만들고 있습니다. 많은 한국 기업들이 자발적으로 'RE100 캠페인'에 동참하고, 수소를 비롯한 신재생에너지 투자를 확대하며 ESG경영과 '탄소중립'에 속도를 내고 있습니다. 정부는 민간의 기술개발과 투자를 강력하게 뒷받침할 것입니다. 한국은 기후 분야 ODA 확대와 함께, 그린 뉴딜 펀드 신탁기금을 신설하여 글로벌녹색성장연구소(GGGI)를 지원하고, '탄소중립'을 위한 기술과 역량을 함께 나누겠습니다. 개발도상국이 기후위기 대응 능력을 키울 수 있도록 돕겠습니다. 아울러, P4G 서울 정상회의를 개최하여 국제사회의 기후대응 의지를 결집했던 경험을 토대로 2023년 COP28을 유치하고자 합니다. 파리협정의 충실한 이행을 위해 더욱 적극적인 역할을 하게 되길 희망합니다.

의장님, 사무총장님, 각국 대표 여러분,

'지구공동체'의 가장 절실한 꿈은 평화롭고 안전한 삶입니다. 유엔의 출범은 국제관계의 패러다임을 '경쟁과 갈등'에서 '공존과 상생'으로 전환시켰습니다. 유엔은 '힘의 균형'으로 유지되던 불완전한 평화를 '협력'을 통한 지속 가능한 평화로 바꾸고, 인류 모두의 자유를 증진하기 위해 노력해왔습니다. 한국은 한반도에서부터 항구적이고 완전한 평화가 확고히 뿌리내리도록 전력을 다할 것입니다. 비핵화와 공동번영의 한반도를 건설하기 위해 우리 정부는 '한반도 평화 프로세스'를 꾸준히 추진해왔고, 국제사회의 지지 속에서 남북 정상회담을 통한 판문점선언, 9·19 평양공동선언과 군사합의, 북미 정상회담을 통한 싱가포르 선언이란 역사적인 성과를 이룰 수 있었습니다.

한반도 평화의 시작은 언제나 대화와 협력입니다. 나는 남북 간, 북미 간 대화의 조속한 재개를 촉구합니다. 대화와 협력이 평화를 만들어낼 수 있다는 것이 한반도에서 증명되기를 기대합니다. 나는 두 해 전, 이 자리에서 전쟁불용과 상호 안전보장, 공동번영을 한반도 문제 해결의 세 가지 원칙으로 천명했습니다. 지난해에는 한반도 '종전선언'을 제안했습니다. '종전선언'이야말로 한반도에서 '화해와 협력'의 새로운 질서를 만드는 중요한 출발점이 될 것입니다.

나는 오늘 한반도 '종전선언'을 위해 국제사회가 힘을 모아주실 것을 다시 한번 촉구하며, 남북미 3자 또는 남북미중 4자가 모여 한반도에서의 전쟁이 종료되었음을 함께 선언하길 제안합니다. 한국전쟁 당사국들이 모여 '종전선언'을 이뤄낼 때, 비핵화의 불가역적 진전과 함께 완전한 평화가 시작될 수 있다고 믿습니다. 마침, 올해는 남북한이 유엔에 동시에 가입한 지 30년이 되는 뜻깊은 해입니다. 유엔 동시 가입으로 남북한은 체제와 이념이 다른 두 개의 나라라는 점을 서로 인정했습니다. 하지만 결코 분단을 영속하기 위한 것이 아니었습니다. 서로를 인정하고 존중할 때 교류도, 화해도, 통일로 나아가는 길도 시작할 수 있기 때문이었습니다. 남북한과 주변국들이 함께 협력할 때 한반도에 평화를 확고하게 정착시키고 동북아시아 전체의 번영에 기여하게 될 것입니다. 그것은 훗날, 협력으로 평화를 이룬 '한반도 모델'이라 불리게 될 것입니다.

북한 역시 '지구공동체 시대'에 맞는 변화를 준비해야만 합니다. 국제사회가 한국과 함께 북한에게 끊임없이 협력의 손길을 내밀어 주길 기대합니다. 이미 고령인 이산가족들의 염원을 헤아려 남북 이산가족 상봉이 하루빨리 추진되어야 합니다. '동북아시아 방역·보건 협력체' 같은 지역 플랫폼에서 남북한이 함께할 때 감염병과 자연재해에 더 효과적으로 대응할 수 있을 것입니다. 한반도 운명 공동체로서, 또한 '지구공동체'의 일원으로서 남과 북이 함께 힘을 모아가길 바랍니다. 나는 '상생과 협력의 한반도'를 위해 남은 임기 동안 끝까지 최선을 다할 것입니다.

최근 아프가니스탄 상황은 평화와 인권을 위한 유엔의 역할이 얼마나 중요한지 증명하고 있습니다. 오는 12월, '유엔 평화유지 장관회의'를 한국에서 주최합니다. 유엔 평화유지 활동이 더욱 안전하고 효과적으로 이루어질 수 있도록 국제사회가 긴밀하게 협력하는 계기로 만들겠습니다. 유엔의 분쟁 예방 활동과 평화구축 활동에 대한 한국의 기여도 확대해 나가겠습니다. 한국은 오는 2024~2025년 안보리 비상임이사국에 진출하여 지속 가능한 평화와 미래세대의 번영을 위해 적극적인 역할을 해 나가고자 합니다. 각국의 협조와 지지를 기대합니다.

의장님, 사무총장님과 각국 대표 여러분,

인류는 수많은 역경 속에서도 미래에 대한 희망을 잃지 않았습니다. 서로를 믿고 협력하며 그 희망을 현실로 바꿔냈습니다. 코로나 위기 속에서도 우리는 다시 희망을 키우고 있습니다. 더 나은 회복을 위해 힘을 모으고 있습니다. 인류가 하나가 되어 오늘을 잊지 않는다면 우리는 분명, 더 나은 내일을 만들 수 있을 것입니다. '지구공동체'의 시대를 열어가는 인류의 새로운 여정에 연대와 협력으로 유엔이 앞장서주길 바랍니다.

감사합니다.

화이자 회장 접견 모두발언

| 2021-09-22 |

앨버트 불라 화이자 회장님, 존 셀립 수석부사장님도 반갑습니다.

불라 회장님, 드디어 이렇게 뵙게 돼서 정말 반갑습니다. 바쁘신 가운데 시간 내 주셔서 감사합니다. 화이자는 올해 세계에서 가장 유명하고 또 중요한 기업이 됐습니다. 인류를 팬데믹에서 구하고 있습니다. 이 훌륭한 성과에 대해서 축하와 함께 감사의 말씀을 드립니다. 화이자가 올해 한국에 백신을 예정대로 차질없이 공급해 준 덕분에 한국 국민들도 지난주 인구 70% 1차 접종을 마칠 수가 있었고, 다음 달 말까지 인구 70% 2차 접종을 마칠 계획입니다. 그와 함께 접종 대상을 더 확대해서 접종률을 더욱 높여 나갈 계획입니다. 한국의 접종자 가운데 절반 정도가 화이자 백신을 접종했습니다. 그리고 화이자 백신은 지금 한국 국민이 가장 신뢰하는 백신이 되었습니다. 화이자의 기여에 감사드립니다. 화이자가 지난번 한국과 이스라엘 간의 백신 스왑이 성사될 수 있도록 협력해 주신 것에 대해서도 감사 말씀 드립니다.

한미 백신 협력 협약 체결식 모두발언

| 2021-09-22 |

여러분, 반갑습니다. 한미 양국의 백신기업과 연구기관들이 백신 협약을 체결하기 위해 한자리에 모였습니다. 싸이티바의 투자 신고서가 제출되고, 백신기업과 연구기관들의 협력을 위한 MOU 8건의 서명을 앞두고 있습니다. 뜻깊은 자리에 참석해 주신 임마누엘 리그너(Emmanuel Ligner) 싸이티바 회장님을 비롯한 양국 기업인과 연구자 여러분께 진심으로 감사드립니다.

지난 5월 정상회담에서 바이든 대통령과 나는 코로나 위기 극복을 위해 더욱 굳건히 협력해야 한다는 데 뜻을 모았습니다. 보건 분야까지 양국의 동반자 관계를 확장하고, 감염병에 대한 공동 대응 역량을 강화하기 위해 한미 글로벌 백신 파트너십 구축에 합의했습니다. 오늘 협약 체결식은 4개월 만에 달성한 중요한 성과입니다.

글로벌 바이오 원부자재 기업 싸이티바는 내년부터 3년간 52.5백만 불을 투자해 한국에 백신 원부자재 생산공장을 건설하기로 했습니다. 백신 원부자재의 안정적 수출입을 위한 MOU가 2건 체결되고, 백신 공동개발과 위탁생산 협력도 이루어집니다.

원부자재 공급부터 백신 개발 생산에 이르는 폭넓은 협력으로 양국의 백신 생산 기반이 더욱 튼튼해질 것입니다. 미국의 탁월한 개발 역량과 한국의 세계적인 의약품 생산능력을 결합해 백신 생산과 공급량을 획기적으로 늘려 주기를 기대합니다. 연구기관 사이의 MOU 체결로 기초연구 협력도 강화됩니다. 신종 감염병을 비롯한 보건 위기에 선제적으로 효과적으로 대비할 수 있을 것입니다.

한국은 글로벌 백신 생산 5대 강국으로서의 도약을 꿈꿉니다. 백신을 3대 국가전략기술 분야로 지정했고, 지난달에는 글로벌 백신 허브와 추진 전략을 발표했습니다.

코로나 종식에 기여할뿐 아니라 새로운 감염병에 대비하기 위해 백신산업에 대한 투자와 지원을 아끼지 않겠습니다. 국제사회와의 협력도 더욱 확대할 것입니다. 미국 기업인과 연구자 여러분의 많은 관심과 협력을 부탁드립니다. 코로나에 대응할 단 하나는 방법은 국제 연대와 협력입니다. 오늘 한미 양국은 모범적이고 의미있는 또 한번의 힘찬 걸음을 시작했습니다. 감염병으로부터 인류를 지키기 위한 우리의 목표에 더 가까이 다가가는 계기가 되었습니다.

감사합니다.

글로벌 코로나19 정상회의(화상) 모두발언

| 2021-09-23 |

존경하는 바이든 대통령님, 정상 여러분,

'글로벌 코로나19 정상회의' 개최를 환영합니다. 코로나 극복을 위해 국제사회의 연대와 협력을 이끌고 계신 바이든 대통령님의 리더십에 경의를 표합니다. 코로나는 인류를 위기로 몰아갔지만, 인류는 어느 때보다 서로의 안전을 걱정하며 연대하고, 더 나은 회복과 재건을 위해 따뜻하고 창의적인 방안을 모색하고 있습니다. 한국은 언제든 국제사회와 협력할 것입니다. 인류의 안전한 삶을 위해 한국 국민들도 적극 동참할 것입니다. 한국은 글로벌 백신 허브의 한 축을 맡고 있습니다. 코백스에 2억 불을 공여하기로 약속했고, 한-미 백신 파트너십을 바탕으로 네 종류의 백신을 위탁생산하고 있습니다. 더 많은 백신 보급과 지원으로 코로나 극복에 기여하겠습니다.

한국은 포용적 보건 협력에 앞장서고, 국제 보건안보체계를 개선하기 위한 유엔과 WHO 논의에도 활발히 참여할 것입니다. 지금까지 125개국과 방역물품을 나눴으며 코로나 대응 경험을 공유하고 있습니다. 한국은 교육, 일자리 등 다양한 경제·사회 분야에서 개발도상국을 지원하고 있습니다. ODA의 꾸준한 확대로 포용적 회복에 함께하고, 개발도상국이 보건 역량을 총체적으로 높일 수 있도록 최선을 다해 돕겠습니다.

정상 여러분,

더 나은 재건은 함께 회복하는 것입니다. 우리는 사람과 사람, 나라와 나라가 얼마나 서로 긴밀하게 연결되어 있는지 확인하고 있습니다. 코로나를 넘어 더 나은 세계를 향한 인류 공동의 노력에 언제나 함께하겠습니다.

감사합니다.

독립유공자 훈장 추서식 모두발언

| 2021-09-23 |

존경하는 동포 여러분, 독립유공자 후손 여러분,

올해 3·1절에 추서한 김노디, 안정송, 두 독립지사님의 훈장을 오늘 후손들께 직접 전할 수 있게 되었습니다. 해외 독립운동 현장에서 대통령이 처음으로 직접 후손들께 훈장을 드리게 되어 영광입니다. 조국의 독립과 민족 교육에 헌신하신 김노디, 안정송 지사께 깊은 존경과 감사를 바치며, 두 분이 실천과 숭고한 애국정신을 가슴 깊이 되새깁니다. 독립유공자의 후손으로 선대의 뜻을 간직하며 살아오신 김노디 지사님의 따님 위니프레드 리 남바 님과 손녀 앤 남바 님, 안정송 지사님의 손녀 카렌 안 님과 손자 제프리 림 님께 존경과 위로의 인사를 드립니다. 하와이대학 데이비드 라스너 총장님과 백태웅 한국학연구소장님, 사회를 맡아 주신 이혜련 교수님이 오늘의 자리를 마련하는 데 많이 애써 주셨습니다. 모두 진심으로 감사드립니다.

김노디 지사님은 독립운동과 여성 교육에 헌신하셨습니다. 3·1 독립운동 직후인 1919년 4월 14일 필라델피아에서 열린 제1차 한인회의에서 독립을 호소하는 연설을 하셨습니다. 일본 국민에게 보내는 결의문 작성에 큰 역할을 맡으셨고, 대한부인구제회 임원으로 여성의 권리를 높이는 교육에도 힘쓰셨습니다. 이화학교 선생이셨던 안정송 지사님은 하와이 이주 후 독립운동 자금모집과 동포 교육에 앞장서셨습니다. 광복 이후에는 재미한족연합위원회 대표단으로 대한민국정부 수립에 기여하셨고, 독립기념관이 세워진다는 소식에 1983년 하와이 독립운동 자료를 직접 들고 조국 땅을 찾기도 하셨습니다.

하와이 동포 여러분,

하와이 동포사회를 생각하면 늘 마음이 애틋합니다. 나라가 국민의 삶을 지켜주지 못할 때인 1903년 처음으로 근대이민의 역사가 시작된 곳입니다. 하와이에 정착한 이민 1세대들은 고된 노동과 힘겨운 생활 속에서도 조국 독립에 힘을 보탰습니다. 하루 1달러도 안 되는 품삯의 3분의 1을 떼어 300만 달러 이상의 독립운동 자금을 모았고, 대한민국 임시정부 후원회를 결성해 조직적으로 독립운동을 지원했습니다. 언제 들어도 가슴을 울리는 애국의 역사입니다. 하와이 동포들은 서로 돕고 의지하며 공동체 정신을 키웠습니다. 한글학교를 세워 후대에게 민족의식과 우리말을 가르쳤고, 신문을 발행하며 민족 정체성을 지켰습니다.

이민 1세대들의 헌신 덕분에 하와이는 이름 그대로 우리들의 작은 고향이 되었습니다. 118년 전 102명으로 시작한 하와이 동포사회는 이제 7만 명 공동체로 발전했습니다. 미국 전체로는 250만 명의 동포사회가 형성되었습니다. 선조들이 물려준 자부심도 그만큼 커졌습니다. 독립운동의 정신과 민족 공동체 정신을 지켜 오신 국민회의 듀크 정 회장님과 동지회의 에드먼드 황 부회장님, 자랑스러운 미주한인사를 연구하고 알려온 이덕희 소장님께 존경을 표합니다.

이민 1세대들의 헌신 위에서 후손들은 미국 사회로 당당히 진출해 정치, 경제, 사회, 문화 각 방면에서 지역사회와 미국 발전에 크게 기여하고 있습니다. 오늘 함께하고 있는 티모씨 이 님은 서민주택을 보급하여 유엔 해비타트(Habitat)의 우수 프로젝트 상을 받았습니다. 박성만 선생의 제자들은 하와이 수학경시대학에서 8년 연속 1위를 차지했습니다. 이재영 변호사님은 민주평통 청년위원을 맡아 한반도 평화에 힘을 보태고 있습니다. 그리고 이 자리에는 특별히 민족지도자 도산 안창호 선생의 손자 로버트 안 님도 함께하고 계십니다. 대한민국은 지금 선생이 그토록 염원하던 정의롭고 강한 나라, 나와 이웃이 함께 잘사는 나라, 국경을 넘어 상생과 협력을 실천하는 나라로 향해 가고 있습니다. 동포 여러분의 하나된 마음이 큰 힘이 되었습니다. 미 연방 상·하원은 우리 선조들이 하와이 도착한 1월 13일을 미주한인의 날로 지정해 함께 기리고 있습니다. 동포 여러분 덕분에 한미동맹이 자유와 평화, 민주주의와 인권의 가치를 공유하는 가장 모범적이며 위대한 동맹으로 발전할 수 있었습니다. 한미 양국은 앞으로도 변함없이 한반도와 동북아, 세계의 평화와 번영을 위해 굳건히 협력해 나갈 것입니다.

정부는 해외 독립유공자의 공적을 발굴하고, 후손을 한 분이라도 더 찾기 위해 노력할 것입니다. 독립에 헌신한 분들에 대한 예우를 정부가 마땅히 해야 할 책무이자 영광으로 여기며 끝까지 최선을 다하겠습니다.

존경하는 하와이 동포 여러분, 독립유공자 후손 여러분,

오늘 오후 히캄 공군기지에서 한미 상호 유해 인수식이 열리고, 한국전쟁 전사자 68명의 유해가 조국으로 돌아갑니다. 신원이 밝혀진 두 분의 유해는 최고의 예우로 대통령 전용기에 모실 예정입니다. 고국을 사랑하는 동포 여러분의 마음도 가슴에 담아가겠습니다. 어려울 때나 기쁠 때나 고국과 함께해 온 동포 여러분을 잊지 않겠습니다.

감사합니다.

한미 유해 상호 인수식 기념사

| 2021-09-23 |

존경하는 한미 양국의 국민 여러분, 한국전쟁 참전용사와 유가족 여러분,

마침내 오늘, 미국과 한국의 영웅들이 70년 긴 세월을 기다려 고향과 가족의 품으로 돌아갑니다. 한국 대통령 최초로 영웅들의 귀환을 직접 모실 수 있게 되어 큰 영광입니다. 대한민국의 자유와 평화를 위해 희생하신 예순여덟 분 한국군 영웅들과 다섯 분 미군 영웅들께 경의를 표하며, 유가족 여러분께 깊은 위로의 말씀을 드립니다. 영웅들의 귀환에 결정적인 역할을 한 '미 국방부 전쟁포로·실종자 확인국'과'대한민국 국방부 유해발굴감식단', 상호 유해 인수를 아낌없이 지원해 주신 아퀼리노 인·태사령관과 관계자들께 감사의 인사를 전합니다.

내외 귀빈 여러분,

1950년 6월 25일, 한반도에서 전쟁의 포성이 울렸을 때 유엔 안보리는 역사상 최초의 '유엔 집단안보'를 발동했습니다. 거의 알려지지 않았던 먼 나라의 평화를 위해 전 세계 스물두 나라, 195만 명의 청년들이 한반도로 왔습니다. 특히, 미국은 자신의 나라를 지키듯 참전했습니다. 미군 3만 6,595명, 카투사 7,174명이 한 번도 만난 적 없는 이들의 자유와 평화를 위해 목숨을 바쳤습니다. 오늘 모시게 된 영웅들 가운데 신원이 확인된 故 김석주 일병과 故 정환조 일병은 미 7사단 32연대 카투사에 배속되어 장진호 전투를 치렀습니다. 영웅들의 희생이 있었기에 나의 부모님을 포함한 10만여 명의 피난민이 자유를 얻었고, 오늘의 나도 이 자리에 있을 수 있었습니다.

2017년 6월, 대통령 취임 직후 워싱턴 장진호 전투 기념비를 참배했습니다. 그리고 오늘, 장진호 용사들에게 남은 마지막 임무 '고국으로의 귀환'에 함께하게 되어 감회가 깊습니다. 이 자리에는 故 김석주 일병의 증손녀인 대한민국 간호장교 김혜수 소위가 유해를 직접 모시고 가기 위해 함께하고 있습니다. 늠름한 정예 간호장교가 된 김 소위를 故 김석주 일병도 크게 자랑스러워하실 것입니다.

내외 귀빈 여러분,

서울의 전쟁기념관에는 '평화를 원하거든 전쟁을 기억하라'라는 문구가 새겨져 있습니다. 대한민국은 참전용사들의 숭고한 용기와 희생을 기억하며, 평화와 번영을 향해 쉼 없이 걸어왔습니다. 70년이 흘러, 한국은 경제성장과 민주주의를 함께 이뤘고, 지난 6월, 유엔무역개발회의는 만장일치로 한국을 선진국으로 격상했습니다. 이제 한국은 국제사회의 일원으로서 책임을 다하기 위해 애쓰고 있습니다. 코로나에 맞서 국제사회와 연대, 협력하고 있으며, 기후위기 대응에 세계와 함께하고 있습니다. 대한민국은 유엔 참전용사들의 희생과 헌신을 뿌리로 국제사회의 과제를 함께 나눌 수 있을 만큼 성장했습니다. 이제는 세계평화와 공동번영을 위해 당당하게 기여하는 대한민국이 되었습니다. 오늘 대한민국의 성장을 영웅들께 보고드릴 수 있게 되어 무한한 긍지와 자부심을 느낍니다.

한미 양국의 국민 여러분, 한국전쟁 참전용사와 유가족 여러분,

영웅들께서 가장 바라는 것은 '한반도의 완전한 평화'입니다. 나는 유엔 총회 연설에서 한국전쟁의 당사국들이 모여 '종전선언'과 함께 '화해와 협력'의 새로운 시대를 열자고 제안했습니다. '지속가능한 평화'는 유엔 창설에 담긴 꿈이며, '종전선언'은 한반도를 넘어 평화를 염원하는 모든 이들에게 새로운 희망과 용기가 될 것입니다. 참전용사들의 피와 헌신으로 맺어진 한미동맹은 자유와 평화, 민주주의와 인권, 법치 등 정치·경제·사회·문화 전반의 가치를 공유하는 포괄적 동맹으로 발전했습니다. 한반도의 완전한 비핵화와 항구적 평화 구축을 위한 한미 양국의 노력 역시 흔들림 없이 계속될 것입니다. 우리에겐 아직 돌아오지 못한 많은 영웅들이 있습니다. 정부는 비무장지대를 비롯해 아직도 가족의 품으로 돌아가지 못한 용사들을 찾기 위해 계속 노력할 것입니다. 유해발

굴을 위한 남북미의 인도적 협력은 전쟁의 상처를 치유하고, 화해와 협력의 길로 나아가는 계기가 되리라 믿습니다.

이제 영웅들을 모시고 돌아갑니다. 우리에게 평화를 향한 용기와 희망을 일깨워준 영웅들이, 마침내 자신이 나고 자란 땅으로 돌아갑니다. 한미 양국 영웅들의 안식을 기원합니다. 영원히 기억하고 보답하겠습니다.

감사합니다.

10월

제73주년 국군의 날 기념사

제15회 세계 한인의 날 기념사

하이스 포럼(수소환원제철 포럼) 영상 축사

제4차 아시아 · 태평양 환경장관포럼 개회식 영상메시지

수소경제 성과 및 수소 선도국가 비전 보고 모두발언

제102회 전국체육대회 개회식 영상 축사

대한민국 소프트파워 '한글'

아프간 관련 G20 특별정상회의(화상) 연설

균형발전 성과와 초광역협력 지원전략 보고 모두발언

2050 탄소중립위원회 제2차 전체회의 모두발언

2021 서울 국제 항공우주 및 방위산업 전시회 방문 축사

제76주년 경찰의 날을 국민과 함께 축하합니다

한국형발사체 누리호 발사 참관 대국민 메시지

2022년도 예산안 시정연설

제22차 한-아세안 화상 정상회의 모두발언

「한국의 갯벌」 세계유산 등재 기념식 축사

제16차 동아시아정상회의(EAS) 발언문

제76주년 교정의 날 기념식 축사

「철조망, 평화가 되다」 전시회 관람 격려사

G20 정상회의 1세션 연설

G20 정상회의 2세션 연설

G20 정상회의 3세션 연설

공급망 회복력 관련 글로벌 정상회의 모두발언

제73주년 국군의 날 기념사

| 2021-10-01 |

존경하는 국민 여러분, 사랑하는 국군장병 여러분,

포항은 해병들의 고향입니다. 1950년 7월, UN군 최초의 상륙작전이 펼쳐진 곳이자, 해병이라면 누구나 거쳐가는 해병대 교육훈련단이 영일만에 있습니다. 사상 최초로 이곳 포항 영일만에서 해병대와 함께 국군의 날 기념식을 갖게 되었습니다. 진짜 사나이들만이 할 수 있는 가장 용맹한 상륙 부대, 초대 해병대원들의 꿈이 담겨 있는 마라도함에서 우리 군의 발전을 기념하게 되어 매우 뜻깊습니다. 오늘 한국전쟁 참전용사인 해병대 1기 이봉식 님이 국기에 대한 맹세문을 낭독하고, 우리에게 살아있는 애국의 역사를 보여주셨습니다. 이승만 대통령으로부터 '무적 해병'의 친필을 직접 받으셨던 이봉식 님께 존경의 인사를 드리며, 대한민국의 '정의와 자유'를 지키는 최선봉에서 기꺼이 젊음을 바친, 모든 해병대원들의 노고를 치하합니다. 호국영령과 참전유공자들의 헌신, UN군 참전용사와 한미동맹의 강력한 연대가 있었기에 오늘의 대한민국이 있습니다. 평화를 만들고 지키기 위해 애써주신 모든 분들께 진심으로 경의를 표합니다.

국민 여러분, 해병용사 여러분,

우리 해병대는 혁혁한 공로와 용맹함만큼 자랑스러운 이름들을 갖고 있습니다. 1950년 8월, 통영 상륙작전으로 '귀신잡는 해병'이 되었습니다. 창설된 지 1년 만에 성공시킨 한국군 최초의 단독 상륙작전이었습니다. '무적 해병'이라는 이름은 양구 도솔산지구 전투 승리로 얻은 명예로운 칭호입니다. 지금도 서북단 서해5도에서 최남단 제주도까지, 그리고 한반도를 넘어 UN평화유지군으로 우리 국민이 있는 곳이라면 반드시 해병대가 있습니다. 이제 해병대는 48년 만에 다시 날개를 달게 됩니다. 올해 12월, 항공단이 창설되면 우리 해병은 드디어 입체적인 공격 능력과 기동력을 갖추게 됩니다. 어떤 상황에서도 최고의 능력으로 대처하며 어디서나 완벽하게 임무를 수행하게 될 것입니다. 해병대 항공단 창설을 준비하는 과정에서 2018년 7월, 순직한 故 김정일 대령, 故 노동환 중령, 故 김진화 상사, 故 김세영 중사, 故 박재우 병장의 영면을 기원합니다. 해병의 용맹과 자부심은 전우애와 희생으로 이뤄낸 값진 승리입니다. '무적 해병'의 신화를 만들어온 해병 영웅들의 헌신을 대한민국의 이름으로 기억하겠습니다.

국민 여러분,

지난 8월, 우리 군은 아프간에서 '미라클 작전'을 펼쳐 아프간인 특별기여자를 신속하고 안전하게 구출했습니다. 철저한 보안 속에서 외교부와 국정원 등 정부기관들과 함께 면밀한 작전계획을 세웠고, 어린 아이들을 위해 젖병과 분유까지 준비했습니다. 한 명이라도 더 데려오기 위해 의료진이나 경호 요원, 승무원 등 작전 요원들은 비행시간 내내 탑승자들을 보호하며 서 있었습니다. 아프간에서 다른 나라의 대사관과 군의 활동을 지켜보았던 공수비행대대 편대장은 이렇게 말했습니다.

"대한민국은 생각보다 많이 강해졌고, 오늘도 강해지고 있는 중이라고 느꼈습니다."

해보지 않았고 성공을 장담할 수 없었던 작전이었지만, 대한민국은 단 한 명의 희생자 없이 강한 저력을 보여주었습니다. 우리의 국방력은 어느 날 갑자기 기적처럼 솟아오른 것이 아닙니다. 우리의 땅과 바다, 하늘을 우리의 힘으로 지키겠다는 국민과 장병들의 의지로 이뤄낸 것입니다. 평화의 한반도를 만들어내겠다는 우리 군의 헌신이 오늘 우리 국방력을 세계 6위까지 올려놓았습니다.

우리 정부는 출범 이후 지금까지 국방개혁 2.0을 흔들림 없이 추진해왔습니다. 최첨단 국방과학기술을 무기체계에 적용하고, 민간 산업의 발전에도 기여하고 있습니다. 또한 굳건한 한미동맹을 바탕으로 40년간 유지되어 온 '미사일지침'을 완전 폐지하여 훨씬 강력한 미사일을 개발하며 실전배치하고 있습니다. 해군은 이지스함과 SLBM을 장착한 잠수함에 이어, 광활한 해양 어디에서나 다목적 군사기지 역할을 수행할 3만톤급 경항모 사업을 추진하며 대양해군으로 나아가고 있습니다. 공군은 순 우리 기술로 차세대 한국형 전투기 KF21 시제품을 완성했습니다. 'KF21, 보라매'는 마하 1.8의 비행속도와 7.7톤의 공대지 미사일 무장 탑재력으로 우리 공군의 중추가 될 것입니다.

이제 우리 국군은 4차 산업혁명의 기술을 기반으로 최첨단 과학기술군으로 도약하고 있습니다. 초연결 네트워크를 활용한 통합공중방어체계, 유·무인 복합전투체계를 구축하고 있으며 무인 항공 전력도 정찰과 통신중계와 공격 등 다양한 임무를 수행할 수 있도록 고도화하고 있습니다. '국방우주개발'을 넘어 '국가우주개발' 시대를 열기 위한 인공지능 기반의 사이버전 체계, 정찰위성, 우주발사체용 고체추진기관 기술 역시 거침없이 발전시켜나가겠습니다. 한미 양국은 연합방위태세를 강화하면서 전시작전통제권 전환의 의지를 다시 확인했고, 우리는 전환 조건을 빠르게 충족해가고 있습니다. 오늘, 오직 우리 군 전력으로만 '피스메이커' 상륙작전을 국민들께 선보일 예정입니다. 육·해·공군과 해병대가 함께 펼치는 미래합동작전에서 나라를 지키는, 강한 안보의 힘을 보실 수 있을 것입니다. 믿음직한 우리 국군의 면모를 국민들께서 충분히 확인하시게 될 것입니다.

국군장병 여러분,

누구도 흔들지 못하게 하는 힘, 아무도 넘볼 수 없는 포괄적 안보역량을 키우기 위해 정부는 최선의 노력을 다하고 있습니다. 정부는 내년도 국방예산으로 총 55조 2천억 원을 국회에 제출했습니다. 2017년 보다 37% 증액된 수준입니다. 특히, 첨단 기술의 핵심전력과 차세대 무기 개발을 위한 R&D 예산을 더욱 대폭 늘려 4조 9천억 원을 책정했고, 실전 훈련을 위한 가상현실·증강현실 모의훈련체계도 확대했습니다. 국내 방위산업을 적극적으로 육성하려는 노력도 예산안에 담았습니다. 무엇보다 우리 청년들에 대한 국가의 책임을 강화했습니다. 병장 기준 봉급으로 67만 6천 원으로 인상할 예정입니다. 2017년 기준 최저임금 수준이란 약속을 지킬 수 있게 되었습니다. 하루 급식단가도 1만 1천 원으로 늘었습니다. 18개월 복무기간 단축은 올해 12월이면 완료될 것입니다. 대한민국의 평화와 안보, 장병들의 복지를 위한 정부의 노력이 이처럼 적지 않은 성과를 이루었습니다. 군 스스로도 고강도 개혁을 진행하고 있습니다. 군사법원법 개정을 통해 투명하고 공정한 수사와 재판을 받을 권리를 제도적으로 보장했습니다.

군 혁신의 핵심은 '인권'입니다. 서로의 인권을 존중하는 가운데 맺어진 전우애야말로 군의 사기와 전투력의 자양분입니다. 장병들은 조국 수호의 사명감으로 임무완수를 위해 최선을 다하고 있습니다. 군 인권을 위해 뼈를 깎는 각오로 혁신하는 것이 강군으로 가는 지름길이라는 것을 명심해 주길 바랍니다.

존경하는 국민 여러분, 사랑하는 국군장병 여러분,

지난 8월, 대한 독립군 총사령관 홍범도 장군의 귀향이 이뤄졌습니다. 지난주에는 장진호 전투 영웅, 故 김석주 일병과 故 정환조 일병을 포함한 예순 여덟 분의 용사를 고향 땅에 모셨습니다. 영웅들이 꿈꾸던 나라는 평화와 번영으로 넘실대는 나라일 것입니다. 우리는 이 순간에도 세계와 손잡고 영웅들이 꿈꾸던 나라를 향해 전진하고 있습니다. 올해는 대한민국이 유엔에 가입한 지 30주년이 되는 뜻깊은 해입니다. 우리는 유엔과 함께 자유와 평화를 지켰고, 이제는 유엔의 일원으로 국제사회의 책임을 다하고 있습니다. 우리는 UN 가입 2년 만인 1993년, UN평화유지군으로 처음 소말리아에 공병대대를 파병했습니다. 지금은 레바논의 동명부대, 소말리아 해역의 청해부대, 아랍에미리트의 아크부대와 남수단 한빛부대가 세계에서 활약하고 있습니다. 오늘 열아홉 개 파병부대의 깃발이 고공강하와 함께 포항의 하늘에 자랑스럽게 펄럭였습니다. 묵묵하게 소임을 다하고 있는 파병 장병과 가족들께 위로와 격려의 인사를 전합니다.

나는 우리 군을 신뢰합니다. 나는 우리의 든든한 안보태세에 자부심을 갖고 있습니다. 이러한 신뢰와 자부심을 바탕으로 나는 한반도 '종전선언'과 '화해와 협력'의 새로운 시대를 국제사회에 제안했습니다. 국군 최고통수권자의 첫 번째이자 가장 큰 책무는 한반도의 항구적 평화를 만들고, 지키는 것입니다. 이는 곧 우리 군의 사명이기도 합니다. 국민의 생명과 안전을 위협하는 그 어떤 행위에 대해서도 정부와 군은 단호히 대응할 것입니다. 국민들께서도 더 큰 신뢰와 사랑으로 늠름한 우리 장병들을 응원해 주시기를 바랍니다. 반드시 우리 군과 함께 완전한 평화를 만들어내겠습니다.

감사합니다.

제15회 세계 한인의 날 기념사

| 2021-10-05 |

존경하는 750만 재외동포 여러분, 세계 각국의 한인회장 여러분,

'제15회 세계 한인의 날' 기념식을 진심으로 축하합니다. 우리는 만날수록 힘이 나는 민족입니다. 지난해 코로나 때문에 세계한인의 날 기념식을 치르지 못한 채 서로의 자리에서 그리움을 달래야 했습니다. 어려움 속에서 먼 길을 와 주신 동포 여러분께 뜨거운 환영 인사를 드립니다. 대면으로 참석하지 못한 아쉬움 속에서 온라인으로 더욱 진한 동포애를 보내 주고 계신 재외동포 여러분께도 안부 인사를 전합니다. 우리 겨레는 세계 어디서든 각자의 자리에서 빛나는 별입니다. 서로 믿고 의지하고 그리워하며 희망과 회복의 힘을 키워왔습니다. 코로나의 대유행 속에서도 하나가 되어 더 크게 빛난 재외동포와 한인회장단, 유공자 여

러분께 깊은 존경과 감사 인사를 드립니다.

동포 여러분,

오늘 기념식에 '쿠바 이주 100주년'을 맞아 차세대 동포 임대한 님이 함께하고 있습니다. 임대한 님의 증조부 임천택 선생은 쿠바 한인 1세이자 독립운동가였고, 후손들이 그 뜻을 이어가고 있습니다. 재외동포 1세대 선조들은 간도와 연해주, 중앙아시아, 하와이, 멕시코, 쿠바에 이르기까지 전 세계에서 당당한 도전과 성취의 역사를 썼습니다. 동포들은 고된 타향생활 속에서도 대한민국 임시정부와 광복군을 후원했습니다. '힘이 있으면 힘을, 돈이 있으면 돈을 내자'는 정신으로 모금 운동을 벌였습니다. 온 민족이 함께 힘을 모아 마침내 독립을 이뤄낸 역사적 경험은, 해방 후에도 대한민국이 전쟁과 가난, 독재와 경제위기를 이겨내는 큰 힘이 되었습니다.

지난해, 코로나라는 전대미문의 위기 앞에서 우리의 저력은 다시 한번 빛났습니다. 동포들은 모국에 방역물품과 성금을 보내 주셨습니다. 또한 거주국의 한국전 참전용사들을 비롯한 취약계층에게 마스크 등 방역필수품을 나눠드렸고, 어려운 동포와 이웃을 도왔습니다. 세계 각지에서 "어려울 때 친구가 진정한 친구"라는 격언을 실천해온 동포 여러분 덕분에 대한민국의 위상도 높아졌습니다. 각국 정부와의 협력도 더욱 강화되었습니다. 뛰어난 민간외교관 역할을 해 오신 재외동포 한 분 한 분이 참으로 고맙고 자랑스럽습니다.

조국은 여러분이 어렵고 힘들 때, 언제나 여러분 곁에 있습니다. 여러분이 조국에 자부심을 가질 수 있도록 정부는 더욱 세심하게 노력하겠습니다. 정부는 '해외 체류 국민과 재외동포의 보호와 지원'을 주요 국정과제로 선정해 실천해 왔습니다. 외교부 재외동포영사국을 영사실로 승격시키고, 해외 사건사고 전담 인력도 대폭 확충했습니다. 2018년 문을 연 해외안전지킴센터는 365일 24시간 재외국민의 안전을 위해 실시간 운영되고 있습니다. 정부는 무엇보다 코로나 확산 속에서 동포들의 안전을 지키기 위해 최선을 다했습니다. 한인회와 협력하고, 현지 정부와 공조하여 막힌 하늘길을 열었습니다. 지금까지 122개국 6만2천2백 명의 재외국민을 안전하게 귀국시켰고, 46개국 2만2천5백 명의 재외국민을 거주국으로 안전하게 복귀시켰습니다. 올해 1월부터 '재외국민 보호를 위한 영사조력법'이 본격 시행되고 있습니다. 이달부터 '재외국민 보호위원회'가 출범합니다. 정부 열세 개 부처가 재외국민의 생명과 안전, 재산을 더 철저히 보호하기 위해 역량을 모을 것입니다. 독립을 위해 헌신하고도 해방된 조국으로 돌아오지 못한 분들에 대한 국가의 책무 역시 잊지 않겠습니다. 올해 1월 시행된 '사할린동포 특별법'에 따라 올해 말까지 350명의 동포들이 영주귀국을 앞두고 있습니다. 영주귀국을 원하는 사할린 동포들을 순차적으로 모두 고국으로 모실 수 있도록 하겠습니다.

동포 여러분,

세계 각국의 정상들과 주요 인사들을 만날 때마다 동포들에 대한 칭찬을 듣습니다. 한인사회가 모든 분야에서 큰 성취를 이루고, 그 나라의 발전에 크게 기여하고 있다고 고마워합니다. 동포사회의 차세대들은 선대들의 뒤를 이어 거주국의 당당한 리더이자 모국의 성장파트너가 되고 있습니다. 세계를 무대로 성공신화를 써온 '한상'들은 국내기업의 수출과 해외 진출에 든든한 울타리가 되어 주고 있습니다. '세계한인정치인협의회'를 비롯한 재외동포 정치인들은 거주국은 물론 전 세계 한민족을 하나로 묶는 리더로 활약하며, 한반도 평화의 굳건한 가교가 되어 주고 있습니다. 지난해 우리 동포 네 분이 미국 연방 하원의원에 당선되었고, 지난 9월 한국계 최초의 독일 연방 하원의원이 탄생했습니다. 동포사회뿐 아니라 겨레 모두의 긍지가 아닐 수 없습니다.

동포사회의 성장과 더불어 대한민국은 세계 10대 경제 강국으로 발돋움했습니다. 유엔무역개발회의는 만장일치로 대한민국을 개도국에서 선진국으로 격상시켰습니다. 세계적으로 사상 최초의 일입니다. 지난 9월에는 UN 세계지식재산기구의 글로벌 혁신지수 평가에서 세계 5위, 아시아 1위를 차지했습니다. EU의 글로벌 경쟁국 혁신지수 평가 1위와 블룸버그 혁신지수 세계 1위에 이어, '혁신 강국 대한민국'의 위상을 재확인한 쾌거입니다.

무엇보다 문화·예술·스포츠를 통해 만든 대한민국의 '소프트 파워'가 매우 자랑스럽습니다. 나라를 뛰어넘는 공감과 연대의 힘으로 세계를 감동시키고 있습니다. 한류문화의 물꼬를 튼 것은 뭐니 뭐니 해도 역시 재외동포분들입니다. 현지에서 축적한 공감과 유대의 기반 위에서 K-팝을 비롯한 K-드라마와 영화, 게임, 웹툰, K-뷰티와 푸드까지 한류의 물길을 끊임없이 이어지게 만들었습니다. 알파벳 'K'는 이제 대한민국의 품격과 소프트 파워를 상징하는 '브랜드'가 되었고, '메이드 인 코리아'는 세계인의 신뢰와 사랑을 받고 있습니다. 더욱 반가운 것은 우리 동포들의 민족적 긍지와 자부심이 함께 커지고 있다는 사실입니다. 한국어와 한민족 역사를 배우고, 민족 정체성을 지키고자 하는 노력이 재외동포 사회에서 커지고 있습니다. 정부 역시 우리 미래세대들이 한민족의 핏줄을 잊지 않으면서, 그 나라와 지역 사회의 당당한 리더로 성장할 수 있도록 아낌없이 지원할 것입니다. 한글학교와 한국교육원 등 재외 교육기관의 신설과 지원을 더욱 확대하겠습니다. 모국 초청 연수와 장학사업도 확대하고 있습니다. 750만 재외동포의 역량 결집과 차세대 교육의 거점이 될 '재외동포 교육문화센터'의 건립도 차질없이 추진할 것입니다. 아울러, 동포사회의 차세대 인재들을 대한민국의 국가 인재로 유치하기 위해 힘쓰겠습니다.

존경하는 재외동포 여러분, 세계 각국의 한인회장 여러분,

우리 민족은 수많은 위기와 역경을 힘을 모아 헤쳐 왔습니다. 포용과 상생의 정신을 실천하며, 국경을 넘어 연대와 협력의 힘을 발휘해 왔습니다. 그러나 우리는 아직 분단을 넘어서지 못했습니다. 재외동포들의 시각에서 바라보면, 남북으로 나뉘어진 두 개의 코리아는 안타까운 현실일 것입니다. 하지만 우리는 대립할 이유가 없습니다. 체제 경쟁이나 국력의 비교는 이미 오래전에 더 이상 의미가 없어졌습니다. 이제는 함께 번영하는 것이 더욱 중요합니다. 통일에는 시간이 걸리더라도 남과 북이 사이좋게 협력하며 잘 지낼 수 있습니다. 한민족의 정체성을 갖고 있는

동포들의 역할이 매우 중요합니다. 남과 북을 넘어 하나의 코리아가 갖는 국제적인 힘, 항구적 평화를 통한 더 큰 번영의 가능성을 동포들께서 널리 알려 주시길 바랍니다. 8천만 남북 겨레와 750만 재외동포 모두의 미래세대들이 한반도와 세계의 지속가능한 발전을 위해 공감하고 연대하는 꿈을 꿉니다. 그 길에 750만 재외동포 여러분이 함께해 주시리라 믿습니다. 세계 어디에 가도 동포 여러분이 계시다는 것만으로도 큰 힘이 됩니다. 해외순방 때마다 응원하며 힘을 주시는 동포들께 다시 한번 감사드립니다. 언제나 조국과 함께해 오신 750만 동포들께 깊은 경의를 표하며, 동포 여러분이 자부심을 가질 수 있는 대한민국을 위해 더욱 노력하겠습니다.

감사합니다.

하이스 포럼(수소환원제철 포럼) 영상 축사

| 2021-10-06 |

에드윈 바슨 세계철강협회 사무총장님과 철강산업 관계자 여러분, 내외 귀빈 여러분,

세계 철강산업이 탄소중립에 앞장서기 위해 뜻을 모으는 자리를 마련하게 되어 매우 반갑습니다. 그 최초의 '하이스 포럼'이 대한민국 서울에서 개최되어 더욱 뜻깊습니다.

한국의 가을은 높고 푸른 하늘로 유명합니다. 푸른 지구를 위해 서울에 오신 여러분을 진심으로 환영하며, '하이스 포럼' 개최를 위해 노력해주신 세계철강협회와 서울 개최를 준비해주신 포스코에 깊이 감사드립니다. 지금까지 끊임없이 인류문명의 발전을 이끌어온 철강산업이 탄소중립이라는 새로운 문명 건설에 앞장서주길 바라며, 오늘 포럼이 중요한 첫걸음이 되길 기대합니다.

철강산업 관계자 여러분,

철의 역사는 인류 문명의 역사입니다. 철의 발견으로 농업혁명이 일어났고, 인류는 식량문제를 해결할 수 있었습니다. 철강산업은 19세기 산업화의 원동력이었습니다. 철은 오늘날 모든 제조업과 우리 삶의 전 분야에서 대체 불가능한 자원입니다. 철은 강력한 내구성을 지녔으며 재활용이 가능하기에 친환경적이고 지속가능한 자원입니다. 다만 단 한 가지, 지금과 미래의 지구 환경을 위해 지난 3천 년 변함없이 이어져온 탄소 기반의 제철기술에서 변화가 요구됩니다. 우리가 철강을 생산할 때 배출하는 온실가스를 획기적으로 감축할 수 있어야만 철강산업이 지속가능한 발전을 이룰 수 있습니다. 우리가 석탄 대신 수소로 철을 추출하는 '수소환원 제철기술'에 주목하는 이유입니다. 현재 실험실 수준의 기초단계에 있는 이 기술을 개발, 상용화하는 것은 빠른 시일 안에 저탄소 기술로 전환해야 하는 매우 도전적인 과제이고, 범세계적인 역량 결집이 있어야만 가능한 과제입니다.

한국은 2050 탄소중립을 위해 저탄소 경제와 수소 경제로의 대전환을 추진하고 있습니다. 석탄화력발전소를 조기 폐지하고, 재생에너지의 비중을 높이는 한편, 수소경제를 확산시키고자 합니다. 또한, 청정수소를 위해 2050년까지 그레이 수소를 블루 수소와 그린 수소로 100% 전환하고, 그린 수소의 생산을 획기적으로 늘릴 것입니다. 한국 산업계도 투자 확대와 수소기업협의체를 통해 수소의 생산에서 유통과 활용까지 수소경제 전 분야에서 협력을 적극 모색하고 있습니다. 국가적으로 힘을 모아 탄소 없는 21세기의 원유, 수소산업을 성장시킬 것입니다. 수소환원제철을 이루기 위해서는 수소 생산이 획기적으로 확대되어야 합니다. 나라와 기업마다 각기 다른 상황이지만 당면한 기후위기 극복을 위해 연대하고 협력한다면 결코 불가능한 과제가 아닙니다. 철강산업의 비중이 큰 한국이 먼저 행동하고 세계와 협력하겠습니다.

에드윈 바슨 세계철강협회 사무총장님과 철강산업 관계자 여러분, 내외 귀빈 여러분,

인류는 수많은 위기를 연대와 협력으로 극복해 왔고, 탄소중립이라는 새로운 과제 역시 우리는 국경을 넘어 손을 맞잡고 이뤄낼 것입니다. 위대한 건축물은 든든한 기초공사와 골격으로 탄생합니다. 세계 철강산업이 탄소중립사회의 기초를 안전하게 다져주면 탄소중립을 향한 인류의 발걸음은 한층 가벼워질 것입니다. 오늘 '하이스 포럼'을 계기로 세계 철강산업인들의 연대와 협력이 한층 강화되고, 탄소배출 없이 만들어지는 철강이 새로운 인류 문명의 주춧돌이 되길 기대합니다.

감사합니다.

제4차 아시아·태평양 환경장관포럼 개회식 영상메시지

| 2021-10-07 |

각국 환경장관과 국제기구 대표 여러분,

'아시아·태평양 환경장관포럼'이 4회를 맞았습니다. 아름다운 가을, 유네스코 세계문화유산 '화성'을 품고있는 유서 깊은 도시, 수원에 오신 것을 진심으로 환영합니다. 이번 포럼은 코로나 이후 한국에서 처음으로 열리는 대면 중심 다자회의이자, 유엔환경총회를 앞두고 열리는 매우 중요한 사전 준비 회의입니다. 코로나를 겪으며 우리는 자연과의 공존이 얼마나 절실한지 깨닫고, 지속가능발전을 위한 국제 협력을 강화하고 있습니다. 오늘 포럼이 아·태 국가들의 행동을 결속하는 계기가 되고 나아가 지구촌의 연대와 협력을 이끄는 모범이 되길 기대합니다.

각국 환경장관 여러분, 국제기구 대표 여러분,

자연과의 공존을 위한 최우선 당면과제는 기후위기 극복입니다. 지구는 지금 예상보다 훨씬 빠른 속도로 뜨거워지고 있으며 아·태지역은 기후위기에 취약한 지역입니다. 2019년 전 세계에서 발생한 태풍, 홍수, 가뭄 등 자연재해 중 40%가 아·태지역에서 발생했습니다. 그러나 우리가 선제적으로 준비하고 대응한다면 재생에너지와 수소경제 같은 녹색산업과 디지털 경제의 결합을 통해 기후 위기를 넘어 지속가능한 성장을 이루는 기회가 될 수도 있습니다. 그만큼 '탄소중립'을 향한 아ㆍ태 국가들의 행동 또한 더욱 빨라져야 할 것입니다.

한국은 지난해 '2050 탄소중립'을 선언했습니다. 시민사회와 지자체를 비롯한 국민적 동참 속에 다음 달 COP26에서 더 높아진 '2030 NDC'를 발표할 계획입니다. 저탄소 경제 전환에도 박차를 가하고 있습니다. 기업들이 자발적으로 재생에너지 투자를 늘리며 '탄소중립'을 새로운 성장과 일자리 창출의 기회로 만들고 있습니다. 정부 역시 2025년까지 520억 불을 투입하는 '그린 뉴딜'을 통해 산업계의 노력을 뒷받침하고 있습니다. 한국은 저탄소 경제 전환의 경험을 국제사회와 공유하고 그린 ODA를 확대하여 개도국이 기후위기 대응 역량을 키울 수 있도록 함께 하겠습니다. 또한 2023년 COP28을 유치하여 세계와 함께 '탄소중립'의 길을 나아갈 수 있도록 보다 적극적으로 기여하고자 합니다. 아·태 국가들의 관심과 지지를 부탁드립니다.

자연과의 공존을 위해 해양과 산림 생태계를 보전하고 생물다양성을 보호하는 노력도 시급합니다. 자연 생태계의 균형 복원은 자연이 가진 자정 능력을 회복시키는 일입니다. 지구가 온실가스를 흡수해 기후를 유지하고 물과 대기의 오염 물질을 분해하며 생명체들에게 영양분을 안정적으로 공급할 수 있도록 해야 합니다. 한국은 '생물다양성협약 당사국총회'에서 '포스트 2020 글로벌 생물다양성 목표'가 채택될 수 있도록 적극 협력하겠습니다. 유엔 차원에서 진행되고 있는 해양 플라스틱 대응 논의에도 적극적으로 참여할 것입니다.

각국 환경장관 여러분, 국제기구 대표 여러분,

아·태 지역은 세계 인구의 60% 이상이 거주하고, 가장 빠르게 성장하고 있는 곳입니다. 또한 오랜 세월 자연 친화적인 삶을 가치 있게 여겨 왔던 전통과 문화를 바탕으로 인류의 기후위기 극복과 포용적 녹색 전환을 이끌 수 있는 충분한 잠재력을 가지고 있습니다. 이번 포럼을 통해 자연과의 공존을 위한 창의적인 해법이 모색되고 아·태 국가들의 연대와 협력으로 녹색 대전환이 앞당겨지길 기대합니다. 오늘의 성과가 COP26과 유엔환경총회로 이어져 지속가능한 미래를 만드는 밑거름이 될 것이라 확신합니다.

감사합니다.

수소경제 성과 및 수소 선도국가 비전 보고 모두발언

| 2021-10-07 |

존경하는 국민 여러분, 인천 시민 여러분,

수소경제는 우리 정부가 역점을 두고 있는 미래 경제의 핵심 중 하나입니다. 미래 수소경제의 핵심거점으로 이곳 인천이 떠오르고 있습니다. 기업들의 대규모 투자와 상호 협력이 활발히 이뤄지고 있고, 수소산업 생태계가 본격적으로 구축되면서 수소 공급망의 중심이 되고 있습니다. 국내 최대 규모의 액화수소 플랜트가 건설되어 연간 3만 톤 규모의 수소를 2023년부터 안정적으로 공급하게 될 것입니다. 특히 오늘 방문한 차세대 연료전지 특화단지는 수소 모빌리티 분야에서 격차를 더욱 벌리기 위한 수소연료전지 핵심 부품의 대량 생산기지 역할을 하게 될 것입니다. 인천시와 수소 관련 주요 기업들이 잘 협력한 결과이며, 정부도 최선을 다해 뒷받침하겠습니다.

수소는 탄소중립 시대 핵심 에너지입니다. 자동차와 선박 등 친환경 운송수단의 연료가 되고, 연료전지 등 무탄소 전원에 사용되며, 산업용 공정에도 쓰이는 만능 에너지입니다. 생산된 재생에너지를 저장하고 운송하는 데도 중요한 역할을 합니다. 미국의 경제학자 제레미 리프킨은 19년 전, '수소혁명'이란 저서에서 "수소는 인간 문명을 재구성하고, 세계 경제와 권력 구조를 재편하는 새로운 에너지 체계로 부상할 것"이라고 주장했습니다. 그 예측이 이제 현실이 되고 있습니다. 탄소경제에서 수소경제로의 전환은 거스를 수 없는 대세가 되었고, 미래의 국가경쟁력과 직결되고 있습니다. 수소경제 시장 규모도 급성장하며 2050년에는 12조 달러에 이를 것이라는 전망이 나오고 있습니다.

세계 각국은 수소경제의 주도권을 잡기 위해 역량을 집중하고 있고, 기업들은 수소시장을 선점하기 위한 치열한 경쟁에 뛰어들고 있습니다. 우리나라도 예외가 아닙니다. 다행스러운 것은 우리나라가 수소의 활용 분야에서 세계에서 앞서가고 있다는 사실입니다. 우리가 앞선 분야는 더욱 발전시켜 초격차를 확대하고, 부족한 분야는 빠르게 따라잡을 것입니다. 모든 국가적 역량을 모아 수소경제를 선도해 나갈 것입니다. 수소는 지구 어디에서나 평등하게 얻을 수 있는 역사상 최초의 민주적 에너지원입니다. 수소 시대는 지하자원이 아니라 기술과 혁신이 에너지의 주역이 되는 세상입니다. 우리나라는 화석연료 시대에는 자원 빈국이자 에너지의 대부분을 해외에 의존했던 나라지만 수소 시대에는 다릅니다. 세계 최고 수준의 혁신 역량을 갖춘 대한민국이 새로운 에너지의 당당한 주인공이 될 수 있습니다. 수소 선도국가, 에너지 강국의 원대한 꿈을 이뤄낼 수 있습니다.

우리 정부는 수소경제의 잠재력과 무한한 가능성을 보고, 새로운 길을 개척하는데 주저하지 않았습니다. 2019년 1월, '수소경제 활성화 로드맵'을 발표하고, 수소차, 충전소, 기술 개발, 안전 등 분야별 대책을 수립하여 힘있게 추진했습니다. 수소법을 세계 최초로 제정하고, 범정부 수소경제위원회를 출범시켜 수소 지원체계도 확립했습니다. 예산도 매년 증액하여 우리 정부 출범 초기 750억 원 수준에서 내년에는 17배 이상 증가한 1조3천억 원 수준으로 대폭 확대했습니다. 정부의 적극적인 지원과 기업들의 과감한 투자가 더해져 수소산업 생태계가 활성화되고 수소 경제가 빠르게 성장하고 있습니다. 특히, 수소 활용 분야인 수소차와 수소연료전지는 세계 1등 선도국가의 위치를 굳건히 차지하고 있습니다. 수소승용차 보급량과 세계 시장 점유율 1위 자리를 확고히 지키고 있고 수소트럭, 트램, 청소차, 지게차, 도시버스, 드론, 선박 등 다양한 수소 모빌리티가 수출되거나 활용 또는 실증되고 있습니다. 발전용 연료전지 보급량도 세계 1위를 기록하고 있고, 지난 9월 처음으로 해외에 수출하는 성과도 이뤘습니다.

수소충전소는 2017년 9기에서 올해 8월 112기로 열 배 이상 증가하여 세계에서 가장 빠른 속도로 보급이 확대되고 있습니다. 실험과 실제 사용을 통해 확인되고 있듯이 수소는 LPG나 도시가스, 휘발유보다 더 안전한 에너지입니다. 하지만 아직도 우리 사회에는 막연한 불안감이 많습니다. 지금 수소충전소를 운영 중인 OECD 21개 나라 중에 셀프충전소를 운영하지 않는 나라는 우리나라밖에 없습니다. 저는 2018년 프랑스 방문 때, 우리나라에서 수출한 수소 승용차들이 택시로 운행되고, 파리 도심에 있는 수소충전소에서 기사들이 셀프 충전을 하는 모습을 보았습니다. 우리가 막연한 불안감을 떨친다면 수소충전소 확충에 더욱 속도가 붙게 될 것이며, 이용자들의 편의가 증진되고 수소차 보급도 보다 빠르게 확대될 것입니다. 민간 기업들도 43조 원 규모의 대규모 투자 계획을 발표하며 수소경제에 본격적으로 투자를 시작했습니다. 지난달에는 우리 경제를 대표하는 15개 기업들이 수소기업협의체를 발족했습니다. 글로벌 수소 주도권 경쟁에서 기업 간 협력과 공동 대응을 모색하는 한편, 수소산업 경쟁력을 높이는 플랫폼이 되기를 기대합니다.

우리나라가 수소 선도국가로 나아가기 위해서는 보다 담대하고 도전적인 미래 비전과 전략이 필요합니다. 특히 탄소중립과 함께 수소경제로 확실히 나아가기 위해서는 부생수소, 추출수소 등 그레이수소 기반을 블루수소, 그린수소 등 청정수소 중심으로 대전환을 이뤄내는 것이 필수적 과제입니다. 이를 위해 청정수소 생산 역량을 빠르게 늘리고, 다양한 분야에서 수소 사용이 확대되어야 합니다. 정부는 '청정수소 선도국가'를 대한민국의 핵심 미래전략으로 삼아 강력히 추진해 나가겠습니다.

첫째, 지금의 그레이수소 100% 공급 구조를 2050년까지 100% 청정수소로 전환하겠습니다. 국내에서 블루수소, 그린수소 생산량을 대폭 늘려나가 2050년에는 그레이수소 제로, 블루수소 200만 톤, 그린수소 300만 톤을 생산하겠습니다. 또한, 우리의 기술과 자본으로 해외에서 청정수소를 생산하고 도입하는 사업도 강력히 추진하겠습니다. 수소의 세계적인 유통을 위해 액화수소 운반 선박 분야에서도 앞서가야 합니다. 그렇게 되면 우리나라는 명실공히 청정수소 선도국으로서 에너지 강국의 반열에 오를 것입니다.

둘째, 언제 어디서나 수소를 쉽게 충전할 수 있고, 전국 곳곳에 수소를 공급할 수 있는 빈틈없는 인프라를 구축하겠습니다. 2050년까지 2,000기 이상의 수소충전소를 구축할 것이며, 전 국민이 2030년에는 20분 이내, 2050년에는 10분 이내에 편리하게 충전소를 이용할 수 있는 환경을 조성할 것입니다. 또한, 경제적이고 안전한 액화수소 인프라 구축으로 대규모 청정수소 유통망을 활성화할 것이며, 전국적인 배관망을 순차적으로 구축해 갈 것입니다.

셋째, 수소 활용이 일상화되는 탄소중립 대한민국을 실현하겠습니다. 수소승용차 시장의 글로벌 초격차를 수소버스, 트럭, 건설기계 등 상용차 시장으로 확대하고 도심항공, 트램, 드론, 선박 등 미래 교통과 운송수단에 수소를 적용하여 친환경 모빌리티 시장을 선도하겠습니다. 발전 부문에서는 수소 발전에 특화된 지원을 강화하고, 친환경 수소와 암모니아 기반의 발전시스템으로 에너지 전환에 속도를 내겠습니다. 또한 철강산업에서도 수소환원제철 기술로 탈탄소화를 이뤄냄으로써 철강산업의 경쟁력을 지키면서 탄소중립을 실현해 나가겠습니다.

넷째, 범국가적 전방위 협력으로 수소경제 생태계의 경쟁력을 높이겠습니다. 정부는 수소산업 모든 분야에 걸쳐 기술 개발을 적극 지원하고, 국제 공동연구 등을 통한 표준화에 박차를 가하겠습니다. 민간 기업들의 투자 활성화를 위해 규제를 합리화하고, 수소경제 인력 양성 로드맵을 수립하여 미래 인재를 적극 양성하겠습니다. 국제 협력도 주도해 나가겠습니다. '국제 수소이니셔티브'를 설립하여 수소 거래에 관한 무역규범을 제정하고, 우리의 앞선 경험을 살려 해외 수소인프라 구축에 참여하는 등 수소산업의 수출 기회도 적극 창출하겠습니다.

수소경제는 아직 초기 단계이지만 가능성이 무궁무진합니다. 과감히 도전하여 수소경제를 주도해 나간다면 미래 먹거리와 새로운 일자리 창출의 블루오션이 될 수 있습니다. 정부가 앞장서 기업들의 도전을 응원하고 지원하겠습니다. 우리 기업들도 투자를 확대하고 있고, '수소동맹'을 통해 기업 간 협력을 강화하고 있습니다. 이제 정부와 기업은 수소 선도국가를 향해가는 원팀입니다. 'Team Korea'로서 함께, 수소 선도국가 대한민국의 미래를 힘차게 열어나가겠습니다.

감사합니다.

제102회 전국체육대회 개회식 영상 축사

| 2021-10-08 |

존경하는 국민 여러분, 17개 시·도를 대표하는 선수와 임원, 체육인 여러분,

102회 전국체육대회 개막을 진심으로 축하합니다. 코로나 상황에서도, 선수들은 더욱 고된 훈련으로 오늘을 준비했고, 국민들은 선수들의 멋진 경기를 기다려왔습니다. 땀 흘려 한계를 뛰어넘은 날들을 믿고 후회 없이, 자신의 기량을 맘껏 펼쳐주길 바랍니다. 어려운 상황에서 대회를 준비해주신 경북도민과 구미시민들께 특별한 감사의 인사를 드립니다. 이철우 경북도지사와 관계자들도 안전한 대회를 위해 많은 수고를 해주셨습니다.

국민 여러분,

체육인들이 흘린 정직한 땀과 정정당당한 승부는 언제나 우리에게 감동과 용기를 주었습니다. 도쿄올림픽에서도 우리 선수들은 "해보자, 후회하지 말고"를 외쳤고, 원팀 코리아의 패기 속에서 국민들은 '할 수 있다'는 자신감을 갖게 되었습니다. 체육인들이 국민들에게 주는 즐거움 이상으로 체육인들에 대한 국민들의 애정 역시 아주 큽니다. 국민들은 올림픽 참가 선수들의 백신 우선 접종을 지원하고, 현지에서 한식 도시락을 제공하며 최선의 기량을 펼칠 수 있도록 응원했습니다. 스포츠 산업의 코로나 피해 지원에 정부가 5천억 원 이상 지원할 수 있었던 것도 그만큼 큰 국민들의 응원이 있었기 때문입니다. 이번 대회도 불가피하게 규모와 종목을 줄이게 되어 아쉬움이 무척 크지만, 국민들이 우리 선수들을 아끼는 마음은 결코 줄어들지 않았습니다. 우리 체육인들이 많은 관중들의 열광 속에서 마음껏 운동하고, 자유롭게 실력을 겨룰 수 있는 날을 하루라도 앞당기겠습니다. 오늘 함께하지 못한 선수들과 지도자, 가족들께 진심 어린 위로와 격려의 마음을 전합니다. 여러분의 노력이 반드시 꽃피울 수 있도록, 더 나은 일상회복을 위해 최선을 다하겠습니다.

국민 여러분, 체육인 여러분,

체육은 누구나 어디서든지 누려야 할 기본적인 권리입니다. 정부는 그동안 국민체육센터와 장애인 체육시설을 늘리고, 다양한 생활체육과 장애인 맞춤형 프로그램을 마련하여 차별없는 스포츠 활동을 위해 노력해왔습니다. 일상에서 언제든 체육을 즐길 수 있는 환경을 만들겠습니다. 배려와 존중, 협력과 공정함 같은 스포츠의 소중한 가치들이 일상의 가치가 되도록 최선을 다하겠습니다. 체육인들의 인권과 안전망도 한층 강화할 것입니다. 체육인복지법이 내년부터 시행됩니다. 은퇴 후에도 체육인들이 존중받으며 안정적이고 명예로운 생활을 이어나갈 수 있도록 기반을 마련할 것입니다.

선수 여러분,

전국체육대회는 수많은 체육 영웅을 탄생시켰고, 체육 강국 대한민국을 키운 토대였습니다. 이제 전국체육대회는 새로운 100년의 역사를 시작하고 있습니다. 국민의 가슴을 울리는 영웅들이 이 자리에서 탄생할 것이며 그만큼 국민들의 자부심도 커질 것입니다. 앞으로 일주일간 펼쳐질 전국체육대회의 주인공은 바로 선수들입니다.

최선을 다해 경기에 임하는 모든 순간이 새로운 감동과 승리의 역사로 기록될 것입니다. 고등학생다운 패기와 열정, 누구 못지않은 실력과 품격으로 이번 대회를 빛내주기를 기대합니다. 저도 국민들과 함께 여러분의 열정과 도전을 응원하겠습니다. '새로운 경상북도! 행복한 대한민국!'을 만드는 화합과 희망의 축제가 되기를 희망합니다.

감사합니다.

대한민국 소프트파워 '한글'

| 2021-10-09 |

한글은 태어날 때부터 소통의 언어였습니다. 세종대왕은 쉽게 익혀 서로의 뜻을 잘 전달하자고 새로 스물여덟 글자를 만들었습니다. 이제 한글은 세계 곳곳에서 배우고, 한국을 이해하는 언어가 되었습니다. 575돌 한글날을 맞아, 밤늦게 등잔불을 밝혔던 집현전 학자들과 일제강점기 우리말과 글을 지켜낸 선각자들을 기려봅니다.

주시경 선생은 "말이 오르면 나라도 오르고, 말이 내리면 나라도 내린다"고 했습니다. 한류의 세계적 인기와 함께 한글이 사랑받고 우리의 소프트파워도 더욱 강해지고 있습니다. 18개 나라가 한국어를 제2외국어로 채택하고 있고, 이 중 8개 나라의 대학입학시험 과목입니다. 초·중고 한국어반을 개설하고 있는 나라가 39개국에 이르고, 16개 나라는 정규 교과목으로 채택했습니다. 각 나라의 대학에서 이뤄지는 950개 한국학 강좌를 통해 한국어를 하는 우리의 외국 친구들이 점점 많아질 것입니다.

현재 82개 나라 234개 세종학당에서 외국인과 재외동포들이 한글과 우리 문화를 익히고 있습니다. 오늘 한글날 역시 세계 27개 나라 32개 한국문화원에서 한글을 사랑하는 사람들과 함께 기념하고 있습니다. 얼마 전, 영국 옥스퍼드 영어사전 최신판에 한류(hallyu), 대박(daebak), 오빠(oppa), 언니(unni) 같은 우리 단어가 새로 실린 것도 매우 뿌듯한 일입니다.

한글에는 진심을 전하고 마음을 울리는 힘이 있습니다. '안녕하세요', '덕분입니다' 같은 우리말은 언제 들어도 서로의 마음을 따뜻하게 합니다. 지난 2005년부터 남북의 국어학자들이 함께 〈겨레말큰사전〉을 만들고 있으며, 지난 3월 가제본을 제작했습니다. 제가 판문점 도보다리에서 전 세계에 보여주었듯이, 남북이 같은 말을 사용하고 말이 통한다는 사실이 새삼스럽습니다. 한글이 끝내 남북의 마음도 따뜻하게 묶어주리라 믿습니다. 누리를 잇는 한글날이 되길 기원합니다.

아프간 관련 G20 특별정상회의(화상) 연설

| 2021-10-12 |

존경하는 드라기 총리님, 각국 정상과 국제기구 대표 여러분,

아프간은 현재 불안정하고 불확실합니다. 국제사회의 높은 관심과 지원에 따라 아프간의 상황은 매우 다르게 변할 것입니다. 오늘, 아프간과 관련한 G20 특별정상회의 개최를 환영하며, 아프간의 안정과 평화를 위해 연대와 협력의 의지를 결집해주신 드라기 총리님의 리더십에 감사드립니다. 지난 8월, 아프간이 위기에 처했을 때, 국적을 초월한 인도주의 정신이 발현되었습니다. 안전한 곳으로 사람들을 이동시킬 수 있었던 것은 G20 회원국과 국제사회의 긴밀한 공조 덕분이었습니다. 아프간에는 한국 정부의 활동을 지원해온 많은 현지인 직원들이 있었습니다. 한국 정부도 군 수송기를 급파하고 미국을 비롯한 여러 국가와 긴밀히 공

조하여 현지인 직원과 배우자, 자녀와 부모 등 아프간인 391명을 무사히 국내로 호송해올 수 있었습니다. 다시 한 번 여러 정상들께 사의를 표합니다.

정상 여러분,

G20은 국제사회를 선도하며 지구적 도전과제 대응에 중추적 역할을 해왔습니다. 아프간의 안정을 위해서도 앞장서야 합니다. 국제사회는 포용적이고 대표성 있는 아프간 신정부 수립을 기대하고 있습니다. 한국 역시 아프간이 평화적으로 재건되길 바라며, 신정부가 국제규범과 보편적 가치를 존중하길 희망합니다. 무엇보다 인도적 지원이 시급합니다. 주거지 파괴와 코로나, 기근에 대비해야 하고, 특히 여성과 아동 등 취약계층의 인권 보호를 위해 체계적인 지원 시스템을 구축해야 합니다. 한국은 아프간의 민생회복과 재건을 위해 지난 20년간 10억 불 규모의 무상원조와 재정지원을 했고, 병원과 직업훈련원을 운영해왔습니다. 한국은 앞으로도 아프간에 대한 국제사회의 지원에 적극 동참하겠습니다.

아프간 문제를 근본적으로 해결하기 위해 탈레반의 점진적 정책변화를 유도해야 합니다. 국제사회의 목소리에 귀를 기울이는 아프간 신정부의 적극적인 노력이 필요합니다. 국제사회는 인도적 지원과 함께 사회재건을 위한 필수적인 원조를 통해 개선의 가능성을 높여야 할 것입니다. 마약과 무기 밀거래의 확산을 막고, 국제 테러의 온상이 되지 않도록 아프간에서의 대테러 공조도 강화되길 바랍니다. 오늘 특별정상회의를 통해 회원국과 아프간 유관국, 국제기구가 힘을 모으고 아프간의 안정에 기여하게 되길 바랍니다.

감사합니다.

균형발전 성과와 초광역협력 지원전략 보고 모두발언

| 2021-10-14 |

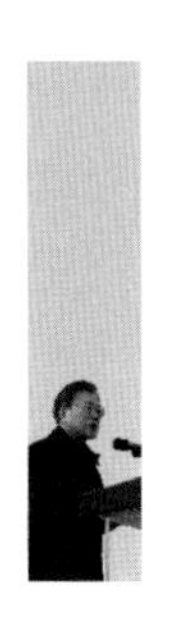

여러분, 반갑습니다.

'지역균형 뉴딜'을 주제로 한 '한국판 뉴딜 전략회의' 후, 1년 만에 광역단체장님들과 함께 더 심화된 국가균형발전 전략을 논의하는 자리를 갖게 되었습니다. 특별히 오늘은 균형발전의 상징 세종에서 회의를 열게 되어 더욱 뜻깊습니다. 최근 공포된 국회 세종의사당 설치법의 의미를 되살리고, 국가 균형발전을 더욱 강하게 추동하는 계기로 삼고자 하는 뜻입니다. 세종의사당 설치로 비효율적 행정 낭비를 줄이는 효과와 함께 국회와 관련되는 행정기능까지 세종시에서 집중할 수 있게 되어 세종시가 명실상부한 행정수도로 더 다가갈 수 있게 되었습니다. 수도권에 모든 것이 집중된 일극체제를 극복하는 새로운 동력이 되길 기대합니다.

우리 정부는 '고르게 발전하는 지역'을 국정 목표로 정해 국가 균형발전을 힘있게 추진했고, 지역밀착형 생활 SOC, 지역 상생형 일자리, 규제자유특구 등 다방면에서 지역의 발전과 혁신을 지원했습니다. 특히 지역균형 뉴딜을 한국판 뉴딜의 핵심축으로 삼고 지역 주도의 디지털 전환과 그린 전환에 속도를 내고 있습니다. 특히 자치분권 분야에서 획기적 진전을 이뤄, 자치분권 2.0시대가 개막되었다는 평가를 받고 있습니다. 지방분권 개헌이 이루어지지 않은 것이 무척 아쉽지만 지방자치법 전면 개정으로 주민주권과 자치권을 크게 확대했고, 자치경찰제를 전면 시행하여 생활밀착형 치안 서비스가 강화되는 계기를 만들었습니다. 지방분권의 핵심적 과제인 지방일괄이양법을 제정했고, 재정분권 1, 2단계를 연속 추진하여 지방세 비율을 22.3%에서 27.4%로 크게 높여 지방재정을 대폭 확충했습니다. '지역이 주도하는 균형발전'의 토대가 더욱 굳건해졌다고 생각합니다.

하지만 이 같은 성과에도 불구하고 수도권 집중이 지속되는 흐름을 되돌리는 데는 역부족이었습니다. 수도권 인구는 2019년을 기점으로 전체 인구의 절반을 넘어섰고, 경제력의 집중은 더욱 심해지고 있습니다. 이에 따라 수도권은 수도권대로 주거, 교통 문제 등 과밀의 폐해가 심각해지고, 지방은 지방대로 활력을 잃어가며 소멸의 위기까지 거론되고 있습니다. 우리 사회의 지속가능성을 위해 국가적으로 반드시 해결해야 할 중차대한 과제가 아닐 수 없습니다. 수도권 일극체제를 타파하기 위해서는 지금까지와는 차원이 다른 특단의 균형발전 전략이 모색되어야 한다고 봅니다. 초광역협력이 그것입니다. 광역과 기초지자체의 경계를 뛰어넘어 수도권과 경쟁할 수 있는 단일한 경제생활권을 만들어 대한민국을 다극화하는 것입니다. 초광역 경제생활권역을 형성하여 지역 청년들이 수도권으로 오지 않고도, 좋은 일터와 삶터에서 마음껏 꿈을 펼칠 수 있는 환경을 마련하는 것이 핵심입니다. 초광역협력이라는 새로운 모델이 성공하고 확산된다면, 수도권 집중 추세를 반전시키고 골고루 잘사는 대한민국으로 나아갈 수 있습니다. 초광역협력에 대한 시도는 역대 정부에서 있어왔지만 청사진만 제시되었을 뿐 실행력이 뒷받침되지 못했습니다.

하지만 이번에는 다릅니다. 위기의식이 큰 지역이 주도적으로 나서고 있고, 초광역협력을 지원하는 제도적 기반이 체계적으로 구축되고 있습니다. 32년 만에 지방자치법 전면 개정으로 내년 1월부터 두 개 이상의 지자체가 공동으로 특별지자체를 설치하여 운영할 수 있게 됨으로써 초광역협력을 제도적으로 뒷받침할 수 있게 되었습니다. 빠른 시일 안에 국가균형발전특별법도 개정하여 초광역협력을 국가균형발전의 핵심 정책으로 반영하고, 적극적 재정 지원과 함께 범정부 통합 추진체계도 가동할 것입니다. 또한 신속한 성공모델 창출을 위해 초광역 특별협약과 분권협약과 같은 절차도 도입하여 지원할 예정입니다. 정부는 단일 경제·생활권 조성을 위해 광역교통망을 조속히 구축하고, 일자리와 인재, 자본이 선순환하는 성장거점을 육성할 것입니다. 지역 주도의 초광역권 전략산업을 집중 지원할 것이며, 기업들이 투자할 수 있는 환경을 적극 조성할 것입니다. 초광역권 공유대학 모델을 만드는 등 지역대학 혁신과 함께 지역인재 양성 체계를 다각도로 구축할 것이며, 이를 위한 범부처

협업체계도 운영할 것입니다. 초광역협력은 지역이 주도하고 정부가 지원하는 전략입니다.

지난 2월 부산, 울산, 경남이 '동남권 메가시티 전략'을 제시하고, 초광역협력을 가장 먼저 본격화했습니다. 현재 내년 1분기 내 초광역 특별지자체 설치를 목표로 속도를 내고 있으며, 핵심적으로 추진 중인 초광역 사업들도 상당히 진척되고 있습니다. 정부는 부울경 특별지자체가 우리 정부 임기 안에 출범하고, 선도적 초광역협력 모델로 나아갈 수 있도록 최대한 지원하겠습니다. 특히 초광역협력 모델의 성공을 위해서는 수도권처럼 광역을 일일생활권으로 연결하는 대중교통망 형성이 핵심적인 관건입니다. 당장의 경제성을 넘어서서 균형발전의 더 큰 가치를 평가하여 적극적으로 추진해 주기 바랍니다.

최근 대구·경북, 광주·전남, 충청권 등에서도 협력이 본격화되고 있습니다. 특히 대구·경북은 내년 하반기, 충청권과 광주·전남은 2024년 특별지자체 설치를 목표로 하고 있습니다. 전국적으로 광역과 기초, 기초와 기초 간 협력도 활발해지고 있습니다.

정부는 지역이 특성에 맞게 창의적인 협력 방안을 추진한다면 힘껏 도울 것입니다. 우리 정부는 초광역협력을 새로운 국가균형발전 전략으로 삼고, 대한민국을 다극체제로 전환하는 초석을 놓겠습니다. 중앙정부와 지자체, 국회가 손을 잡고 수도권과 지방이 상생하고 모두 함께 잘사는 나라를 만들어 나가는 데 힘을 모아 주시길 바랍니다.

감사합니다.

2050 탄소중립위원회 제2차 전체회의 모두발언

| 2021-10-18 |

여러분, 반갑습니다.

영국에서 열릴 COP26 정상회의를 앞두고, '2050 탄소중립 시나리오'와 '2030 온실가스감축목표 상향안'을 사실상 확정하는 매우 중요한 회의를 열게 되었습니다. 그동안 윤순진 민간위원장님과 위원님들 수고 많으셨습니다. 100회가 넘는 회의를 통해 감축목표와 정책수단을 심도 있게 논의해 주셨고, 각계 간담회와 토론회 등을 통해 이해관계자들과 국민의 의견을 수렴하기 위해 최선의 노력을 기울여 주셨습니다. 깊은 감사의 말씀을 드립니다.

기후위기는 먼 미래의 일이 아닌 당장 오늘의 문제가 되었습니다. 지난 8월 '기후변화에 관한 정부 간 협의체(IPCC)'는 지금 수준의 온실가스 배출량이 유지된다면, 지구 온도 1.5℃ 상승 시점이 기존의 예측

보다 10년이나 빠른 2040년 이전이 될 가능성이 높고, 기상이변이 더욱 잦아질 것이라는 암울한 전망을 내놓았습니다. 이미 세계는 지구온난화로 인한 이상 기후로 큰 어려움을 겪고 있습니다. 올여름에는 기록적인 폭우와 홍수, 폭염과 산불로 수많은 인명 피해와 막대한 재산 피해를 입었습니다. 자연이 인간에게 주는 분명한 경고라고 하지 않을 수 없습니다. 이에 따라 국제사회의 대응도 매우 절박해지고 긴박해졌습니다. 2015년 파리협정 이후 탄소중립을 선언하거나 지지한 국가가 134개국에 이르며, 대부분의 나라들이 온실가스 감축목표를 이전보다 대폭 상향하여 공약하고 있습니다. EU와 미국 등 주요 선진국들은 탄소국경세 도입 등 각종 환경규제를 강화해 나가고 있습니다. 기업들 사이에서도 재생에너지를 의무적으로 사용하는 RE100 선언이 확산되고 있습니다. 자본시장에서도 기업의 탄소중립 노력이 투자의 중요한 조건과 기준으로 자리잡아 가고 있습니다. 그야말로 국제 경제질서와 무역환경이 급변하고 있는 것입니다.

우리나라도 국제사회의 책임 있는 일원으로서, 인류공동체의 생존과 발전을 위한 노력에 함께 힘을 모을 것입니다. 우리 경제의 지속성장과 국가경쟁력을 높이기 위해서도 더욱 속도감 있게 온실가스 감축과 탄소중립 실현에 나설 것입니다. 국가의 명운이 걸린 일입니다.

오늘 심의, 결정하게 될 '2030 온실가스 감축목표(NDC) 상향안'은 국제사회에 우리의 탄소중립 의지를 확실히 보여주는 것입니다. 2030년까지 2018년 배출량 대비 40% 감축하는 것으로, 기존 26.3%에서 대폭 상향했습니다. 우리의 여건에서 할 수 있는 최대한 의욕적인 감축목표입니다. 1990년 또는 2000년대에 이미 배출정점에 도달하여 더 오랜 기간 배출량을 줄여온 기후 선진국들에 비해, 2018년에 배출정점을 기록한 우리 입장에서는 훨씬 가파른 비율로 온실가스를 줄여 나가야 하기 때문에 감축 속도 면에서 상당히 빠르고, 매우 도전적인 목표입니다. 과연 감당할 수 있을지, 산업계와 노동계의 걱정이 많을 것입니다. 정부는 기업들에게만 그 부담을 넘기지 않고 정책적, 재정적 지원을 아끼지 않겠습니다. 국민들도 행동으로 나설 때입니다. 정부와 기업과 국민들이 함께 한마음으로 힘을 모아야만 우리는 그 목표를 달성할 수 있습니다.

국내에서의 온실가스 감축 노력을 최우선으로 하면서 국외 감축 노력도 병행해 나갈 것입니다. 우리의 저탄소 기술과 투자를 통해 후발국들의 감축 노력을 지원함으로써 전 지구적 차원의 탄소중립 실현에 기여하겠습니다. 기후위기 대응에서 선도국과 후발국의 가교 역할을 높이겠다는 우리 정부의 다짐을 실천하는 길이기도 합니다. 국내 저탄소 기술과 산업이 해외 진출을 확대하는 기회도 될 것입니다.

'2050 탄소중립 시나리오'는 우리가 가야 할 방향성을 제시한 것으로서, 아무도 가보지 않은 길을 당당히 가겠다는 원대한 목표입니다. 두 가지 시나리오 모두, 미래의 기술발전까지 염두에 두고 각 부문별로 최대한의 배출량 감축 의지와 함께 흡수기술 발전과 흡수원 확충을 통한 흡수량 확대 의지까지 담았습니다. 매우 어려운 길이지만, 담대하게 도전하여 반드시 이행해야 합니다. 온실가스 감축과 탄소중립 실현을 위해서는 국가 전체가 총력체제로 임해야 할 것입니다.

첫째, 태양광, 풍력 등 재생에너지를 확대하고, 친환경에너지 중심으로 에너지 구조를 획기적으로 전환해야 합니다. 탄소중립 시대 핵심 에너지원인 수소를 생산, 저장, 운송, 활용하는 수소경제 생태계 조성에도 박차를 가해야 하겠습니다.

둘째, 각 부문별로 특단의 온실가스 감축 노력을 기울이면서 흡수원을 확충하는 노력도 강화해 주기 바랍니다. 우선, 저탄소 산업구조로 속도감 있게 전환해야 합니다.

산업계가 적극적으로 노력해 주고 있어 매우 다행입니다. 정부는 기업들의 노력을 최대한 지원하며 뒷받침하겠습니다. 또한, 건물, 수송, 농축수산, 폐기물 등 다방면에서 감축 노력을 강화해야 하겠습니다. 특히 전기차, 수소차 등 친환경차 보급에 더욱 속도를 내고 세계 시장을 선도해 나갈 것입니다. 이산화탄소보다 훨씬 온실효과가 높아 최근 국제적으로 크게 부각되고 있는 메탄 감축에도 힘을 쏟아 주기 바랍니다. 흡수원을 늘려나가는 노력도 중요합니다. 산림의 흡수능력을 강화하기 위한 노력과 함께 도시숲 가꾸기 등 신규 흡수원을 지속 확충하고, 연안 습지와 바다숲 조성, 갯벌 활용 등 해양의 흡수능력을 높이는 노력도 특별히 강화해 주기 바랍니다.

셋째, 에너지 다소비 행태를 바꾸어야 합니다. 국민들의 참여와 협조가 반드시 필요합니다. 우리의 의식주가 바로 탄소배출의 원천입니다. 에너지를 최대한 절약하고, 친환경 에너지를 사용하며 대중교통 이용, 플라스틱 줄이기, 나무 심기 등 작은 실천들이 모여 탄소 중립 사회로 나아갈 수 있을 것입니다. 정부는 탄소중립 시대를 이끌어 나가기 위해 필요한 지원을 아끼지 않겠습니다. 탄소중립기본법을 제정하여 탄소중립을 체계적으로 추진할 수 있는 체제를 마련했고, 온실가스 인지예산제도도 도입했습니다. 내년도 탄소중립 예산은 12조 원 규모로 대폭 확대 편성했습니다. 앞으로 이 분야에 대한 재정 지원을 더욱 확대해 나갈 것입니다. 무엇보다 저탄소 기술 확보가 국가경쟁력을 좌우하는 시대입니다. 정부는 기술 개발 투자를 늘리고, 탄소중립 시대를 이끌어 나갈 미래 신성장 동력 확보와 새로운 일자리 창출에 전력을 다할 것입니다. 탄소중립이라는 도전이 청년과 미래 세대에게 새로운 기회가 되도록 노력하겠습니다.

감사합니다.

2021 서울 국제 항공우주 및 방위산업 전시회 방문 축사

| 2021-10-20 |

존경하는 국민 여러분, 내외 귀빈 여러분,

오늘 28개국, 440개 기업의 방위산업 역량이 한자리에 모였습니다. 국토와 영공, 영해를 지키고 민간 산업발전과 함께해온 방위산업이 새로운 도약을 위해 그동안의 결실을 선보입니다. '2021 서울 국제 항공우주 및 방위산업 전시회' 개최를 진심으로 축하합니다. 세계 각국에서 오신 국방장관과 정부대표단, 주한 대사와 방산기업 대표 여러분께 따뜻한 환영의 인사를 전합니다. 코로나 상황에서도 역대 최대 규모로, 철저한 방역 속에 안전하고 성공적인 전시회를 준비해 준 행사운영본부 직원과 장병들에게 격려의 마음을 전합니다.

저는 오늘 대한민국 대통령 최초로 국산 전투기에 탑승해 우리 하늘을 비행했습니다. 수원기지에서 이륙해 천안 독립기념관과 서울 현충원과 용산 전쟁기념관 상공을 날아 이 자리에 착륙했습니다. 우리 기술로 개발한 FA-50의 늠름한 위용을 직접 체감할 수 있었습니다. FA-50은 고등훈련과 전투, 정밀 폭격이 모두 가능하고 가격 면에서도 높은 가성비가 입증된 뛰어난 경공격기입니다. FA-50은 세계로 수출되고 있으며 우리의 영공을 굳건히 지키고 있습니다.

이곳 실내 전시장에는 드론, 로봇, 우주장비, 레이저 무기 등 미래 방위산업을 이끌어갈 무기체계가 전시되어 있습니다. 야외 전시장으로 탈바꿈한 활주로에는 첨단기술이 융복합된 차세대 전투기와 헬기, 무인기를 비롯해 전차, 자주포, 장갑차, 미사일요격체계 등 지상 장비가 관람객을 기다리고 있습니다. FA-50을 필두로, 대한민국의 국방과학과 방위역량을 결집한 무기체계들이 참으로 든든하고 자랑스럽습니다. 오늘이 있기까지 국방과학기술과 방위산업 발전을 위해 헌신해온 국방과학연구소를 비롯한 연구기관, 방산업계 여러분께 힘찬 박수를 보냅니다.

국민 여러분,

방위산업은 국민의 생명과 재산을 물샐 틈 없이 지키는 책임국방의 중요한 축입니다. 안보산업이면서 민수산업과 연관되어 높은 성장 잠재력을 지닌 국가 핵심전략 산업입니다. 우리는 무기와 장비를 외국의 원조에 의존해 오다 1960년대 후반 "우리 군이 쓸 무기를 우리 손으로 만든다"는 정신으로 방위산업을 출발시켰습니다. 국방과학연구소는 지난 50년간 300여 종의 무기를 개발했고, 600여 건의 국방기술을 민간에 이전했습니다. 국방기술 연구개발에 투자한 41조 원은 10배가 넘는 443조 원의 경제효과로 돌아왔습니다. 우리 정부는 '방산비리 척결과 4차 산업혁명 시대에 걸맞은 방위산업 육성'을 100대 국정과제로 선정해 흔들림 없이 추진해왔습니다. 방위사업의 투명성과 공정성을 높이고, 국방산업을 내수형에서 수출형 산업으로 발전시키기 위해 '국방산업발전방안'을 마련했습니다. 방위력 개선을 위한 투자 역시 대폭 확대되었습니다. 민간도 적극적 투자로 핵심소재 개발과 부품 국산화를 뒷받침하고 있습니다.

그런 노력들이 모여 지난해 우리는 세계 6위의 방산 수출국으로 도약했습니다. 년 전보다 네 계단이나 올라선 순위입니다. 방위산업은 대기업과 중견·중소기업, 협력업체까지 550여 개 이상의 기업이 참여합니다. 4만5천여 개의 일자리를 창출하는, 새로운 성장동력입니다.

국민 여러분,

이제 우리 방위산업의 무대는 세계입니다. 지금 세계 방산시장은 인공지능, 드론, 로봇 등 4차 산업혁명 기술과 함께 크게 변화하고 있습니다. 유인·무인 무기체계의 복합화와 플랫폼화는 방위산업의 거스를 수 없는 흐름이 되고 있습니다. 혁신에 강한 우리에게 새로운 기회가 아닐 수 없습니다. 방위산업에서도 '빠른 추격자'에서 '미래 선도자'로 나아갈 때입니다. 정부는 안보환경의 변화와 기술진보에 발맞춰 혁신적이고 과감하게 도전할 것입니다. 2026년까지 방위력개선비 국내지출 비중을 80% 이상으로 확대하고, 부품 국산화 지원도 지금보다 네 배 이상 늘릴 것입니다. 미래 전쟁의 양상을 바꿀 수 있는 초일류 '게임 체인저' 기술개발에 선제적으로 투자하겠습니다. 한국산 우선구매, 지역밀착 방산 혁신 클러스터 조성 등 산업경쟁력 강화와 방산업계의 세계화를 위한 정책도 차질 없이 추진하겠습니다. 지난 7일, 군을 비롯한 정부와 기업, 연구기관, 대학까지 포함한 국방과학기술위원회가 출범했습니다. 민관 합동 국방과학기술 추진체계를 구축해 국방과학기술 개발을 위한 국가적 역량을 결집할 것입니다. 개발된 기술은 민간으로 이전되어 국민경제에 기여하는 선순환 구조를 만들 것입니다.

'항공우주 분야'는 성장 잠재력이 어마어마합니다. 코로나 이후 가장 빠른 회복이 예상되며, 특히 도심 항공교통 분야는 가파르게 성장할 분야로 시장 선점이 필수적입니다. 우리나라는 기계 6위, 자동차 4위, 반도체 1위로 항공산업의 발전 잠재력을 충분히 갖추고 있습니다. 기반산업과의 연관이 높은 항공우주 분야에서 앞서갈 수 있습니다. 조속한 실증사업과 제도 정비를 통해 차세대 첨단 모빌리티를 가장 먼저 도입하고 생활화하겠습니다. 또한 항공기용 엔진의 국산화로 안보와 항공산업의 기초 역량을 동시에 강화할 것입니다. 차세대 전투기 'KF-21 보라매'의 자체 개발 성과를 넘어, 항공기의 심장인 독자엔진 개발에도 과감히 도전하겠습니다. 2030년대 초까지 전투기를 비롯한 다양한 유·무인 항공기 엔진의 독자개발을 이뤄내'항공 분야 세계 7대 강국'의 역량을 구축하겠습니다.

우주는 무한한 가능성의 공간입니다. 지난 7월, 우리는 고체추진기관 연소시험에 성공해 우주시대를 향한 큰 발걸음을 내디뎠습니다. 내일은 우리 기술로 만든 한국형 우주발사체 '누리호'가 더미 인공위성을 탑재하여 드디어 발사됩니다. 정부는 고체발사체 기술의 민간 이전을 비롯해 우주강국으로 나아가기 위한 핵심기술 확보와 민간 우주산업 육성에 집중하겠습니다. 우주 분야 민군 협력사업의 투자 규모를 확대하여 소재·부품·장비의 자립을 이루겠습니다. 민간을 중심으로 한 우주산업이 본격적으로 시작될 것입니다. 최첨단 국방·항공우주 분야를 개척하기 위해서는 많은 자본과 기술력이 필요합니다. 어느 한 국가의 기술과 시장을 넘어서는 국제 협력이 중요합니다. 한국은 다른 나라들과 항상 함께할 것입니다. 한국의 방위산업 성장 경험을 공유하며, 기술획득의 어려움을 먼저 겪어본 나라로서 단순 수출을 넘어 공동생산이나 기술이전 등 적극적인 기술협력을 약속합니다. 신뢰를 기반으로 다양한 상생협력의 모델을 만들어내겠습니다.

존경하는 국민 여러분, 내외 귀빈과 항공우주·방위산업의 주역 여러분,

강한 국방력이 목표로 하는 것은 언제나 평화입니다. 한국은 첨단 과학기술 기반의 스마트 강군을 지향하며, 세계와 함께 평화를 만들어갈 것입니다. 방위산업을, 국방을 뛰어넘는 국가의 핵심 성장동력으로 발전시킬 것입니다. 안전한 삶과 지속가능한 번영을 위해 세계와 연대하고 협력할 것입니다. 방위산업은 국민들의 지지 없이 발전할 수 없습니다. 전시회 5일 동안 눈부시게 발전해온 우리 방위 역량의 진면목을 보시기 바랍니다. 항공우주의 꿈, 자주국방의 자부심, 평화를 향한 깊은 열망으로 방위산업을 응원해 주시길 바랍니다.

감사합니다.

第76주년 경찰의 날을 국민과 함께 축하합니다

| 2021-10-21 |

올해는 자치경찰제 원년입니다. 한국형 자치경찰제 도입으로 18개 시·도 자치경찰위원회가 출범하여 분권과 함께 주민밀착형 풀뿌리 치안을 안착시키고 있습니다.이제 경찰은 국가경찰, 수사경찰, 자치경찰의 3원 체제를 구축하여 전문성을 높이고 생활 치안을 강화하고 있습니다. 경찰청 승격 30주년과 함께 새로운 도약을 시작한 우리 경찰을 응원합니다.

지난 4년 동안 우리 주변의 범죄가 14.2% 줄었습니다. 5대 강력범죄는 12.8%, 교통사고 사망자는 28.2% 감소했고, 체감안전도 조사에서도 77.7점으로 역대 최고치를 기록했습니다. 추락,화재와 같이 일상을 위협하는 현장출동과 코로나 방역까지 국민 안전을 위해 밤낮없이 애써온 우리 경찰이 든든하고 고맙습니다.

많은 국민이 경찰을 신뢰합니다. 그만큼 경찰 스스로 더욱 역량을 강화해야 합니다. 아동학대와 가정폭력, 스토킹 범죄 등 사회적 약자들을 철저히 보호하고, 사이버 공간의 신종 범죄로부터 국민의 삶을 지켜내야 합니다. 인권행동강령 또한 경찰문화로 온전히 자리잡아야 할 것입니다. 정부는 경찰이 자긍심을 갖고 주어진 책무를 다할 수 있도록 뒷받침 하겠습니다. 근무여건을 개선하고 건강관리체계를 고도화하고 있습니다. 법적·제도적 보호를 통해 적극적인 임무 수행을 돕고, 안타까운 희생에 최고로 예우하겠습니다. 직급구조를 합리적으로 개선하고 과학치안 전담기구 설치 예산을 확충하겠습니다.

'경찰의 날'을 맞아, 경찰 가족들께 각별히 감사드리며, 국민체감 경찰개혁의 새 역사를 써나가는 대한민국 경찰을 치하합니다. 안전한 대한민국을 위해 함께 노력합시다.

감사합니다.

한국형발사체 누리호 발사 참관 대국민 메시지

| 2021-10-21 |

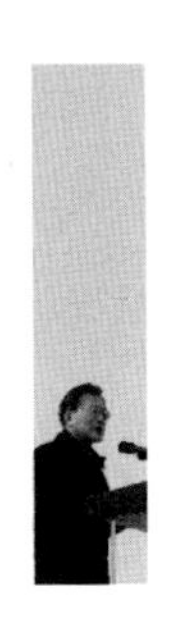

존경하는 국민 여러분, 우주과학기술인 여러분,

누리호 비행시험이 완료되었습니다. 자랑스럽습니다. 아쉽게도 목표에 완벽하게 이르지는 못했지만, 첫 번째 발사로 매우 훌륭한 성과를 거뒀습니다. 발사관제로부터 이륙, 공중에서 벌어지는 두 차례 엔진 점화와 로켓 분리, 페어링과 더미 위성 분리까지 차질없이 이루어졌습니다. 완전히 독자적인 우리 기술입니다. 다만 더미 위성을 궤도에 안착시키는 것이 미완의 과제로 남았습니다. 하지만 발사체를 우주 700km 고도까지 올려 보낸 것만으로도 대단한 일이며 우주에 가까이 다가간 것입니다.

'누리호' 개발 프로젝트에 착수한 지 12년 만에 여기까지 왔습니다.

이제 한 걸음만 더 나아가면 됩니다. 오랜 시간, 불굴의 도전정신과 인내로 연구개발에 매진해온 항공우주연구원과 학계, 300개가 넘는 국내 업체의 연구자, 노동자, 기업인들께 진심으로 존경과 격려의 인사를 드립니다. 오늘 부족했던 부분을 점검해 보완한다면 내년 5월에 있을 두 번째 발사에서는 반드시 완벽한 성공을 거두게 될 것입니다. 조금만 더 힘을 내어 주시기 바랍니다. 국민 여러분께서도 끝까지 변함없는 응원을 보내주실 것입니다. 오늘 발사시험이 안전하게 이루어질 수 있도록 힘써 주신 고흥 주민들과 군, 경찰에게도 깊이 감사드립니다.

국민 여러분,

우주발사체 기술은 국가과학기술력의 총 집결체입니다. 기초과학부터 전기·전자, 기계·화학, 광학, 신소재까지 다양한 분야의 역량이 뒷받침되어야 합니다. 1톤 이상의 위성을 자력으로 쏘아 올릴 수 있는 나라가 아직 여섯 나라에 불과합니다. 먼저 개발한 나라들이 철통같이 지키고 있는 기술이기에 후발 국가들이 확보하기가 매우 어려운 기술입니다.

그러나 우리는 해냈습니다. 누구의 도움도 받지 않고 초정밀·고난도의 우주발사체 기술을 우리 힘으로 개발해냈습니다. 두께는 2.5밀리미터로 최대한 줄이면서 극저온의 산화제를 안전하게 보관할 수 있는 탱크를 만들었고, 75톤의 추력을 내는 엔진 네 기가 하나의 300톤급 엔진처럼 움직이는 클러스터링 기술도 확보했습니다. '누리호'의 로켓엔진은 높은 압력을 견디고, 섭씨 3,300도의 화염과 영하 183도 극저온 속에서 연료를 안정적으로 연소시켰습니다. 이제 우리가 만든 위성을 우리가 만든 발사체에 실어 목표궤도에 정확히 쏘아 올릴 날이 머지않았습니다. '대한민국 우주시대'가 눈앞으로 다가온 것입니다.

국민 여러분,

인류는 아주 오랜 옛날부터 광대한 우주를 바라보며 꿈을 키웠습니다. 우주를 향한 상상력과 도전은 과학 발전과 문명의 진보를 이루는 토대가 되었습니다. 1950년대 이후 본격화된 우주개발은 체제 경쟁과 국가 안보를 목적으로 시작되었지만, 오늘날, 실생활을 바꾸는 수많은 기술혁신의 기폭제가 되었습니다. 인공위성은 방송·통신과 GPS는 물론 환경과 국토관리, 재해와 재난 대응까지 그 활용도가 날로 커지고 있습니다. 우리는 이미 실용적인 인공위성들을 자체 제작하여 운용하고 있지만, 다른 나라의 발사체를 이용해야만 했습니다. 이제 우리는 한 걸음만 더 나아간다면 우리의 발사체를 이용하여 다양한 인공위성을 운용할 수 있게 되었습니다. 지금 세계는 '뉴 스페이스' 시대가 열렸습니다. 지난 10년간 전 세계 우주산업은 두 배 이상 성장했으며, 우주개발 자체가 하나의 산업이 되었습니다. 민간인이 우주를 관광하고 돌아오는 꿈같은 일도 이미 현실에서 이뤄지고 있습니다.

우주개발에 앞서는 나라가 미래를 선도하게 될 것입니다. 우리도 늦지 않았습니다. '누리호'의 성능이 조금만 더 정밀해진다면 독자적인 우주수송능력을 확보하고 '대한민국 우주시대'를 열 수 있습니다. 정부는 대한민국이 명실상부한 우주 강국으로 도약할 수 있도록 장기적인 안목에서 흔들림 없이 투자할 것입니다.

첫째, 한국형 발사체의 성능을 꾸준히 높이고 다양한 위성 활용으로 이어가겠습니다. 2027년까지 다섯 번에 걸쳐 '누리호'를 추가로 발사합니다. 내년 5월, 성능검증 위성을 탑재한 2차 발사를 통해 '누리호'의 기능을 다시 한번 확실히 점검하겠습니다. 이후 차세대 소형위성 2호, 차세대 중형위성 3호, 열한 기의 초소형 군집위성 등 현재 개발 중인 인공위성들을 '누리호'에 실어 우주로 올려 보낼 것입니다. 향후 10년 동안 공공 분야에서만 100기 이상의 위성이 발사될 예정입니다. 모두 우리 손으로 쏘아 올릴 수 있도록 '누리호' 뿐 아니라 다양한 발사체 개발에 힘쓰겠습니다. 내년부터 총 3조7천억 원을 투입하는 한국형 위성항법시스템 KPS 개발사업을 본격 추진합니다. 국민 여러분께 더욱 정밀한 GPS 정보를 제공하고, 자율주행차, 드론과 같은 4차 산업 발전에도 획기적인 전기가 될 것입니다.

둘째, 우주기술을 민간에 이전하여 우주산업을 새로운 성장동력으로 확실히 만들겠습니다. 한-미 미사일지침의 종료로 다양한 우주발사체를 자유롭게 개발할 수 있게 되었습니다. '누리호'와 같은 액체연료 발사체보다 크기는 작지만 발사비용이 저렴한 고체연료 발사체의 경우 민간에서도 활용도가 높을 것입니다. 2024년까지 민간기업이 고체연료 발사체를 개발할 수 있도록 민·관 기술협력을 강화하고, 나로우주센터에 민간전용 발사장을 구축하여 발사 전문산업을 육성하겠습니다. 새로운 형태의 우주탐사로 우주산업의 질적 성장과 함께 기술, 산업발전을 이끌겠습니다. '뉴 스페이스' 경쟁에도 본격적으로 뛰어들게 될 것입니다. 다음 달, 국가우주위원회 위원장이 과기정통부 장관에서 국무총리로 격상됩니다. 민·관의 역량을 결집하여 우리나라에서도 머지않아 세계적인 우주기업이 탄생하도록 정책적·제도적으로 지원하겠습니다.

셋째, 우주탐사 프로젝트에 더욱 과감하게 도전하겠습니다. 2030년까지 우리 발사체를 이용해 달 착륙의 꿈을 이룰 것입니다. 지금부터 차근차근 준비하겠습니다. 내년에 달 궤도선을 발사하고, NASA가 50년 만에 추진하고 있는 유인 달 탐사 사업 '아르테미스 프로그램'에도 참여하여 기술과 경험을 축적해 나가겠습니다. 2023년에는 NASA와 함께 제작한 태양관측망원경을 국제우주정거장에 설치할 것입니다. 2029년 지구에 접근하는 아포피스 소행성 탐사계획도 추진하고 있습니다. 다양한 우주탐사 사업을 통해 우주산업과 기술발전의 토대를 탄탄히 구축해 나가겠습니다.

존경하는 국민 여러분, 우주 과학기술인 여러분,

지난 2월, 미국의 화성탐사선이 화성의 바람 소리를 담아 지구에 보내왔습니다. 78억 인류에게 경이로운 순간을 선물해 주었습니다. 우리도 할 수 있습니다. 늦게 시작했지만 오늘 중요한 성과를 이뤄냈습니다. 우주를 향한 꿈을 한층 더 키워나간다면 머지않아 우주 강국들과 어깨를 나란히 하게 될 것입니다. 오늘의 성공을 다시 한번 축하합니다. '누리호'와 함께 드넓은 우주, 새로운 미래를 향해 더 힘차게 전진합시다.

감사합니다.

2022년도 예산안 시정연설

| 2021-10-25 |

존경하는 국민 여러분, 박병석 국회의장과 국회의원 여러분,

임기 6개월을 남기고 마지막 시정연설을 하게 되어 감회가 깊습니다. 임기 내내 국가적으로 위기의 연속이었습니다. 정부 출범 초기부터 일촉즉발의 전쟁위기 상황을 극복해야 했습니다. 일본의 일방적 수출규제, 보호무역주의, 글로벌 공급망 재편 등 급변하는 국제 무역질서에 대응해야 했습니다. 지난해부터는 세계적인 코로나 대유행에 맞서 국민의 생명과 안전, 경제와 민생을 지키는데 모든 역량을 집중해야 했습니다. 아직 끝나지 않았습니다. 마지막까지 위기극복에 전념하여 완전한 일상회복과 경제회복을 이루는 데 최선을 다하겠습니다.

한편으로 우리는, 인류문명이 근본적으로 바뀌는 대전환의 시대를 마주했습니다. 코로나 위기가 디지털 전환을 가속화하고, 기후위기가 인류의 생존을 위협하며 탄소중립이 전 지구적 과제가 되었습니다. 우리에게도 국가의 명운이 걸린 중대한 도전입니다. 정부는 대전환의 시대를 담대하게 헤쳐 나가 새로운 미래를 열어가는 책임과 역할을 다하겠습니다. 저는 우리 국민의 위대한 저력을 믿습니다. 윈스턴 처칠은 "낙관주의자는 위기 속에서 기회를 보고, 비관주의자는 기회 속에서 위기를 본다"고 했습니다. 우리 국민들은 언제나, 할 수 있다는 낙관과 긍정의 힘으로 위기를 헤쳐 왔고, 위기에 강한 대한민국의 진면목을 유감없이 보여주었습니다. '판을 바꾸는 대담한 사고'로 위기를 오히려 기회로 만들며 더 큰 도약을 이뤄냈습니다.

북핵 위기는 평화의 문을 여는 반전의 계기로 삼았습니다. 세 차례 남북 정상회담과 역사상 최초의 북미 정상회담을 이끌어내며 평화의 물꼬를 텄습니다. 아직 대화는 미완성입니다. 대화와 외교를 통해 한반도에 평화와 번영을 위한 새로운 질서가 만들어지도록 끝까지 노력하겠습니다. 일본의 수출규제는 우리 소재·부품·장비 산업이 자립하는 역전의 기회로 바꾸었습니다. 국민이 응원하고, 정부와 기업, 대기업과 중소기업 모두 손을 맞잡아 대응했습니다. 그 결과, 100대 핵심품목에 대한 대일 의존도를 줄이고, 수입선 다변화 등 공급망을 안정시키면서, 일본을 넘어 세계로, 소재·부품·장비 강국의 길로 나아가고 있습니다. 세계적인 코로나 위기 속에서 K-방역은 국제표준이 되었으며 대한민국이 방역 모범국가로서 국제적 위상을 높이는 계기가 되었습니다. 선진적인 방역전략과 의료체계, 의료진의 헌신과 성숙한 공동체 의식이 만들어낸 성과입니다. 세계가 함께 위기를 겪으면서 우리는 우리의 역량을 재발견할 수 있었습니다. 백신 접종은 늦게 시작했지만, 국민의 적극적인 참여로, 먼저 시작한 나라들을 추월했습니다. 전체 인구 대비 1차 접종률 80%, 접종 완료율 70%를 넘어서며 세계 최고 수준의 접종률을 달성하고 있습니다. 안정적인 방역과 높은 백신 접종률을 바탕으로 우리는 이제, 단계적 일상회복을 시작합니다. 11월부터 본격 시행하게 될 것입니다. 국민의 평범한 일상이 회복되고 위축되었던 국민의 삶에 활력을 되찾을 것입니다. 특히 방역 조치로 어려움이 컸던 소상공인과 자영업자들의 영업이 점차 살아나고, 등교 수업도 정상화될 것입니다. 복지시설들도 정상 운영되며 저소득 취약계층에 대한 돌봄 문제도 해소될 것입니다. 치유와 회복, 포용의 공동체로 나아갈 수 있도록 최선을 다하겠습니다.

단계적 일상회복은 코로나와 공존을 전제로, 방역 상황을 안정적으로 관리하면서 일상회복을 향해 나아가는 것입니다. 마스크 쓰기 등 기본적인 방역지침은 유지하면서 지속가능한 방역·의료대응체계로 전환해 나갈 것입니다. 이제 희망의 문턱에 섰습니다. 정부는 국민과 함께 일상회복에서도 성공적 모델을 창출하여 K-방역을 완성해 내겠습니다.

코로나 위기로 인해 크게 걱정했던 것이 경제였습니다. 정부는 경제위기 극복에 모든 역량을 쏟았습니다. 비상경제체제로 신속하게 전환하여 과감하게 대응했습니다. 국회와 협력하여 여섯 차례 추경을 편성하는 등 전례 없는 확장재정을 통해 국민의 삶과 민생을 지키는 버팀목 역할을 하였고, 빠르고 강한 경제회복을 이끌었습니다. 그 결과 주요 선진국 중 코로나 위기 이전 수준을 가장 빨리 회복했고, 지난해와 올해 2년간 평균 성장률이 가장 높을 전망입니다. 수출은 올해 매달 역대 최대 실적을 경신하여, 무역 1조 달러를 이달 안으로 달성할 것으로 보입니다. 역대 최고의 실적입니다. 소비와 투자도 활력을 되찾고 있고 가장 회복이 늦은 고용에서도 지난달, 위기 이전 수준의 99.8%까지 회복됐습니다. 최근 세계 경제가 불확실한 상황 속에서도 우리 경제는 안정적으로 관리되고 있습니다. 국가신용등급은 최고 수준을 유지하고 있고, 사상 최저 가산금리로 외평채가 발행되는 등 대외신뢰도 또한 굳건합니다.

국민 여러분, 의원 여러분,

경제위기 국면에서 정부는, 무엇보다 국민의 삶을 지키는 것을 첫 번째 사명으로 여겼습니다. 적극적 재정지출을 통해 피해 업종과 계층에 폭넓고 두텁게 지원하는 노력과 함께 취약계층을 위한 사회안전망과 고용안전망 구축에 심혈을 기울였습니다. 특히 코로나 장기화로 큰 어려움을 겪는 소상공인과 자영업자들에 지원을 집중했습니다. 네 차례에 걸친 18조3천억 원 수준의 피해지원금을 지급하고, 금융과 세제지원 등 다방면의 지원책을 더해 어려움을 덜어드리려 노력했습니다. 모레부터는 손실보상법에 따라 영업제한 조치로 인한 경제적 손실에 대해 보상을 시작하게 될 것입니다. 법을 통한 손실보상은 세계적으로 처음이어서, 제도적으로 큰 진전입니다. 조금이라도 격려가 되고 도움이 되길 바랍니다. 손실보상법의 지원 대상에서 제외되는 피해 업종에 대해서도 우리 사회가 함께 어려움을 나누어야 한다는 것에 공감합니다. 국회가 예산 심의 과정에서 지혜를 모아주시면 정부도 최선을 다해 뒷받침하겠습니다.

위기 상황에서 일자리를 지키는 것이 가장 중요한 과제였습니다. 고용유지 지원금을 확대하여 기업의 고용유지 노력을 뒷받침하고, 특수고용노동자, 프리랜서 등 취약계층에게 네 차례 긴급고용안정지원금을 지급했습니다. 공공일자리도 대폭 확대했습니다. 고용안전망 확충을 위한 노력도 지속했습니다. 전 국민 고용보험 로드맵을 마련하여 고용보험 대상자를 늘리고, 예술인, 특수고용노동자들에게 신규로 고용보험 혜택을 드렸습니다. 국민취업지원제도를 본격적으로 시행하여 취약계층의 취업과 생계안정을 도왔습니다. 코로나 위기를 이겨내는데 정부가 일관되게 추진한 포용정책이 큰 역할을 했다고 생각합니다. 취약계층을 보호하고 격차를 줄이는 데 크게 기여했습니다. 우리 정부는 복지·노동 분야 예산을 계속 늘려 출범 초기 130조 원에서 내년 217조 원 수준이 되었습니다. 특별히 취약계층에 대한 복지 확대에 역점을 두었습니다. 생계급여 부양의무자 기준을 단계적으로 완화했고, 이번 달부터 완전 폐지했습니다. 제도 도입 60년 만의 일입니다. 기초연금과 장애인연금을 월 30만 원으로 조기 인상하고 저소득 근로계층에 대한 근로장려금과 자녀장려금을 크게 확대했습니다. 보호종료아동 자립수당을 신설하고, 한부모가족에 대한 지원을 확대했습니다. 농어민들을 위한 공익직불제도 도입했습니다. 한편으로, 보편적 아동수당을 최초로 도입하여 지급 연령을 확대하고 있고, 2019년부터 시작한 고교 무상교육을 올해 모든 학년에 시행함으로써 초·중·고 전체 무상교육 시대를 열었습니다.

근로시간 단축과 최저임금 인상도 꾸준히 추진했습니다. 그 결과, 연간 노동시간이 2016년 2,052시간에서 지난해 1,952시간으로 크게 줄었고, 저임금 노동자 비중은 5년 만에 23.5%에서 16%로 대폭 감소했습니다. 특히 국민들의 의료비 부담을 상당히 낮추었습니다. 건강보험 보장성을 강화하여 선택진료비, 상급병실료, 간병비 등 3대 비급여 문제를 해소하고 본인 부담금을 대폭 줄였습니다. 치매국가책임제를 시행하여 치매 의료비와 가족의 돌봄 부담을 크게 완화했습니다. 완전한 경제회복은 포용적 회복으로 완성됩니다. 아직 경제회복의 온기를 느끼지 못하는 분들이 많습니다. 정부는 누구도 소외되지 않는 포용적 회복을 위해 끝까지 노력하겠습니다.

국민 여러분, 의원 여러분,

우리 경제는 위기 속에서도 혁신을 멈추지 않았습니다. 오히려 위기를 혁신의 기회로 삼아 선도형 경제로의 전환에 더욱 박차를 가했습니다. 그 방안으로 '한국판 뉴딜'을 강력히 추진했습니다. 디지털 뉴딜과 그린 뉴딜에 이어 지역균형 뉴딜, 휴먼 뉴딜로 확장했고, 투자 규모도 5년간 총 160조 원에서 220조 원으로 확대했습니다.

우리가 먼저 걷기 시작한 한국판 뉴딜은 세계의 주목을 받았고, 세계가 함께 가는 길이 되고 있습니다. 세계 최고 수준의 혁신역량은 선도형 경제로 나아가는 강력한 원동력이 되었습니다. 강한 디지털 역량과 우수한 기술을 바탕으로 정보통신기술 주력품목이 수출을 주도하고 경제회복을 넘어 도약을 이끌고 있습니다. 중소기업 수출도 두 자릿수 증가율을 보이고 있어 더욱 긍정적입니다.

신산업이 경제 반등과 도약의 중심이 되고 있습니다. 반도체는 메모리반도체 세계 1위에 더해 시스템반도체도 크게 성장하면서 종합반도체 강국을 향해 힘있게 나아가고 있습니다. 전기차와 수소차 등 미래차도 글로벌 시장을 주도하고 있습니다. 미래차의 심장, 배터리는 기술우위를 앞세운 차별화된 전략으로 중국 외의 시장에서 세계 1위를 차지하고 있습니다. 바이오 헬스 분야도 10대 수출품목으로 진입하여 차세대 성장동력이 되고 있고, 글로벌 백신 허브 구축과 국내 백신 개발을 가속화하고 있습니다. 위기에 처해 있던 기존 주력 산업도 정부의 강력한 지원과 혁신을 무기로 힘차게 재도약했습니다. 조선업은 세계 1위 수주 행진을 이어가며 완전히 부활했고 전 세계 고부가가치 선박과 친환경 선박 시장을 석권하며 K-조선의 위력을 보여주고 있습니다. 해운업도 정부가 재건에 시동을 건 지 3년 만에 기적같이 살아났습니다.

첨단산업 경쟁력도 빠르게 성장하고 있습니다. 세계에서 열 번째로 달 탐사 프로젝트 '아르테미스 약정'에 가입했고, 독자 기술로 개발한 우주발사체 '누리호' 발사에 성공함으로써 자체 발사체로 1톤 이상의 물체를 우주로 보낼 수 있는 일곱 번째 나라가 되었습니다. 위성을 목표 궤도에 정확하게 진입시키는 마지막 한 걸음만 더 나아가면 우리 땅에서 우리 발사체로 우리의 위성을 쏘아 올릴 수 있게 되고 기술 이전을 통해 민간 우주 산업을 한 단계 도약시킬 수 있게 될 것입니다.

혁신벤처와 스타트업은 선도형 경제의 주역이 되고 있습니다. 제2벤처붐이 확산되며 우리 경제를 역동적으로 변화시키고 있습니다. 유니콘 기업 수가 우리 정부 출범 당시 세 개에서 열다섯 개로 늘었고, 벤처투자액은 지난 8월에 이미 사상 최대치를 돌파하여 연말에는 6조 원을 넘어설 것으로 전망되고 있습니다. 콘텐츠 산업은 우리의 새로운 성장동력으로 부상했습니다. K-팝과 드라마, 영화, 게임, 웹툰 등 우리 문화가 세계를 매료시키며 지난해 처음으로 수출 100억 달러를 돌파했고 흑자 폭이 계속 확대되고 있습니다. K-푸드, K-뷰티 등 연관산업으로 파급되며 농식품과 화장품 수출도 모두 역대 최대 실적을 경신하고 있습니다.

하지만, 우리 경제가 장밋빛만은 아닙니다. 지금까지와는 차원이 다른 더 큰 도전에 직면해 있습니다. 글로벌 공급망 재편이 본격화되고 있고, 첨단기술을 선점하기 위한 기술 전쟁으로 확산되고 있습니다. 또한 탄소중립 시대로 나아가며, 세계 경제 질서와 산업지도가 근본적으로 바뀌고 있습니다. 이 중대한 도전을 또 다른 기회로 만드는 것이 국가적 과제입니다. 공급망 재편을 우리 기업의 시장진출을 확대하는 기회로 삼고, 탄소중립을 신성장동력과 일자리 창출의 기회로 만들어야 합니다. 특히 탄소중립 시대의 핵심 산업인 수소경제를 국가미래전략산업으로 육성하여 수소 선도국가, 에너지 강국의 꿈을 실현해 나가겠습니다. 정부는 K-반도체, K-배터리, K-바이오, K-수소, K-조선 등 주요 산업별 지원전략으로 강력히 뒷받침하겠습니다. 기업들도 대규모 투자를 하면서 산업별 'K-동맹'을 구축하여 어느 때보다 강고하게 협력하고 있습니다. 이처럼 범국가적 역량을 모아 대응한다면, 우리는 새로운 도전을 이겨내며 세계 시장을 주도할 수 있을 것입니다.

국민 여러분, 의원 여러분,

이제 대한민국은 과거의 대한민국이 아닙니다. 방역과 경제회복에서 세계의 모범이 되었고, 세계 10위 경제 대국, 수출 6위 무역 강국으로 성장했습니다. 1인당 국민소득도 처음으로 G7을 추월했습니다. 군사력도 강해져 종합군사력 세계 6위 국방력을 갖추게 되었습니다. 신남방·신북방 정책 등 외교의 지평이 크게 넓어졌고, G7 정상회의에 2년 연속 초대될 만큼 국제적 위상이 더욱 높아졌습니다. 한국의 문화가 세계의 마음을 사로잡으며 문화강국 대한민국의 위상도 자랑할 만합니다. 대한민국은 경제력과 군사력뿐 아니라 민주주의, 보건의료, 문화, 외교 등 다방면에서 세계를 선도하는 소프트 파워 강국으로 도약하고 있습니다. 유엔무역개발회의가 만장일치로 결정했듯이 우리나라가 명실공히 세계가 인정하는 선진국이 된 것입니다.

우리 국민이 만들어 낸 대단한 국가적 성취입니다. 위기 속에서 만들어낸 성취이기에 더 대단합니다. 우리 국민은 위기 때마다 놀라운 역량을 보여주었습니다. 나라를 위기에서 구해내고 더 강한 대한민국을 만들었습니다. 코로나 위기 속에서도 우리 국민은 단결하고 협력했습니다. 방역의 주체로서 성숙한 시민의식을 보여주었고, 모든 경제주체들이 경제회복과 도약의 주인공이 되었습니다. 위대한 국민 여러분께 무한한 존경과 감사의 말씀을 드립니다.

선진국은 우리에게 큰 자부심입니다. 하지만 국제사회에 대한 책임 또한 커졌습니다. 지금 세계가 공동으로 풀어야 할 핵심과제는 기후위기 대응입니다. 우리 정부는 '2050 탄소중립'에 동참했습니다. 또한 2030년 온실가스 감축목표 상향에도 동참하여, 2018년 대비 기존 26.3%에서 40%로 상향하기로 했습니다. 보다 일찍 온실가스 배출정점에 도달하여 온실가스를 줄여온 기후 선진국에 비하면, 2018년에 배출정점에 도달한 우리나라로서는 단기간에 가파른 속도로 감축을 해야 하는 매우 도전적인 목표입니다. 정부는 2030년까지 전 세계 메탄 배출량을 30% 이상 줄이자는 '국제메탄서약'에도 가입하여 국제사회의 온실가스 감축 노력에 함께하겠습니다. 2050 탄소중립은 결코 쉽지 않은 도전입니다. 산업구조를 근본적으로 혁신해야 하며 에너지구조를 획기적으로 전환해야 합니다. 감당하기 어려운 목표라는 산업계의 목소리도 충분히 이해할 수 있습니다. 그러나 기업 혼자서 어려움을 부담하도록 두지 않을 것입니다. 정부가 정책적, 재정적 지원을 아끼지 않겠습니다. 기업도 스스로 생존과 미래경쟁력을 위해서 과감히 나서고 있습니다. 국민도 행동으로 나설 때입니다. 탄소중립을 위한 국민실천운동이 필요합니다. 일상에서 작은 실천들이 모일 때 탄소중립 사회로 나아갈 수 있습니다. 절약과 재활용을 습관화하고 대중교통 이용, 일회용품과 플라스틱 줄이기, 나무 심기, 재생에너지 사용 등 국민 누구나 탄소중립의 주인공이 될 수 있습니다. 더 늦기 전에, 지금 바로 시작합시다. 정부도 국민의 행동과 실천을 지원하며 함께하겠습니다.

한국은 다른 글로벌 이슈에서도 책임을 다할 것입니다. 글로벌 백신 협력을 강화하면서 개도국 백신 공급을 위한 코백스 2억 달러를 차질없이 지원하겠습니다. 여유가 생긴 백신을 백신 부족 국가에 지원하는 협력도 시작했습니다. 우리의 형편에 맞게 국제사회에 기여하면서 글로벌 현안에 대한 대응력을 높이겠습니다. 민주주의, 인권, 평화 등 인류 보편의 가치를 실현하는 데 더욱 앞장서겠습니다. 우리에게 부족한 부분도 계속 채워 나가야 합니다. 지금까지 초고속 성장해 온 이면에 그늘도 많습니다. 세계에서 저출산이 가장 심각한 나라이며, 노인 빈곤율, 자살률, 산재 사망률은 부끄러운 대한민국의 자화상입니다. 부동산 문제는 여전히 최고의 민생문제이면서 개혁과제입니다. 더욱 강한 블랙홀이 되고 있는 수도권 집중현상과 지역 불균형도 풀지 못한 숙제입니다. 불공정과 차별과 배제는 우리 사회의 통합을 가로막는 걸림돌입니다. 미래세대들이 희망을 갖기 위해 반드시 해결해야 할 국가적 과제들입니다. 정부는 마지막까지 미해결 과제들을 진전시키는데 전력을 다하고, 다음 정부로 노력이 이어지도록 하겠습니다. 국회도 함께 지혜를 모아주시기 바랍니다.

국민 여러분, 의원 여러분,

정부는 '완전한 회복과 국가의 미래'를 위해 내년도 예산을 604조 4천억 원 규모로 확장 편성했습니다. 올해 본 예산과 추경을 감안하여 확장적 기조를 유지했습니다. 코로나 위기 국면에서 확장재정은 경제와 고용의 회복을 선도하고, 세수 확대로 이어져 재정 건전성에도 도움이 되는 선순환 효과를 보여주었습니다. 완전한 회복을 위해 아직 가야 할 길이 멉니다. 선도형 경제로 전환하는 적기를 놓쳐서도 안 될 것입니다. 내년에도 재정의 역할이 클 수밖에 없습니다. 다른 한편으로 재정의 건전성과 지속가능성도 중요하게 여기지 않을 수 없습니다. 정부는 지금까지 위기극복을 위해 재정의 여력을 활용하면서도 재정건전성과 조화를 이루기 위해 고심했고, 그 정신은 내년도 예산안에도 반영되었습니다. 올해 세수 규모는 예산안을 국회에 제출할 당시 예상보다 더욱 확대될 것으로 전망됩니다. 결과적으로 세수 예측이 빗나간 점은 비판받을 소지가 있지만, 그만큼 예상보다 강한 경제 회복세를 보여주는 것으로서 전체 국가 경제로는 좋은 일입니다. 정부는 추가 확보된 세수를 활용하여 국민들의 어려움을 추가로 덜어드리면서 일부를 국가채무 상환에 활용함으로써 재정 건전성 개선에도 기여할 수 있을 것으로 기대하고 있습니다. 내년도 예산은 코로나 위기로부터 일상과 민생을 완전히 회복하기 위한 예산입니다. 탄소중립과 한국판 뉴딜, 전략적 기술개발 등 국가의 미래를 위한 투자입니다. 강한 안보와 국민 안전, 저출산 해결의 의지도 담았습니다.

첫째, 코로나로부터 국민의 건강과 생명을 지키고 피해 계층을 두텁게 보호하는 데 최우선을 두겠습니다. 코로나 백신 9천만 회분을 신규 구매하여, 총 1억7천만 회분의 충분한 물량을 확보할 계획입니다. 일상 회복을 위해 충분한 병상 확보와 함께 권역별 감염병 전문병원도 확충해나가겠습니다. 특히 손실보상법에 따라 소상공인과 자영업자들이 두텁게 보상받을 수 있는 예산을 담았습니다. 제도적 지원 범위 밖에 있는 분들에게도 긴급자금을 확대하고 금융절벽을 해소하며, 소상공인들의 재기와 재창업 지원도 확대하겠습니다.

둘째, 코로나 격차와 불평등을 줄이면서 회복의 온기를 모두가 느낄 수 있는 포용적 회복을 이루겠습니다. 내년에는 기준중위소득이 역대 최고 수준으로 인상되어 7대 급여의 보장수준이 큰 폭으로 높아집니다. 생계급여 부양의무자 기준 완전 폐지로 5만3천여 가구가 추가로 혜택을 받게 될 것입니다. 263만 명을 대상으로 한국형 상병수당 시범사업을 실시하여 '아프면 쉴 수 있는 나라'의 첫걸음을 내딛겠습니다.

또한 대리운전, 퀵서비스 기사 등 플랫폼 종사자들이 신규로 고용보험 혜택을 받게 될 것입니다. 국가유공자에 대해서는 기본보상금을 인상하고 생계지원금도 신규 지급할 것입니다. 특별히 코로나로 어려움을 겪는 청년들에 대한 지원을 강화했습니다. 일자리, 자산형성, 주거, 교육 등 전방위적으로 지원하겠습니다. 청년 일자리 지원 예산을 확대하고, 청년내일 저축계좌, 청년희망적금 등을 신설하여 청년의 자산형성을 도울 것입니다. 주거 부담 경감을 위해 저소득 청년들에게 월세 지원 프로그램을 새롭게 도입하고, 대학 국가장학금 지원을 대폭 확대하여 전체적으로는 물론 개인별로도 중산층까지 반값등록금을 실현하겠습니다.

지역 간 격차 해소에도 중점을 두었습니다. 2단계 재정 분권에 따라 지방 재원이 크게 확충될 것입니다. 스물세 개 국가균형발전 프로젝트가 본격 추진되고 생활SOC 3개년 계획도 완성될 것입니다. 부울경 초광역 협력이 성공적 모델이 될 수 있도록 지원하여 다른 권역으로 확산시키고, 새로운 국가균형발전 시대를 여는 열쇠가 되도록 하겠습니다.

셋째, 미래형 경제구조로 전환하는데 과감히 투자하겠습니다. 2022년은 탄소중립 이행의 원년으로 12조 원 수준의 재정을 과감하게 투입할 것입니다. 친환경차를 올해보다 두 배 이상 확대 보급하여 누적 50만 대 보급 목표를 달성하겠습니다. 재생에너지 보급을 더욱 확산하고 도시숲도 크게 늘려나가겠습니다. 2조5천억 원 규모의 기후대응기금을 신설하고 온실가스감축 인지 예산제도도 시범 도입하겠습니다. 진화된 '한국판 뉴딜 2.0'을 더욱 힘차게 추진하는데 33조7천억 원을 배정했습니다. R&D 예산은 30조 원 규모로 정부 출범 당시보다 50% 이상 확대했습니다. GDP 대비 R&D 투자 세계 1위의 연구개발 강국으로 거듭나게 될 것입니다. 마지막으로, 국민의 안전을 지키고 국민 삶의 질을 높이기 위한 투자에 역점을 두었습니다. 정부는 국방예산을 55조2천억 원으로 확대했습니다. 우리 정부는 연평균 6.5%의 높은 국방예산 증가율을 기록하게 됩니다. 군 장병 봉급과 급식비를 크게 인상하는 등 장병 복지를 강화하고, 첨단 전력 확보와 기술개발에 중점 투자할 것입니다. 한미동맹 강화와 주변국 협력 증진에 더하여 다자외교와 중견국 외교를 강화하고, 그린·디지털·보건 부문을 중심으로 ODA 예산도 크게 늘렸습니다. 자연재해 예방, 국민생명 보호, 생활환경 개선 등 3대 재난 안전을 위해 20조 원 이상을 과감하게 투자하겠습니다. 아동수당 지원 대상을 8세 미만으로 확대하고, 처음으로 영아수당과 첫만남이용권을 신설하여 지원하겠습니다. 국공립 어린이집을 더욱 확충하여 공보육 이용률을 높이는 등 가족과 육아에 더 친화적인 사회 기반을 조성하겠습니다. 내년 예산은 우리 정부의 마지막 예산이면서 다음 정부가 사용해야 할 첫 예산이기도 합니다. 여야를 넘어 초당적으로 논의하고 협력해 주시길 당부드립니다.

존경하는 국민 여러분, 국회의장과 국회의원 여러분,

우리 정부가 위기를 극복해나가는 데 국회가 많은 힘을 모아주셨습니다. 매년 예산안을 원만히 처리하고, 여섯 번의 추경을 신속히 통과시켜 주셨습니다. 역사적으로 매우 의미 있는 민생법안들도 적잖이 통과되었습니다. 이루 헤아릴 수 없는 많은 입법 성과에 대해 국회의원 여러분 모두에게 깊이 감사의 마음을 전합니다. 국가적으로 어려운 시기에 항상 정부를 믿고 힘을 모아주신 국민 여러분께 늘 감사하고 고마운 마음입니다. 위기극복 정부로서 마지막까지 최선을 다하는 것으로 보답하겠습니다. 미래를 준비하는 소명 또한 마지막까지 잊지 않겠습니다. 끝까지 초심을 잃지 않고, 사명을 다하겠습니다.

감사합니다.

제22차 한-아세안 화상 정상회의 모두발언

| 2021-10-26 |

존경하는 의장님, 정상 여러분,

코로나 위기가 계속되는 어려운 여건에서 함께하게 되어 반갑고, 든든합니다. 회의를 훌륭하게 준비해 주신 하싸날 볼키아 국왕께 경의를 표하며, 대화조정국 역할을 맡아 주신 팜밍찡 베트남 총리께 감사드립니다. 우리는 코로나 극복과 더 나은 회복을 위해 더 깊은 우정을 나누어야 합니다. 최근 백신보급률이 낮은 지역을 중심으로 델타변이가 퍼지고, 빈번한 생산 차질로 세계경제 회복이 제약받고 있습니다. 백신이 부족한 나라의 어려움은 그렇지 않은 나라의 어려움으로 연결되고, 결국 연대와 협력만이 코로나 극복의 길이라는 것을 증명하고 있습니다. 아세안은 지난 반세기 하나의 공동체로 발전하며 위기를 기회로 바꿔왔습니다. 팬데믹 상황에서도 하나의 아세안, 하나된 대응의 정신을 구현하고 연대와 협력의 모범이 되었습니다. 아세안과 한국은 동아시아 외환 위기와 글로벌 금융 위기를 함께 넘었습니다. 한국은 아세안과의 관계를 매우 중시합니다. 한국은 아세안의 친구로서 코로나를 함께 극복하고, 포용적이며 지속가능한 미래를 함께 만들어 나갈 것입니다. 한국은 2017년부터 이어온 신남방정책과 지난해 발표한 신남방정책 플러스를 토대로 아세안과의 협력을 강화하고 있습니다. 한국은 코로나 아세안 대응 기금에 500만 달러를 추가로 공여하여 아세안의 백신 보급 속도를 높이고, 글로벌 공급망 안정을 위한 협력을 강화하여 아세안의 경제 회복에 기여할 것입니다.

오늘 한-아세안 공동성명을 통해 사람 중심의 평화와 번영의 공동체를 향한 우리의 한층 강화된 의지를 천명하게 되어 매우 뜻깊습니다. RCEP 비준을 올해 안에 마치고, 오늘 체결한 한-캄보디아 FTA, 한-필리핀 FTA도 조속히 발효되도록 최선을 다하겠습니다. 오늘 회의를 통해 아세안과 한국의 전략적 동반자 관계가 한 단계 높은 수준으로 발전하는 계기가 되기를 바랍니다.

감사합니다.

아세안+3 화상 정상회의 모두발언

| 2021-10-27 |

존경하는 의장님, 각국 정상 여러분,

건강한 모습으로 다시 뵙게 되어 반갑습니다. 기시다 일본 총리님, 환영합니다.

아세안+3 정상회의가 출범 25주년을 앞두고 있습니다. 우리는 동아시아 외환위기 공동 대응을 시작으로 지난 24년간 다방면에서 협력하며 여러 차례 위기를 이겨내고, 새로운 도약의 발판으로 삼아 세계 인구와 경제의 30%를 차지하는 지역으로 성장했습니다. 코로나 상황 속에서도 아세안과 한중일 3국은 코로나 아세안 대응기금, 아세안 필수의료물품 비축제를 도입하며 신속하고 효율적으로 협력했습니다. 이제 코로나를 극복하고 포용적인 회복을 이루기 위해 아세안+3 정상회의의 출범

정신을 행동으로 옮길 때입니다. 우선 코로나 극복을 비롯한 보건 협력 강화가 절실합니다. 한국은 코백스에 2억 달러 공여를 약속했고, 이와 별도로 이번 달 아세안 국가부터 백신 지원을 시작했습니다. 지난해 코로나 아세안 대응기금에 100만 달러를 기여한 데 이어 올해 500만 달러를 추가 기여할 예정입니다. 앞으로도 한국은 글로벌 백신 생산 허브의 한 축으로서 공평하고 신속한 백신의 보급을 위해 최선을 다할 것입니다.

한국은 의장국 브루나이 주도로 채택된 「청소년과 어린이의 정신건강 협력에 관한 정상성명」을 지지합니다. 코로나로 우울증을 겪는 청소년과 어린이들이 보편적 건강권을 보장받을 수 있도록 역내 공조체계 구축에 적극 동참하겠습니다. 포용적이고 지속가능한 성장을 위해서도 적극 협력할 것입니다. 한국은 지난해 발표한 신남방정책 플러스 전략의 7대 핵심 분야 협력을 아세안 포괄적 경제 회복 프레임워크(ACRF)와 유기적으로 연계하는 방안을 모색하고 있습니다. 기후변화, 디지털, 보건 분야 중심으로 ODA를 확대해 아세안의 디지털 경제 전환과 기후위기 대응에 함께하겠습니다. 「아세안+3 협력 워크플랜 2023 - 2027」의 수립을 앞두고 있습니다. 코로나 극복과 포용적 회복, 지속가능한 성장을 위한 역내 협력 방안이 충실히 담길 수 있도록 한국도 적극 참여하겠습니다.

더 나은 회복은 우리가 함께할 때 만들 수 있습니다. 아세안+3가 지난 24년간 축적한 연대와 협력의 경험은 함께 더 나은 회복을 이루는 소중한 자산입니다. 오늘 정상회의가 동아시아는 물론 상생과 포용의 시대를 열망하는 세계인들에게 희망의 이정표가 되기를 기대합니다.

감사합니다.

‘한국의 갯벌’ 세계유산 등재 기념식 축사

| 2021-10-27 |

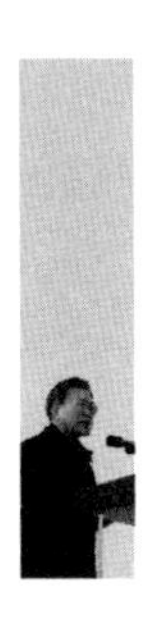

충남 서천과 전북 고창, 전남 신안, 보성, 순천시민 여러분,

‘한국의 갯벌’ 유네스코 세계유산 등재를 축하합니다. 가장 낮은 곳에서 우리를 품어주고 우리에게 생계와 생명을 나눠주던 갯벌이 온 인류와 함께하는 유네스코 세계유산이 되었습니다. 20만 헥타르가 넘는 서천, 고창, 신안, 보성, 순천의 너른 품이 이제 인류가 공동으로 보호하고 지켜나갈 귀한 곳이 되었습니다. 갯벌을 아끼고 사랑해온 지역주민들의 힘입니다.

서천갯벌 주민들은 빠른 발전 대신 공존을 선택했습니다. 산업단지 건설을 백지화하고 갯벌을 지켰습니다. 고창갯벌 주민들은 동죽 양식의 피해를 무릅쓰고 철새를 지켰고, 신안갯벌의 주민들은 자발적으로 생물권보전지역 확대를 요청하며 불편을 감수하셨습니다. 보성갯벌 주민들 역시 접안시설 확충 대신 갯벌을 택하셨고, 순천갯벌의 주민들은 전신주를 철거하고 전선을 지중화하여 흑두루미를 매년 반겼습니다. 편리함보다 공존이 훨씬 아름다운 일이라는 것을 지역주민들께서 보여주셨고 증명해 주셨습니다. 갯벌을 생명의 땅으로 지켜주신 지역주민들께 최고의 경의를 표합니다.

서천, 고창, 신안, 보성, 순천 주민들께 진심을 다해 감사드리며, '한국의 갯벌'이 세계유산으로 등재되기까지 애써주신 지자체와 지역 생태 연구자들께도 감사드립니다. 특별히 갯벌의 가치를 알아보고 국제사회에 알려주신 키르기즈공화국의 애정 또한 잊지 못할 것입니다.

존경하는 국민 여러분,

갯벌은 오랜 세월, 2,000종이 넘는 동식물과 함께 살아왔습니다. 밀물과 썰물로 매일매일 새롭게 태어나면서 대대손손 우리를 보듬고, 자연의 경이로움을 겸허하게 되새기게 해주었습니다. 갯벌은 인간과 자연을 하나로 이어주는 생물다양성의 보고입니다. 지구와 우리가 함께 살기 위한 방법을 배우는 가장 소중한 학교입니다. 지난날 갯벌의 가치를 잘 몰랐던 때가 있었습니다. 개발을 우선하기도 했습니다. 이제 정부는 갯벌의 보전과 생활 개선이 함께 이뤄지도록 최선을 다해 지원하겠습니다. 세계유산의 보존과 관리가 지역 발전과 연결되고 생태계의 보호가 더 행복한 삶으로 이어질 수 있도록 더 세심히 살필 것입니다.

갯벌에서는 자연이 들숨을 쉬고, 사람이 날숨을 쉽니다. 갯벌에서는 생명이 생명의 손을 잡고 서로를 보듬습니다. 유네스코 세계유산 등재와 함께 우리 갯벌과 갯벌에 사는 주민들, 대한민국 국민 모두 지구의 가장 친한 친구가 되었습니다. 오늘 등재 기념식과 함께 생명력 넘치는 우리 갯벌과 공존을 선택한 아름다운 삶이 세계에 널리 알려지게 되길 바랍니다.

감사합니다.

제16차 동아시아정상회의(EAS) 발언문

| 2021-10-27 |

존경하는 국왕님, 정상 여러분,

어려운 시기에 함께하게 되어, 힘이 됩니다. 정상회의 개최를 위해 리더십을 발휘해주신 볼키아 국왕께 감사드립니다. 세계는 지금 국경을 초월한 협력만이 코로나, 기후변화와 같은 전 지구적 과제를 해결하고 지속가능 발전을 이룰 수 있다는 것을 실감하고 있습니다. 세계 인구의 54%, 세계 GDP의 62%를 차지하는 동아시아의 결속은 코로나 극복과 기후위기에 대응하는 국제사회의 연대와 협력에 크게 기여할 것입니다. 위기를 기회로 반전시키기 위해 EAS가 더욱 단단하게 함께하길 바랍니다. 동아시아 지역 백신 접종률은 국가별로 큰 격차를 보이고 있습니다. 한국은 코백스 2억 달러 공여 약속을 이행하고 글로벌 백신 생산 허브의

한 축으로서 백신의 공평하고 신속한 보급을 위해 최선을 다하겠습니다. 일부 백신 부족 국가들에 대한 백신 지원도 시작했습니다.

더 나은 회복을 위해 사회 안정과 경제활력을 빠르게 되찾아야 합니다. 오늘 우리는 '정신건강 협력에 관한 성명'과 '관광 회복을 통한 경제성장 성명'을 채택하고, 보건과 경제 협력을 더욱 강화하기로 뜻을 모았습니다. 한국도 적극 협력하겠습니다. 글로벌 공급망을 회복시켜 국가 간 회복 속도의 격차도 줄여야 합니다. 시장개방을 유지하고, WTO 다자무역체제를 복원하는데 회원국 간 협력이 매우 중요합니다. 한-아세안 FTA, RCEP 등 다양한 자유무역협정을 기반으로 한국도 공급망 회복에 적극 협력하겠습니다.

한국은 오늘 채택되는 '지속가능한 회복 성명'에 공동제안국으로 참여했습니다. 기후위기야말로 연대와 협력 없이 해결할 수 없습니다. 저탄소 경제 전환을 향한 회원국들의 의지가 더욱 결집될 수 있기를 기대합니다. 한국은 그린 뉴딜을 통해 저탄소 경제로 전환 중이며, 다음 주 개최되는 콥26에서 2030 NDC 상향을 발표합니다. 기후 분야 ODA 확대, 그린뉴딜 펀드 신탁기금 신설을 통해 역내 탄소중립과 에너지 전환에 기여하겠습니다.

의장님, 정상 여러분,

한국은 한반도의 평화가 동아시아 평화와 번영의 시작이라는 믿음으로 한반도 비핵화와 평화를 위해 최선을 다해왔습니다. 세 번의 남북정상회담과 역사적인 북미 정상회담 등 한반도 평화 프로세스를 전진시켰던 원동력은 대화와 협력의 정신이었습니다. 제가 지난 유엔총회에서 제안한 '종전선언'은 대화의 문을 열고, 한반도와 아시아 나아가 세계 평화로 가는 중요한 출발점이 될 것입니다. EAS의 변함없는 지지와 성원을 부탁드립니다.

한국은 미얀마의 안정과 민주주의 회복을 희망합니다. 한국은 지난 9월 미얀마 국민의 코로나 극복을 돕기 위해 아하(AHA) 센터를 통한 100만 달러 지원을 포함하여 총 300만 달러 규모의 인도적 지원을 결정하였습니다. 미얀마 관련 아세안 특사 활동도 적극 지지할 것입니다. 한국은 남중국해에서 항행과 상공비행의 자유가 보장되고 대화를 통해 분쟁이 평화적으로 해결되길 바랍니다. 또한, 홍콩의 일국 양제 하 안정과 발전이 매우 중요하다고 생각합니다. 한국은 인도·태평양 지역에 대한 아세안의 관점이 중요하다고 생각하며, 에이오아이피(AOIP)와 같은 인도-태평양 지역협력 구상과 한국의 신남방정책을 연계하여 협력하는 등 평화롭고 안정적인 지역 구축을 위한 EAS의 노력에 항상 함께하겠습니다.

세계는 지금 국가를 넘어 지구촌 전체가 하나의 삶의 공간으로 연결되고 있습니다. 코로나는 인류의 삶에 큰 위기를 가져왔지만 동시에 우리가 얼마나 긴밀하게 연결되어 있는지를 알려주었습니다. 지금의 위기는 서로를 포용하며 협력할 때 극복할 수 있습니다. 동아시아가 평화와 공동번영을 이루고 전 세계에 제시할 수 있는 연대와 협력의 나침반이 되길 기대합니다.

감사합니다.

제76주년 교정의 날 기념식 축사

| 2021-10-28 |

존경하는 교정공무원 여러분, 교정위원과 교정에 함께해 주시는 여러분,

'제76주년 교정의 날'을 진심으로 축하합니다. 여러분은 교정현장의 따뜻한 빛줄기입니다. 인간의 선한 의지를 믿고 변화를 위해 끊임없이 노력할 때 우리 사회는 좀 더 안전해진다고 생각합니다. 수용자의 교정교화와 사회 복귀를 돕는 여러분들이 있기에 우리는 오늘도 더 많은 희망을 이야기할 수 있습니다. 교정현장과 지역사회에서 묵묵히 공동체를 지켜내고 계신 여러분께 감사드리며, 오늘 포상의 영예를 안은 수상자께 축하의 마음을 전합니다.

지난해 말과 올해 초 교정시설 코로나 집단감염으로 큰 어려움을 겪기도 했습니다. 인력 부족과 3밀 환경으로 방역이 쉽지 않았지만 수용자를 빠르게 분산하며 방역을 강화했고, 단합된 힘으로 수용시설 정상화를 이뤄냈습니다. 감염병으로부터 수용자를 보호하는 것은 수용자의 인권을 보호하는 일입니다. 수용시설의 안전뿐 아니라 우리 사회 전체의 안정과 회복을 위해서도 절실한 일입니다. 코로나 극복 과정에서 보여주신 헌신에 대해서도 각별한 마음으로 격려합니다.

교정가족 여러분,

교정행정의 수준은 그 사회의 인권 수준을 가늠하는 척도입니다. 우리 교정은 수용자 인권보호를 강화하고 신뢰받는 교정행정을 구현하기 위해 최선을 다해왔습니다. 수용자 개별특성에 맞는 교육과 직업훈련을 실시하고, 신종 성범죄자와 알코올·마약사범의 재범을 막기 위한 심리 치료를 하고 있습니다. 여성과 장애인, 고령자와 같은 사회적 약자를 배려하고, 수용자 자녀를 위한 프로그램도 운영 중입니다. 최근에는 ICT 기반의 스마트 교정시스템을 구축하여 화상 가족 접견, 비대면 원격진료가 가능해졌습니다. 활력 징후 감지 레이더, AI 기반 이동형 CCTV 개발로 수용자의 이상 징후도 신속하게 파악하고 있습니다.

수용자가 출소 후 사회에 쉽게 적응할 수 있도록 생활정착금 마련과 국민연금, 주택청약 가입을 추진하고 유관기관 및 지역사회와의 협조체계도 구축 중입니다. 정부는 여러분이 더 나은 환경에서 자부심을 가지고 업무에 전념할 수 있도록 지원할 것입니다. 특수한 업무환경에 따른 스트레스를 완화하기 위해 여러분의 건강증진에 더욱 관심을 기울이겠습니다. 4교대를 완전히 정착하고, 교정시설을 현대화하여 근무 환경도 개선하겠습니다.

교정 가족 여러분,

교정에 대한 국민의 기대 수준이 나날이 높아지고 있습니다. 선진 교정은 인권을 지키고 범죄율을 낮추는 것 이상으로 서로에 대한 믿음을 높일 수 있다는 측면에서 인류사회 발전에 크게 이바지합니다. 사람에 대한 존중을 바탕으로 하는 '포용적인 교정'이 될 수 있도록 힘써 주시길 바랍니다. 여러분이 사회 안전의 주역입니다. 정부가 항상 함께하겠습니다. 교정가족 모두의 건강과 행복을 기원합니다.

감사합니다.

「철조망, 평화가 되다」 전시회 관람 격려사

| 2021-10-29 |

오늘 평화의 십자가 프로젝트를 구상하고 기획한 박용만 이사장은 얼마 전까지 한국에서 대기업의 회장이었고, 한국의 경제계를 대표하는 대한상공회의소 의장이었습니다. 박용만 이사장은 이전에 특별한 십자가 프로젝트를 한 바 있습니다. 한국의 옛날 재래시장에는 가장 밑바닥의 노동자들이 손수레에 물건을 운반해 주는 일로 생계를 유지했었습니다. 보다 많은 물건을 싣기 위해서 나무를 덧대서 더 크게 만든 그 손수레를 '구르마'라고 불렀습니다. 지금은 시장이 현대화돼 있기 때문에 구르마는 더 이상 사용되지 않습니다. 박용만 회장은 지금은 사용되지 않지만 수십 년 된 그 구르마, 그래서 수많은 노동자들의 땀과 눈물과 삶의 고통이 배어 있는 그 구르마의 낡은 목재로 십자가를 만들었습니다. 가장 가난한 노동의 십자가라고 할 수 있는 그 십자가를 나는 세계에서 가

장 아름다운 십자가라고 불렀습니다.

이번 평화의 십자가는 더욱더 특별한 의미가 있습니다. 한반도를 가로지르고 남북한을 하나로 갈라놓는 250km의 군사분계선과 비무장지대에는 수없이 많은 철조망이 설치돼 있습니다. 그리고 그 철조망에는 여러분들이 아시다시피 아주 날카로운 가시들이 촘촘하게 달려 있습니다. 오고 갈 수 없다는 금지의 선이면서 적대와 대립의 상징이 철조망입니다. 우리 정부 들어서 남북한의 대화가 이루어지고, 군사합의가 이루어지고, 적대행위를 중단하기로 그렇게 합의를 함으로써 남북한의 군사적 긴장이 많이 완화되고 그만큼 평화가 증진되었습니다. 그에 따라 우리 정부는 철조망의 일부를 철거했는데 그 녹슨 철조망이 이렇게 아름다운 평화의 십자가로 변신한 것입니다.

성경에는 전쟁을 평화로 바꾼다는 그 상징으로 창을 녹여서 보습을 만든다는 그런 구절이 있습니다. 오늘의 이 십자가는 그 의미에 더해서 이제는 고향으로 돌아가서 헤어진 가족들을 만나고 싶다는 수많은 남북한 이산가족들의 염원과 이제는 전쟁을 영원히 끝내고 남북 간에 서로 평화롭게 지내고 싶다는 우리 대한민국 국민들의 간절한 염원과 기도가 담겨 있습니다.

여러분, 한번 상상해 보십시오. 군사분계선과 비무장지대의 철조망이 철거되고, 남북한의 전쟁이 영원히 끝난다면 그곳에는 남북한에 있는 국제기구의 사무실들이 그쪽에 위치하고, 또 유엔의 평화기구들이 그쪽에 들어서고, 남북의 연락사무소가 거기로 들어서고 함으로써 지금 철조망으로 가득찬 비무장지대는 그야말로 국제 평화지대로 변모할 수 있습니다. 제가 지난 유엔 총회에서 했던 종전선언의 호소를 이렇게 아름다운 예술작품으로 형상화한 박용만 이사장님, 그리고 권대훈 교수님께 감사드립니다. 함께해 주신 모든 분들께 감사드립니다.

고맙습니다.

G20 정상회의 1세션 연설

| 2021-10-30 |

의장님, 정상 여러분

2년 만에 한자리에 마주앉을 수 있도록 준비해 주신 드라기 총리님과 이탈리아 국민들께 감사드립니다. 코로나 위기 국면에 G20은 연대와 협력의 구심점 역할을 했습니다. 액트-에이(ACT-A) 출범으로 보건 협력을 강화했고, 확장적 거시정책을 함께 추진했습니다. 하지만 팬데믹은 예상보다 훨씬 장기화하고 있고, 그 피해와 상처도 매우 넓고 깊습니다. G20의 연대와 협력이 더욱 강화되어야 합니다.

나라별로 코로나 백신 접종의 격차가 매우 큽니다. 자국의 미접종자에 대한 접종뿐 아니라 모든 나라의 백신 접종률을 함께 높이지 않고는 방역 상황의 안정적 관리와 완전한 일상회복이 어렵다는 점을 깊이 인식하고 빠르게 행동으로 옮겨야 합니다. 한국은 백신의 공평한 보급을 위해 코백스 2억 달러 공여 약속을 충실히 이행하고, 백신 부족 국가에 대한 직접 지원도 계속할 것입니다. 글로벌 백신 제조 허브로서 생산능력을 더욱 늘리겠습니다. 새로운 백신과 치료제 개발에도 박차를 가할 것입니다. 국제보건 협력체계 강화 논의도 실질적 진전을 이뤄내길 바랍니다. 한국은 백신 접종을 늦게 시작했지만 세계에서 가장 빠른 속도로 세계 최고 수준의 접종완료율을 기록했고, 이제 단계적 일상회복을 시작하려 합니다. 한국은 그 경험을 모든 나라와 적극 공유하겠습니다. 세계경제의 포용적 회복을 위해서도 정책 공조가 절실합니다.

첫째, 저소득국에 대한 지원 방안을 구체화해야 합니다. 한국은 저소득국 채무부담 완화 조치를 지지하며, IMF 특별인출권(SDR)을 활용한 저소득국 유동성 지원에도 적극 참여할 것입니다. 이를 위해 10억 SDR을 공여 중이고, 4.5억 SDR을 추가로 공여할 예정입니다.

둘째, 글로벌 거시정책의 공조를 강화해야 합니다. 확장적 정책 기조를 유지하면서 국제 원자재 가격 상승을 억제하여 인플레이션의 우려를 막아야 할 것입니다. 주요국들이 통화정책 등을 전환할 경우 부정적 파급효과를 최소화할 수 있도록 소통을 강화해야 한다는 점도 강조하고자 합니다.

셋째, 자유무역 복원과 글로벌 공급망 안정을 위해 WTO 개혁을 강화해야 합니다. 지속가능 성장을 위해 개방적이고 공정한 규칙에 기반한 글로벌 교역체제가 지속되고 더욱 발전되어야 할 것입니다.

넷째, 디지털 경제 전환에 대응하여 공동의 규범 마련에 속도를 내야 합니다. 얼마 전 OECD에서 디지털세 도입 합의가 이루어졌습니다. 새로운 국제조세 규범이 공정하게 적용될 수 있도록 후속 조치를 잘 마련해야 할 것입니다.

정상 여러분,

코로나로 인해 전 세계가 위기에 처했지만 우리는 이전보다 더 깊이 서로에게 의지하고 있습니다. 각자도생으로는 결코 위기를 이겨낼 수 없습니다. 포용적이고 지속가능한 세계를 위해 G20의 책임감이 더욱 높아지길 바랍니다.

감사합니다.

G20 정상회의 2세션 연설

| 2021-10-31 |

의장님, 감사합니다.

얼마 전, 노벨위원회는 올해 노벨 물리학상 수상자로 기후변화의 원인을 밝혀내고 예측 모델을 개발한 과학자들을 선정했습니다. 과학은 오래전부터 기후위기의 원인을 제시해왔고, IPCC는 이제 더 이상 망설일 시간이 없다고 경고하고 있습니다. 한국은 '탄소중립'에 발을 맞추겠습니다. 지난해 '2050 탄소중립'을 선언하고, '탄소중립기본법'을 제정하여 탄소중립을 법제화했습니다. 또한 민관이 함께하는 '탄소중립위원회'를 설치해 '2050 탄소중립 시나리오'를 확정했습니다. 탄소중립 시나리오에 따라 '2030 NDC 상향'도 결정했고, COP26에서 발표할 예정입니다. 한국은 석탄 감축 정책을 과감하게 시행하고 있습니다. 우리 정부 출범 이후 석탄발전소 여덟 기를 조기 폐쇄했고, 올해 말까지 두 기를 추가 폐쇄할 예정입니다. 2050년까지 석탄발전을 전면 폐기할 것입니다. 신규 해외 석탄발전에 대한 공적금융 지원도 이미 중단했습니다.

메탄 배출 감축 노력도 강화하고 있습니다. 한국은 메탄 비중이 상대적으로 낮지만, 메탄 감축 노력에 적극 공감하며, '국제 메탄 서약'에 참여할 것입니다. 한국이 '그린 뉴딜'을 통해 만들어내고 있는 신산업과 새로운 일자리는 '탄소중립'을 실현하는 가장 중요한 동력입니다. 많은 한국 기업들이 RE100에 적극 참여하고 있습니다. 정부는 민간의 기술 개발과 투자를 뒷받침하며, 탄소중립 속도를 높여나갈 것입니다. 한국은 특히 수소경제에 중점을 두고 있고, 수소 활용 분야에서 앞서가고 있습니다.

수소경제를 위한 글로벌 협력도 강화하겠습니다. 한국의 성장 경험을 바탕으로 개도국의 탄소중립 노력에도 함께하겠습니다. 그린 ODA 비중을 확대하고 녹색기후기금과 글로벌녹색성장연구소를 통해 기후재원 지원을 계속하면서, '기후기술센터 및 네트워크'를 통해 녹색기술 분야에서 개도국과의 협력을 강화하겠습니다.

정상 여러분,

2050년까지 우리에게 30년이 주어져 있지만, 첫 10년이 중요합니다. 2030 NDC 목표를 우리가 어떻게 실천하느냐가 2050 탄소중립의 성패를 좌우할 것입니다. 나는 지구의 생명력과 강한 회복력을 믿습니다. 인류가 코로나로 활동을 줄이자, 기후위기 시계의 데드라인이 늘어난 것이 그 증거입니다. G20의 연대와 협력이 지속가능한 세계를 만들어낼 것이라 확신합니다.

감사합니다.

G20 정상회의 3세션 연설

| 2021-10-31 |

의장님, 감사합니다.

지속가능발전목표(SDGs)는 국제사회의 약속입니다. 우리는 지금 이전과 다른 삶의 방식을 찾고, 더 나은 회복을 위해 노력하고 있습니다. 하지만 코로나 위기가 격차를 더욱 키웠다는 사실을 뼈아프게 인식해야 합니다. 사람과 사람, 나라와 나라의 격차를 더욱 줄여나가야만 연대와 협력의 지구촌을 만들고 지속가능발전목표를 이룰 수 있을 것입니다. 세계 경제의 80% 이상을 차지하는 G20 국가들의 공동 실천이 중요합니다. G20이 보건 협력의 중심이 되어 코로나 백신의 공평한 배분에 모범을 보여야 할 것입니다. 기후위기 대응에 있어서 G20이 더 많이 헌신하고 개도국의 처지를 고려한 지원을 해야 합니다. 디지털과 그린 전환에 있어서도 사람 중심의 공정한 전환을 최우선 과제로 삼아야 할 것입니다. 한국은 ODA 규모를 지속적으로 늘리면서 ICT 기술을 접목하고, 특히 그린 ODA를 확대하겠습니다. 포용적인 디지털 전환, 녹색 전환을 위해 개도국과 협력을 강화하겠습니다.

지난 유엔총회 SDG Moment에서 지속가능발전에 대한 지구촌 청년들의 열망을 느꼈습니다. BTS가 '미래세대와 문화를 위한 특별사절'로 참여했고, 유엔 공식계정은 4,000만 뷰 넘는 관심을 받았습니다. 지속가능발전의 주인공은 미래세대입니다. 디지털 기술에 익숙하고, 기후환경에 대한 감수성이 높습니다. 이미 자신들의 목소리를 내고 있으며, 참여하고 만들어 갈 준비가 되어 있습니다. 기성세대가 못한 일들을 청년들이 해낼 것이라 확신합니다. 미래세대가 지속가능발전의 주역이 될 수 있도록 G20에서 다양한 방식을 모색하길 기대합니다. 마지막으로 좋은 회의를 준비해 주신 이탈리아 정부와 드라기 총리께 다시 한번 감사드립니다.

감사합니다.

공급망 회복력 관련 글로벌 정상회의 모두발언

| 2021-10-31 |

존경하는 바이든 대통령님, 각국 정상 여러분,

일상 회복의 시간이 다가오면서 코로나로 억눌렸던 소비와 투자 수요가 빠르게 되살아나고 있습니다. 그러나 글로벌 공급망의 회복은 아직 절반에 머물고 있습니다. 세계 곳곳에서 생산과 물류 차질이 발생하면서 공급 측면의 회복이 지체되고, 수요와 공급의 불균형으로 인플레이션 압력도 확대되었습니다. 완전한 경제 회복을 위해 글로벌 공급망 안정이 시급합니다. 오늘 세계 정상들이 모여 공급망 회복 방안을 논의하게 된 것을 뜻깊게 생각하며, 바이든 대통령님의 리더십에 경의를 표합니다.

정상 여러분,

세계 경제는 글로벌 공급망을 통해 하나의 사슬로 긴밀히 연결되어 있습니다. 모든 나라의 경제활동이 정상 궤도로 복귀할 때까지 글로벌 공급망 불안은 계속될 수밖에 없습니다. 기업들이 자유로운 교역과 투자를 통해 더욱 촘촘한 공급망을 구축할 수 있도록 개방적이고 공정한 무역질서를 복원해야 합니다. 먼저, 글로벌 물류대란에 공동 대응해야 할 것입니다. 최근 물류 차질이 한층 심각해지면서 세계 경제의 최대 불안요인으로 떠오르고 있습니다. 항만마다 조업 인력이 부족해 컨테이너를 내리지 못한 배들이 줄지어 대기하고 있고, 해운 운임은 역대 최고 수준으로 치솟아 국제 원자재 가격을 비롯한 물가 상승세를 부추기고 있습니다. 한국은 임시선박과 항공기를 투입하고 컨테이너를 신규로 공급하며 물류 비상사태에 긴급 대응하고 있습니다. 세계 7위 컨테이너 항만인 부산항의 화물처리 공간을 최대한 늘리고, 로테르담, 바르셀로나, 자바와 같은 글로벌 항만에 공동물류센터를 구축하고 있습니다.

그러나 공급망과 물류는 상호 연결과 흐름의 문제로 한 나라의 역량만으로는 해결하기 힘든 과제입니다. 우선 각국이 할 수 있는 비상조치를 총동원하여 자국 내 물류 흐름의 속도를 높여야 합니다. 공항과 항만뿐만 아니라 철도와 도로 등 육상 물류망과 물류 인력과 컨테이너 운영을 극대화하고, 방역과 백신 접종에 있어서 물류거점을 최우선으로 관리해야 합니다. 아울러, 국제사회와 기업인들이 함께 대체 운송수단 마련, 운송 일정 조절과 같은 공동의 대응 방안을 모색해야 할 것입니다. 향후의 물류대란 가능성을 사전에 방지할 수 있도록 운송부터 통관, 유통까지 물류 관리 체계를 디지털화하고 관련 데이터와 정보를 긴밀히 공유해 나가길 기대합니다. 우리는 연대와 협력, 다자주의를 통해 코로나가 촉발한 수많은 문제에 해결책을 찾아왔습니다. 오늘 회의 역시, 공급망 회복을 위한 지혜를 모으고 세계 경제의 완전한 회복을 앞당기는 계기가 되길 바랍니다.

감사합니다.

11월

COP26 정상회의 기조연설

2021년 대한민국 성평등 포럼 영상 축사

국제메탄서약 출범식 모두발언

2021 외국인투자주간 포럼 축사

한국-헝가리 정상회담 공동언론발표

한-V4 비즈니스 포럼 모두발언

오늘 하루 소방관들에게 "고맙다"고, "애쓰셨다"고 인사해 주십시오

제48회 국무회의(영상) 모두발언

26회 농업인의 날을 맞았습니다

APEC CEO Summit '에너지의 미래' 세션 기조연설

2021 APEC 화상 정상회의 모두발언

한국-모잠비크 FLNG선 출항 명명식 축사

오늘은 '제15회 아동학대 예방의 날'입니다.

한-코스타리카 정상회담 모두발언

BTS의 AMA 대상 수상에 큰 축하와 감사를 보냅니다

합천댐 수상태양광 발전개시 기념 현장 방문 모두발언

코로나19 대응 특별방역점검회의 모두발언

COP26 정상회의 기조연설

| 2021-11-01 |

존경하는 보리스 존슨 총리님, 페트리샤 에스피노자 유엔기후변화 협약 사무총장님, 정상 여러분,

글래스고의 떡갈나무 숲은 사람과 동식물이 어울려 사는 신화의 세계로 우리를 이끕니다. 자연은 오래도록 우리를 기다려주었습니다. 이제 우리가 자연을 위해 행동하고 사랑해야 할 때입니다. COP26이 그 출발점이 될 것입니다. 더 이상의 지구 온난화를 막고, 기다려 준 자연에게 응답하게 되길 바랍니다. 나는 오늘 세 가지를 약속하고, 한 가지 제안을 드리고자 합니다.

첫째, 한국은 2030 NDC를 상향하여 2018년 대비 40% 이상 온실가스를 감축하겠습니다. 종전 목표보다 14% 상향한 과감한 목표이며,

짧은 기간 가파르게 온실가스를 감축해야 하는 매우 도전적인 과제입니다. 쉽지 않은 일이지만, 한국 국민들은 바로 지금 행동할 때라고 결정했습니다. 한국은 2050 탄소중립을 법제화하고, 탄소중립 시나리오를 발표했습니다. 2030년까지, 30%의 메탄 감축 방안도 담겼습니다. 메탄은 이산화탄소보다 온실효과가 매우 높아 기후위기 해결의 중요한 열쇠입니다. 한국은 '국제메탄서약'에 가입해 메탄 감축 노력에 적극 동참하겠습니다.

둘째, 한국은 2차 세계대전 이후 유일하게 산림녹화에 성공한 나라로서 산림복원 협력에 앞장서겠습니다. 나무는 살아있는 온실가스 흡수원입니다. 나무를 키우고 산림을 되살리는 일은 기후위기 대응의 중요한 해결책입니다. 사막화를 막고, 접경 지역의 평화를 증진시킬 수 있는 방안이기도 합니다. '산림 및 토지 이용에 관한 글래스고 정상선언'을 환영하며 개도국의 산림 회복에 적극 협력하겠습니다. 아울러, 남북한 산림협력을 통해 한반도 전체의 온실가스를 감축해나갈 것입니다. 내년 5월 한국에서 개최되는 '세계산림총회'의 성공을 위해 국제사회의 지지와 협력을 부탁드립니다.

셋째, 세계 석탄 감축 노력에 동참하겠습니다. 우리 정부는 출범 이후 석탄발전소 여덟 기를 조기 폐쇄했고, 올해 말까지 추가로 두 기를 폐쇄할 예정입니다. 2050년까지 모든 석탄 발전을 폐지할 것입니다. 이미 국내 신규 석탄발전소 허가를 중단했으며 지난 4월, 신규 해외 석탄발전에 대한 공적금융 지원도 중단했습니다. 한국은 재생에너지 개발을 비롯하여 개도국들의 저탄소 경제 전환에 적극 협력하겠습니다. 해외 한국

기업의 탄소 배출도 줄여나갈 것입니다. 녹색기후기금, 글로벌녹색성장연구소를 통한 기후 재원 지원을 계속하고, '기후기술센터 및 네트워크'를 통해 녹색기술 분야에서 개도국과 협력을 강화하겠습니다.

정상 여러분,

제가 드릴 한 가지 제안은 '청년 기후 서밋'의 정례적인 개최입니다. 탄소중립은 정부와 기업의 노력만으로는 어렵습니다. 국민 모두가 동참해야만 이룰 수 있는 목표입니다. 기후위기의 당사자인 미래세대와 기성세대가 함께 기후위기의 해법을 찾는다면 지속가능한 세계를 향한 인류의 발걸음도 한층 빨라질 것입니다. '청년 기후 서밋'의 정례 개최에 정상 여러분의 많은 관심과 지지를 요청합니다. 자연을 위해 사람과 사람, 나라와 나라가 먼저 손을 잡읍시다. 지구를 위해 더 일찍 행동하지 않았다는 후회를 남기지 않도록 합시다.

감사합니다.

2021년 대한민국 성평등 포럼 영상 축사

| 2021-11-02 |

'2021년 대한민국 성평등 포럼' 개막을 축하합니다. '미래를 여는 새로운 성평등 세상'을 꿈꾸며 포럼에 함께해 주신 모든 분께 따뜻한 환영의 인사를 드립니다. 이제 성평등은 조금씩 우리 모두를 자유롭게 하고 있습니다. 억압되었던 에너지를 끌어내고, 성숙한 대한민국을 만드는 새로운 힘이 되고 있습니다. 북경행동강령 25주년과 유엔 안보리 결의안 1325호 20주년을 기념하여 시작된 '대한민국 성평등 포럼'이 두 번째를 맞이했습니다. 성평등 사회를 위한 우리의 의지와 국제 연대를 더욱 굳게 다지는 계기가 되길 바랍니다. 특별히, 올해 포럼에서는 평등사회에 대한 청년들의 솔직한 목소리를 전할 예정입니다. 치열하게 고민하고 토론하며 대한민국의 미래 청사진을 그려낸 청년들을 격려합니다. 이번 포럼을 준비해 주신 정영애 여성가족부 장관님을 비롯해 관계자 여

러분의 노고에도 깊이 감사드립니다.

존경하는 국민 여러분, 청년 여러분,

우리는 평등하고 지속가능한 사회를 향해 쉼 없이 달려왔습니다. 1995년 여성발전기본법을 제정하고 20년 만에 양성평등기본법으로 전면 개정했습니다. 정치와 경제, 사회, 문화 모든 영역에서 성평등이 실현될 수 있도록 제도의 범위를 넓혀 왔습니다. 여전히 부족하지만, 기업과 공공 분야에서 여성 대표성이 강화되고 있습니다. 경력단절 여성에 대한 지원이 확대되고, 남성의 육아휴직 사용도 빠르게 정착되고 있습니다. 여성과 남성 모두 평등하게 자신의 역량을 발휘할 수 있어야 한다는 의식이 이뤄낸 성과입니다. 평등한 사회적 분위기 속에서 나고 자란 우리 청년들은 공정과 정의를 가장 진지하게 생각하는 세대입니다. 기존 제도와 구조의 한계를 뛰어넘어 새로운 세계로 거침없이 나아가는 용기 있고 역동적인 세대입니다. 때로는 젠더 갈등, 세대 내 격차와 같은 진통을 겪지만, 청년들은 서로의 차이를 직시하며 포용하려고 노력합니다. 끊임없이 소통하며 연대해 나간다면, 기성세대가 풀지 못한 불평등과 불공정 같은 어려운 과제에 대해 번뜩이는 해법을 분명 발견할 수 있을 것이라 확신합니다. 우리 청년들은 자신의 행복과 타인의 권리를 함께 지키며 서로 다채롭게 빛을 발하는 삶을 살아갈 것입니다. 각계 전문가 여러분께서도 지혜를 아낌없이 모아주시길 부탁드립니다.

정부 또한 미래 세대를 위해 더욱 노력하겠습니다. 작년에 청년기본법이 처음으로 시행되어 청년의 권리를 보호하고 지원할 제도적 기반이 갖춰졌습니다. 민간위원 60%를 청년으로 구성한 '청년정책조정위원회'도 출범했습니다. 비로소 청년이 정책의 중심이자 주체가 되었습니다. 지난 8월에는 청년들 스스로 청년특별대책을 세워 발표했습니다. 정부는 청년들과 함께 5대 분야 87개 과제를 차질없이 추진할 것입니다. 청년 누구나 동등하게 삶의 행복을 향유할 수 있는 새로운 세상을 만들어 가겠습니다. 서로를 존중하며 자란 세대가 어떻게 세상을 바꿔나갈지 기대됩니다. 이번 포럼을 통해 청년들이 국경과 세대, 성별을 넘어 소통하고 성평등 사회를 실현하기 위해 연대하고 협력하길 바랍니다. 다시 한번 '2021년 대한민국 성평등 포럼'의 개막을 축하합니다.

감사합니다.

국제메탄서약 출범식 모두발언

| 2021-11-02 |

존경하는 바이든 대통령님, 폰 데어 라이엔 집행위원장님, 정상 여러분,

올 한 해, 세계는 '탄소중립'을 위해 숨가쁘게 달려왔습니다. 그리고 오늘 우리는 '국제메탄서약' 이라는 또 하나의 성과를 빚어냈습니다. 오늘의 자리를 만들어주신 바이든 대통령님과 폰 데어 라이엔 집행위원장님의 리더십에 경의를 표합니다. 이제 세계는, 2030년까지 메탄 배출량 30% 이상 감축을 목표로 더욱 강하게 연대하고 협력해 나갈 것입니다. 한국 또한 '국제메탄서약' 가입국으로서 국내 메탄 감축을 위한 노력을 책임 있게 실천하겠습니다.

한국은 '2030 NDC 상향' 목표에 2030년까지, 30%의 메탄 감축 방안을 담았습니다.

에너지, 농·축·수산, 폐기물 분야에서 구체적인 감축 계획을 세우는 것은 물론 매립지와 처리시설에서 메탄가스를 회수하여 에너지로 재활용하는 방안도 모색하고 있습니다. 한국은 국내 감축 노력뿐 아니라, 이웃 국가들의 메탄 감축에도 함께하겠습니다. 개발도상국들이 메탄 감축에 참여할 수 있도록 정책과 경험, 기술을 공유하고, 다양한 지원과 협력을 추진해 나가겠습니다. 오늘 '국제메탄서약'의 출범이 녹색 지구를 만든 연대와 협력의 이정표로 미래세대에게 기억되길 바랍니다.

감사합니다.

2021 외국인투자주간 포럼 축사

| 2021-11-03 |

세계 기업인과 투자자 여러분, 내외 귀빈 여러분,

'2021 외국인투자주간 포럼'에 참석하신 것을 진심으로 환영합니다. 한국은 지금 코로나의 어려움 속에서도 빠르게 경제활력을 되찾아 가고 있습니다. 위기를 기회로 만들자는 국민과 기업의 의지가 모여 디지털과 친환경 산업이 빠르게 성장하고 있습니다. 한국의 가을풍경과 기업하기 좋은 환경을 직접 보여드리지 못해 아쉽지만, 글로벌 기업인들과 석학들께 한국의 유망산업과 투자환경, 정책을 소개할 수 있어 매우 뜻깊습니다. 많은 분들의 노력으로 '외국인투자주간 포럼'이 열입곱 해를 이어오고 있습니다. 포럼을 준비한 코트라 IK의 노고가 많았습니다. 축전을 보내주신 ARM 홀딩스의 사이먼 시거스 최고경영자님, Merck 그룹의 벨렌 가리호 최고경영자님과 세계투자진흥기관연합(WAIPA) 파하드 알 게가위 회장님께도 깊이 감사드립니다. 이번 포럼을 통해 새로운 투자 기회를 찾고, 한국과 함께 성장, 발전해 나가는 소중한 계기가 되길 바랍니다.

세계 기업인과 투자자 여러분,

저는 올해 1월 다보스 포럼과 두 차례 방미 계기에 한국 투자에 대한 세계 기업인들의 뜨거운 관심을 확인할 수 있었습니다. 한국은 유망하고 지속가능하며 안정적인 투자처입니다. 감염병·재난재해 같은 위기에 대응능력이 뛰어나고 경제 회복력도 우수합니다. 락다운 없이 코로나 확산을 우수하게 통제했고, 기업들은 코로나 상황에서도 정상적인 경제 활동을 이어나갔습니다. 그 결과, 한국 경제는 가장 빠르게 회복하고 있습니다. 올해 주요국 성장 전망치가 대부분 하향조정되는 상황에서도 4·3%의 높은 전망치를 유지하고 있습니다. 국가신용등급 또한 최고 수준을 유지 중이며, 세계은행의 기업환경평가에서도 7년 연속 5위권을 지키고 있습니다. 지식재산권도 활발하여 블룸버그 혁신지수 세계 1위, 세계지식재산기구 글로벌 혁신지수 아시아 1위의 혁신 강국으로 발돋움하였으며, 신기술, 신제품을 사업화하기에 좋은 최적의 테스트베드입니다. 한국은 지금, 그린뉴딜과 디지털뉴딜을 중심으로 대형 국가 프로젝트인 한국판 뉴딜 2.0을 추진 중입니다. 이미 세계의 많은 기업과 투자자들이 코로나의 어려운 상황 속에서도 K-뉴딜, 소부장, 바이오 분야 투자를 비롯해 역대 2위의 투자를 하고 있습니다. 여러분이 한국의 변화와 도전에 함께해 주시길 바랍니다.

세계 기업인과 투자자 여러분,

한국 정부는 국경을 초월해 여러분과 함께할 것입니다. 외국인 투자기업에 대한 세제, 입지, 현금, 고용 지원을 확대하고 있습니다. 새로운 사업의 원활한 진행을 위해 규제를 완화하고, 투자의 어려움도 적극 해소할 것입니다. 특히, 반도체·미래차·바이오 등 Big3 첨단 산업에서 연구개발과 시설투자 지원을 강화하겠습니다. 소부장, 탄소중립 분야의 핵심기술개발을 통해 새로운 투자 기회를 창출하겠습니다. 무역·투자 플랫폼도 더욱 튼튼히 구축할 것입니다. 한국은 미, 중, EU 등 거대경제권을 포함한 세계 57개국과 FTA 네트워크를 갖고 있습니다. RCEP 비준을 앞두고 있고, CPTPP 가입을 검토하고 있으며, 한-싱가폴 DPA가 타결되면 한국을 거점으로 기업들이 폭넓게 세계 시장에 진출할 수 있을 것입니다.

투자는 새로운 성장과 발전의 마중물입니다. 포스트 코로나 시대를 열어갈 새롭고 다양한 기회가 한국에 있습니다. 한국에 투자하십시오. 오늘, 여러분과 한국의 투자 파트너쉽이 강화되어 새 시대를 함께 열어갈 수 있기를 기대합니다.

감사합니다.

한국-헝가리 정상회담 공동언론발표

| 2021-11-03 |

나와 우리 대표단을 따뜻하게 맞아주신 아데르 야노쉬 대통령님과 헝가리 국민들께 감사드립니다. 한국 대통령으로서 20년 만에 국빈 방문하게 되어 기쁩니다. 한국은 동유럽 국가 중 가장 먼저 헝가리와 수교했고, 헝가리는 '비세그라드 그룹' 의장국으로서 내일 열릴 '제2차 한-비세그라드 그룹 정상회의'를 준비했습니다. 헝가리와 한국의 소중한 관계를 이어나가는 계기를 마련해 준 대통령께 감사드립니다. 오늘 아데르 대통령님과 나는 양국 관계를 '전략적 동반자 관계'로 격상하기로 합의하고, 분야별 실질 협력을 제고하기 위한 방안을 논의하였습니다.

첫째, 양국의 경제협력을 더욱 강화하기로 했습니다. 우리 두 정상은 지난해 코로나에도 불구하고 양국이 사상 최대의 교역액을 기록한 것을 높이 평가했습니다. 전기차 배터리 등 미래 유망산업에서 양국의 교역이 확대되도록 함께 노력할 것입니다.

둘째, 과학기술 협력을 더욱 긴밀히 추진하기로 했습니다. 헝가리의 수준 높은 과학기술과 한국의 응용과학, 상용화 강점을 접목하면 시너지가 매우 클 것으로 기대합니다. 양국은 4차 산업 분야는 물론 기후변화, 디지털, 보건 협력을 더욱 확대할 것입니다.

셋째, 우리 두 정상은 국제사회의 기후·환경 노력에 기여할 수 있도록 긴밀히 협력하기로 했습니다. COP26 정상회의 결과와 '2050 탄소중립' 실현에 대한 의견을 나누고, 지속가능한 성장을 위해 디지털 전환과 그린 전환을 기조로 하는 새로운 노력이 필요하다는 데 뜻을 같이했습니다. 마지막으로 아데르 대통령님은 대화와 협력으로 한반도 비핵화와 평화를 이루고자 하는 나와 우리 정부의 노력을 변함없이 지지해주셨습니다.

나는 어제, 다뉴브강의 추모공간을 찾아 2019년 선박사고로 유명을 달리한 우리 국민 스물여섯 명과 헝가리 국민 두 명의 넋을 위로했습니다. 사고 수습에 전력을 다하고, 희생자들을 함께 기억하고 슬픔을 나눠온 대통령님과 헝가리 정부, 헝가리 국민 여러분께 다시 한번 감사드립니다. 이번 정상회담이 양국의 협력 확대와 공동번영의 또 다른 전기가 되길 바랍니다. 쾨쐐뇜 씨입벤(köszönöm szépen, 대단히 감사합니다),

감사합니다.

한-V4 비즈니스 포럼 모두발언

| 2021-11-03 |

‘비세그라드 그룹’과 한국의 기업인 여러분, 반갑습니다. 오늘 양측 기업인들과 함께 만나게 되어 기쁩니다. 우리는 어려움을 이겨내며 신뢰를 확인했고, 앞으로 협력할 것도, 함께 이룰 것도 아주 많습니다. 오늘 이 자리가 회복과 도약의 시간을 앞당기는 자리가 되길 바랍니다. 소중한 만남의 자리, 기회를 마련해 주신 오르반 헝가리 총리님과 사보 헝가리 수출청장님, 파락 헝가리 상의 회장님, 또 대한상의 최태원 회장께 깊이 감사드립니다.

기업인 여러분, 1989년 6월, 헝가리의 소도시 야스페니서루에 삼성전자 TV 공장이 문을 열었습니다. V4와 한국 간 경제협력의 시작이었습니다. 하루 400대의 TV를 만들던 이 공장은 이제 하루 4만 대의 TV를 생산합니다. 글로벌 생산기지로 유럽 전역에 TV를 수출하고, 야

스페니서루 인구의 절반이 근무하는 지역의 대표 기업으로 성장했습니다. V4의 EU 가입 이후 V4 경제의 주력인 자동차산업에도 한국 기업들이 활발히 참여했습니다. 양측 간 협력의 지평도 넓어졌습니다. 2007년부터 체코 북동부 노쇼비체와 슬로바키아 북서부 질리나에 현대·기아차의 공장이 가동되고 있습니다. 한적한 농촌이었던 노쇼비체는 체코 자동차산업의 심장부가 되었습니다. 슬로바키아 3대 산업도시인 질리나는 화공업과 건설업에 더해 자동차라는 새로운 성장동력을 장착했습니다. 현대·기아차는 각각 연 35만 대 생산능력을 갖춰 글로벌 생산량의 7% 이상을 두 곳에서 책임지고 있습니다.

한국과 V4의 상생 협력 결과는 대단합니다. 전자, 자동차와 부품, 화학, 금속까지 다양한 업종에 걸쳐 600개가 넘는 한국 기업이 진출하였고, 누적 투자액이 100억 달러를 넘어 V4는 EU 내 한국의 최대 투자처가 되었습니다. 교역도 빠르게 증가했습니다. 지난해 코로나 상황에서도 역대 최대인 168억 달러를 기록했고, 올해도 30% 이상 늘고 있어 200억 달러 돌파를 눈앞에 두고 있습니다.

그러나 아직 시작에 불과합니다. V4는 우수한 인력, 동서 유럽을 잇는 지리적 이점을 토대로 유럽에서 가장 역동적으로 성장하고 있습니다. 첨단 제조업에 강점을 가진 한국은 V4와 함께 성장하길 희망합니다. 유럽 시장을 넘어 세계로 함께 뻗어 나가길 바랍니다. 이를 위해 오늘 세 가지 경제협력을 강조하고자 합니다.

첫째, 전기차 배터리 협력입니다. 한국의 주요 배터리 기업이 모두 V4에 대규모 생산기지를 구축하고 있습니다. 올해 헝가리 정부는 코마

롬 지역에 건설 중인 SK이노베이션 제2공장에 1억 달러 지원을 결정했습니다. SK이노베이션도 11억 달러를 추가로 투자하는 제3공장 설립 계획을 밝혔습니다. V4와 한국 사이의 호혜적 협력 관계를 상징적으로 보여주는 사례입니다.

둘째, 포스트 코로나 시대의 신산업 협력입니다. 코로나 이후 세계는 디지털과 그린 전환 속도를 높이고 있습니다. V4의 기초과학 기술 역량과 한국의 응용과학기술이 결합한다면, 우리는 변화에 앞서갈 수 있습니다. 특히, 미래 에너지원으로 무한한 잠재력을 지닌 수소 경제 육성에 함께 하길 희망합니다. V4 국가들은 올해 '국가 수소 전략'을 차례로 발표했습니다. 한국 역시 '수소 선도국가 비전'을 실현해 나가고 있습니다. 목표가 같은 만큼 협력을 통한 시너지도 매우 클 것입니다.

코로나 이후 중요성이 높아진 바이오 헬스 산업도 함께 키워나가길 바랍니다. 지난해 방역물품을 나누며 양측 간 바이오 헬스 교역이 100배 넘게 늘었습니다. 지속적인 협력으로 미래 감염병 위협에도 함께 대응할 수 있기를 기대합니다.

셋째, 인프라 협력입니다. 한국 기업들은 폴란드 폴리체 화학 플랜트 건설, 바르샤바 트램 교체사업과 같은 V4의 다양한 인프라 사업에 참여하고 있습니다. 폴란드 바르샤바 신공항 건설, 슬로바키아 브라티슬라바 공항 현대화 사업 등 새로운 프로젝트에도 함께하길 희망합니다.

'비세그라드 그룹' 기업인 여러분, 한국의 기업인 여러분. 오늘 체결하는 그린, 디지털, 바이오 등 일곱 건의 MOU를 통해 양측의 협력은 더욱 강화될 것입니다. 내일 '제2차 한-V4 정상회의'가 열립니다. 기업인들의 의견을 네 나라 총리님들과 함께 나눌 수 있는 좋은 기회입니다. 상생발전을 위한 지혜를 모으는 자리가 될 것입니다. 오늘의 만남으로 우리의 우정은 더욱 깊어지고, V4와 한국 경제는 힘차게 도약할 것입니다.

감사합니다.

오늘 하루 소방관들에게 "고맙다"고, "애쓰셨다"고 인사해 주십시오

| 2021-11-09 |

59주년 소방의 날을 맞아 16만 소방 가족과 의용소방대원들의 헌신에 진심으로 감사드립니다. 소방에는 밤낮, 계절이 따로 없습니다. 소방관의 노고를 생각하는 하루가 되었으면 좋겠습니다.

소방관들은 올 한해 83만여 곳의 재난현장에서 6만4천여 명의 국민을 구했습니다. 코로나 방역에서도 확진·의심증상자와 해외입국자, 예방접종 관련자 등 42만여 명을 이송하는 신속함을 보여줬습니다. 의용소방대도 187개 예방접종센터에서 최선을 다해 국민들의 안전을 살폈습니다. 오늘 소방의 날 기념식은 국립소방병원 건립 예정지에서 열립니다. 국립소방병원은 2024년 '재난거점병원'으로 개원하여 소방관들의 진료, 재활치료, 심신안정을 도울 것입니다. 정부는 소방공무원 2만 명 충원 약속을 지키고, 30%에서 80%까지 높아진 '구급차 3인 탑승'도 더욱 높여가겠습니다. 희생과 헌신에 최고의 예우로 보답하겠습니다.

2대째 소방관으로 활동하고 있는 한 소방관이 했던 말이 기억납니다.

"소방관은 현장에서 두 명을 구출해야 한다. 구조자와 바로 나 자신을 구하는 멋진 소방관이 되겠다."

국민들은 소방관을 깊이 신뢰합니다. 소방관 스스로의 안전도 매우 중요합니다. 소방관들의 생명과 건강은 정부와 국민이 함께 지키겠습니다. 올 한해 소방관들은 많은 분들이 탈진을 겪으면서 고유의 업무에 더해 방역 지원까지 있는 힘을 다했습니다. 오늘 하루 소방관들에게 "고맙다"고, "애쓰셨다"고 인사해 주십시오.

제48회 국무회의(영상) 모두발언

| 2021-11-09 |

제48회 국무회의를 시작하겠습니다. 정확히 우리 정부 임기 6개월이 남은 시점입니다. 정부는 마지막까지 민생에 전념하며 완전한 회복을 위해 최선을 다하겠습니다. 급변하는 대전환의 시대에 맞게 국가의 미래를 준비하고, 선진국으로서 국제사회에 대한 책임을 높이겠습니다. 7박9일간의 유럽 순방은 숨가쁜 일정이었지만 성과가 적지 않았습니다. 한층 격상된 한국의 위상을 실감했고, 한반도 평화에 대한 국제사회의 지지도 거듭 확인했습니다. 세계 정상들은 우리의 모범적 방역과 경제 회복, 문화 분야의 성공, NDC 목표 상향 등 기후위기 극복 의지, 선진국과 개도국의 가교로서 선도적 역할에 대해 높이 평가했습니다.

배터리, 전기차, 신재생에너지 등 다양한 분야에서 협력을 다질 수 있었고, 세계 경제의 큰 위험으로 떠오른 공급망 불안 해소에 대해 공동의 대응 의지도 모았습니다.

유럽에서 가장 역동적으로 성장하고 있고 한국의 최대 투자처로 부상한 헝가리, 체코, 슬로바키아, 폴란드 등 '비세그라드 그룹'과는 과학기술, 에너지, 인프라까지 경제협력의 폭을 크게 넓혔습니다. 많은 나라가 우리의 성공적인 경험을 알고 싶어했고, 협력을 희망했습니다. 우리는 어느덧 세계가 인정하고 부러워하는 나라가 되었습니다. 모두 우리 국민이 이룬 국가적 성취입니다. 자부심도 우리 국민이 가져야 할 몫입니다. 정부는 국격 상승이 국민의 삶의 질 향상으로 이어지도록 더욱 매진하겠습니다.

단계적 일상회복이 시행되면서 국민들의 일상이 활력을 되찾고 있습니다. 모두의 노력으로 방역과 함께 높은 백신 접종률을 달성했기 때문에 자신감 있게 일상회복의 길로 나아갈 수 있었습니다. 일상회복을 시작했다가 다시 어려움을 겪는 나라들이 많습니다. 하지만 우리는 뒷걸음질 치는 일 없이 완전한 일상회복으로 나아갈 수 있도록 정부가 상황 관리에 최선을 다하겠습니다. 코로나와 공존하는, 이전과는 전혀 다른 일상입니다. 방역과 백신, 경제와 민생이 조화를 이루고, 자율 속에서 더욱 절제하고 책임을 다해야 합니다. 어떤 경우에도 기본적인 방역수칙을 철저히 준수해야 하고, 백신 접종의 필요성도 더욱 중요해지고 있습니다. 일상회복은 결국 우리가 만들어 나가는 것입니다. 그동안 잘해 왔듯이 우리 모두 성숙한 공동체 의식으로 힘을 모은다면 일상회복에서도 성공적 모델을 만들어내고 K-방역을 완성할 수 있을 것입니다. 요소수 공급 차질 문제가 시급한 현안이 되었습니다. 정부는 외교역량을 총동원해 해외 물량 확보에 총력을 기울이고 있습니다. 급한 곳은 공공부문 여유분을 우선 활용하고, 긴급 수급 조정 조치 등으로 수급 안정화에 만전을 기할 것입니다. 정부가 수입 지체를 조기에 해결하는 노력과 함께 수입 대체선의 발굴에도 최선을 다하고 있으니 국민들께서는 지나친 불안감을 갖지 마시길 당부드립니다.

국제 분업체계가 흔들리고, 물류 병목 현상과 저탄소 경제 전환이 가속화되는 산업 환경의 변화로 공급망 불안은 언제나 찾아올 수 있는 위험 요인이 되었습니다. 차제에, 글로벌 공급망 변화에 따른 원자재 수급 문제를 보다 광범위하게 점검할 필요가 있습니다. 특정국가의 수입 의존도가 과도하게 높은 품목에 대해서는 사전 조사를 철저히 하고, 면밀한 관리체계를 구축해 주기 바랍니다. 지금까지 첨단 기술 영역 중심의 전략 물자에 대해 관심을 기울였으나, 생활과 밀접하게 관련된 품목까지 관리 범위를 넓혀 수입선 다변화와 기술 자립, 국내 생산 등 다양한 대책을 강구해 주기 바랍니다. 글로벌 에너지 가격 상승과 공급 병목 현상 등으로 인한 물가 불안요인에 대한 대비도 철저히 해 주기 바랍니다. 미국은 5%대, 중국은 10%대, 유로존은 4%대까지 오르는 등 세계적으로 물가가 크게 상승하고 있습니다. 우리는 올해 2% 초반대에서 물가를 안정적으로 관리한다는 목표를 지키기 위해 최선을 다하겠습니다. 공공요금 동결, 농축수산물 공급 확대에 이어 이번 주부터는 유류세를 20% 인하합니다. 물가 안정이 민생 안정의 첫걸음이라는 마음가짐으로 모든 부처가 할 수 있는 모든 노력을 다해 주기 바랍니다.

26회 농업인의 날을 맞았습니다

| 2021-11-11 |

농사가 수월한 해는 없지만 코로나, 이상기후, 조류독감 등으로 올한해 농업인의 수고가 더 컸습니다. 덕분에 안전한 먹거리와 함께 방역도 경제도 지켜낼 수 있었습니다. 230만 농업인들께 진심으로 감사드립니다. 코로나 속에서도 올해 우리 농업은 값진 성과를 만들어냈습니다. 농식품 수출액이 지난해보다 10% 이상 늘었습니다. K-푸드는 또 하나의 한류가 되어 세계인의 입맛을 사로잡고 있습니다.

기후 위기와 공급망 위기가 농업에도 영향을 미치고 있지만, 정부는 우리 농업이 경쟁력을 더 키울 수 있도록 최선을 다할 것입니다. 농가소득과 가격 안정에 역점을 두면서 공익 직불제, 농산물 수급 관리 선진화와 소비 진작에도 속도를 내겠습니다. 탄소중립에 대비해 친환경 농업지구 조성과 산지 유통망 확충, 깨끗한 축산농장 조성도 적극 지원하겠습니다. 디지털 기술 접목을 통해 농촌의 지속가능한 발전을 뒷받침하고, 무엇보다 농업이 새로운 세대에게도 매력적인 일자리, 충분한 소득을 얻는 일자리가 되도록 함께해나가겠습니다. 지난해 귀농·귀촌 가구는 35만7천 가구로 통계조사 이래 최대치를 기록했습니다. 우리 농업의 비전과 발전 가능성을 엿본 30대 이하 귀농 가구 역시 1,400여 가구로 역대 최대였습니다. 정부는 다양한 수요를 고려한 맞춤형 지원, 정착지 특성을 반영한 지역별 자율 프로그램 지원을 강화하는 내용을 담은 2차 귀농귀촌 지원 종합계획을 12월에 수립할 예정입니다.

손마디가 굵어져야 알곡이 여물고 과일이 익습니다. 정작 자신은 끼니를 놓쳐도 가축의 먹이를 놓치지 않는 것이 농민의 마음입니다. 나누고 협동하며 우리 땅, 우리 터전을 가꿔오신 농업인의 마음이 더 나은 회복을 이뤄낼 것입니다. 고마운 마음, 항상 간직하겠습니다.

APEC CEO Summit '에너지의 미래' 세션 기조연설

| 2021-11-11 |

저신다 아던 총리님, 바바라 채프맨 의장님, 함께해주신 CEO와 귀빈 여러분,

아·태 지역의 혁신과 경제성장을 이끌어온 'APEC CEO 서밋'에 참석해 '에너지의 미래'를 논의하게 되어 뜻깊습니다. 기후위기 대응과 아·태 지역의 포용적이고 지속가능한 발전 방안을 찾는 자리가 되길 바랍니다.

기업인 여러분,

기후위기 대응을 위해, 우리는 즉각 행동하고 긴밀하게 협력하여, '탄소중립 사회'로 전진해야 합니다. 지금 우리의 실천이 인류의 생존과 미래를 결정하게 된다는 비상한 각오와 결의를 가져야 합니다. 이제 에너지원으로써 석탄과 석유의 역할은 더 이상 지속될 수 없습니다. 우리는 새로운 에너지로 문명의 대전환을 이끌어야 합니다. 태양광, 해상풍력 같은 재생에너지의 비중을 높이고, 디지털 기술혁신으로 에너지 효율을 높여야 합니다. 미래 기술과 산업, 새로운 일자리는 '탄소중립'의 목표로부터 창출될 것입니다. 각국 정부와 기업이 에너지의 더 빠른 전환과 혁신을 위해 협력하고 경쟁한다면, 인류는 새로운 문명으로 도약할 수 있을 것입니다.

중요한 것은 연대와 협력과 포용입니다. '협력 속에서 자유롭게 교역하며, 공동의 성장과 번영'을 목표로 하는 APEC의 정신이기도 합니다. 태평양 서쪽의 아시아 국가들은 '배제하지 않는 포용'의 정신을 중요한 가치로 여겨왔습니다. 코로나 위기 속에서도 아세안과 한·중·일 3국은 '코로나 아세안 대응기금'과 '필수의료물품 비축제도' 등을 통해 이웃 국가들의 어려움을 함께했습니다. 한국은 RCEP과 한-아세안 FTA를 토대로 역내 국가 간 공급망 강화와 포용적 회복을 위해 노력하고 있습니다. 태평양 동쪽과 남쪽 국가들은 에너지 협력과 탄소중립의 비전을 한발 앞서 실천하며 지속가능한 성장 방안을 찾아왔습니다. 중남미 국가들은 '라틴아메리카 에너지기구'를 통해 기후위기 대응을 위한 에너지 협력을 강화해왔습니다. 뉴질랜드, 캐나다, 미국은 2050 탄소중립 목표를 담은 법과 제도를 선도적으로 제정했습니다. 한국 역시 '탄소중립 기본법'을 제정하고 탄소중립을 위한 국제협력에 나서고 있습니다. 나는 오늘 한국 국민과 기업, 정부가 '탄소중립 사회'로 전진하면서, 지속가능발전을 이루기 위해 기울이는 노력을 소개하고 APEC과 함께해나갈 '포용의 방향'을 제시하고자 합니다.

첫째, 에너지 전환을 위한 민간과 정부의 포용적 협력입니다. 한국은 석탄화력발전과 결별하고 있습니다. 우리 정부는 출범 이후 석탄발전소 8기를 조기 폐쇄했고, 다음 달 2기를 추가 폐쇄할 예정입니다. 또한 국내 신규 석탄발전소 허가를 중단했고, 지난 4월 신규 해외 석탄발전에 대한 공적 금융지원도 중단했습니다. 대신 안전하고 깨끗한 에너지를 늘려가고 있습니다. 2025년까지 태양광과 풍력 설비를 2020년 대비 두 배 이상 확대할 계획입니다. 신재생에너지의 발전 효율을 극대화하고, 에너지 생산과 소비를 분산할 것입니다. 기업에 대한 지원도 강화하겠습니다. 한국 기업들은 탄소중립 전환에 적극적으로 나서고 있습니다. 'RE100'에 동참하고, 재생에너지 투자를 확대하며 ESG 경영에 박차를 가하고 있습니다. 한국은 그린 인프라 구축에 520억 달러를 투입하고, 기술과 금융지원으로 산업계의 저탄소 경제 전환을 뒷받침할 것입니다. 맞춤형 기업지원책으로 기업이 기술 개발과 투자에 나서도록 도울 것입니다. 특히, 피해 산업과 업종에 미치는 영향을 최소화하고 신속한 업종 전환과 노동 이동을 지원할 계획입니다. 저탄소 전환 투자를 지원하기 위해 투자세액공제와 정책금융을 확대할 것입니다.

둘째, 수소경제 생태계 구축을 위한 역내 협력입니다. 수소는 배기가스를 발생하지 않고, 어느 국가에서나 얻을 수 있으며, 화석연료보다 에너지 밀도가 높은 미래 에너지원입니다. 2050년, 전 세계 에너지 비중의 13%에서 18%가량 차지할 것으로 예측되며, 관련 시장은 연간 12조 달러에 달할 것으로 전망됩니다. APEC 국가들은 수소경제 생태계를 구축하기 위해 협력하면서, 경쟁하고 있습니다. 미국의 '수소 프로그램'과 호주의 '국가 수소전략'이 추진되고 있으며, 중국과 일본 또한 수소경제의 기반을 다지고 있습니다.

한국 역시 2019년 수소경제 청사진을 제시했습니다. 세계 최초로 '수소법'을 제정하여 범정부 수소경제위원회가 출범했고, 기업들도 370억 달러 수준의 대규모 투자에 나섰습니다. 한국을 대표하는 기업들이 수소기업협의체를 결성하여 수소의 생산·유통과 활용까지 수소경제 전 분야의 협력을 모색하고 있습니다. 한국의 수소경제는 빠르게 성장하고 있습니다. 세계 최초로 수소차 양산에 성공했고, 다양한 수소 모빌리티가 세계 시장 점유율 1위를 지키고 있습니다. 세계 최고 수준의 한국 수소연료전지 기술은 역내 수소경제 생태계 성장에 기여할 것입니다. 한국은 2050년까지 그레이수소를 블루수소와 그린수소로 100% 전환하고, 그린수소 생산을 획기적으로 늘려나갈 계획입니다. 수소 산업 전 분야에 걸친 기술 개발을 지원하고, 국제 공동연구를 통한 표준화에도 역할을 다할 것입니다. 세계 GDP의 61%를 차지하고 있는 APEC은 수소경제 생태계 구축에 앞장서게 될 것입니다. APEC 청정수소 밸류 체인을 구축해, 에너지에 있어서 새로운 아시아·태평양 시대를 열어가길 기대하며, 한국도 적극 협력하겠습니다.

셋째, 국경을 넘는 나라 간의 포용입니다. 한국은 국제사회의 기후위기 대응에 적극 참여하고 있습니다. '녹색기후기금'과 '글로벌녹색성장연구소'를 유치했고, 기후 재원을 조성하여 이웃 국가들과 동행해왔습니다. 지난 5월 개최한 'P4G 정상회의'에서 한국은 선진국과 개도국이 함께 동의하는 '서울 선언문'을 이끌어냈습니다. 또한 지난 COP26에서 2030 NDC를 상향하여, 온실가스 배출 정점을 기록한 2018년 대비 40% 이상 감축하는 강도 높은 목표를 발표했습니다. 메탄 감축을 위한 '국제메탄서약'에도 가입했습니다.

기후위기에 국경이 없듯, 대응과 협력에도 국경이 없습니다. 탄소중립을 위해 전 세계가 서로의 경험과 기술을 공유해야 합니다. 특히 선진국들이 개도국들을 적극 지원하고 협력하는 것이 무엇보다 중요합니다. 한국은 기후재원 지원을 계속하고, '기후기술센터 및 네트워크'를 통해 녹색기술 분야의 협력을 확대하겠습니다. 그린 뉴딜 ODA를 더욱 늘리고, P4G의 민관 파트너십을 통한 협력도 계속해 나가겠습니다. 2030년까지, 2010년 대비 신재생에너지 비율을 두 배 확대하는 '푸트라자야 비전 2040'의 차질 없는 이행을 위해 회원국들과 협력할 것입니다.

기업인과 귀빈 여러분,

나는 오늘, 에너지 전환과 탄소중립을 위한 우리 모두의 실천 의지와 협력이 더 굳건해지길 바라며, 그 협력에 북한도 참여하기를 기대합니다. 탄소배출을 늘리지 않으면서 발전할 수 있는 길을 찾는 것은 전 인류의 과제이며, 모두가 협력해야만 가능한 일입니다. 북한은 특히 산림 회복에 중점을 두고 있습니다. '동북아 산림협력'에 북한이 참여하는 것은 한반도의 온실가스를 감축하는 것은 물론, 동북아의 평화와 번영에도 기여하게 될 것입니다. 산림협력으로 평화를 이룬 다른 나라 사례가 많습니다. 한반도에서도 숲을 공유하고 함께 가꾸며 항구적 평화가 이뤄지길 바랍니다. 우리가 '에너지 전환'을 통해 이루고자 하는 '탄소중립 사회'는 지속적이고 포용적으로 성장하는 세상입니다. 세계 최대 지역경제 협력체인 APEC의 역할과 책임이 막중합니다. 혁신적인 발상과 과감한 도전, 포용적 리더십으로 아·태 지역의 경제성장을 이끌어온 기업인 여러분이 '탄소중립'의 문을 여는 주역입니다. 새로운 에너지로 만드는 새로운 문명, 바로 지금, 우리가 시작합시다.

감사합니다.

2021 APEC 화상 정상회의 모두발언

| 2021-11-12 |

존경하는 아던 총리님, 정상 여러분,

Kia ora. 반갑습니다. 의장국 뉴질랜드가 제시한 "하나가 되어, 서로 돕고, 함께 성장하자"는 올해 APEC의 주제는 우리가 함께 가야 할 방향을 분명하게 가리키고 있습니다. 나는 아·태지역의 포용적인 회복과 번영을 위한 협력이 확대되길 기대하며 세 가지를 말씀드리고 싶습니다.

첫째, 함께 일상을 회복하기 위한 적극적인 협력이 필요합니다. 한국은 백신의 공평한 보급을 위한 APEC의 실천에 적극 동참해왔습니다. 코백스와 별도로 일부 국가들에게 백신을 공여했고, 추가 지원도 확대할 것입니다. 보건의료 다자협력에도 힘쓰고 있습니다. 120여 개국에 진단키트를 비롯한 1억8천만 달러 상당의 방역 물품 등을 무상 지원했고, 보건의료 분야 ODA를 확대하고 있습니다. 인력 교류와 물품의 이동이 원활해지면, 더 나은 일상 회복을 촉진할 수 있을 것입니다. '백신접종 상호 인증'을 비롯한 각국의 노력을 환영하며, 구체적인 공동의 기준을 마련해 나갈 것을 제안합니다.

둘째, 개방적이고 공정한 무역질서의 복원으로 더욱 단단한 경제공동체가 되어야 합니다. 아·태지역은 자유로운 교역과 투자를 통해 상생과 번영의 길을 열어왔습니다. 빠른 코로나 위기 극복과 글로벌 공급망의 안정 역시 다자주의와 호혜적 협력에 기반한 자유무역에 달려있습니다. 한국은 FTA를 가장 많이 체결한 나라 중 하나이고, RCEP의 비준을 앞두고 있습니다. APEC의 경제통합을 위해서도 함께할 것입니다. 자유무역을 통해 성장한 한국은 국제무역체제 수호의 중요성을 누구보다 잘 알고 있습니다. 12차 WTO 각료회의에서 가시적 성과가 나올 수 있도록 APEC 정상들이 함께 리더십을 발휘해 나가길 바랍니다. 또한 디지털 무역의 기회를 적극 활용하여, 디지털 경제 시대를 함께 열어나갈 것을 제안합니다. 역내 디지털 무역은 2016년 4천억 달러에서 지난해 1조 달러로 연평균 27% 이상 성장하고 있습니다. APEC은 2019년 '디지털혁신기금'을 출범시켜 디지털 전환을 선도해왔습니다. 각기 다른 역사와 문화, 경제 발전 속도를 상호 보완하며 함께 번영하는 길을 걸어온 APEC이 디지털 통상에서도 최고의 플랫폼으로 나아가길 기대합니다. 한국은 'APEC 디지털혁신기금' 출범을 주도한 데 이어, 역내 디지털 경제동반자협정 가입을 추진하며 디지털 통상규범 논의에 적극 참여하고 있습니다. 전자상거래에서 소비자 권익과 개인정보를 보호하기 위한 협력에도 적극 나서겠습니다.

셋째, 우리의 협력 역시 포용적이어야 합니다. 세계 경제가 회복세를 보이고 있지만 코로나로 더 많이 타격받은 국가와 계층이 있습니다. 회복의 격차를 줄여야 지속가능한 발전을 기대할 수 있습니다. 한국은 '한국판 뉴딜'의 한 축으로 '휴먼 뉴딜'을 추진하고 있습니다. 고용안전망과 사회안전망을 강화하고, 디지털과 그린 분야를 중심으로 사람에 대한 투자를 확대하며 포용적 회복을 위해 노력하고 있습니다. 한국은 '한국판 뉴딜'의 정책 경험을 적극 공유하며, '함께 성장하는' APEC을 위해 노력할 것입니다.

기후위기 대응과 탄소중립을 위해서도 APEC이 선도적인 역할을 해나가야 합니다. 한국은 2030 NDC를 과감하게 상향했고, 메탄 감축을 위한 '국제메탄서약'에 가입했습니다. 기후 재원 마련에도 적극 참여하고 있습니다. 글로벌 녹색성장연구소에 500만 달러 규모의 펀드를 조성하고, 녹색기후기금 공여액을 두 배 확대할 계획입니다. '기후기술센터 및 네트워크'를 통해 녹색기술 분야 협력도 확대하겠습니다. 그린 뉴딜 ODA를 늘리고, P4G 민관 파트너십을 통한 협력도 계속해 나가겠습니다.

정상 여러분,

오늘 APEC은 포용적이며 지속가능한 발전을 향해 의미 있는 진전을 이루었습니다. '푸트라자야 비전 2040' 이행계획은 회원국들을 더욱 강하게 결속할 것입니다. 리더십을 발휘해준 의장국 뉴질랜드에 감사를 표합니다. 2023년과 2024년 의장국은, 내년 의장국인 태국과 함께 '푸트라자야 비전 2040'을 차질없이 이행해나가는 막중한 책임을 지게 됩니다. 의장국을 자원해주신 미국 바이든 대통령님과 페루 카스티요 대통령께 감사드립니다. 한국은 역내 통합과 지속가능한 미래를 위해 언제나 함께할 것입니다.

감사합니다.

한국-모잠비크 FLNG선 출항 명명식 축사

| 2021-11-15 |

존경하는 국민 여러분, 경남도민과 내외 귀빈 여러분,

오늘, 삼성중공업이 건조한 FLNG 플랜트 '코랄 술(Coral Sul)호'의 출항·명명식을 갖게 되었습니다. FLNG는 해상에서 LNG를 생산, 액화·저장, 출하할 수 있는 해상이동식 복합 기능 플랜트입니다. 모잠비크와 우리나라를 비롯해 이탈리아, 미국, 중국, 일본, 프랑스, 포르투갈 등 여러 나라 기업들이 긴밀히 협업해온 성과입니다. 오늘 행사를 축하하기 위해 모잠비크의 필리프 뉴지 대통령님과 이자우라 뉴지 여사님 내외가 직접 참석하셨습니다. 대통령 내외분과 모잠비크 대표단을 뜨거운 마음으로 환영해주시기 바랍니다.

코로나 이후, 한국을 방문한 첫 아프리카 정상입니다. 뉴지 대통령님은 모잠비크 독립운동의 산증인이며, 국민의 지지 속에서 모잠비크의 도약을 이끌고 계십니다. 지난해에는 포스코건설이 모잠비크에서 건설한 남풀라-나메틸 도로 개통식에 직접 참석해 한국과의 협력을 말씀해주셨고, 오늘 이 자리를 빛내주고 계십니다. 뉴지 대통령님을 내 고향 거제도에서 맞이하게 되어 더욱 뜻깊습니다. 내일 출항할 '코랄 술 FLNG'는 뉴지 대통령님의 고향, 카부델가두 앞바다에서 연간 340만 톤의 LNG를 생산, 출하하게 됩니다. 오늘의 깊은 인연 위에서 양국 협력이 더욱 강화되어 고향 친구같이 가까운 관계가 되길 희망합니다.

뉴지 대통령님 내외와 귀빈 여러분, 국민 여러분,

초겨울 바닷바람이 차갑지만 이곳 삼성중공업의 열기는 어느 때보다 뜨겁습니다. 축구장 네 개 규모의 거대한 '코랄 술 FLNG'가 드디어 내일 인도양을 향해 출항해 모잠비크 북부 해상 제4광구에서 활약하게 될 것입니다. 모잠비크 해상가스전은 세계 최대 규모로 평가되고 있습니다. LNG 생산이 본격화되면 모잠비크 경제는 연평균 10% 이상 고도 성장할 것으로 전망되며 인프라와 제조업의 동반성장도 기대됩니다. '코랄 술 FLNG'가 대량 생산하게 될 LNG는 세계가 탄소중립으로 가는 여정에도 큰 힘이 될 것입니다.

세계는 지금 LNG에 주목하고 있습니다. 재생에너지, 그린 수소와 같은 무탄소 에너지로의 완전한 전환에는 많은 시간과 노력이 필요하기 때문입니다. 탄소중립에 이르는 과정 동안 화석연료 중 탄소 배출량이 가장 낮고 발전효율이 높은 LNG는 석탄과 석유를 대체할 수 있는 가장 훌륭한 저탄소 에너지원입니다. 이번 프로젝트는 세계 여러 나라 기업이 협력해 성공시켰기에 더욱 뜻깊습니다. 모든 참여기업에 감사드리며, '코랄 술 FLNG'와 함께 모잠비크가 아프리카의 경제 강국으로 도약하기를 바랍니다.

한국은 세계 최고의 조선 강국입니다. 세계 선박 시장에서 1위의 수주실적을 기록하고 있으며, 특히 대형 컨테이너선과 LNG 운반선, 초대형 원유 운반선 등 친환경·고부가가치 선박에서 독보적 경쟁력을 가지고 있습니다. 세계 최초와 세계 최대는 물론 전 세계 대형 FLNG 네 척 모두를 한국이 건조했습니다. 한국은 친환경 선박의 핵심기술을 고도화하고 무탄소 선박과 스마트선박도 개발할 예정입니다. 모잠비크의 대형 LNG 운반선 프로젝트에서도 한국이 최적의 협력 파트너가 되길 기대하고 있습니다. '코랄 술 FLNG'가 인도양을 지나 모잠비크까지 무사 항행을 마치고, 모잠비크의 경제성장과 번영을 이끌게 되길 기원하며, 대통령 내외분과 대표단의 방한에 거듭 감사드립니다.

감사합니다.

오늘은 '제15회 아동학대 예방의 날'입니다.

| 2021-11-19 |

오늘은 '제15회 아동학대 예방의 날'입니다. 사람은 가장 천천히 성장하는 동물입니다. 걷기까지 적어도 1년, 뇌가 완전히 자라기까지 10년 넘는 세월이 필요합니다. 아이는 이 기간에 어른들의 행동을 따라하고 익히며 사회구성원이 되어갑니다. 부모 역시 아이를 키우면서 이전과 다른 삶을 살게 되고, 아이의 울음소리를 통해 사랑을 키워갑니다. 우리 모두는 이렇게 서로에게 영향을 미치며 특별한 존재가 되었습니다.

사람은 누군가의 소유물이 될 수도, 함부로 할 수도 없습니다. 아이들은 더욱 그렇습니다. 올해 1월, 우리는 '어떤 체벌도 용인할 수 없다'는 의지를 모아 63년 만에 민법의 친권자 징계권 조항을 폐지했습니다. 또한, 3월부터 학대행위 의심자로부터 피해아동을 보호하는 '즉각분리제도'를 시행했습니다. 체벌을 용인하는 사회에서 모든 폭력으로부터 아동을 보호하는 사회로 한 걸음 더 나아갔습니다. 아이가 행복하게 자라려면, 아이를 독립된 인격체로 존중하고, 부모와 자녀 간 소통과 이해, 신뢰를 바탕으로 하는 양육이 필요합니다. 오늘 아동학대 예방의 날 기념식에서 '긍정 양육 129원칙'을 선포합니다. 좋은 부모가 되고 싶은 분들에게 큰 도움이 될 것이라고 믿습니다.

내일은 유엔아동권리협약 비준 30주년이 되는 날입니다. 아이를 아끼고 존중하는 일은 곧 자신을 아끼고 존중하는 일입니다. 아이가 행복한 사회가 어른도 행복한 사회입니다. 정부는 아이들의 웃음을 지키기 위해 최선을 다하겠습니다. 우리 아이에게 무엇을 배울 수 있을지, 조심스럽게 살펴보는 하루가 되었으면 좋겠습니다.

한-코스타리카 정상회담 모두발언

| 2021-11-23 |

먼 길을 와주신 알바라도 대통령님을 환영합니다. 대통령님의 취임 후 첫 아시아 방문이라 그 의미가 더욱 특별합니다. 우리는 지난 1월 첫 정상 통화를 했고, P4G와 한-SICA 정상회의, COP26에서 연이어 만났습니다. 드디어 오늘 대통령님을 서울에서 국빈으로 맞이하게 되어 매우 기쁩니다.

코스타리카는 법, 정책, 관행을 성공적으로 개혁하며 올해 OECD 회원국이 되었습니다. 현재 추진 중인 2050 탈탄소와 국가계획은 전 세계의 탄소중립에 선도적인 역할을 하고 있습니다. 내년은 양국 수교 60주년의 각별한 해입니다. 양국은 민주주의와 인권, 평화와 같은 공동의 가치를 기반으로 다양한 분야에서 협력해 왔습니다. 코스타리카는 한국의 전자조달시스템을 세계 최초로 도입했고, 한국은 한-중미 FTA를 기반으로 커피를 비롯한 농산물 교역을 확대하고 있습니다. 양국은 방역 물자를 지원하고, 방역 경험을 공유하며 코로나 위기에도 함께 대응해 왔습니다.

오늘 우리는 양국 관계를 '행동지향적 포괄적 동반자 관계'로 격상합니다. 이제 양국은 더 가까워질 것입니다. 친환경, 디지털, 과학기술, 인프라를 비롯한 다양한 분야에서 실질적이고 구체적인 성과를 기대합니다. 상생 협력의 새로운 60년을 함께 만들어 갑시다.

감사합니다.

BTS의 AMA 대상 수상에 큰 축하와 감사를 보냅니다

| 2021-11-23 |

지난달 미국의 세계적인 싱크탱크 '전략국제문제연구소(CSIS)'는 이례적으로 '한국의 소프트 파워'를 주제로 컨퍼런스를 열었습니다. 그 컨퍼런스에서 '소프트 파워' 개념의 창시자인 세계적 석학 '조지프 나이'는, 한국이 유례없는 경제적 성공과 활기찬 민주주의가 결합하여 세계에서 가장 다이내믹한 소프트 파워를 보여주고 있다고 극찬했습니다. 한국의 문화가 세계를 석권하고, 그것이 국격과 외교에도 힘을 발휘하고 있다는 것입니다. BTS의 이번 AMA 대상 수상은 그 사실을 다시 한번 확인시켜 주었습니다. 이 컨퍼런스 소식은 일부 보도가 되었는데, 다시 한번 소개하는 이유는 조지프 나이가 덧붙인 말이 떠올랐기 때문입니다. 그는 이렇게 말했습니다.

"지난 60년간 한국보다 성공한 나라가 없는데도, 정말 많은 한국인들이 자신들이 약하고 뒤처져 있다고 생각한다. 그것이 그들의 낙관주의와 창의력에 영향을 미친다."

여러분 어떤가요? 이제는 자신감과 자부심을 가질 만하지 않나요?

합천댐 수상태양광 발전개시 기념 현장 방문 모두발언

| 2021-11-24 |

존경하는 국민 여러분, 경남도민과 합천군민 여러분,

황매산 세 봉우리가 만들어낸 합천호 수중매 위로 한 폭의 수묵화처럼 수상 태양광 매화가 펼쳐졌습니다. 정부와 기업, 지역주민과 지자체가 함께 새로운 민관 협력 모델인 수상태양광을 피워냈습니다. 드디어 국내 최대이자 세계 10위의 부유식 수상태양광 발전이 시작되었습니다. 함께해 주신 경남도민과 합천군민 여러분께 축하의 인사를 올립니다. 세계 최고의 기술력을 발휘해 100% 우리 손으로 전용 모듈을 만들어낸 수상태양광 관계자들께 감사드립니다.

2050 탄소중립의 핵심은 에너지 전환입니다. 파리협정 이후 각국은 에너지 설비투자의 66%를 재생에너지에 투자했습니다. 태양광은 그

가운데 가장 중요한 재생에너지로 주목받고 있습니다. 특히, 댐 수면을 활용한 수상태양광은 별도의 토목 공사나 산림 훼손이 없어 환경친화적이라고 평가받고 있습니다. 수면 냉각 효과로 발전효율도 높습니다.

우리의 수상태양광은 9.4기가와트에 달하는 높은 잠재력을 갖고 있습니다. 원전 9기에 해당하는 발전량입니다. 합천댐 수상태양광은 연간 41.5메가와트의 전기를 생산합니다. 합천군민 수보다 많은 6만 명이 1년 동안 사용할 수 있고, 합천군 전체 전력 사용량의 73%를 충당하는 국내 최대 규모의 다목적댐 수상태양광이며, 온실가스 2만6천 톤과 미세먼지 30톤을 감축할 수 있습니다. 세계적으로도 다목적댐 수상태양광 개발이 시작되고 있습니다. 지난달 영국에서 열린 COP26에서도 인도네시아, 중국, 베트남을 비롯한 여러 국가들이 우리 수상태양광에 많은 관심을 보였습니다. 인도네시아와는 공동 협력사업을 추진하기로 했습니다. 앞으로 합천댐 수상태양광을 직접 보고 배우기 위해 많은 나라가 찾아올 것입니다.

지역경제에도 큰 힘이 됩니다. 총 767억 원이 투자된 합천댐 수상태양광은 전력 판매로 매년 120억 원의 매출을 올릴 수 있습니다. 투자에 참여한 인근 스무 개 마을 1,400여 명의 주민들은 발전소가 운영되는 20년 동안 매년 투자금의 최대 10%를 투자 수익으로 받게 됩니다. 참여 주민들에게 국내 최초의 수상태양광 연금이 될 것입니다.

우리는 에너지 대부분을 다른 나라에 의존하던 에너지 변방국에서 에너지 독립국으로 도약하는 출발점에 섰습니다. 합천은 '2050 탄소중립' 시대, 대한민국 에너지 전환의 중심이 될 것입니다. 정부는 합천댐 수상태양광의 사례를 확대하겠습니다. 댐 고유의 기능을 안전하게 유지하고, 아름다운 자연경관을 살리면서 우리의 강점을 중심으로 과감히 투자하겠습니다. 계획수립 단계부터 지역주민과 함께하고, 발전의 이익이 지역주민들께 돌아갈 수 있도록 사업을 설계하겠습니다. 우리 환경에 맞는 친환경 에너지를 확대해 2050년까지 신재생에너지 발전 비중을 최대 70%까지 높여 나가겠습니다.

경남도민과 합천군민 여러분,

합천댐 수상태양광을 만든 힘도, 에너지 대전환을 이끌 주역도 모두 지역주민입니다. 친환경 에너지 전환의 필요성에 공감하고 적극적으로 행동한 합천군민들 덕분에 빠르게 사업을 진행할 수 있었습니다. 지역주민과 이익을 공유하는 새로운 모델로 주민이 지역 에너지의 주인으로 굳건히 섰습니다. 합천댐 수상태양광은 매화를 닮았습니다. '자연을 닮은 기술'에 대한 국민들의 관심과 기대가 커졌습니다. '水려한 합천'은 '수상 매화꽃길'이 더해져, 더욱 아름다운 관광지가 될 것입니다. 오늘 지역주민과 여러 전문가들께서 경험과 노하우를 나눠 주기 위해 함께해 주셨습니다. 주민참여형 에너지 전환의 가능성을 확인하고, 전국으로 확산되는 계기가 되길 기대합니다.

감사합니다.

코로나19 대응 특별방역점검회의 모두발언

| 2021-11-29 |

우리는 코로나 상황 속에서 정부와 국민, 의료진이 힘을 모아 위기라고 할 수 있는 고비들을 여러 차례 넘어왔습니다. 지금 우리는, 지금까지와는 차원이 다른 또 다른 고비를 맞고 있습니다. 이 고비를 넘어서지 못하면, 단계적 일상 회복이 실패로 돌아가는 더 큰 위기를 맞게 됩니다. 지금까지 겪어보지 못한 위기가 될 수도 있는 만큼 어느 때보다 큰 경각심과 단합된 대응이 필요합니다.

우리나라에서도 코로나 누적 사망자 수가 3,500명을 넘어섰습니다. 전 세계 사망자 수가 520만 명을 넘은 데 비해, 우리나라는 인구 100만 명당 사망자 수가 상대적으로 아주 적은 편이지만, 그렇더라도 매우 가슴 아픈 일입니다. 더구나 최근 위중증 환자와 사망자가 늘고 있어 더욱 마음이 무겁습니다. 감염병으로 안타깝게 목숨을 잃은 분들과 가족들께 애도와 위로의 말씀을 드립니다. 정부는 무엇보다도 국민의 생명과 안전을 지키는 것을 먼저 생각하고, 전력을 다하겠습니다. 전 세계 확진자 수가 6주 연속 증가하면서 누적 확진자 수가 2억6,000만 명에 이릅니다. 게다가 델타 변이보다 전파력이 더욱 높은 새로운 변이 바이러스까지 발생해 걱정이 더욱 커지고 있습니다. 그에 따라 봉쇄로 되돌아가는 나라들도 늘어나고 있습니다.

우리나라의 상황도 엄중합니다. 신규 확진자와 위중증 환자, 사망자가 모두 증가하고, 병상 여력이 빠듯해지고 있습니다. 하지만 어렵게 시작한 단계적 일상 회복을 되돌려 과거로 후퇴할 수는 없는 일입니다. 정부는 지난 4주간의 일상 회복 1단계 기간을 면밀하게 평가하여, 일상 회복 2단계 전환을 유보하면서, 앞으로 4주간 특별방역대책을 시행하고자 합니다. 방역 당국뿐 아니라 모든 부처가 합심하여 지금의 고비를 극복하고 완전한 일상 회복의 길로 나아갈 수 있도록 최선을 다해 주기 바랍니다.

특별방역대책의 핵심은 역시 백신 접종입니다. 미접종자의 접종 못지않게 중요한 급선무는 3차 접종을 조기에 완료하는 것입니다. 지금까지 백신 접종은 두 번의 접종으로 완료되고, 일부 감염 취약자들의 면역력 강화를 위해 추가 접종이 필요하다고 여겨왔습니다. 그러나 델타 변이에 의해 기존의 연구 결과와 전문가들의 예측보다 백신 접종 효과가 빠르게 감소하여 적지 않은 돌파 감염이 발생하고, 3차 접종을 받아야만 높은 예방 효과가 유지될 수 있다는 것이 분명해졌습니다. 그렇다면 이제는 3차 접종이 추가 접종이 아니라 기본 접종이며, 3차 접종까지 마쳐야만 접종이 완료되는 것으로 인식을 전환할 필요가 있습니다. 정부부터 이 같은 인식하에 2차 접종을 마친 모든 국민을 대상으로 3차 접종을 조기에 완료할 수 있도록 총력을 기울여 주기 바랍니다. 정부는 이미 가장 위험도가 높은 요양병원과 요양시설에 대한 3차 접종을 서두르고 있고, 2차와 3차 접종의 간격도 단축하였습니다. 그에 더해 1차 접종이나 2차 접종 때처럼 긴장감과 속도감을 높여 주기 바랍니다. 국민들께서도 1, 2차 접종을 서둘렀듯이 3차 접종까지 마쳐야 기본 접종을 마치는 것으로 생각해 주시고, 3차 접종에 적극 참여해 주실 것을 당부드립니다.

10대 청소년들의 접종 속도를 높이는 것도 매우 중요합니다. 18세 이상 성인들의 접종률은 매우 높은 데 비해, 접종 연령이 확대된 12세부터 17세까지의 접종이 상대적으로 부진합니다. 최근 전면 등교가 이뤄지는 상황에서 소아 청소년 확진자가 빠르게 늘고 있어 걱정이 큽니다. 우리 아이들의 안전한 등교 수업을 위해 학부모와 학생들에게 백신의 효과와 안전성을 충분히 설명하고, 학교로 찾아가는 접종 등 접종의 편의를 높이는 방안을 적극 강구해 줄 것을 당부합니다. 미국 등 다른 나라에서 시행하고 있는 5세부터 11세까지 아동에 대한 접종도 신속하게 검토해 주기 바랍니다.

특별방역대책의 또 하나의 핵심과제인 병상과 의료 인력 등 의료체계의 지속가능성을 확보하는 것은 전적으로 정부의 책임입니다. 정부가 지자체 및 의료계와 적극 협력하고, 지역사회 의료기관과 연계하여 위중증 환자의 치료와 재택 치료에 어떤 공백도 없도록 총력을 기울여 주기 바랍니다. 내년 2월 도입하기로 한 먹는 치료제도 연내에 사용할 수 있도록 도입 시기를 앞당기고, 국산 항체 치료제도 필요한 환자들에게 더 적극적으로 활용해 주기 바랍니다.

의료체계가 감당하려면 방역 관리에 더욱 만전을 기해야 할 것입니다. 요양시설, 노인 복지시설 등 감염 취약시설에 대한 방역을 강화하고, 새로운 변이 바이러스 '오미크론'의 국내 유입을 차단하기 위한 조치도 빈틈없이 시행해야 할 것입니다. 역학조사와 현장점검 인력을 집중 투입하는 등 방역 대응체계를 더욱 촘촘히 가동해 주기 바랍니다. 국민들께서도 단계적 일상 회복 속에서 자율 책임이 더욱 커졌다고 생각해 주시고, 방역수칙 준수에 대한 경각심을 유지해 주실 것을 당부드립니다.

12월

제33차 세계협동조합대회 개회식 축사

디지털 대한민국 인사말

제58회 무역의 날 기념사

2021 서울 유엔 평화유지 장관회의 영상 축사

2021 상생형 지역일자리 포럼 서면 축사

탄소중립 선도기업 초청 전략 보고회 모두발언

민주주의 정상회의 실시간 지도자 대화 발언문

한국전 참전용사 초청 만찬 모두발언

한-호주 핵심광물 공급망 간담회 모두발언

2022년 경제정책방향 보고 모두발언

제55회 국무회의(영상) 모두발언

사랑과 온기를 나누는 성탄절입니다

청년희망온 참여기업 대표 초청 오찬 간담회 모두발언

공주대학교 부설 특수학교 설립 간담회 및 기공 행사 모두발언

제33차 세계협동조합대회 개회식 축사

| 2021-12-01 |

전 세계 협동조합 관계자 여러분,

국제협동조합연맹 설립 125주년과 33차 세계협동조합대회 개막을 축하합니다. 지난해 대회가 코로나로 연기되어 아쉬움이 컸던 만큼 더욱 알찬 시간이 되리라고 생각합니다. 이번 행사를 위해 서울을 찾아 주신 아리엘 구아르코 국제협동조합연맹(ICA) 회장님과 관계자 여러분, 또 온라인으로 함께해 주신 모든 분들께 깊이 감사드립니다. 세계는 협동조합 운동을 주목하고 있습니다. 공동체의 가치를 우선하는 협동조합에 지속가능 발전의 열쇠가 쥐어져 있습니다. 이번 대회를 통해 연대와 협력의 가치가 널리 확산되기를 기대합니다.

협동조합운동의 출발점은 서로 도우면 함께 잘살 수 있다는 믿음이었습니다. 1844년 영국 로치데일 지역 노동자들은 생필품을 비싸게 판매하는 상인들에 맞서 공동구매조합을 설립했습니다. 역사에 기록된 최초의 근대 협동조합이었습니다. 조합원 수 28명, 자본금 28파운드로 시작한 로치데일 협동조합은 10년 만에 조합원 수 1,400명, 자본금 1만 1,000파운드로 성장했습니다. 이윤을 목표로 하지 않아도 지속가능한 사업모델을 만들 수 있다는 것을 증명했습니다. 로치데일의 성공 이후 협동조합운동은 전 세계로 퍼져갔습니다. 때로는 시장과 경쟁하고, 때로는 시장의 부족한 부분을 보완하며 산업화가 초래한 크고 작은 문제를 해결했습니다. 의료와 돌봄, 교육처럼 꼭 필요하지만 시장이 충분히 공급하지 못하는 서비스를 나눴습니다. 경제적 약자들이 힘을 모아 스스로의 권익을 높였습니다.

오늘날 협동조합은 세계경제의 중요한 축으로 성장했습니다. 세계적으로 300만 개가 넘는 협동조합이 결성되었고, 10억 명 이상이 조합원으로 활동하고 있습니다. 협동조합이 직간접으로 만들어 낸 일자리도 2억8,000만 개가 넘습니다. 1995년 발표한 협동조합 정체성 선언은 사회적가치에 대한 기여를 원칙으로 확립하고, 협동조합운동의 지평을 획기적으로 넓혔습니다. 변화와 혁신을 멈추지 않은 협동조합운동가들의 노력에 경의를 표합니다.

이제 협동조합의 정신이 세계 곳곳 우리 사회 전반의 가치로 확산되어야 합니다. 협동조합을 비롯한 사회적경제기업 간 협력이 더 긴밀해질 때 규모의 경제를 실현하고, 상생 협력의 경쟁력을 높일 수 있을 것입니다. 사회적경제기업이 실천해 왔던 ESG 경영이 일반 기업으로 확산될 때 탄소중립의 길도 더 가까워질 것입니다. 무엇보다 시민들의 참여가 중요합니다. 시민단체와 국제기구, 각국 정부와의 소통을 통해 더 많은 시민들이 협동조합의 사회적가치와 함께하게 되기를 바랍니다.

협동조합 관계자 여러분,

한국은 농번기에 서로의 일손을 덜어주던 두레, 품앗이 같은 협동을 통해 공동체의 문제를 해결해 온 전통이 있습니다. 근대적 협동조합 운동 역시 자생적으로 피어났습니다. 식민지 수탈에 대응하여 1920년대부터 다양한 소비조합이 설립되었고, 경제적 자립이 정치적 자립의 길이라는 마음으로 생산조합을 결성해 국산품 생산과 판매 활동에 나섰습니다. 우리 정부는 2017년 협동조합을 비롯한 사회적경제 활성화를 국정과제로 선정했습니다. 금융, 판로, 인력 양성을 지원하고, 민간과 지자체, 정부가 참여하는 통합지원체계를 구축해 사회적경제가 자생할 수 있는 생태계를 조성했습니다. 그 결과, 불과 4년 만에 협동조합을 포함한 사회적경제기업 수는 2만 개에서 3만1,000개로, 고용 규모는 24만 명에서 31만 명으로 증가했습니다. 이제 사회적경제는 한국 경제의 한 축으로 튼튼하게 뿌리내렸고, 상생과 나눔의 실천으로 숫자로 표현할 수 없는 희망을 전달하고 있습니다.

전·현직 과학수사요원들로 구성된 한국법과학협동조합은 사회적 약자들을 위해 과학수사를 지원하고 있습니다. 의사들과 지역 주민이 힘을 모은 함께걸음의료복지협동조합은 마을병원을 열어 어려운 이웃들의 건강을 지켜주고 있습니다. 전국에 결성된 시민햇빛발전협동조합은

태양광발전소 설치로 환경 지키기에 앞장서고 있으며, 사회적기업 ㈜우시산은 버려진 플라스틱으로 고래인형을 만들어 고래를 살리자는 메시지를 전하고 있습니다. 한국 정부는 협동조합을 비롯한 사회적경제를 더욱 성장시켜 나갈 것입니다. 체계적이고 지속적인 지원을 위해 '사회적경제 기본법', '사회적 가치법', '사회적경제 판로지원법' 등 사회적경제 3법이 조속히 국회를 통과할 수 있도록 노력하겠습니다. 국제사회의 협력에도 적극 참여할 것입니다.

전 세계 협동조합 관계자 여러분,

인간은 서로에게 의지해 생존하고 공동체를 통해 삶의 기쁨과 보람을 찾습니다. 19세기에 시작한 협동조합운동은 산업화의 거대한 변화 속에서 협동과 공동체의 가치를 복원했습니다. 사람을 먼저 생각하는 경제, 함께 잘사는 포용사회를 건설할 수 있다는 희망을 키워냈습니다. 서로를 조금씩 더 이해하고, 배려한다면 우리는 그 희망을 현실로 바꿀 수 있을 것입니다. 연대와 협력의 힘으로 더 나은 미래를 열고 있는 협동조합운동을 응원합니다.

감사합니다.

디지털 대한민국 인사말

| 2021-12-02 |

여러분, 반갑습니다. 우리 녹도 어린이들, 대통령 할아버지 만나니까 반갑죠? 메타버스 창조의 현장에서 자랑스러운 청년 디지털 리더들을 만나서 아주 기쁩니다. 인공지능으로 재현된 가수 김현식 씨 목소리와 이석훈 씨 목소리가 어우러진 무대를 보니 감회가 새롭습니다. 우리 청년들이 혁신적인 디지털 기술로 고인의 목소리까지 생생하게 구현하여 시공간을 초월하는 무대를 만들어냈습니다. 과거에는 상상하지 못했던 새로운 세상을 만났습니다.

우리 청년들은 디지털의 수혜자이면서 디지털 혁신을 이끄는 주역입니다. 정말 자랑스럽습니다. MZ세대인 청년들은 디지털 환경에서 태어났고 자랐습니다. 여러분은 어느 세대보다 디지털에 익숙하고, 상상과 꿈을 현실로 만드는 디지털 세계에 대해서도 두려움이 없습니다. 오는 함께해주신 청년들 역시 각자 새롭고 혁신적인 기술을 가지고 있고, 인공지능·데이터 기반의 기술창업을 청년들이 주도하고 있습니다. 여러분의 도전이 '제2의 벤처붐'을 일으키는 성장동력이 되었습니다. 덕분에 올해 ICT 수출에서 역대 최고를 기록할 수 있었습니다. OECD 디지털 정부 평가 1위, 세계경제포럼 ICT 보급 1위, 블룸버그 혁신지수 1위라는 성과도 모두 함께, 혁신과 도전으로 만들어낸 결과입니다. 여러분의 세상은 디지털을 통해 생산하고, 소비하고, 생활하고, 꿈꾸는 세상일 것입니다. 정부는 미래 세대를 위해 세계에서 가장 앞서가는 디지털 기반을 구축하고, 마음껏 디지털 세상에 도전하도록 함께할 것입니다.

정부는 데이터 기본법 제정과 데이터3법 개정, ICT 규제샌드박스 도입으로 디지털 혁신을 위한 토대를 마련했습니다. 인공지능 국가전략 발표, 세계 최초 5G 상용화로 데이터, 네트워크, 인공지능 산업 생태계를 구축했고, 클라우드, 사물형 인터넷과 같은 디지털 핵심기술과 메타버스를 비롯한 초연결 신산업도 키워가고 있습니다. 정부는 지속적으로 스마트 시티, 스마트 팩토리와 스마트팜, 원격진료와 스마트뱅킹 등 경제·사회 전 분야에서 디지털 혁신을 추진할 것입니다. 풍부한 '데이터 댐'으로 양질의 데이터를 다양한 분야에 활용할 수 있도록 하고, 도로와 철도 같은 인프라의 디지털화를 통해 스마트 안전관리와 자율주행 기반을 이루겠습니다.

디지털 혁신은 사람을 위한 것입니다. 국민 모두가 격차 없이 디지털로 혜택을 누릴 때 사람 중심의 포용적인 디지털 세상이 만들어질 것입니다. 이미 마스크 앱, 모바일 백신 예약, 양방향 온라인 수업으로 우리는 디지털이 만든 새로운 일상을 경험하고 있습니다. 디지털 배움터는 어르신들에게 스마트폰 사용법부터 KTX 예매법, 스마트 오피스까지 수준별 교육을 하고 있고, 농어촌 통신망 고도화로 서해의 작은 섬 아이들에게 영상강의를 전하고 있습니다. 정부는 디지털 포용법을 제정하여 디지털 취약계층, 또 취약지역의 디지털 접근을 넓히고, 누구도 디지털 혜택에서 소외되지 않도록 하겠습니다. 디지털 대한민국의 중심에 우리 청년들이 있습니다. 지금 기업 현장에서는 인공지능, 빅데이터, 클라우드와 같은 소프트웨어 전문인력의 부족을 호소하고 있습니다. 청년들의 좋은 일자리와 기업의 수요에 부응하는 인재 양성 프로그램과 디지털 교육을 대폭 강화하겠습니다. 오늘, 여러분이 만들어 가는 디지털 세상, 꿈꾸는 미래에 대해 생생한 목소리를 들려주길 바랍니다.

감사합니다.

제58회 무역의 날 기념사

| 2021-12-06 |

존경하는 국민 여러분, 무역인 여러분,

우리 경제사에서 2021년은 무역의 해로 기록될 것입니다. 우리는 올해 사상 최단 기간에 무역 1조 달러를 달성했습니다. 올해 대한민국의 수출 규모는 6,300억 달러, 무역 규모는 1조2천억 달러를 넘을 것으로 전망합니다. 모두 사상 최대입니다. 우리는 한 계단 더 뛰어올라 세계 8위의 무역 강국으로 발돋움했습니다. 무역인들과 온 국민이 힘을 모아 이루어낸 자랑스러운 성과입니다. 국민들은 방역에 최선을 다했고, 기업들은 생산과 수출에 전력을 다했습니다. 대기업은 중소기업의 수출 운송을 도왔고, 정부는 기업과 함께 90여 척의 임시 선박을 투입하여 수출길을 열었습니다.

우리 경제도 무역의 힘으로 힘차게 살아나고 있습니다. G20 선진국 중 가장 빠른 회복력을 보이며 세계 10대 경제 대국의 위상을 굳건히 지키고 있습니다. 내수도, 고용도 회복되고 있습니다. 우리는 보란 듯이 위기를 기회로 만들었습니다. 58회 무역의 날을 맞아 대한민국 무역의 역사에 새로운 이정표를 세운 무역인들께 깊이 감사드리고, 자랑스러운 성과를 거둔 수상자들께 축하의 인사를 전합니다.

자랑스러운 무역인 여러분,

올해 우리 무역은 외형적 성장뿐 아니라 내실도 튼튼하게 다졌습니다. 주력산업과 신산업이 모두 경쟁력을 높였습니다. 조선은 사상 최대 수주량을 달성했고, 석유화학 수출도 처음으로 500억 달러를 돌파했습니다. 메모리반도체는 압도적인 세계 1위를 지켰고, 시스템반도체, 친환경차, 바이오헬스 등 3대 신산업과 이차전지, 올레드 수출 역시 두 자릿수 증가율로 가파른 성장세를 이어갔습니다. 한류는 세계인의 마음을 사로잡았습니다. 문화 콘텐츠 수출이 3년 연속 100억 달러를 넘어 새로운 수출동력이 되었고, 한류의 열기에 힘입어 코리아 프리미엄의 시대가 열렸습니다. 농수산 식품 역시 사상 처음 수출 100억 달러를 돌파했고, K-뷰티도 세계 3위권 수준으로 성장했습니다. 무엇보다 수출 시장이 폭넓게 확대되고, 수출기업이 다변화되고 있다는 사실이 반갑습니다. 미국, 중국, EU, 일본의 4대 주요 시장뿐 아니라 아세안과 인도, 독립국가연합, 중동, 중남미의 5대 신흥 시장에서도 수출이 8개월 연속 증가하고 있습니다. 한편으로 우리 중소기업들이 수출의 주역이 되고 있습니다.

만 개에 가까운 벤처기업과 2만5천 명의 소상공인까지 수출에 활발히 참여하고 있습니다. 중소기업 수출은 지난 11월에 이미, 역대 최대를 기록했던 2018년의 연간 실적을 넘어섰습니다. 수출동력은 다양해지고, 양적 성장을 넘어 질적 성장을 이뤘습니다. 무역인들의 열정과 땀의 결과입니다. 종합 무역 강국, 대한민국이 우리 눈앞에 있습니다.

국민 여러분, 무역인 여러분,

대한민국은 자유무역으로 성장하고 발전했습니다. 다자무역체제에 적극적으로 참여하고 세계 GDP의 80%에 달하는 57개국과 FTA를 체결했습니다. 무역장벽을 낮추기 위해 끊임없이 노력하며 더 넓은 세계로 뻗어갔습니다. 우리는 끊임없이 자유무역 앞에 놓인 장벽을 넘어야 합니다. 코로나로 인한 이동 제한과 공급망 불안이 가중되고, EU는 탄소국경조정제를 도입하고 있습니다. 정부는 보호무역과 새로운 무역장벽에 적극적으로 대응할 것입니다. 무역인들이 세계와 마음껏 경쟁할 수 있도록 함께할 것입니다.

첫째, 글로벌 공급망 불안에 철저히 대비하겠습니다. 지난달부터 조기경보시스템을 가동하여 대외의존도가 높은 4,000여개 품목을 중심으로 주요국의 생산과 수출 상황을 선제적으로 파악하고 있습니다. 경제안보 핵심품목을 지정하고 비축 확대, 수입선 다변화, 국내 생산 등 품목별 수급 안정화 방안을 마련할 것입니다. 물류 정체에도 적극 대응하겠습니다. 통합 물류 정보 플랫폼을 통해 기업에 물류 상황을 실시간 제공하고, 해외 공동물류센터 확충과 물류비용 지원도 확대할 것입니다.

둘째, 외부의 충격에 흔들리지 않도록 무역의 저변을 더욱 확대하겠습니다. 더 많은 중소기업이 해외로 진출할 수 있도록 금융, 마케팅, 컨설팅을 종합적으로 지원하겠습니다. 중소기업에게 기회가 되고 있는 디지털 무역 기반도 강화할 것입니다. 해외 바이어 구매 정보 제공, 온라인 결제, 해외 배송 지원 등 디지털 수출 전 과정을 돕겠습니다. 수출 시장도 더욱 넓혀 가겠습니다. 내년 초 RCEP이 발효되면 아시아·태평양 지역에 시장이 넓어집니다. 메르코수르, 태평양동맹, 걸프협력이사회, 아랍에미리트와 FTA를 추진해 중남미와 중동 시장도 확대할 것입니다.

셋째, 글로벌 환경 규범 강화에 대응해 기업의 탄소배출 감축 노력을 지원하겠습니다. 세계는 탄소중립으로 가고 있습니다. 탄소배출을 줄인 기업과 상품만이 새로운 무역 질서에서, 경쟁력을 가지게 될 것입니다. 정부는 저탄소 기술 개발을 위해 R&D와 세제 지원을 확대하고, 특히 중소기업의 저탄소 전환을 적극 지원하겠습니다. RE100에 자발적으로 참여하고, ESG 경영에 속도를 내는 우리 기업들을 응원합니다. 기업의 탄소중립 노력에 정부가 함께하겠습니다.

존경하는 국민 여러분, 무역인 여러분,

지난 7월 유엔무역개발회의는 만장일치로 우리나라의 지위를 선진국으로 변경했습니다. 유엔무역개발회의 설립 후 최초 사례입니다. 우리는 일본의 수출 규제부터 코로나까지 연이은 위기에도 흔들리지 않고, 무역의 힘으로 선진국이 되었습니다. 그러나 이 같은 소중한 성과마저도 오로지 부정하고 비하하기만 하는 사람들이 있습니다. 국민들의 자부심과 희망을 무너뜨리는 일입니다. 우리 경제에 불평등과 양극화 같은 많은 과제들이 남아있는 것이 사실입니다. 그러나 잘한 성과에는 아낌없는 성원을 보내주시기 바랍니다. 오늘 무역인들에게 힘찬 격려의 박수를 보내주십시오.

우리는 어떤 도전도 이겨낼 것입니다. 우리 국민의 저력은 정말 자부할 만합니다. 우리는 어떤 위기도 기회로 바꿔낼 것입니다. 흔들리지 않는 무역 강국, 경제 대국으로 힘차게 달려갑시다.

감사합니다.

2021 서울 유엔 평화유지 장관회의 영상 축사

| 2021-12-07 |

세계의 외교·국방장관 여러분, 각 나라의 대표 여러분,

서울 유엔 평화유지 장관회의 개최를 환영합니다. 서울에서 여러분을 직접 만나길 고대했지만, 아쉽게도 영상으로 인사드리게 되었습니다. 유엔 평화유지 활동에 경의를 표하며, 평화를 위해 노력해오신 여러분께 깊이 감사드립니다. 평화는 우리 모두의 간절한 소망입니다. 유엔 평화유지 활동은 유엔 헌장에 새겨진 인류 공동의 목표를 이루기 위해 지난 70년, 세계 곳곳에서 헌신하고 희생했습니다. 100만 명이 평화유지 요원으로 참여했고, 임무 수행 중 4천 명에 달하는 분이 목숨을 잃었습니다.

우리는 평화를 향한 행진을 결코 멈춘 일이 없습니다. 평화가 쉽게 오지 않는다는 것을 알고 있지만, 결국 더 많은 인류가 평화와 함께할 것이라 믿습니다. 오늘, 숭고한 희생에 세계와 함께 애도를 표하며, 평화에 대한 순직자들의 의지를 굳게 새깁니다.

유엔 평화유지 대표 여러분,

세계는 지금 새로운 도전에 직면했습니다. 폭력적 극단주의와 사이버 위협, 신기술을 이용한 테러 위협이 확산되고 있습니다. 코로나로 인해 분쟁지역의 갈등이 증폭되고 요원들의 생명과 안전도 위협받고 있습니다. 효과적이고 안전한 평화유지 활동을 위해 지금보다 더 긴밀하게 힘을 모아야 하며, 정전 감시와 치안 유지, 전후 복구까지 전 과정에서 기술과 의료 역량을 강화해야 합니다. 우리는 지난 2018년, 평화유지구상(A4P) 공동공약 선언을 통해 기술과 의료 지원에 대한 공감대를 확인했습니다. 이번 회의를 통해 구체적인 해법과 기여 의지가 결집되길 바랍니다. 한국은 유엔의 도움으로 전쟁의 참화를 딛고 개도국에서 최초로 선진국으로 도약했습니다. 한국은 지금 유엔 평화유지 활동에 600여 명의 요원을 파견하고 있으며, 10대 재정 기여국으로 역할을 다하고 있습니다. 한국은 평화와 재건을 위한 유엔 평화유지 활동의 중요성을 누구보다 잘 알고 있습니다. 더욱 적극적으로 힘을 보탤 것입니다.

한국이 보유한 ICT 기술력과 디지털 역량을 활용해 스마트캠프 구축에 앞장서겠습니다. 평화유지 임무단의 병력, 장비, 시설을 하나의 네트워크로 연결해 통합 관리함으로써 보안을 강화하고 임무 수행 능력을 높이게 될 것입니다. 한국군이 활동하고 있는 평화유지 임무단에 의무

인력을 추가로 파견하겠습니다. 다른 공여국들의 의무 요원과 공병 양성에 함께하고, 장비 확충을 돕겠습니다. 한국은 2024년에서 2025년 안보리 비상임이사국에 진출하고자 합니다. 한국은 원조를 받는 나라에서 원조를 하는 나라로 성장한, 소중한 경험을 갖고 있습니다. 평화 구축과 분쟁 예방 활동에 기여할 수 있기를 기대합니다.

세계의 외교·국방장관 여러분, 각 나라의 대표 여러분,

한국은 가장 절실하게 평화를 원합니다. 그동안 한국 국민과 정부는 국제사회의 한결같은 지지를 바탕으로 한반도 비핵화와 항구적 평화를 위해 노력해왔습니다. 종전선언이 한반도 평화와 비핵화의 첫걸음입니다. 종전선언을 통해 화해와 협력의 새로운 질서를 만들고, 한반도의 평화, 나아가 동북아와 세계평화를 이룰 수 있도록 국제사회가 함께해주길 바랍니다. 오늘 유엔 평화유지 장관회의가 분쟁지역 주민의 희망을 채워줄 수 있기를 기대합니다.

감사합니다.

2021 상생형 지역일자리 포럼 서면 축사

| 2021-12-09 |

2021 상생형 지역일자리 포럼 개최를 반기며 축하합니다. 지난 4월, '광주형 일자리' 공장 준공식에서 들었던 한 청년의 이야기가 기억에 남습니다. "다녀보니 너무 좋습니다. 시설 좋고, 사람 좋고, 특히나 밥이 제일 맛있습니다." 나누는 마음이 모이면 그만큼 많은 것이 좋아지는 것 같습니다. 그렇게 노동자와 기업, 지역민이 함께 꿈을 키웠고, 캐스퍼 열풍이 만들어졌습니다.

상생형 지역일자리는 대한민국 미래 성장전략이며, 우리가 가장 잘할 수 있는 전략입니다. 지금 우리는 양보와 협력으로 좋은 일자리를 만들 수 있다는 것을 확인하고 있습니다. 함께 잘살 수 있다는 믿음으로 이뤄진 전 과정이 훌륭한 상품으로 새로운 역사가 되고 있습니다. 그동안 서로에게 한 걸음 한 걸음 다가가 주신 모든 분께 진심으로 감사드립니다. 광주에서 시작된 상생형 지역일자리는 이제 전국 8개 지역, 9개 상생 협약으로 이어지고 있습니다. 노사 간, 원·하청 간, 지역주민과 기업 간 다양한 상생 모델을 개발하고, 51조 원의 투자와 13만 개 일자리를 만들며 지역 경제에 활력을 불어넣고 있습니다. 전기차 클러스터부터 세계 최대 해상풍력단지까지 우리 경제의 성장동력을 키우고 있습니다.

오늘 포럼에는 상생 협약을 이룬 8개 지역과 서산·전주·통영·태백 등 새로운 상생 모델 개발에 힘쓰고 있는 지역의 노사민정 관계자들이 함께해주셨습니다. 그간의 경험과 노하우를 나누고, 상생의 길을 찾아 지혜를 모으는 자리가 되길 기대합니다. 길만 찾는다면 정부는 언제든지 전폭 지원할 것입니다. 혁신적 포용 국가의 미래를 열고 있는 상생형 지역일자리를 응원합니다.

감사합니다.

탄소중립 선도기업 초청 전략 보고회 모두발언

| 2021-12-10 |

탄소중립을 선도하는 기업인 여러분, 반갑습니다.

2050 탄소중립 선언 1주년을 맞아 기업들과 함께 전략 보고회를 갖게 되어 뜻깊습니다. 선언은 정부가 했지만 탄소중립 시대를 열어가는 주역은 기업입니다. 우리 기업들의 선도적인 노력이 NDC 목표 상향과 탄소중립 시나리오 마련에 큰 힘이 되었습니다. 기업인 여러분께 진심으로 감사드리며, 오늘 이 자리가 탄소중립 선도국가를 향해 민·관의 지혜와 역량을 결집하는 계기가 되기를 바랍니다.

기업인 여러분,

제가 늘 강조하듯이 제조업은 우리 경제의 뿌리입니다. 코로나 위기 속에서도 제조업은 더 큰 도약을 이뤘고, G20 선진국 중 가장 빠르게 경제를 회복하는 바탕이 되었습니다. 제조업 도약에 힘입어 우리는 올해 최대의 수출 실적과 무역 실적을 올리고, 세계 10대 경제 강국, 세계 8위의 무역국으로 우뚝 섰습니다. 탄소중립 시대에도 제조업은 여전히 우리 경제의 주역입니다. 이미 세계 각국은 탄소중립 정책을 제조업 경쟁력 강화의 기회로 바꾸기 위해 노력하고 있습니다. 주요국들은 친환경 투자를 경쟁력으로 확대하고 있고, 고탄소 산업을 첨단 저탄소 산업으로 재편하고 있습니다. 소비자들 역시 가격이 비싸더라도 친환경 상품을 선택하고 있고, 글로벌 기업들은 거래업체와 협력업체까지 탄소중립을 요구하고 있습니다.

우리 기업들도 저탄소 신산업으로 기업구조를 전환하며 탄소중립에 대비해 왔습니다. 지속가능한 성장을 위해 반드시 필요한 투자로 인식하고, 속도감 있게 사업을 재편해 왔습니다. SK이노베이션은 정유 부문 신규 투자 대신 미래차의 핵심 배터리 부문 투자를 본격화하고 있습니다. 현대차는 생산부터 운행, 폐기에 이르는 전 단계에서 2045년 탄소중립 목표를 선언하고, 협력업체들과 함께 본격적인 실행에 돌입했습니다. 60년 역사의 시멘트 기업 쌍용C&E는 회사명에 환경을 추구하며 업계의 저탄소 전환을 선도하고 있습니다. 기업들의 혁신 노력들이 곳곳에서 성과로 나타나고 있습니다. 수소차는 부동의 세계 1위를 지키며 수소충전소, 연료전지의 빠른 보급과 함께 수소경제를 선도하고 있습니다. 친환경 선박은 세계시장의 절반 이상을 우리 조선이 차지하고 있습니다. 정부는 기업의 담대한 도전과 혁신에 과감한 지원으로 응답하겠습니다.

첫째, 탄소중립 산업 생태계의 경쟁력을 높이겠습니다. 한계돌파형 기술이 빠르게 상용화될 수 있도록 지원하고, NDC 달성을 위한 기술 투자를 전 분야에서 확대하겠습니다. 설비와 R&D 투자에 대해 세액 공제를 늘리고, 녹색금융을 활성화하겠습니다. 탄소중립을 저해하는 규제를 폐지하고, 탄소 감축 노력이 정당한 가치로 보상받을 수 있도록 공공조달 등을 개편하겠습니다.

둘째, 탄소중립 산업과 기술을 새로운 수출 먹거리로 키우겠습니다. 공정 전환 과정에서 축적한 기술과 경험은 그 자체로 수출 상품이기도 합니다. 친환경 공정 EPC, 탄소 포집·활용 기술을 비롯한 녹색기술을 선도할 수 있도록 지원하겠습니다. 바이오, 이차전지를 비롯한 저탄소 소재·부품·장비, 수소 생태계와 친환경 수송수단 같이 우리가 우위를 선점한 신산업 분야에서 초격차를 확보할 수 있도록 강력히 뒷받침하겠습니다.

셋째, 중소·중견기업, 지역을 위한 맞춤형 지원 전략을 마련하고, 탄소중립의 이익이 골고루 돌아가도록 하겠습니다. 탄소중립 기술은 지금으로서는 미래 기술로 초기 비용이 상당하고, 개발 성공 여부가 불확실한 데 따른 부담이 큽니다. 그 부담을 정부가 나누겠습니다. 또한 정부는 탄소 약자를 위한 맞춤형 지원 전략을 마련하고, 과도기에 발생할 수 있는 취약 산업과 지역 산업 위기에 선제적으로 대응해 나가겠습니다. 초강력 탄소중립 생태계 전환을 추진하여 국가균형발전의 기회로 삼겠습니다. 이를 위해 국가 에너지 전환을 안정적이고 빠르게 추진하겠습니다. 정부는 2050년의 완전 중단을 목표로 석탄발전을 과감하게 감축하는 한편, 수소와 재생에너지, 전력망을 비롯한 새로운 에너지를 위한 인프라에 과감히 투자해 무탄소 전력과 청정수소 공급 기반을 확충하겠습니다. 에너지 시장을 환경친화적으로 개편하고, 기술 혁신을 통해 에너지의 적정 가격을 유지하겠습니다. 희귀광물과 수소를 비롯한 핵심 자원의 안정적인 공급망 확보로 경제 안보에도 만전을 기하겠습니다.

존경하는 기업인 여러분,

우리에게는 저탄소 경제를 주도할 수 있는 친환경 디지털 역량이 있습니다. 탄소중립 대전환을 이끌 세계 최고의 우수한 인력이 있고 기술이 있으며, 개도국에서 선진국으로 도약한 열정과 지혜가 있습니다. 탄소중립 시대를 선도할 준비가 충분하다고 자신합니다. 기업이 주역입니다. 정부는 기업의 노력을 뒷받침하며, 탄소중립의 든든한 버팀목이 되겠습니다. 탄소중립 시대를 선도하는 대한민국을 함께 만들어 갑시다.

감사합니다.

민주주의 정상회의 실시간 지도자 대화 발언문

| 2021-12-10 |

바이든 대통령님, 정상 여러분,

민주주의가 안팎의 도전 과제에 직면하고 있는 시기에 많은 정상들과 함께 민주주의에 대한 생각을 나눌 수 있게 되어 뜻깊게 생각합니다. 좋은 기회를 마련해 주신 바이든 대통령께 감사드립니다. 인류는 민주주의와 함께 역사상 경험한 적이 없는 번영을 이루었습니다. 우리는 한때 민주주의가 활짝 꽃피웠다고 생각했고, 더이상 민주주의를 말하는 것은 진부한 일이라고 여겼습니다. 그러나, 그것은 안이하거나 오만한 생각이었음이 드러나고 있습니다. 민주주의는 권위주의를 무너뜨리며 성장했지만, 나라 안팎의 권위주의는 끊임없이 되살아나고 있습니다. 발전된 민주주의 국가들 안에서도 포퓰리즘과 극단주의가 커지고 있습니다. 번영과 함께 커지는 불평등과 양극화가 사회의 통합을 가로막고, 사회·경제적 위기를 키우고 있습니다. 가짜뉴스가 진실을 가리고, 혐오와 증오를 부추기고, 심지어 방역과 백신접종을 방해해도 민주주의 제도는 속수무책입니다. 민주주의의 역설이라고 할 만합니다.

이제 민주주의를 무너뜨리는 적들로부터 민주주의를 어떻게 지켜낼 수 있을지 진지한 논의가 필요한 때입니다. 방역은 국민들의 자발적 참여가 있어야만 성공할 수 있고, 백신접종은 자신뿐 아니라 이웃을 위한 안전판입니다. 코로나 팬데믹을 겪으며 분명해진 것은 '개인의 자유'가 '모두를 위한 자유'로 확장되어야 한다는 것입니다. 결코 자유에 대한 제약이 아니라 함께 안전하고 함께 자유롭기 위한 민주주의의 전진이 되어야 할 것입니다. 특히, 공공의 신뢰를 무너뜨리고 불신과 혐오와 증오, 극단주의를 조장하는 가짜뉴스에 대해, 어떻게 '표현의 자유의 본질'을 침해하지 않으면서 자정능력을 키울 수 있을지 국제사회가 함께 지혜를 모아야 하겠습니다.

부패 역시 민주주의의 가장 큰 적입니다. 민주주의의 우월성은 투명성과 공정에 있습니다. 부패는 사회적 투명성을 저해하고, 공정에 대한 신뢰를 무너뜨려 민주주의의 뿌리를 병들게 합니다. 우리 정부는 최근 5년간 국제투명성기구가 발표하는 부패인식지수가 매년 빠르게 상승하는 성과를 거두어 왔습니다. 청탁금지법과 이해충돌방지법, 공익 신고자 보호제도, 돈세탁 방지법 같은 반부패 정책이 거둔 성과입니다. 한편으로 전자정부 시스템으로 정부 혁신과 행정의 투명성을 강화한 것도 큰 도움이 되었습니다. 한국은 이러한 경험을 국제사회와 공유할 것이며, 특히 전자정부 구축을 위한 ODA를 적극 확대해 나갈 것입니다.

정상 여러분,

한국은 반세기 만에 전쟁의 폐허를 딛고 군사독재와 권위주의 체제를 극복하면서 가장 역동적인 민주주의를 이룩해 냈습니다. 거듭되는 권위주의에 저항하기 위해 한국 국민들은 많은 숭고한 희생을 치렀고 국제사회로부터 많은 도움을 받았습니다. 한국 국민들은 지금도 권위주의에 맞서 싸우는 나라 국민들의 민주주의에 대한 열망에 공감하고 있습니다. 한국은 세계의 민주주의 강화를 위해서도 적극적으로 협력하고 기여해 나갈 것입니다.

감사합니다.

한국전 참전용사 초청 만찬 모두발언

| 2021-12-13 |

존경하는 참전용사와 유가족 여러분, 내외 귀빈 여러분,

한국전쟁의 가평전투 70주년과 양국 수교 60주년을 맞는 뜻깊은 해에 호주에서 참전용사와 유가족들을 만날 수 있게 되어 매우 감격스럽습니다. 71년 전 한국전쟁이 발발하여 대한민국이 큰 위기에 처했을 때 호주는 미국에 이어 두 번째로 참전을 결정했고, 육군, 해군, 공군 전군에 걸쳐 많은 병력을 파병해 주셨습니다. 1만7천여 명에 달하는 호주 참전용사들은 가장 빛나는 청춘의 시간에 자신의 꿈을 접어두고 대한민국의 자유와 평화, 생명을 지켜주었습니다. 가장 위대한 전투 중 하나인 '가평전투'와 유엔군 보급선을 지켜낸 '마량산 전투'를 비롯해 바다와 하늘, 육지의 수많은 전투에서 빛나는 전과를 올렸습니다.

저는 지난 7월 27일, '유엔군 참전의 날'에 콜린 칸 장군님께 대한민국의 이름으로 국민훈장을 드렸습니다. 오늘 직접 뵙게 되어 매우 기쁩니다. 이안 크로포드 제독님과 호주해군은 수송선단 엄호, 해상초계 등을 펼치며 바다를 굳건히 지켜냈습니다. 노먼 리 장군님과 호주공군은 뛰어난 공대지 공격 능력으로 하늘을 수호했습니다. 노먼 골드스핑크 소령님은 전역 후에도 '한국전 참전기념비 건립위원'으로 활동하시며, 양국의 깊은 우정을 후대에 전하고 계십니다. 콜린 베리만 상병님은 참전용사들의 복지와 실종자 유해 발굴을 위해 헌신하고 계십니다. 대한민국의 대통령으로서 다섯 분의 영웅과 1만7천여 참전용사들께 경의를 표합니다. 영웅들의 용기와 헌신을 간직하고 기려온 유가족들께도 깊은 위로와 존경의 마음을 전합니다. 대한민국의 자유와 평화를 수호한 참전용사들의 인류애와 헌신은 우리 국민의 마음속에 영원히 기억될 것입니다. 또한, 호주와 대한민국 간의 영원한 우정의 밑바탕이 될 것입니다.

참전용사 여러분, 유가족 여러분,

나는 오늘, '전쟁기념관'과 '한국전 참전기념비'를 찾아 영웅들의 숭고한 넋을 기렸습니다. 1961년 수교 이후 양국은 민주주의와 인권, 시장경제의 가치를 공유하며, 국방은 물론 정치·경제·사회·문화 등 다양한 분야에서 교류와 협력을 확대해 왔습니다. 코로나의 파고 역시 연대와 협력으로 헤쳐 나가고 있습니다. 팬데믹의 어려움 속에서도 올해 상호 교역액은 사상 최대치에 달할 것으로 예상됩니다. 오늘 정상회담에서 나와 모리슨 총리님은 양국 관계를 '포괄적 전략 동반자 관계'로 격상했습니다. 양국은 참전용사들의 삶과 정신을 기억하고 기리며, 역내 평화와 공동번영을 위해 함께 노력해 나갈 것입니다. 참전용사들의 고귀한 희생과 헌신은 호주와 한국 모두의 위대한 유산입니다. 보훈에는 국경이 없습니다. 대한민국은 해외 참전용사들을 끝까지 예우할 것입니다. 한국은 지난해 3월, '유엔참전용사법'을 제정했습니다. 참전용사에 대한 지속적인 예우와 명예선양을 위한 법적 기반을 마련했습니다. 한국 정부는 '참전용사와 가족의 한국 방문', '현지 감사 행사' 등 다양한 국제 보훈사업에 더욱 힘쓸 것입니다. '평화 캠프'를 비롯한 미래세대 교류 프로그램으로 참전용사들의 뜻과 정신을 더 많이 알리고 기리겠습니다.

아직 마흔두 분의 호주 참전용사들이 조국과 가족의 품으로 돌아가지 못하고 있습니다. 지난 2019년, 양국은 '유해발굴 MOU'를 체결하고 공동 조사와 발굴, 신원확인을 위해 협력해 왔습니다. 지난해에도 2만여 명의 한국군 장병들이 동원되어 비무장지대에서 미수습 전사자의 유해와 유품을 발굴했습니다. 대한민국은 마지막 한 분의 참전용사까지 찾아내 가족과 전우의 품으로 돌려보내 드리기 위해 최선을 다하겠습니다.

존경하는 참전용사와 유가족 여러분, 내외 귀빈 여러분,

대한민국은 전쟁의 폐허를 딛고 일어나 세계 최초로 개발도상국에서 선진국으로 도약한 나라가 되었습니다. 참전용사들께서 자신의 일처럼 기뻐하셨다고 들었습니다. 오늘 헌화한 '한국전 참전기념비' 뒤 벽면에는 '평화'라는 한글 글귀가 새겨져 있었습니다. 평화의 한반도를 향해 담대한 걸음을 이어가겠습니다. 반드시 참전용사들께 다시 한번 보람과

기쁨을 드리겠습니다. 참전용사와 유가족들께 깊은 경의를 표하며, 함께 하신 모든 분의 건강과 행복을 기원합니다.

감사합니다.

한-호주 핵심광물 공급망 간담회 모두발언

| 2021-12-14 |

모두 반갑습니다.

사이몬 크린(Simon Crean) 한-호주 경제협력위원회(AKBC) 회장님, 호주 광물산업을 이끌고 계신 기업인 여러분, 반갑습니다. 광물산업은 호주와 한국 사이에 가장 활발하게 교역이 이뤄지는 분야입니다. 호주에게 한국은 세 번째로 큰 광물 수출시장이며 한국은 호주로부터 전체 광물 수입의 절반 가까이를 공급받습니다. 양국 교역액은 올해 사상 처음으로 400억 달러 돌파를 눈앞에 두고 있는데, 그 가운데 광물의 비중이 45%에 달합니다. 수교 60주년의 뜻깊은 해를 맞아 양국 경제 협력의 중추적인 역할을 해 오신 광물 분야 기업인 여러분을 만나게 되어 매우 기쁘게 생각합니다.

코로나를 계기로 세계 각국이 탄소중립에 박차를 가하면서 새로운 광물 수요가 급격히 늘고 있습니다. 국제에너지기구는 2040년까지 이차전지에 필요한 니켈, 코발트, 리튬 수요가 20배 증가할 것으로 전망하고 있습니다. 전기차에 필수적인 희토류 수요도 7배 늘어날 것으로 내다보았습니다. 니켈, 코발트, 리튬 매장량 세계 2위이자 희토류 매장량 세계 6위의 자원 부국 호주가 지금 글로벌 공급망의 핵심으로 떠오르고 있습니다. 한국 역시 이차전지와 전기차, 반도체의 경쟁력을 토대로 글로벌 공급망의 또 다른 축을 담당하고 있습니다. 두 나라가 신뢰를 갖고 굳게 손을 잡는다면 글로벌 공급망 안정과 탄소중립을 앞당기는 데 크게 기여하게 될 것입니다. 주요 선진국 중 가장 빠른 회복세를 보이고 있는 양국 경제도 더 힘차게 도약할 것이라 확신합니다. 양국 기업인들이 앞장서서 협력의 강도를 높이고 있습니다. 호주 코발트블루, QPM과 한국의 이차전지 기업들은 장기계약과 지분 투자를 통해 양국 간 광물 공급망을 더욱 튼튼히 구축하고 있습니다.

협력의 방식도 다양해지고 있습니다. ASM은 한국 투자자들과 함께 희토류 광산 공동 개발을 검토하고 있으며, 국내에 희소금속 제련공장 건설을 추진하고 있습니다.

광물산업의 탄소배출 저감을 위해 한국 기업과 함께 공동 R&D에 나선 기업도 있습니다. 양국 정부도 기업인들의 노력을 적극 뒷받침할 것입니다. 어제 모리슨 총리님과 정상회담을 통해 한-호주 핵심광물 공급망 협력 MOU를 체결했습니다. 핵심광물의 탐사와 개발, 생산은 물론 광산 재해 관리까지 자원 개발 전 주기에 걸쳐 협력하기로 했습니다. 인적 교류와 기술 협력도 한층 강화해 나갈 것입니다. 오늘 기업인들이 제시하는 좋은 의견을 호주 정부와 함께 나누고, 실질적이며 구체적인 협력 방안을 마련해 나가겠습니다. 포괄적 전략 동반자 관계를 맺은 두 나라가 핵심광물 공급망 협력을 시작으로 상생 번영의 미래로 더 힘차게 나아가기를 기대합니다.

감사합니다.

2022년 경제정책방향 보고 모두발언

| 2021-12-20 |

여러분, 반갑습니다. 국민경제자문회의 민간위원님들을 모시고, 우리 정부 마지막이 될 내년도 경제정책 방향을 보고하게 되었습니다. 돌아보면 임기 내내 위기의 연속이었고, 쉴새 없이 새로운 도전에 맞서야 했던 시기였습니다. 불평등이 심화되고, 저성장이 고착화되는 시대적 상황에서 벗어나기 위해 더불어 잘 살고, 역동적으로 성장하는 혁신적 포용국가를 국정목표로 끊임없이 매진해왔습니다. 코로나 경제 위기에 직면해서도 국가 역량을 총동원하여 위기 극복에 전력을 기울였습니다. 급변하는 세계 질서와 시대적 도전을 마주하여 우리 경제의 미래를 걸고 모든 경제주체들이 힘을 모았습니다.

어려운 시기, 많은 위기와 도전을 헤쳐오며 우리 경제는 기대를 뛰어넘는 놀라운 저력을 보여주고 있습니다. 포용과 혁신의 힘으로 위기 속에서 더욱 강한 경제로 거듭나고 있고, 추격형 경제에서 선도형 경제로 나아가고 있습니다. 무엇보다 우리 경제는 위기 극복의 새로운 역사를 쓰며, 위기를 기회로 삼아 명실상부한 글로벌 경제대국으로 발돋움했습니다. 세계 주요 선진국 중 가장 빠른 회복력을 보여주며, 10대 경제대국의 위상을 굳건히 했습니다. 우리 정부에서 3만 달러를 돌파한 1인당 국민소득이 올해는 3만 5천 달러 수준을 기록할 것으로 예상됩니다. 수출과 무역 규모도 사상 최대 실적을 경신했고, 외국인 직접투자도 역대 최대를 기록하고 있습니다. 고용도 코로나 이전 수준을 회복하고 있습니다.

가장 긍정적인 성과는 위기 속에서 소득의 양극화를 줄이고, 분배를 개선한 점입니다. 최근 발표된 가계금융복지 조사 결과를 보면, 코로나 타격이 가장 심했던 지난해, 모든 계층에서 소득이 증가한 가운데 소득 하위 계층의 소득이 더 많이 증가하여, 5분위 배율, 지니계수, 상대적 빈곤율 등 3대 분배지표가 뚜렷하게 개선되었습니다. 위기의 한복판에서 분배지표를 개선시킨 놀라운 성과입니다. 이로써 우리 정부 출범 이후 4년 연속 분배지표가 개선되었고, 이 추세는 최근 3분기 가계동향조사 결과에서 확인되듯이 올해에도 이어지고 있습니다. 그렇게 되면, 우리 정부 5년 내내 분배지표가 모두 개선되는 것입니다.

하지만 시장 소득에서 그처럼 분배가 개선된 것은 아니었습니다. 최저임금 인상, 건강보험 보장성 강화, 기초연금과 장애인연금 확대 등 우리 정부가 꾸준히 추진한 포용 정책의 효과이면서, 위기 시에 과감한 확장재정을 통해 정부가 국민의 삶을 지키는 버팀목 역할에 최선을 다한 결과입니다. 재정의 분배 개선 기능이 크게 높아진 것에 큰 보람을 느끼며, 이러한 재정 기능이 지속되기를 바랍니다. 지표의 개선에도 불구하고 여전히 어려운 국민들이 많습니다. 정부는 포용적 회복이 되어야만 완전한 회복이 될 수 있다는 신념으로 마지막까지 포용 정책에 더욱 힘을 쏟겠습니다. 한편으로 위기 속에서도 우리 경제는 미래 먹거리 창출과 선도형 경제로 전환을 가속화하고 있습니다. 세계 최고 수준의 혁신 역량을 바탕으로 주력 제조업과 신산업이 함께 눈부신 성장세를 이끌고 있고, 제2벤처붐으로 우리 경제의 역동성과 미래 경쟁력을 키우고 있습니다. 한류 콘텐츠는 세계인의 마음을 사로잡으며 새로운 성장동력으로 부상하고 있습니다. K-팝, K-드라마, K-반도체, K-배터리, K-미래차, K-바이오, K-조선, K-뷰티 등 많은 K-산업들이 세계를 선도하며 도약하고 있습니다.

우리 경제가 성장과 분배, 혁신과 포용의 관점에서 모두 두 마리 토끼를 잡는 성과를 거둔 것은 매우 다행스런 일입니다. 정부와 국민, 기업 모두 힘을 모아 이룬 국가적 성취입니다. 정부는 임기 마지막까지 성과를 더욱 발전시키고 부족한 부분을 채워나가는 데 온 힘을 다하겠습니다. 2022년 경제정책 방향에는 '위기를 넘어 완전한 정상화를 이루겠다'는 정부의 정책 의지를 담았습니다. 완전한 경제 정상화는 안정된 방역 속에서만 이룰 수 있습니다. 굵고 짧은 방역 강화로 다시 일상회복으로 돌아가야 내수와 고용 회복세를 이어갈 수 있습니다. 정부는 빠른 일상회복을 위해 전력을 기울이겠습니다. 방역조치 강화로 인한 소상공인들의 어려움에 대해서는 방역지원금, 손실보상, 금융지원 등 가용 재원을 총동원하여 다각도로 지원을 확대해 나가겠습니다. 수출뿐 아니라 투자와 소비, 모든 분야에서 활력을 높여 빠른 회복과 도약의 기조가 다음 정부로 이어지도록 하겠습니다. 특히 민생 지원을 본격화하고 격차와 불평등 해소에 주력하겠습니다. 코로나의 직격탄을 맞은 피해 업종을 중심으로 내수 회복과 재도약을 지원하는 데 중점을 두겠습니다. 신산업 성장과 벤처 활력이 민간 일자리 확대로 이어지도록 정책 역량을 집중하고, 고용구조와 근로형태 변화에 대응하여 고용 안전망을 더욱 보강하겠습니다.

정부는 최고의 민생과제인 주거 안정에 전력을 다하여 부동산 가격의 하향 안정세를 확고한 추세로 정착시키고, 주택공급에 더욱 속도를 내겠습니다. 대내외 경제 리스크 관리에도 만전을 기하여 공급망, 물가, 가계 부채, 통화정책 전환 등 우리 경제를 위협하는 요인에 대해 선제적으로 대비하겠습니다. 선도국가로 도약하기 위한 노력은 한시도 멈출 수 없습니다.

한국판 뉴딜 2.0의 본격 추진으로 선도형 경제 전환과 탄소중립 시대, 친환경·저탄소 경제 전환을 국가의 명운을 걸고 강력히 추진해 나가겠습니다. 그것이 우리 정부의 시대적 책무라고 믿습니다. 임기가 5개월도 채 남지 않았습니다. 아직 위기는 끝나지 않았고, 극복해야 할 과제가 많습니다. 다 함께 유종의 미를 거둘 수 있도록 최선을 다해 주시기 바랍니다.

감사합니다.

제55회 국무회의 모두발언

| 2021-12-21 |

제55회 국무회의를 시작하겠습니다. 어느덧 올해도 열흘밖에 남지 않았습니다. 지난해에 이어 또다시 코로나로 힘겨운 연말연시를 보내야 하는 안타까운 상황입니다.

오랜 시간 최선을 다해 코로나에 맞서온 국민과 의료진에게 감사드리며 모두가 서로 격려하며 힘을 모아 어려움을 극복해 나가자는 말씀을 드립니다.

정부의 책임이 한층 무거워졌고, 역할 또한 매우 중요해졌습니다. 일상회복을 시작하면서 부족했다고 판단되는 준비 상황을 냉정히 점검하여 교훈으로 삼고, 전열을 확실히 재정비하여 일상회복을 다시 시작할 수 있는 채비를 갖춰야 하겠습니다. 우선 고강도 방역조치를 시행하는 동안 코로나 상황을 조기에 안정시키는 데 전력을 기울여야 하겠습니다.

특히 위중증 환자의 발생을 반드시 억제해내야 합니다. 이번에도 경험했듯이 코로나는 조금이라도 빈틈을 보이면 언제든지 확산될 수 있습니다.

우리 역시 오미크론 변이가 조만간 대세가 될 수 있다는 것을 염두에 두고 대비해 나가야 할 것입니다. 일상회복은 돌다리를 두드리며 건너는 심정으로 점진적이며 조심스럽게 나아갈 수밖에 없다는 점을 명심해야 하겠습니다. 무엇보다 전열 재정비의 핵심은 의료대응체계를 확실히 보강하는 것입니다. 일상회복은 어느 정도의 확진자 수 증가를 동반할 수 있기 때문에 그 전제는 어떤 경우에도 확진 환자들을 보호하고 치료할 수 있는 의료체계가 보장되어야 한다는 것입니다.

특히 확진자 증가에 따라 발생할 수 있는 위중증 환자를 치료하는 데 부족함이 없어야 합니다. 관건은 충분한 병상 확보와 의료 인력입니다. 그동안 병상과 의료 인력을 꾸준히 늘려왔지만 충분하지 못했고, 특히 위중증 환자의 증가를 감당하는 데 힘겨웠습니다. 정부가 이미 추진하고 있는 병상확충 계획에 더하여 지금까지와는 차원이 다른 특단의 대책이 필요합니다. 국립대병원과 공공의료 자원을 총동원하여 병실을 획기적으로 보강하고, 의료 인력도 조속히 확충해 주기 바랍니다. 관계부처와 민간이 함께 TF를 구성하여 특단의 대책과 각오로 임해 주길 바랍니다. 재정당국은 아낌없는 지원으로 뒷받침해 주기 바랍니다. 무엇보다 속도가 중요합니다. 병상의 확보에 국민의 생명이 달려 있습니다. 일상회복이 늦어질수록 민생의 피해가 그만큼 커진다는 점도 명심해 주기 바랍니다. 민간 병원의 협조도 절실히 필요합니다. 많은 민간 의료기관이 협력하고 있습니다. 전체 병상을 코로나 치료를 위해 내어 놓는 병원도 늘고 있습니다. 동네 의원들도 재택치료 등 코로나 환자 관리에 적극 참여하고 있습니다. 참으로 고마운 일입니다. 국가적으로 어려운 시기에 공공과 민간의 모든 의료 역량이 함께 국민의 생명과 안전을 지켜내는 데 힘을 모아주실 것을 당부드립니다.

희망적인 소식은 백신접종에 점차 속도가 나고 있는 것입니다. 특히 3차 접종률이 아주 빠른 증가세를 보이고 있습니다. 3차 접종은 면역력을 대폭 높여줄 뿐 아니라 특히 위중증과 사망을 예방하는 효과가 매우 큽니다. 오미크론을 방어하는 효과도 크다고 알려져 있습니다. 지금의 추세대로 3차 접종률이 높아지면 코로나의 위험성을 줄이면서 의료 대응 여력을 높이는 데도 크게 기여할 것으로 기대합니다. 소아·청소년의 접종 분위기가 확산되고, 18세 이상 미접종자들의 접종 참여가 늘어나는 것도 매우 바람직한 일입니다. 백신 접종은 이제 연령과 계층을 넘어 서로의 안전을 지키는 가장 효과적인 방어벽이라는 인식이 확고한 대세가 되었습니다. 일상회복은 아무도 가보지 않은 길입니다. 예상하지 못한 난관에 언제든지 부딪힐 수 있습니다. 하지만 우리는 같은 실수를 되풀이 하지 않을 것입니다. 잠시 멈추는 지금 이 시간을 앞으로 전진하기 위한 기회의 시간으로 만들 것입니다.

시련이 성공을 만듭니다. 우리는 지금 고비를 이겨내고 반드시 일상회복에 성공할 것입니다. 전 부처가 한 몸이 되어 비상한 각오로 전력을 다해 주기 바랍니다. 이상입니다.

사랑과 온기를 나누는 성탄절입니다

| 2021-12-25 |

사랑과 온기를 나누는 성탄절입니다. 예수님은 세상의 가장 낮은 곳으로 오셨습니다. 이웃이 아프진 않은지, 밥은 드셨는지, 방은 따뜻한지 살펴보는 이들의 손길이 예수님의 마음일 것입니다.

1897년 12월 25일, 정동 예배당은 '빈한한 사람과 병든 이들'을 위해 헌금을 거뒀습니다. 1921년 성탄절에는 충북 영동의 한 의사가 '병자의 진찰과 약품'을 무료로 베풀었습니다. 이듬해 이화학당 학생들은 러시아와 만주 동포들에게 천여 벌의 옷을 만들어 보냈습니다. 이 땅에 예수님이 오시며 우리의 마음은 더 따뜻해졌습니다.

우리는 빛을 향해 나아가고 있습니다. 세상이 더 따뜻해지도록 노력하겠습니다. 서로를 보듬어 주고, 서로에게 희망이 되는 성탄절이 되길 바랍니다.

코로나로 고통받는 모든 분들, 특히 가족을 떠나 보낸 분들과 병상에 계신 분들께 위로의 마음을 전합니다.

청년희망온 참여기업 대표 초청 오찬 간담회 모두발언

| 2021-12-27 |

여러분, 반갑습니다.

오늘 청년희망온 프로젝트에 참여해 주신 6대 기업 대표님들을 한 자리에 모셨습니다. 6대 기업은 앞으로 3년간 청년일자리 18만여 개를 창출하고, 교육훈련과 창업을 지원하겠다는 약속을 해 주셨습니다. 청년희망온은 청년과 기업이 함께 사는 상생의 전략입니다. 기업은 필요한 우수 인재를 확보하고, 청년은 기업과 함께 꿈을 펼칠 수 있는 기회가 넓어지게 되었습니다. 훌륭한 결단을 내려 주신 기업인 여러분께 직접 감사드리고, 이러한 노력들이 민간 기업에 더 확산되기를 바라는 마음에서 자리를 마련하게 되었습니다.

영토가 좁고 천연자원이 부족한 우리 한국이 선진국의 반열에 오를 수 있었던 것은 잘 교육받은 우수한 인재와 풍부한 인적 자원 덕분입니다. 기업들 또한 우수한 인재들과 함께 발전을 거듭하며 세계시장을 개척할 수 있었고, 끝내 앞서갈 수 있었습니다.

인재는 기업의 가장 확실한 투자처입니다. 삼성은 '인재 제일'이라는 창업주의 뜻을 이어 최고의 능력을 갖춘 '삼성인'을 배출해 왔고, 현대자동차는 'H모빌리티클래스' 같은 교육 기회를 마련해 글로벌 인재 양성에 최선을 다했습니다. 이제 인공지능을 비롯한 빠른 디지털 전환으로 인해 소프트웨어 전문인력에 대한 수요가 더욱 빠르게 늘고 있습니다. 탄소중립을 위한 기술 발전을 위해서도 더 많은 전문인력이 필요합니다. 사회경제의 변화가 인력의 수요를 빠르게 변화시키고 있습니다.

우리 청년들은 어려서부터 디지털문화에 익숙하고, 세계 어느 누구보다도 디지털을 잘 활용하는 세대입니다. 보다 나은 미래를 꿈꾸며 노력하는 열정, 그리고 또 절실함을 갖고 있고, 국제적 감각과 시야를 함께 갖추고 있으므로 정부와 기업이 길을 잘 열어 주고 기회를 만들어 주기만 한다면 세계 경제의 변화를 선도적으로 이끌어 나갈 글로벌 인재로 발전해 나갈 수가 있습니다. 청년들이 코로나로 인해 잃어버린 세대로 주저앉지 않도록 기업인 여러분께서 든든한 힘이 되어 주시기를 바랍니다. 정부는 좋은 일자리를 만들기 위해 노력해 왔습니다. 또한 제도 교육을 통해 기업이 필요로 하는 우수한 인재를 양성하고자 노력해 왔습니다. 그러나 좋은 일자리를 창출하는 것은 기본적으로 기업의 몫이고, 정부는 최대한 지원할 뿐입니다. 또한 오늘날처럼 눈부시게 빠른 디지털 전환과 기술 발전 속에서 필요한 인재를 양성하는 교육과 훈련 역시 기업이 더 잘할 수 있습니다. 기업이 필요로 하는 디지털 전문인력 양성과 기술창업의 활성화를 위해 민관이 다각도로 협업해 나가기를 바랍니다.

우리 기업들은 이미 전문인력의 양성을 위해 많은 역할을 해 왔습니다. 대표적으로 2018년 12월 시작된 '삼성 청년 소프트웨어 아카데미(SSAFY)'는 지금까지 2,785명이 수료하여 그중 2,091명, 수료자의 75%가 삼성전자, 카카오, 네이버 등 597개 기업에 취업하는 그런 성과가 있었습니다. SK하이닉스, LG, 포스코, 현대차, KT도 유사한 프로그램을 운영하며 인재사관학교의 역할을 수행해 오고 있습니다. 그 성과의 토대 위에서 청년희망온 프로젝트를 더 힘차게 추진해 주시고, 더 많은 인원이 더 빨리 채용될 수 있도록 노력해 주시기 바랍니다.

최근 SK는 청년희망온 협약 이후에 기존 발표에 대해 앞으로 3년간 5,000개의 일자리를 추가로 창출하겠다는 계획을 발표했습니다. KT는 얼마 전 인공지능 기술 교육 '에이블 스쿨(AIVLE School)'을 개강한데 이어 내년부터 9개월 과정 200명을 대상으로 코딩 역량 개발 프로그램을 운영할 계획입니다. 포스코의 '체인지업 그라운드(CHANGeUP GROUND)'에는 스타트업 71개사 입주를 했고, 다음 달부터 인공지능과 빅데이터 아카데미도 개강할 계획입니다. LG는 차세대 디스플레이 등 전문인력을 육성하기 위해 대학 학과 신설에 박차를 가하면서 LG사이언스파크 내 오픈랩에서 많은 스타트업을 양성하고 있습니다. 청년희망온을 계기로 더 많은 청년들이 기업의 선진적 교육훈련을 경험하고, 구직과 창업 지원 기회를 얻기 바랍니다. 정부도 힘껏 협력 지원하겠습니다. 'K-디지털 트레이닝' 같은 사업을 통해 청년의 구직과 기업의 구인을 촉진해 나가겠습니다. 청년희망온에 선도적으로 참여한 6대 기업이 청년일자리 창출을 위한 마중물이 되어 주신 것에 다시 한번 감사드립니다. 정부는 중견·중소기업, 플랫폼 기업을 포함한 더 많은 기업들이 청년희망온에 동참할 수 있도록 지속적으로 노력할 것입니다.

감사합니다.

공주대학교 부설 특수학교 설립 간담회 및 기공 행사 모두발언

| 2021-12-29 |

여러분, 반갑습니다.

아주 기쁜 마음으로 이 자리에 섰습니다. 누구보다도 기뻐할 장애 학생들과 학부모들이 떠올랐습니다. 특수학교 설립을 흔쾌히 수용하고 설립을 위해 애써 주신 모든 분들께 각별한 감사도 드리고 싶었습니다. 드디어 우리나라 최초의 국립대학 부설 특수학교가 오늘 공주대학교에서 첫걸음을 시작합니다. 2024년 3월이면 공주대 부설 특수학교에 교육을 열망하는 전국의 장애 학생들이 모일 것입니다. 디지털과 문화 콘텐츠, 마케팅과 바이오산업 분야 등에서 저마다의 꿈을 키워 나갈 것입니다. 국립대학이 가지고 있는 전문성이 있는 교육자원과 연계하여 재능 있는 장애 학생들에게 특화된 교육과정을 운영할 수 있는 첫 사례가 될 것입니다. 공주대 원성수 총장님과 임경원 개교준비단장님, 김정섭 공주시장님과 이숙현 공주시 시민소통위원장님, 복헌수 특수교육 선생님을 비롯한 많은 분들이 물심양면으로 애써 주셨습니다. 깊이 감사드립니다.

최혜영 의원님과 김예지 의원님, 또 특수교육의 미래를 열어 갈 공주대 특수교육과 학생들도 함께해 주셔서 참으로 든든합니다. 정부는 장애 학생들이 보다 나은 환경에서 자신의 꿈과 적성을 기를 수 있도록 특수학교와 특수학급, 특수교사의 확충을 추진해 왔습니다. 지난 4년간 14개의 특수학교를 개설했고, 1,717개의 특수학급을 증설했습니다. 또한 2017년 67.2%에 불과했던 특수교사 배치율도 82.4%까지 높였습니다. 이제 국립대에 특수학교가 설립되어 장애 학생들에게 보다 전문적이고 체계적인 교육의 문이 열렸습니다. 2024년 3월에는 부산대에도 예술 중고등 특수학교가 개교합니다. 예술적 재능을 지낸 장애 학생들에게 아주 기쁜 소식입니다. 2025년 3월에는 충북 청주의 한국교원대에 체육 중고등 특수학교가 문을 엽니다. 장애인 체육 인재와 전문선수가 양성될 것입니다.

우리 대한민국은 교육의 힘으로 수많은 역경을 극복하고 발전을 이뤘습니다. 우리 모두는 똑같은 기회를 가져야 하고, 누구나 다름없이 사회에 기여할 수 있습니다. 장애 학생들도 질 좋은 교육을 통해 자신을 개발하고, 자신의 진로와 직업에 도움이 되는 전문지식을 함양할 수 있어야 합니다. 아직도 낮은 수준에 있는 장애인의 고등교육과 평생교육에 대한 접근성과 편의성이 대폭 제고되어야 합니다. 국립대 부설 특수학교는 이를 위한 첫걸음으로써 매우 의미가 큽니다. 장애 학생들에게 직업은 자립의 토대이자 사회 속으로 나아가는 기반입니다. 다양한 적성과

흥미, 꿈과 요구에 맞는 직업으로 사회생활을 할 수 있어야 합니다. 그러기 위해서는 질 좋은 교육을 할 수 있는 다양한 특수학교와 특수학급이 전국 곳곳에 더 많이 설립되어야 합니다. 정부도 장애 학생들의 생애주기별 통합지원체계를 강화하고, 직업교육 기반 확충과 일자리 창출을 위해서 노력하겠습니다. 다시는 특수학교 설립을 위해 학부모들이 무릎을 꿇어야 하는 일이 없도록 정부부터 최선을 다할 것입니다.

'한 아이를 키우려면 온 마을이 필요하다'는 아프리카 속담이 있습니다. 한 아이를 키워내는 일은 쉽지 않은 일이지만 마을이 키워낸 아이가 다시 마을을 성장시키게 됩니다. 아직도 일부 지역에서 장애인 특수학교의 설립을 반기지 않는 분들이 적지 않은 것이 안타까운 현실입니다. 보다 너른 마음으로 우리의 아이라고 여겨 주시기를 당부드립니다. 공주대 부설 특수학교가 장애 학생뿐 아니라 선생님과 학교 관계자, 또 지역 주민 모두가 한마음으로 우리의 아이를 키우는 특수학교의 모범을 보여 주실 것을 기대합니다.

감사합니다.

1월

임인년 새해가 밝았습니다
제1회 국무회의(영상) 모두발언
동해선 강릉-제진 철도건설 착공식 모두발언
수석보좌관회의 모두발언
구미형 일자리(LG BCM) 공장 착공식 모두발언
종교 지도자 초청 오찬 간담회 모두발언
제1회 중앙지방협력회의 모두발언
한-UAE 수소협력 비즈니스 라운드테이블 모두발언
두바이 엑스포 '한국의 날' 공식행사 모두발언
2022년 아부다비 지속가능주간(ADSW 2022) 개막식 기조연설
UAE 셰이크칼리파 전문병원(SKSH) 한국 의료진 및 직원 격려 말씀
한-사우디 스마트 혁신성장 포럼 기조연설
한-이집트 미래 · 그린산업 비즈니스 라운드테이블 모두발언
카이로 지하철 3호선 차고지 방문 모두발언
세계적 불교지도자이자 평화운동가인 틱낫한 스님이 열반하셨습니다
상생형 지역일자리가 열두 곳으로 늘었습니다

임인년 새해가 밝았습니다

| 2022-01-01 |

임인년 새해가 밝았습니다.

찬바람이 거세지만, 우리는 눈을 녹이며 올라오는 보리싹처럼 희망의 새 아침을 맞습니다. 호랑이처럼 힘차게 도약하는 한 해가 되길 소망합니다. 지난 2년, 방역 최일선을 지켜주신 방역진과 의료진, 어려움을 감내해주신 소상공인과 자영업자, 일상을 뒷받침해주신 필수노동자와 이웃의 안전을 함께 생각해주신 국민들께 깊이 감사드립니다. 고단한 땀방울이 함께 회복하고 도약하는 힘이 되었습니다.

세계는 지금 격변의 시간을 지나고 있습니다. 빠르게 바뀌고 있는 경제와 삶의 방식을 선도하고, 새로운 국제질서에 대응해야 합니다. 나라 안에서는 새 대통령을 뽑는 선거가 기다리고 있습니다. 국민과 함께 미래의 희망을 다짐하는 선거가 되길 기대합니다.

우리는 마음의 밭을 단단히 갈아두었고 경제의 씨앗 또한 잘 준비해 두었습니다. 함께 걷는 일만 남았습니다. 늦봄의 마지막 날까지 선도국가 대한민국의 앞날을 위해 온 힘을 다하겠습니다. 함께 손잡고 건강한 한 해를 열어가길 바랍니다.

제1회 국무회의(영상) 모두발언

| 2022-01-04 |

제1회 국무회의를 시작하겠습니다.

2022년 새해 첫 국무회의입니다. 우리 정부 임기가 4개월 남았습니다. 역설적으로 말하자면 가장 긴장해야 할 때입니다. 지금의 상황도 우리에게 한층 더 높은 긴장을 요구합니다. 코로나 위기가 엄중하고 대격변의 시대를 헤쳐 나가야 하는 중차대한 시기입니다. 마지막까지 비상한 각오로 '끝까지 책임을 다하는 정부'가 되어주기 바랍니다. 정부는 국내적으로는 오미크론 변이 확산에 따른 방역과 의료 대응, 소상공인들에 대한 보상과 지원에 최선을 다하고, 대외적으로는 세계 경제의 구조적 변화와 불확실성에 따른 범정부 차원의 대응력을 높여야 하겠습니다.

지난해는 대한민국 무역사에 새로운 장을 열었습니다. 수출 역대 최고, 무역 규모 1조2천억 달러, 역대 최초 15대 주요 품목 모두 두 자릿

수 성장, 10년 만에 처음으로 수출 9대 지역 모두 수출 증가, 두 달 연속 600억 달러 수출 돌파 등 모든 기록이 역대급입니다. 위기 속에서도 국민과 기업이 힘을 모으고 정부의 지원이 더해지며 새로운 역사를 쓴 것입니다. 우리가 함께 새로운 역사를 썼습니다. 모든 부처들이 수고가 많았습니다. 기업 뿐 아니라 전 부처의 노고에 진심으로 감사합니다.

앞으로도 넘어야 할 산이 많습니다. 보호무역, 기술패권, 탄소중립과 디지털 전환 등 급변하는 무역 질서와 통상 환경 변화에 능동적으로 대응하고, 물류난과 공급망 리스크에도 철저히 대비해야 합니다. 최근 원자재 가격 상승도 큰 부담입니다. 특별히 공급망 안정에 각고의 노력을 기울여 주기 바랍니다. 공급망 문제는 일시적이거나 우발적인 문제가 아니고 상시적으로 잠재되어 있는 구조적 위험 요인이 되었고, 국제정치나 안보 이슈까지 결합되며 복합적 양상을 띠고 있습니다. 정부는 특정국 수입 의존도가 높은 품목에 대한 점검체계를 강화하고, 국내외 생산기반 확충, 수입선 다변화, 기술 개발 등 중장기적 차원의 대응력을 강화하는데 긴장을 높여주기 바랍니다. 일시적이 아니라 상당 기간 지속될 문제라고 본다면, 현재 운영 중인 TF를 뒷받침할 전담 조직과 제도적 기반도 신속히 마련해 주기 바랍니다.

한편, 다음 달 발효될 RCEP을 포함하여 자유무역협정을 지속 확대하여 수출 시장을 전략적으로 더욱 넓혀 나가야 하겠습니다. 기업들이 환경, 노동, 기술 등 새로운 무역 규범에 선제적으로 대비할 수 있도록 지원을 확대하며, 무역 장애 요인들을 지속적으로 해소해 나가야 할 것입니다. 이제 새로운 도전에 당당히 맞서며, 수출 7천억 달러 시대로 나아가야 될 때입니다. 무역 기반을 더욱 튼튼히 확충하며, 신성장동력 창출에 마지막까지 전력을 기울여 주기 바랍니다. 올해 처음 시행하거나 지원을 확대하는 제도들이 많습니다. 국민들의 삶에 도움이 되길 기대합니다. 출산과 육아의 부담을 덜어드리기 위해 첫만남이용권과 영아수당을 올해 처음으로 시행하며, 아동수당은 만 8세 미만까지로 확대됩니다. 기준 중위소득을 역대 최고 수준으로 인상하여 7대 급여의 보장수준을 크게 높였고, 근로장려금 지급대상과 지급금액도 더욱 확대됩니다. 배달노동자, 대리운전 기사 등에게도 고용보험이 확대 적용됩니다.

특별히 올해는 청년이 홀로 감당해야 했던 어려움을 국가가 함께 나누기 위해 청년정책이 본격 시행되는 해입니다. 월 20만원 월세 지원, 중산층까지 반값 등록금 완전 실현 등 주거와 교육에 대한 지원이 강화되고, 청년 내일저축계좌, 희망적금 등을 통해 청년들의 자산 형성을 적극 지원하게 됩니다. 청년재직자 내일채움공제도 1년 더 연장하여 추가 지원할 것입니다. 군 장병에 대한 혜택도 더 늘려, 5년 전 월 21만원이던 병장 월급이 올해 67만원으로 인상되었습니다. 2017년 최저임금의 절반 수준으로 인상하겠다는 약속을 지켰습니다. 제대할 때 최대 1천만원의 목돈을 마련해 사회에 복귀할 수 있도록 장병내일준비적금 납입금의 3분의 1을 정부가 추가로 지원합니다.

그 밖에도 코로나 보건의료인력에게 감염관리수당 지급, 저소득 지역가입자의 국민연금 보험료 50% 지원 등 새롭게 시행되는 제도가 많이 있습니다. 각 부처는 국민들이 제도를 몰라서 혜택을 못 받는 일이 없도록 정책 홍보와 설명을 강화하고 꼼꼼하게 정책을 집행해 주기 바랍니다.

동해선 강릉–제진 철도건설 착공식 모두발언

| 2022-01-05 |

존경하는 국민 여러분, 강원도민과 고성군민 여러분,

2022년 새해 첫 현장 방문으로 강원도를 찾았습니다. 반가운 소식으로 새해를 시작하게 되어 매우 기쁩니다. 드디어 강릉과 제진을 잇는 112km 철도건설의 첫 삽을 뜹니다. 1967년 양양-속초 노선 폐지 후 동해선에서 유일하게 철도가 없었던 동해북부선이 55년 만에 복원됩니다. 그간 많은 어려움이 있었지만 오늘의 성과에 이르기까지 힘을 모아주신 최문순 강원도지사와 지역 국회의원, 고성군민과 시민단체에 깊이 감사드립니다. 철도 건설과 운영을 이끌어갈 국가철도공단과 한국철도공사 임직원들께도 격려의 말씀을 드립니다. 강릉-제진 구간 철도건설 착공을 진심으로 축하합니다. 동해안 철도망을 완성하고 한반도를 남북으로 잇는 동해북부선의 복원으로, 강원도는 새로운 모습으로 도약하고 남북 경제협력의 기반도 갖추게 될 것입니다.

국민 여러분,

지난해 말, 한 해를 마무리하는 일정으로 동남권 4개 지역을 잇는 철도 개통식에 참석했습니다. 오늘, 강릉-제진 철도 착공으로 우리는 국가균형발전의 꿈에 더욱 가까워지게 되었습니다. 2023년 동해중부선 전철화가 개통되고 2027년 동해북부선과 춘천-속초 구간이 완공되면, 우리는 서울과 부산에서 KTX-이음을 타고 강릉, 양양, 속초, 고성까지 다다를 수 있게 됩니다. 주민들의 교통이 편리해질 뿐 아니라 강원도로 오가는 물류가 많아지고, 강원권 관광산업이 더욱 활성화될 것입니다. 2조7천억 원이 투자되는 이 사업을 통해 지역에 4조7천억 원의 생산유발효과와 3만9천 명의 고용유발효과도 기대됩니다. 15년 전이었던 2007년 이곳 제진역에서 금강산역으로 가는 시범운행 열차의 기적소리가 울렸습니다. 장차 다시 남북 열차가 이어진다면 평화로 가는 길도 성큼 가까워질 것입니다.

2018년, 남과 북은 철도와 도로 교통망을 연결하기로 약속했습니다. '4·27 판문점 선언'에서 경의선, 동해선 연결과 현대화에 합의했고, '9·19 평양공동선언'을 통해 실천적인 대책까지 합의했습니다. 그리하여 북측 철도 구간의 공동조사를 시행하고, 그해 12월 26일 개성 판문역에서 동·서해선 남북철도·도로 착공식까지 개최하였으나, 아쉽게도 그 후 실질적인 사업의 진전을 이루지 못했습니다. 하지만 우리의 의지는 달라지지 않았습니다. 2003년 남북노선이 연결되어 한때 개성공단 사업을 위해 운행되기도 했던 경의선은 지난해 11월 문산-도라산 구간 전철화를 완료하여 남북철도 운행이 재개될 때를 대비하고 있습니다. 강릉-제진 철도는 동해선 연결의 핵심입니다. 이제 강릉-제진 구간에 철도가 놓이면 남북철도 연결은 물론 대륙을 향한 우리의 꿈도 더욱 구체화 될 것입니다.

동해선은 경제 철도입니다. 제진역에서 50여 분이면 금강산역에 도착합니다. 북한과 관광협력 재개의 기반이 마련될 것입니다. 동해안의 원산과 단천, 청진과 나선은 북한의 대표적인 공업지대입니다. 장차 남과 북이 협력하게 된다면, 환동해권 에너지·자원 벨트가 실현될 것입니다. 부산을 기점으로 강원도와 북한의 나선을 거쳐 유라시아, 유럽대륙까지 열차가 달릴 수 있는 길도 열립니다. 시베리아 횡단철도, 만주 횡단철도, 몽골 횡단철도와 연결되면 바닷길보다 훨씬 빠르고 물류비용이 크게 절감됩니다. 동유럽의 우리 기업 생산기지로 중간재, 부품을 운송하고, 바다가 없는 중앙아시아의 육로 운송도 가능해집니다. 남북한을 포함한 동북아 6개국과 미국이 참여하는 '동아시아 철도공동체' 구상의 실현도 눈앞으로 다가오게 될 것입니다. 새로운 기회의 땅인 유라시아 대륙을 향해 우리 청년들이 웅대했던 고구려의 기상과 함께 더 큰 꿈을 키워갈 수 있기를 바랍니다.

국민 여러분,

남북이 다시 대화를 시작하고 한반도에서 되돌릴 수 없는 평화의 문이 열릴 때 남북 간 경제협력은 우리 경제발전의 새로운 돌파구이자, 지속가능한 성장의 기반이 될 것입니다. 정부는 한반도 통합철도망의 남측구간 구축을 통해 경제협력을 향한 의지를 다지고 먼저 준비할 것입니다. 강릉-제진 철도사업을 차질없이 추진하고, 현재 공사 중인 경원선의 동두천-연천 구간 전철화 사업도 2023년까지 완료하겠습니다. 이 역시 우리의 지역균형발전을 위해서 꼭 필요한 사업입니다. 대륙 철도 연결에도 선제적으로 대비하겠습니다. 정부는 철도연결의 기술적인 문제를 해결하기 위해 중국, 러시아와 협력하고 있습니다. 또한 이미 가입한 국제철도협력기구의 여객운송 협정과 화물운송 협정 가입도 추진하고 있습니다.

존경하는 국민 여러분, 강원도민과 고성군민 여러분,

한반도 평화는 저절로 오지 않습니다. 한반도에 때때로 긴장이 조성됩니다. 오늘 아침 북한은 미상의 단거리발사체를 시험 발사했습니다. 이로 인해 긴장이 조성되고, 남북관계의 정체가 더 깊어질 수 있다는 우려가 있습니다. 그러나 우리는 이러한 상황을 근원적으로 극복하기 위해 대화의 끈을 놓아서는 안 됩니다. 북한도 대화를 위해 더욱 진지하게 노력해야 합니다. 남북이 함께 노력하고, 남북 간에 신뢰가 쌓일 때 어느 날 문득 평화가 우리 곁에 다가와 있을 것입니다.

강원도는 오래도록 평화특별자치도를 준비해 왔습니다. 평화가 강원도의 경제이고 미래입니다. 이곳 고성군민들은 평화가 경제라는 사실을 가장 먼저 체감하신 분들입니다. 금강산 관광이 중단되면서 지역경제가 초토화되었습니다. 강릉-제진 구간 철도건설이 지역경제를 다시 살리는 계기가 되기를 바랍니다. 동해북부선 건설을 계기로 평화에 더해 경제협력이 실질적으로 이뤄지고, 함께 잘사는 강원도로 도약하길 기대합니다. 국민들께서도 강원권 통합철도망 구축에 큰 관심과 성원을 보내주실 것을 부탁드립니다. 낙후된 강원도 경제를 살리는 지역균형발전과 함께, 한반도 평화와 협력의 디딤돌을 놓는다는 큰 꿈을 가지고 철도망을 구축해 나가겠습니다. 제진역이 사람들과 물류로 붐비는 그 날, 마침내 한반도에는 완전한 평화가 찾아올 것이며, 평화의 토대 위에서 강원도 경제가 부흥하게 될 것입니다.

감사합니다.

수석보좌관회의 모두발언

| 2022-01-10 |

오늘 외부전문가로 한국노동연구원의 황덕순 원장님 그리고 또 한국직업능력연구원의 류장수 원장님, 함께해 주셨습니다. 고맙습니다. 박수로 환영해 주시기 바랍니다. 국민들과 의료계의 적극적인 협력 덕분에 코로나 확산세의 진정이 계속 지속되고 있고, 각종 방역지표가 뚜렷하게 개선되고 있습니다. 정부의 방역 조치에 적극 협력해 주신 국민들과 병상 확보에 최선을 다해 주신 의료계에 감사드립니다. 이 추세대로 가면 이번의 확산 역시 이전 수준으로 진정되어갈 것이라고 자신할 수 있게 되었습니다.

하지만 우리에겐 두 가지 큰 고비가 기다리고 있습니다. 첫 번째는 설 연휴 기간의 확산 우려이고, 두 번째는 오미크론 변이가 본격화할 가능성입니다. 두 가지 상황이 겹쳐질 가능성도 없지 않습니다. 지금 전 세계적으로 오미크론 변이의 확산으로 인해 미국과 유럽에서 일일 확진자 수가 각각 100만 명을 넘을 정도로 최악의 확산을 겪고 있고, 이웃 일본에서도 폭증세를 보이고 있지만, 아직까지 국내에서는 우리 국민의 힘으로 오미크론 확산을 잘 막아왔습니다. 또한 방역 당국도 최선을 다해 관리하고 있지만, 국내에서도 오미크론 변이가 우세종이 되는 것은 결국 시간문제일 것입니다. 일단 오미크론이 우세종이 되면, 확진자 수가 일시적으로 다시 치솟는 것도 피할 수 없는 일로 보입니다. 매우 긴장하고 경계해야 할 상황입니다. 우리로서는 마지막 고비가 될지도 모릅니다. 하지만 그동안의 국내외 경과를 보면, 오미크론 확산 역시 우리가 최선을 다해 대응한다면 지금까지 그랬던 것처럼 충분히 극복해낼 수 있다고 확신합니다.

정부는 신속하게 오미크론에 대응하는 방역·의료체계로 개편하고 다양한 가능성에 선제적으로 대비해야 할 것입니다. 국내외 오미크론 임상 데이터를 최대한 분석하여 맞춤형 대응 전략 마련과 함께 상세한 정보를 국민들께 알리고 협조를 구하는 노력도 강화해야 하겠습니다. 특히, 전파력이 강한 반면 위중증으로 악화되는 비율은 낮은 것으로 확인되고 있으므로, 감염예방에서 중증예방 중심으로 대응을 전환하고, 진단검사, 역학조사, 치료 등 다방면에서 속도와 효율을 높여야 하겠습니다.

의료 대응도 무증상과 경증환자 등 재택치료자 급증에 대비하여 빠르고 효과적으로 환자를 돌볼 수 있는 체계를 신속히 구축할 필요가 있습니다. 특히 동네 의원들의 참여와 역할을 높이는 것이 매우 중요한 만큼, 의료계와 협력을 강화하며 속도감 있게 추진해 주기 바랍니다. 오미크론의 확산을 줄이거나 위중증 및 사망자 비율을 낮추는 데 있어서 가장 중요한 것은 백신접종이란 사실이 거듭 확인되고 있습니다.

지금의 확산세 진정과 위중증 환자 감소에도 고령층의 3차 접종 확대가 결정적인 역할을 하고 있습니다. 따라서 이제는 50대 이하 연령층의 3차 접종 속도가 오미크론 피해의 크기를 결정하는 관건이 되고 있습니다. 오미크론이 우세종이 되기 전에 50대 이하 3차 접종을 마칠 수 있도록 최선을 다하고, 소아 청소년 대상 접종 확대와 단계적인 4차 접종도 빠르게 결론을 내려주기 바랍니다.

정부는 기존의 국산 항체치료제에 더해, 먹는 치료제를 이번 주부터 사용할 계획입니다. 그렇게 된다면, 먹는 치료제를 다른 나라보다 상당히 빠르게 도입하게 되는 것입니다. 매우 다행스러운 일이고, 재택치료와 생활치료센터에서 고령층부터 적극적으로 활용하여 위중증 환자를 줄이는 데 크게 기여하게 되기를 기대합니다. 다만, 나라마다 상황이 다르고, 우리가 비교적 먼저 사용하게 되는 만큼, 투여 대상 범위의 선정이나 증상발현 초기의 빠른 전달과 투약 체계 등 가장 효율적인 사용방안을 마련하는 데 만전을 기해야 하겠습니다. 상황에 맞게 먹는 치료제의 효율적인 활용에 최선을 다해 주기 바랍니다.

이상입니다.

구미형 일자리(LG BCM) 공장 착공식 모두발언

| 2022-01-11 |

존경하는 국민 여러분, 경북도민과 구미 시민 여러분,

오늘 드디어 구미형 일자리가 공장 착공식을 갖고 힘차게 출발합니다. LG화학과 지역 노·사·민·정이 일자리 상생협약을 맺은 지 2년 반 만입니다. 코로나 상황으로 인해 시간이 걸렸지만 모두가 힘을 모아 상생의 약속을 지켜 주었습니다. 새해 초 국민들께 반가운 소식을 전해 드리게 되어 매우 기쁘게 생각합니다. 이제 구미국가산업단지 하이테크밸리에 3년간 4,754억원의 투자가 이루어지고, 국내 최대 배터리 양극재 공장이 들어섭니다. 2024년에 양산에 돌입하여 2026년까지 현재 우리나라 양극재 생산능력의 40%에 달하는 연간 6만톤까지 생산량을 확대할 계획입니다. 구미산단과 대한민국 배터리 산업이 새롭게 도약하는 획기적 전기가 마련될 것입니다. 오늘 구미형 일자리의 주역들이 함께해 주고 계십니다. LG화학과 지역노동계 등 지역 노·사·민·정 대표자들, 이철우 지사님과 장세용 시장님을 비롯한 경상북도와 구미시 관계자들께 깊이 감사드립니다. 특히 오늘 착공식이 있기까지 흔들림 없는 지지와 응원을 보내 주신 경북도민과 구미 시민들께 진심으로 축하 인사를 드립니다.

구미 시민 여러분,

구미산단은 언제나 한발 앞선 도전과 혁신으로 우리 경제를 이끌어 왔습니다. 산단 조성 직후 1차 석유파동이 발생했지만 오히려 과감한 투자 유치를 통해 대한민국 첨단 전자산업의 중심으로 성장했습니다. 우리나라 최초의 컴퓨터 전문 제조 공장이 세워졌고, 국내 최초로 휴대전화가 생산된 곳도 바로 이곳입니다. 1999년에는 단일 산단 최초로 100억 달러 수출을 달성했습니다. 외환위기의 어려움 속에서 위기 극복의 자신감을 심어 주었습니다. 산단 노후화와 대기업 이전의 어려움 역시 스마트 산단 구축과 신산업 육성으로 이겨내고 있습니다. 2014년 이후 위축되었던 수출이 코로나 상황 속에서도 2년 연속 반등했습니다. 새해에는 300억 달러 수출을 다시 달성하리라 확신합니다.

이제 구미산단의 힘찬 부활은 분명 일자리를 통해 더욱 뚜렷해질 것입니다. 노·사·민·정이 서로 조금씩 양보하고 힘을 모으면 굳이 해외로 나가지 않고 국내 투자를 통해서도 얼마든지 신산업의 경쟁력을 키울 수 있다는 것을 보여 주었습니다. 정부 역시 지자체와 함께 전폭적으로 지원하겠습니다. 산단부지를 50년간 무상 임대하고, 575억원의 지방투자촉진보조금을 제공하겠습니다. 2019년 7월 상생협약 이후 구미산단에 투자하는 기업들이 늘고 있습니다. 지난 2년 동안 4조원이 넘는 투자 유치 성과가 있었습니다. 구미형 일자리를 확실한 성공 사례로 만들어 더 많은 기업의 투자를 유도하겠습니다. 구미산단은 일자리의 보고가 되고, 지역 기업들에게는 동반 성장의 기회가 만들어질 것입니다. 이번 투자로 8,200개가 넘는 일자리가 생겨납니다. 지역 청년들이 자라난 곳에서 꿈을 펼치게 될 것입니다. 마이스터고, 금오공대를 비롯한 지역 교육기관들도 산학 협력 프로그램을 운영해 힘을 보탤 것입니다. LG화학과 지자체가 함께 100억원 규모의 ESG펀드, 60억원의 협력기금을 조성합니다. 중소기업의 작업환경 개선과 친환경 전환 속도를 높이는 마중물이 될 것입니다.

오늘은 도전과 혁신의 도시 구미에 상생의 힘이 더해졌습니다. 대한민국도 구미형 일자리와 함께 글로벌 공급망 경쟁의 핵심 중 하나인 배터리 산업에서 한걸음 더 앞서 나갈 것입니다. 우리나라는 최고의 기술력으로 세계 배터리산업을 선도하고 있지만 소재·부품을 비롯한 기초 생태계의 경쟁력은 상대적으로 부족합니다. 배터리 공급망 경쟁에서 확실한 우위를 차지하기 위해 핵심소재와 부품의 자립도를 높여야 합니다. 양극재는 배터리 제조원가의 40%를 차지하는 가장 중요한 소재이지만 현재 국내 수요의 절반을 수입에 의존하고 있습니다. 구미형 일자리 공장에서 생산될 6만톤의 양극재는 전기차 50만대를 만들 수 있는 양으로 양극재 해외 의존도를 크게 낮추게 될 것입니다.

구미형 일자리를 배터리산업 생태계 전반을 강화하는 계기로 만들겠습니다. 경북 지역에는 소재·장비 생산부터 재활용까지 배터리 관련 분야의 우수 기업들이 집중되어 있습니다. 구미형 일자리와 서로 연계하여 성장할 수 있도록 기술 교류, 공동 연구 개발을 돕겠습니다. 경북지역은 배터리산업 생태계의 중심으로 발돋움하고, 대한민국은 세계 배터리 공급망을 주도하게 될 것입니다.

존경하는 국민 여러분, 경북도민과 구미 시민 여러분,

상생형 지역일자리는 지역 노·사·민·정이 주체가 되어 지역 특성에 맞는 발전 전략을 찾기 위한 시도입니다. 광주에서 시작된 상생형 일자리가 전국 확산되면서 새로운 산업과 일자리를 일으키고 있습니다. 구미형 일자리가 또 한번 상생형 지역일자리의 성공 사례를 쓰게 되기를 바랍니다. 정부도 힘껏 뒷받침하겠습니다. 혁신에 상생과 포용을 더한 대한민국의 방식으로 2022년을 힘찬 도약의 시간으로 만들어 나갑시다.

감사합니다.

종교 지도자 초청 오찬 간담회 모두발언

| 2022-01-12 |

새해를 맞아, 우리 종교 지도자님들을 청와대에 모시게 되었습니다. 모두 새해 복 많이 받으십시오.

원행 조계종 총무원장님, 류영모 한교총 대표님, 이홍정 기독교 교회협의회 총무님, 이용훈 천주교 주교회의 의장님, 나상호 원불교 교정원장님, 손진우 성균관장님, 송범두 천도교 교령님, 이범창 민족종교협의회 회장님, 문덕 불교종단협의회 수석부회장님, 정순택 천주교 서울대교구장님을 새해 벽두에 우리가 이렇게 함께 뵙게 되어서 저도 복 받을 것 같습니다. 원행 스님께서 한국종교지도자협의회 공동대표의장으로 연임되셨습니다. 종교 간 화합과 교류를 이끄는 큰 역할을 다시 맡게 되신 것을 축하드립니다.

오랜만에 7대 종단 지도자님들을 한자리에 모셨습니다. 먼저 코로나 극복을 위해 오랜 기간 고통을 나누며 함께 노력해 주신 것에 감사드립니다. 각 종단마다 그동안 정부의 방역조치에 적극 협조하여 법회, 예배, 미사 같은 신앙 활동을 자제해 주셨고, 심지어 부처님 오신 날 경축법회와 연등회 같은 가장 중요한 종교 행사까지 방역을 위해 연기하거나 취소하는 솔선수범을 보여주셨습니다. 그 같은 협조 덕분에 이번의 4차 유행에서는 종교시설 관련 감염이 크게 줄어들었습니다.

4차 유행이 점점 진정되어 가고 있지만, 코로나의 완전한 극복을 위해서는 넘어야 할 아주 큰 고비가 아직 남아 있습니다. 설 연휴와 맞물리며 오미크론 변이가 본격화할 그런 가능성입니다. 이웃 일본을 비롯한 외국의 사례들을 보면 오미크론 변이는 위중증으로 악화되는 비율은 낮아도 일단 우세종이 되고 나면 확진자 수가 단기간에 폭발적으로 늘어나는 그런 경향이 있는 것 같습니다.

지금 정부와 종교계 간에 코로나 대응 실무협의회를 계속하고 있습니다만, 오미크론의 고비를 잘 넘길 수 있도록 종교계가 다시 한번 힘을 모아 주시길 부탁드립니다. 방역 당국과 의료진이 최선을 다하고 있지만 제가 보기에 접종 대상자가 3차 접종까지 빨리 마치는 것이 무엇보다 중요할 것 같습니다. 이번의 4차 유행에서도 60대 이상 고령층의 3차 접종률이 높아지면서 위중증 환자 수와 사망자 수를 많이 진정시킬 수 있었습니다. 그래서 이제는 50대 이하의 3차 접종률이 오미크론의 피해 정도를 좌우하는 관건이 될 것으로 보입니다. 백신접종에 대한 불신이나 불안 해소에 종교계의 역할이 아주 크다고 생각합니다. 백신접종 확대를 위해 마음을 모아 주시기를 당부드리겠습니다.

우리 종교계가 기후 대응과 탄소중립을 위한 실천 운동에 앞장서 주시고, 또 국민의 마음을 모아 주시는 것에 대해서도 깊이 감사드립니다. 사실 인간이 자연과 함께 모두 연결되어 있는 하나의 생명공동체라는 사실은 종교가 오랫동안 가르쳐 온 내용이었습니다. 그러나 세상이 그 사실을 잊어버리고 경제 성장에만 몰두하며 지구환경을 파괴해온 탓에 심각한 기후 위기 상황을 맞게 되었습니다. 탄소중립의 목표 달성은 정부의 정책적 노력뿐만 아니라 국민과 기업의 노력이 하나로 결집되어야만 가능합니다. 무엇보다도 중요한 것은 국민의 공감과 참여일 것입니다. 종교지도자들께서 국민의 마음을 하나로 모아 주시고, 탄소중립을 위한 생활 속 실천 운동을 격려하며 이끌어 주시기를 바랍니다. 정부도 국제 사회에 한 약속을 반드시 실천할 수 있도록 최선을 다하겠습니다.

코로나를 맞으면서 우리나라가 오히려 국제적 위상이 매우 높아졌다는 것을 실감하고 있습니다. 이제는 우리나라가 경제력뿐만 아니라 민주주의, 방역·보건, 문화, 군사력, 외교, 국제 협력 등 모든 분야에서 G7 국가에 버금가는 명실상부한 선진국이라는 사실을 공인받게 되었습니다. 여기에 오기까지 종교의 역할이 매우 컸다고 생각합니다. 우리 전통문화를 지키면서 또 한편으로는 나라를 근대화하고, 민주화하고, 남·북의 화해를 도모하고, 국민의 복지를 확대해 나가는 데 종교가 매우 큰 역할을 해 주었습니다. 그에 대해서도 깊은 존경과 감사의 말씀을 드립니다. 대통령으로 한 가지 더 욕심을 부린다면, 우리나라의 민주주의에서 남은 마지막 과제가 국민들 사이의 지나친 적대와 분열을 치유하고, 통합과 화합의 민주주의로 나아가는 것이 아닐까 생각합니다. 당연히 정치가 해냈어야 할 몫이지만, 저를 포함해서 역할을 다하지 못한 것이 사실입니다. 오히려 선거 시기가 되면 거꾸로 가고 있는 것 같아서 걱정스럽습니다. 통합의 사회, 통합의 민주주의를 위해서도 종교 지도자들께서 잘 이끌어 주시기를 부탁드리겠습니다. 우리가 한마음으로 서로 격려하며 위기를 넘는 연대와 협력의 중심이 되고, 민주주의와 인권, 평화를 사랑하는 대한민국으로 나아가기 위해 종교 지도자들께서 큰 역할을 해 주시길 당부드립니다. 오늘 평소에 늘 생각해 오셨던 그런 문제점들과 함께 국민을 위한 여러 가지 지혜로운 말씀들을 청하고 싶습니다. 다시 한번 추운 날 이렇게 귀한 걸음해 주신 것에 감사드립니다.

고맙습니다

제1회 중앙지방협력회의 모두발언

| 2022-01-13 |

제1회 중앙지방협력회의를 시작합니다. '자치분권 2.0' 시대가 개막되었습니다. 전면 개정된 '지방자치법'을 비롯해 자치분권을 강화하는 5개의 법률이 오늘부터 일제히 시행됩니다. 자치분권 확대를 위해 노력해 오신 많은 분들 덕분에 우리는 지방자치의 분수령에 다다를 수 있었습니다. 풀뿌리 민주주의와 자치분권을 위해 애써 오신 모든 분들께 감사의 말씀을 전합니다. 오늘, 지방자치의 새로운 시작과 함께 제1회 중앙지방협력회의가 개최되게 되었습니다. 그동안 시·도지사 간담회가 운영되어 왔지만 법률로 규정되고 구속력을 갖춘 제도로서 '제2 국무회의'의 성격을 갖는 중앙지방협력회의가 공식 출범하게 된 것은 매우 역사적인 일입니다.

중앙지방협력회의는 새로운 국정운영 시스템입니다. 지방과 관련

된 주요 국정 사안을 지방정부와 중앙정부가 함께 긴밀하게 협의하고 결정하게 될 것입니다. 분기마다 한 번씩 회의를 개최하면서 지방 의제를 다루는 최고 의사결정기구가 될 것입니다. 우리는 그동안 일곱 번의 시·도지사 간담회를 통해 중앙지방협력회의 역할과 가능성을 확인했습니다. 2017년 간담회에서 논의된 '자치분권 로드맵'은 국민의 삶을 바꾸는 자치분권의 초석이 되었습니다. 2018년, 민선 7기 시·도지사 간담회에서는 지방과 중앙이 함께 '대한민국 일자리 선언'을 발표했습니다. 이제 우리는 시·도지사 간담회의 성과를 디딤돌 삼아 더욱 촘촘하게 지역 발전과 민생 안정을 챙기게 될 것입니다.

정부는 지난 4년 반, 지방정부의 자치 권한을 꾸준히 확대해 왔습니다. 400개의 국가 사무를 지방에 일괄 이양하고, 시·군·구 맞춤형 특례제도를 도입해 기초단체에 필요한 권한을 부여했습니다. 자치경찰제를 도입하여 지역맞춤형 치안 행정을 구현하고 있습니다. 재정분권도 강화하고 있습니다. 지방소비세율을 10% 포인트 인상해 지방세 8조5천억 원이 확충되었습니다. 올해부터 '2단계 재정분권'도 차질없이 추진하여 총 13조8천억 원의 지방재정을 확충해 나갈 것입니다. 주민 직접 참여의 길도 넓어졌습니다. 주민자치회 시범실시 지역이 대폭 확대되었고, 올해부터 '주민조례발안제'도 본격 실시됩니다. 지방의회 역시 정책지원관을 신설하는 등 전문성과 권한이 강화되었습니다. 오늘 첫 번째 중앙지방협력회의에서는 그동안의 자치분권 성과를 정리하고, 지역경제 활성화 방안과 초광역협력 추진 계획을 논의할 예정입니다.

지난해 우리는 명실상부한 선진국으로 자리매김하고, 사상 최대 수출 실적 달성이라는 훌륭한 성과를 올렸습니다. 그러나 코로나 장기화로 민생이 여전히 어렵고, 수도권 집중 문제를 해결하지 못하고 있습니다. 저출생·고령화, 4차산업혁명, 기후변화 같은 시대적 과제는 중앙과 지방이 힘을 모아야만 효과적으로 대응할 수 있습니다. 특히 지역의 활력을 살리는데 역량을 집중해야 합니다. 지역경제는 나라 경제의 근간입니다. 소상공인들에 대한 신속한 지원을 비롯해 지역 소비 회복 방안을 적극 논의해 주길 당부합니다. 중장기적 구조변화에 대응하기 위한 대책도 선제적으로 준비되고 점검되길 바랍니다.

초광역협력은 주민의 삶을 획기적으로 바꿀 국가균형발전 핵심 정책입니다. 2월 중 특별지자체 출범을 앞둔 부·울·경을 비롯해 3대 초광역권과 강소권에서도 협력이 시작되고 있습니다. 우리는 초광역협력을 반드시 성공시켜 국가균형발전의 실효성 있는 대안임을 증명해야 합니다. 이를 통해 지역발전의 새로운 모델이 전국으로 확산되도록 해야 할 것입니다. 중앙정부가 해야 할 지원과 제도 개선 방안에 대해 허심탄회하게 의견을 제시해 주길 바랍니다. 정부의 권한은 분권으로 강력해지고, 주민의 참여가 더해질수록 민주주의는 견고해집니다. 자치분권과 민주주의의 힘으로 서로 연대하고, 함께 위기를 극복하며 선도국가로 도약해 가기 바랍니다. 지역이 살아야 대한민국이 살아난다는 마음으로 중앙지방협력회의에 임해 주시기를 당부합니다.

감사합니다.

한-UAE 수소협력 비즈니스 라운드테이블 모두발언

| 2022-01-16 |

아랍에미리트와 한국의 경제인 여러분, 귀빈 여러분,

반갑습니다. 오늘 수소 산업 협력을 모색하기 위해 두 나라의 경제 주역들이 한자리에 모였습니다. 수소 산업은 탄소중립의 열쇠입니다. 탄소중립은 분명 쉽지 않은 과정이지만 양국이 연대와 협력으로 수소 산업을 키워간다면 도전 속에서 새로운 기회를 갖게 될 것입니다. 뜻깊은 자리를 마련해 주신 UAE연방상공회의소와 한국무역협회에 감사드립니다. 양국이 새로운 상생의 길을 찾아 공동 번영으로 나아가는 계기가 되기를 기대합니다.

수소는 청정에너지 가운데 가장 활용도가 높습니다. 자동차, 선박, 항공기의 연료가 되고, 연료전지에도 활용할 수 있어 많은 국가가 주목하고 있습니다. UAE는 아부다비 수소동맹을 통해 그린 수소와 블루 수소 생산 역량을 강화하고 있습니다. 세계 최대 태양광 발전시설 MBRM 솔라파크에 그린 수소 생산시설을 구축하고 있으며, 수소 리더십 로드맵을 통해 2030년까지 저탄소 수소시장 점유율 25% 비전도 마련했습니다. 한국 역시 세계 최초로 수소법을 제정하고, 수소경제 기본계획을 수립하여 생산, 활용, 유통 등 전 주기에 걸친 수소경제 생태계를 강화하고 있습니다. 특히 모빌리티와 발전 산업에 수소 활용을 확대하고, 수소 공급 인프라를 전국에 구축하고 있습니다. 한국의 대표적인 대기업 10곳이 수소동맹을 출범하는 등 기업들도 수소 분야에 과감하게 투자하고 있습니다.

그린 수소와 블루 수소의 생산에 강점을 가진 UAE와 수소차와 충전소, 연료전지, 액화운송 등 수소의 활용과 저장, 유통에 강점을 가진 한국이 서로 협력하면 양국은 수소경제를 선도하게 될 것입니다. 양국 정부는 2019년 수소도시 협력에 합의하고, UAE에 한국형 수소 대중교통 시스템을 구축하고 있습니다. 지난해 수소경제 협력 MOU를 체결하고 수소 교역, 탄소 재활용과 배출 절감 기술 협력을 시작했습니다. 양국 기업들 역시 블루 수소 개발에 함께하고 있으며 대규모 블루암모니아 플랜트 건설을 추진하고 있습니다. 오늘 우리는 양국 경제인이 함께한 자리에서 수소 생산·활용을 위한 공동 연구, 실증사업 협약과 수소 산업 협력 프로젝트 금융 지원을 위한 수소협력 MOU를 체결합니다. 기본여신약정 체결도 수소협력 사업을 든든하게 뒷받침할 것입니다. 한국 정부는 기업 간의 수소협력이 더욱 활성화될 수 있도록 아낌없이 지원해 나가겠습니다.

양국 경제인 여러분, 귀빈 여러분,

UAE와 한국은 '특별 전략적 동반자 관계'입니다. 바라카 원전을 비롯해 에너지, 국방·방산, 보건, 농업 등 다양한 분야에서 협력하고, 사막의 먼 길을 함께 걷는 친구처럼 특별한 우정으로 공동 번영하고 있습니다. 수소 산업은 양국이 더 높이 도약할 수 있는 미래 협력 분야입니다. 탄소중립에 기여하며 양국 협력의 모범을 세계에 보여줄 수 있을 것입니다. 경제인들이 앞장서 주시고, 지혜와 힘을 모아 주시기를 바랍니다. 양국 정부가 언제나 함께하겠습니다.

감사합니다.

두바이 엑스포 '한국의 날' 공식행사 모두발언

| 2022-01-16 |

존경하는 아랍에미리트 국민 여러분, 알 나흐얀 관용부 장관님과 내외 귀빈 여러분,

두바이 엑스포의 성공적 개최와 아랍에미리트 건국 50주년을 진심으로 축하합니다.

두바이 엑스포 '한국의 날'에 맞춰 나를 초청해 주신 모하메드 총리께 감사드리며, '한국의 날' 행사에 함께해 주신 모든 분들께 환영의 인사를 드립니다. 두바이 엑스포의 심장 '알 와슬 플라자'에서 '한국의 날' 연설을 하게 되어 매우 뜻깊습니다. 170년 동안 엑스포는 시대를 앞선 주제로 세계를 이끌어 왔습니다. 1851년 런던의 수정궁은 철과 유리를 마음껏 다루며 완성되었고, 오늘 '알 와슬 플라자'는 21세기의 기술에 인간의 마음을 담아냈습니다. 두바이 엑스포는 지속가능한 미래의 희망을 실현하고 있습니다. 엑스포 주제관을 친환경 기술로 건립했고, 엑스포 이후 시설의 80%를 활용해 스마트도시를 만드는 계획도 수립했습니다. 환경과 지속가능성을 실천한 UAE의 노력은 포스트 코로나 시대를 열어갈 세계인들에게 많은 영감을 줍니다. 중동지역 최초의 엑스포를 미래를 향한 세계인의 축제로 만들어 주신 UAE 지도자들과 국민들께 경의를 표합니다.

내외 귀빈 여러분,

한국이 식민지와 전쟁의 폐허를 딛고 일어선 후 처음 참가한 엑스포는 1962년 시애틀 박람회였습니다. 개발도상국이자 신흥공업국으로 세계박람회에 첫발을 내디딘 한국은 부지런히 세계의 앞선 과학기술을 추격하며 '한강의 기적'을 이룰 수 있었습니다. 60년이 지난 오늘, 한국은 선진국으로 도약하여 '사막의 기적'을 실현한 UAE와 번영의 미래를 함께 열어가고 있습니다. 두바이 엑스포 한국관에는 최첨단 ICT 기술을 활용한 다양한 문화행사가 열리고 있습니다. ICT는 한국을 세계 10위 경제 강국으로 도약시킨 성장 동력입니다. 여러분은 스마트 코리아, 한국이 선사하는 자유롭고 역동적인 미래를 만나실 수 있습니다.

한국 국민들은 경제성장을 위해 노력하면서도 포용과 상생의 마음을 잊은 적이 없습니다. 이웃과 함께 행복해지고 싶다는 마음이 경제발전 못지않은 소프트파워를 길러냈습니다. 오늘 '한국의 날' 행사에서도 한국 전통무용과 태권도, K-POP을 통해 두바이 엑스포의 주제 '마음의 연결, 미래의 창조'를 구현할 것입니다. 사막의 별들이 빛나는 저녁에는 세계에서 사랑받는 K-POP 콘서트가 펼쳐집니다. 오늘부터 3일간 열리는 '한국 우수상품전'도 기대해 주시기 바랍니다. 인류의 지속가능한 삶을 위한 한국의 성취를 체험하실 수 있을 것입니다. 지속가능한 미래로 가는 길에 한국의 혁신기술과 문화가 힘이 되길 바랍니다. 한국은 UAE와 함께 세대와 국경을 넘어 함께 회복하고, 함께 도약할 것입니다.

존경하는 UAE 국민 여러분, 내외 귀빈 여러분,

두바이 엑스포는 2030년 부산 엑스포를 유치하고자 하는 한국에 많은 영감을 주고 있습니다. 부산 엑스포는 '세계의 대전환과 더 나은 미래를 향한 항해'를 주제로 삼았습니다. 두바이 엑스포가 추구하는 목표와 맥을 같이합니다. 한국은 엑스포를 준비하는 과정에서부터 연대와 협력, 포용과 상생을 실천할 것입니다. 지속가능한 미래를 향한 인류의 이야기를 담을 것입니다. 세계인들이 두바이 엑스포를 통해 마음을 연결하고 있습니다. 2030년, 한국의 해양 수도 부산에서 다시 만나, '세계의 대전환'이라는 담대한 항해에 함께하길 희망합니다. 두바이 엑스포 182일간의 대장정은 세계인의 마음속에 길이 기억될 것입니다. 오늘 '한국의 날'이 두바이 엑스포 성공의 역사에 빛나는 한 페이지를 장식하길 바랍니다. UAE 국민들께 한국 국민이 보내는 우정의 인사를 전합니다.

감사합니다.

2022년 아부다비 지속가능주간 (ADSW 2022) 개막식 기조연설

| 2022-01-17 |

존경하는 모하메드 총리님, 내외 귀빈 여러분,

'2022년 아부다비 지속가능주간' 개막을 축하합니다. 올해 가장 먼저 열리는 국제 환경 행사입니다. '연대의 힘'으로 푸른 지구를 만들기 위해 세계 각국의 인사들이 지난해 11월 COP26 이후 다시 모였습니다. 국제사회가 탄소중립으로 나아가기 위한 올해의 행동을 시작한다는 의미에서 매우 중요한 행사가 되었습니다.

'아부다비 지속가능주간'은 올해 15회째를 맞았습니다. 故 '셰이크 자이드' 대통령님의 유지를 이어 시작되었고, 이제는 가장 핵심적인 환경협력의 장으로 자리매김하고 있습니다. 에너지 부국인 UAE의 지속가능발전 의지는 중동을 넘어 세계의 모범이 되고 있습니다. 기후변화의 시계가 빨라지고 기후 대응이 시급해지면서 UAE가 먼저 시작한 길이 세계의 길이 되고 있습니다. 이번 행사는 건국 반세기를 맞이한 UAE가 '2020 두바이 엑스포', 'COP28' 유치와 더불어 새로운 50년을 열어가는 중요한 이정표가 될 것입니다.

내외 귀빈 여러분,

익숙한 것에서 벗어나는 용기와 행동으로부터 지속가능한 미래는 시작됩니다. 기후위기가 눈앞의 현실이 되고 있습니다. 우리는 온실가스 배출량을 줄이기 위해 친환경 에너지 전환을 서둘러야 합니다. 코로나 같은 새로운 감염병의 위기도 언제 다시 올지 모릅니다. 우리는 자연과 공존하는 삶으로 우리의 삶을 변화시켜야 합니다. 다행스럽게 인류는 더 늦기 전에 행동을 시작했습니다. 탄소중립을 약속하고 실천하기 시작했습니다. 그 가운에서도 UAE의 행동은 독보적으로 빛납니다. 2008년 세계 최초로 탄소제로 도시 '마스다르 시티' 건설을 시작했고, 2011년 '국제재생에너지기구'를 유치했습니다. 지난해 중동지역 최초로 2050 탄소중립을 선언하고 맹그로브 1억 그루 식수 계획, '수소 리더십 로드맵'을 통해 탄소중립 계획을 적극적으로 실천하고 있습니다.

한국 역시 2050 탄소중립을 선언했습니다. 탄소중립 이행을 법제화하고 '그린 뉴딜'을 통해 저탄소 경제로 나아가고 있습니다. 또한 2030 NDC를 대폭 상향했습니다. 매우 도전적인 목표를 반드시 달성하여 세계 기후대응과 지속가능발전에 기여하고자 합니다. UAE와 한국은 2030년까지 메탄 30%를 감축하는 국제메탄서약에도 동참했습니다. UAE와 미국이 공동 주도한 '기후 농업혁신 이니셔티브'에 함께 참여하며 탄소중립을 위한 국제 공조를 강화하고 있습니다. UAE와 한국은 '특별 전략적 동반자'로 건설, 유전 개발, 인프라, 국방·방산, 보건, 농업에 이르기까지 많은 분야에서 함께해 왔습니다. '아크 부대'와 '바라카 원전'은 양국의 굳건한 관계를 보여주는 대표적인 사례입니다. UAE는 재생에너지를 포함한 청정에너지 비중을 2050년까지 50%로 확대하기로 했습니다. 한국 또한 2050년까지 석탄발전을 전면 폐지하고 재생에너지를 70%까지 확대해 나갈 예정입니다. 한국은 지속가능한 미래를 위해 UAE와 더욱 굳게 손잡을 것입니다. 양국은 지금 탄소중립 시대 새로운 에너지원이 될 수소경제 구축을 위해 협력하고 있습니다. UAE는 '아부다비 수소동맹'을 통해 2030년 세계 저탄소 수소 시장 점유율 25%를 목표로 그린과 블루 수소 생산 역량을 높이고 있습니다. 한국은 세계 최초로 '수소법'을 제정하고 '수소경제 선도국가'를 목표로 생산, 활용, 유통, 전 주기에 걸친 수소 생태계를 만들고 있으며, 수소차와 연료전지, 수소 충전소와 같은 수소의 활용과 유통에 특히 강점이 있습니다.

수소는 많은 나라들이 주목하는 청정에너지입니다. 자동차, 선박, 항공기 등 모빌리티의 연료가 되고 연료전지와 산업 공정에 사용되는 등 미래의 핵심 에너지원입니다. 수소경제는 탄소중립 시대 가장 유망한 성장 분야가 될 것입니다. UAE와 한국은 블루 수소를 함께 개발하고 대규모 블루암모니아 플랜트 건설을 추진하고 있습니다. 수소 생산과 활용을 위한 공동연구, 실증사업도 계획하고 있습니다. UAE와 한국의 수소 협력으로 탄소중립과 지속가능한 미래를 앞당기게 되길 바랍니다. 스마트 시티 역시 양국 협력의 시너지가 기대되는 분야입니다. 지난 40여 년, 전 세계 도시 인구가 두 배 이상 증가하며, 환경오염과 탄소배출의 주원인이 되고 있습니다. 스마트 시티는 ICT와 친환경 에너지 기술로 탄소를 저감하고 삶의 질을 높이는 도시가 될 것입니다.

UAE는 일찍부터 친환경 도시 건설에 투자해 왔습니다. 저탄소 시멘트 같은 환경친화적인 자재를 사용하고 재생에너지로 운영하는 녹색도시를 건설하고 있습니다. 한국도 두 곳의 스마트 시범도시를 건설 중입니다. 스마트 에너지 시스템과 제로 에너지 빌딩으로 에너지를 절약하고 탄소배출을 줄이며, 스마트 모빌리티를 운행하는 스마트 시티를 확산시켜 나갈 것입니다. 양국이 가진 경험과 장점을 결합한다면, 가장 모범적인 스마트 시티가 완성될 것입니다. 양국은 수소 대중교통 시스템을 기반으로 하는 '수소 도시'도 함께 개발해 나갈 예정입니다. 한국은 스마트 시티 기술과 경험을 국제사회와 공유해 나갈 것입니다. 현재까지 18개국의 스마트 시티 개발을 지원하고 있으며 UN 해비타트, 월드뱅크, 미주개발은행 등 국제기구의 스마트 도시사업에도 활발하게 참여하고 있습니다. 세계 도시의 스마트화에 우리 양국이 함께하길 바랍니다.

모하메드 총리님, 내외 귀빈 여러분,

지난해 '아부다비 지속가능주간'에 175개국 3만7천여 명이 참여했습니다. 어려운 상황 속에서도 세계는 지속가능성에 대해 큰 관심을 가졌습니다. 올해는 더 많은 사람들이 함께하며, 지속가능성을 위한 지혜를 모을 것입니다. 연대와 협력은 지속가능발전을 앞당기는 열쇠입니다.

'2022년 아부다비 지속가능주간'을 통해 세계가 연대와 협력의 의지를 높인다면 탄소중립을 향한 인류의 발걸음도 더욱 빨라질 것입니다.

감사합니다.

UAE 셰이크칼리파 전문병원(SKSH) 한국 의료진 및 직원 격려 말씀

| 2022-01-17 |

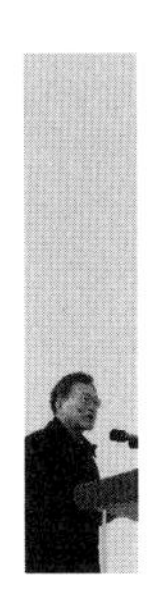

김연수 원장님,

그리고 환영해 주시는 말씀, 그리고 서창석 원장님께서 의료 현황을 보고해 주신 말씀 감사드립니다. 김연수 서울대병원장님은 저 때문에 오신 것은 아니고, 지금 한국 우수상품 전시회에 우리의 아주 혁신적인 의료기기, 원격진료도 할 수 있는 그런 제품이 전시가 되고 있는데, 그 때문에 오신 것으로 알고 있습니다. 그런데 운 좋게 이 칼리파병원에서 이렇게 뵙게 돼서 아주 기쁘게 생각합니다. 사실 이렇게 머나먼 정말 타향, 만리타향, 언어도 다르고 인종도 다르고 문화도 다르고, 이런 나라에서 국위를 선양하면서 수고들 하신 것에 대해서 정말 감사도 드리고 싶고, 또 격려도 드리고 싶어서 방문했습니다. 아까 올 때 꽃다발을 받았는데, 그것은 오히려 우리가 여러분에게 꽃다발을 드리기 위해서 온 것입니다.

요즘 우리나라가 여러 가지 면에서 세계 10위권 정도 수준 됩니다. 그러니 많은 분야에서 해외에 진출하고 있는데, 그러나 이제는 의료 분야에서도 이렇게 3차 진료기관에 해당하는 UAE의 왕립병원인 셰이크 칼리파 전문병원을 우리 서울대병원이 위탁운영받고, 이어서 쿠웨이트 왕립병원까지도 위탁운영 받게 되는, 여기까지 우리가 발전했다는 것에 대해서 굉장히 큰 자부심을 느낍니다. 제가 이번에 자료를 보니까 UAE에 진출해 있는 의료기관이 10여 개 되고, 세계 22개국에 125개 의료기관이 나가 있고, 또 13곳이 위탁운영을 하고 있는, 그래서 이제는 우리가 의료수준도 정말 세계 어디에 나가도 손색없는 이런 아주 당당한 경지로 올라섰다는 자부심을 가지게 됩니다. 이게 서로 언어가 다르고 문화가 다르기 때문에 여러 가지 소통의 어려움이 많을 텐데, 그럼에도 불구하고 이런 왕립병원들을 위탁운영 맡긴다는 것은 서울대병원의 의료 수준에 대한 그런 높은 신뢰이기도 하고, 한편으로 한국과 UAE 간에 그만큼 아주 높은 신뢰가 형성되어 있다는 그런 뜻이기도 하다고 생각합니다.

와서 보니 서창석 前 서울대병원장님께서 여기 원장으로 와 계시고, 황일웅 의무사령관께서 부원장으로 와 계시고 여러 아주 실력있는 의사, 의료진들, 경험 많고 실력있는 간호사분들이 함께하고 계셔서 여러모로 아주 든든하게 생각이 듭니다. 이런 의료기관이 진출하게 되면 의료기관으로만 그치지 않고 요즘 코로나 시대를 맞이해 이제는 나라들 간에 국제적인 보건의료 협력, 이런 것이 굉장히 중요한 시대가 되었는데, 여러모로 보건의료 분야 협력이 확대될 수 있는 아주 좋은 계기가 되지 않을까 생각합니다. 시기적으로 생각하더라도 의료기관에 이어서 여러 가지 바이오의약품이라든지 의료기기라든지, 심지어는 피부연고를 비롯해 화장품에 이르기까지 그만큼 우리가 더 많은 기회를 가질 수 있는 그런 여건들을 제공해 주시는 셈이어서 여러분은 우리나라의 위상을 높여 주는 것은 물론이고, 경제적으로도 아주 큰 기여를 하고 있다고 생각합니다. 뿐만 아니라 한국과 UAE 간의 '특별 전략적 동반자 관계'를 더욱 굳건하게 맺어 주는 아주 민간외교관 역할도 하고 있다고 생각합니다.

여러모로 감사드립니다. 그래도 아마 이렇게 고생되는 점들, 아쉬운 점들이 많이 있지 않을까 싶습니다. 오늘 그런 얘기도 허심탄회하게 들려 주시면 장관님도 함께 오셨기 때문에 잘 챙겨 주시지 않을까 그렇게 기대합니다. 오늘 편하게 이야기 나누시기를 바랍니다.

한-사우디 스마트 혁신성장 포럼 기조연설

| 2022-01-18 |

사우디아라비아와 한국의 경제인 여러분, 양국 장관님들과 귀빈 여러분,

스마트 혁신성장 포럼 개최를 진심으로 축하합니다. 오늘 사우디의 경제 중심지 리야드에서 양국 경제 협력의 장이 마련되어 매우 뜻깊습니다. 사우디아라비아는 두 개의 성스러운 성지의 수호자이신 국왕님의 영도로 중동과 이슬람 문화를 세계사의 중요한 축으로 발전시켜 왔습니다. 리야드는 인구 1,500만 명의 메가도시이자 중동의 경제, 사회, 문화 중심 도시로 커가고 있습니다. 사우디아라비아의 리야드의 발전과 함께 양국의 연대와 협력도 더욱 강화될 것입니다. 올해 양국 수교 60주년을 맞아 양국 기업인들은 지금까지의 협력 성과 위에서 새로운 도약을 이

루고자 한자리에 모였습니다. 귀중한 행사를 준비해 주신 사우디 상공회의소와 대한상공회의소에 감사드립니다. 오늘 이 자리가 양국 공동 번영의 새로운 60년을 여는 계기가 되기를 바랍니다.

양국 경제인 여러분,

양국은 지리적으로 멀지만 그 어느 나라보다 가깝게 지내며 함께 성장했습니다. 양국은 서로에게 매우 중요한 에너지 협력 파트너입니다. 사우디는 한국 최대의 원유공급국이며, 사우디 원유는 한국 경제성장의 원동력이 되었습니다. 한국은 사우디의 4번째 수출 시장으로 사우디 경제 발전에 기여해 왔습니다. 인프라 건설은 양국 상생 협력의 모범이 되었습니다. 사우디의 신뢰가 있었기에 한국 기업들이 중동국가 중 처음으로 사우디에 진출할 수 있었고, 한국 근로자들은 근면과 성실로 보답했습니다. 사우디는 한국 기업이 건설한 고속도로, 공항, 플랜트를 통해 인프라 기반을 발전시켜 나가고 있으며, 한국은 사우디 건설 프로젝트 참여로 최고의 건설과 경험을 다져가고 있습니다. 양국은 사우디 최대 조선소를 함께 건설하고 있습니다. 선박엔진, 선박기자재 합작법인을 설립하며, 제조업 분야에서도 협력을 다변화하고 있습니다. 미래 성장 분야에서도 양국의 협력은 더욱 탄탄하고, 빛나게 될 것입니다.

양국 경제인 여러분,

세계는 팬데믹 극복과 함께 그린 디지털 전환과 같은 유례없는 도전적 과제에 직면해 있습니다. 오랜 기간 신뢰를 바탕으로 힘을 모아온 양국이 연대하고 협력한다면 우리는 도전 속에서 새로운 기회를 만들어 낼 것입니다. 사우디는 '비전2030'을 추진하고 있으며, 한국도 사우디의 비전 실현에 중점 협력국으로 함께하고 있습니다. 나는 오늘 양국의 미래 협력을 위해 세 가지 분야를 강조하고자 합니다.

첫째, 탄소중립 시대의 핵심 에너지원이 될 수소 분야 협력입니다. 수소는 양국의 협력 가능성이 매우 큰 분야입니다. 태양광, 풍력과 같은 재생에너지가 풍부한 사우디는 그린 수소의 생산에 큰 강점을 가지고 있습니다. 세계 최대 규모의 그린 수소 생산시설 건설도 추진 중입니다. 한국은 수소 활용, 유통 능력에서 앞서고 있습니다. 수소차 연료전지는 세계 최고 경쟁력을 갖고 있으며, 수소의 대량 운송, 저장을 위한 세계 최대 용량의 액화수소 플랜트 건설도 추진하고 있습니다. 사우디의 그린 수소와 블루 수소 생산 능력과 한국의 수소 활용, 유통 능력을 결합한다면 양국은 함께 수소경제를 선도할 수 있을 것입니다.

둘째, 미래도시 건설 협력입니다. 사우디는 서울 면적 44배의 부지에 탄소제로 친환경 스마트도시 '네옴'을 건설하고 있습니다. 미래를 내다본 사우디의 통찰에 인공지능, 빅데이터와 같은 한국의 첨단 디지털이 만나면 상상의 도시가 현실이 될 것입니다. 이미 한국 기업이 '네옴' 프로젝트의 첫 번째 사업인 '더 라인(The Line)'에 참여하고 있으며, 스마트시티 협력 센터와 주택 협력 프로그램 등을 통해 사우디 신도시 개발에 적극 참여하고자 합니다. 양국이 '네옴' 프로젝트의 다양한 사업에서 협력하고 제2, 제3의 메가 프로젝트를 성공시켜 나가기를 기대합니다.

셋째, 신성장 동력 분야 협력입니다. 양국은 코로나 상황 속에서 인공호흡기 공동 생산, 진단키트 등 방역 용품 협력, 코로나 백신과 치료제 관련 협력 등 보건의료 협력의 가능성을 확인했습니다. 최근에는 한국 인공지능 의료 소프트웨어 '닥터앤서'가 사우디 임상실험에서 성공적 결과를 얻으며 구매의향서 체결로 이어졌습니다. 우리는 함께 코로나에 대응하고 새로운 성장 동력을 만들어 내야 합니다. 보건의료, 디지털 산업 협력으로 양국이 미래산업을 이끌어 가게 되기를 기대합니다.

존경하는 양국 경제인 여러분,

이번 사우디 방문을 계기로 수소, 보건 디지털, 제조업 분야 등에서 양국 기업 간 10건이 넘는 경제 협력 MOU가 체결됩니다. 매우 반가운 소식입니다. 나는 오늘 모하메드 빈 살만 왕세자님과 미래 에너지, 미래 도시, 미래산업에서 협력을 강화해 나가기로 합의했습니다. 양국 정부는 기업들의 협력을 아낌없이 지원할 것입니다. 특히 이번에 체결된 기본여신약정은 금융 지원을 보다 신속하고 쉽게 해 줄 것입니다.

양국이 상생 협력으로 새로운 미래를 함께 여는 영원한 '라피끄'가 되기를 기원합니다.

감사합니다.

한-이집트 미래·그린산업 비즈니스 라운드테이블 모두발언

| 2022-01-20 |

마드불리 총리님, 이집트와 한국의 경제인 여러분, 양국의 장관님들,

반갑습니다. 오늘 양국 경제인들의 만남을 위해 에이사 이집트 경제인연합(EBA) 회장님과 주시보 한-이집트 민간경제협력위원장께서 힘써 주셨습니다. 진심으로 감사드립니다. 두 나라가 쌓아온 신뢰와 우의를 더욱 굳건히 다지고 함께 미래를 준비하는 자리가 되기를 기대합니다.

경제인 여러분,

수교 이전인 1970년대부터 꾸준히 협력해 온 결과, 양국은 연간 교역액이 20억 달러를 넘어섰고, 상호 투자액은 8억 달러에 달합니다. 이집트 현지에 진출한 한국 기업도 33개로 늘었습니다. 이집트 국민들이 가장 즐겨 타는 승용차가 한국산 자동차입니다. 2020년 완공된 이집트 최대 정유공장 건설사업에도 한국 기업이 함께했습니다. 양국의 긴밀한 경제 교류를 보여주는 사례들입니다.

그러나 아직 시작에 불과합니다. 이집트 경제는 무한한 발전 잠재력을 가지고 있습니다. 인구 절반이 30세 이하인 청년국가로, 젊고 우수한 인재들이 많습니다. 세 대륙을 연결하는 지리적 이점에 풍부한 천연자원까지 갖추었습니다. 이집트는 '비전 2030'을 추진하며 그 가능성을 현실로 바꾸고 있습니다. 5년 연속 아프리카에서 가장 많은 외국인 투자를 유치했고, 코로나 상황 속에서도 플러스 성장을 이어가고 있습니다. 한국은 빠르게 성장하는 이집트와 함께 포스트 코로나의 미래를 개척해 나가기를 희망합니다. 이를 위해 세 가지 경제 협력의 방향을 강조하고자 합니다.

첫째, 교역과 투자 기반 강화를 위한 협력입니다. 이집트는 수에즈 운하를 보유한 글로벌 물류 허브이며, 아프리카, 중동, 유럽에 걸쳐 광범위한 FTA 네트워크를 갖추고 있습니다. 한국 또한 다음 달 RCEP이 발효되면 세계 GDP의 85%를 차지하는 나라들과 FTA 협력망을 구축하게 됩니다. 양국의 교역 투자 네트워크를 긴밀히 연계한다면 세계시장으로 더 힘차게 뻗어나갈 수 있습니다. 오늘 알시시 대통령님과의 정상회담을 통해 한-이집트 무역경제 파트너십 공동연구 MOU를 체결했습니다. 양국 간 호혜적 무역 협정 체결로 이어지기를 기대합니다.

둘째, 친환경 협력입니다. 올해 COP27 개최국 이집트와 지난해 P4G 정상회의 주최국 한국은 국제사회 기후 협력을 선도하고 있습니다. 저탄소 전환을 새로운 일자리 창출의 기회로 바꾸기 위해 그린 산업 육성에 힘을 쏟고 있습니다. 목표가 같은 만큼 시너지 또한 매우 크리라 생각합니다. 오늘 만남을 계기로 전기차와 재생에너지 협력이 한층 강화되기를 바랍니다. 신행정수도, 수소트램 설치, 수에즈 운하 예인선 LNG 전환, 담수화 프로젝트 같은 친환경 인프라 구축 사업에도 한국 기업들이 활발히 참여할 수 있기를 기대합니다.

셋째, 미래 산업 협력입니다. 이집트는 2030년 디지털 사회 전환을 목표로 정보통신산업 육성에 국가적 역량을 기울이고 있습니다. 2019년 아프리카 40위 수준이던 인터넷 속도가 지난해 4위로 올라설 정도로 IT 기반이 빠르게 확대되고 있습니다. 특히 스마트 시티로 건설 중인 신행정수도는 이집트의 미래 산업 역량을 보여 주는 계기가 될 것입니다. 첨단기술력을 보유한 한국은 이집트와 디지털 전환과 미래성장을 함께할 최적의 파트너입니다. 잠시 후 체결되는 전기차 협력 의향서를 시작으로 미래 산업과 과학기술 분야에서 구체적인 협력 과제를 발굴해 나가기를 기대합니다.

오늘 자리를 통해 경제인들께서 현장에서 느끼는 생생한 이야기를 가감 없이 들려 주시기를 바랍니다. 여러분의 의견을 이집트 정부와 나누며 실질적인 지원 방안을 계속 찾아 나가겠습니다. 두 나라가 더욱 굳게 손을 잡고 상생 발전의 미래로 힘차게 나아갑시다.

감사합니다.

카이로 지하철 3호선 차고지 방문 모두발언

| 2022-01-21 |

현대로템 임직원 여러분,

반갑습니다. 정말 천리타향 먼 곳에서, 그리고 또 코로나 상황 속에서 아주 수고가 많고, 여러분들이 최선을 다해 주심으로써 우리 대한민국의 자랑스러움을 아주 높여 주고 계십니다. 그래서 감사와 격려를 드리고 싶은 마음으로 방문을 했습니다. 이집트 측에서도 교통부 장관님, 터널청장님, 국부펀드 대표께서 이렇게 함께해 주셨습니다. 감사드립니다.

여기까지 오는 동안 여러분께서 아주 애써서 만든 전동차를 탑승했는데, 안팎으로 매우 스마트하고 좋았습니다. 제가 정확하게 알고 있는 것인지는 모르지만 카이로 지하철에 우리 현대로템의 차량뿐만 아니라 다른 차량들도 섞여서 운행되고 있는데, 카이로 시민들이 일부러 우리 현대로템 차량을 타기 위해서 다음 차량을 기다려 가면서 현대로템 차량에 탑승한다고 들었습니다. 대단히 아주 자랑스럽고 또 뿌듯한 일입니다.

우리 현대로템은 지금 카이로 지하철 1호선, 2호선, 3호선의 전동차를 수주하고 있는데, 그만큼 세계적으로 높은 기술력을 인정받은 그런 덕분이기도 하고, 또 한편으로는 상생의 노력을 기울이고 있기 때문입니다. 3호선의 경우에는 30%를 현지에서 생산하고 있는데, 그런 현지 생산을 통해서 현지의 여러 중소·중견기업들에게 혜택이 가고, 또 많은 일자리가 창출되게 됩니다. 국내에서도 80여 개의 중견·중소업체들이 현대로템과 함께 해외로 진출하고 있고 우리 철도, 또 지하철 이런 사업들의 세계적인 위상을 그만큼 높여 주고 있습니다. 지금 현대로템은 앞으로 또 추가적인 전동차의 수주를 위해서 협상을 하고 있는데, 3호선의 경우에도 한국 정부의 EDCF 지원을 통해서 수주에 지원해 드린 바가 있습니다. 앞으로도 추가 수주를 위해서도 정부가 적극적으로 지원해 드릴 것을 약속드립니다.

지금 이집트와 한국은 이제부터 본격적인 협력이 시작된다고 생각할 수 있습니다. 과거에는 건설이나 플랜트 쪽으로 집중적으로 협력이 이루어졌는데, 이제는 이렇게 전동차, 지하철, 메트로 대중교통, 앞으로 또 친환경 교통시스템까지 이렇게 협력이 늘어나고 있고, 그다음에 또 앞으로 미래 새로운 성장 동력 부분에 있어서도 협력이 대폭 확대될 것입니다. 그것을 그렇게 하기로 어제 알시시 대통령님과 정상회담을 통해서 합의도 했고, 또 양국의 기업인들이 비즈니스 라운드테이블을 열기도 했습니다. 그 맨 선봉에 우리 현대로템이 서 있다는 그런 자부심을 가져 주시고 최선을 다해 주시기 바랍니다. 아까 말씀드린 바와 같이 지금 코로나 상황이고, 또 며칠 후면 설인데도 아마도 많은 분들이 집에 가지 못할 것이라고 생각합니다. 그런 상황 속에서도 여러분 최선 다해 주시고, 그리고 건강 잘 챙겨 주시고, 나중에 건강하게 가족들 품으로 돌아갈 수 있도록 사장님께서도 적극적으로 챙겨 주시면, 정부가 도울 수 있는 일이 있다면 언제든지 말씀해 주시기를 바랍니다.

여러분, 고맙습니다.

세계적 불교지도자이자 평화운동가인 틱낫한 스님이 열반하셨습니다

| 2022-01-24 |

세계적 불교지도자이자 평화운동가인 틱낫한 스님이 열반하셨습니다. 깊은 애도의 마음을 전합니다. 틱낫한 스님은 '살아있는 부처'로 칭송받으며 가장 영향력 있는 영적 지도자로 세계인들의 존경을 받아왔습니다. 스님은 인류에 대한 사랑을 몸소 행동으로 보여 주신 실천하는 불교운동가였습니다. 세계 곳곳을 누비며 반전·평화·인권 운동을 전개했고, 난민들을 구제하는 활동도 활발히 하셨습니다.

세계인들에게 '마음의 평화'를 위한 명상 수행을 전하는 데도 열정적이셨고, 생전에 한국을 두 차례 방문하시기도 했습니다. 저는 그때 스님의 '걷기명상'에 많은 공감을 느꼈습니다. 수많은 저서에서 부처의 가르침을 아름다운 시와 글로 전하면서 '마음 챙김'을 늘 강조하셨는데, 스님의 행복론은 많은 이들에게 공감을 불러일으키며 삶의 지침이 되기도 했습니다. 스님의 족적과 어록, 가르침은 사람들의 실천 속에서 언제나 살아 숨쉴 것입니다.

부디 영면하시길 바랍니다.

상생형 지역일자리가 열두 곳으로 늘었습니다

| 2022-01-27 |

오늘 논산, 익산, 전주에서 세 건의 상생형 지역일자리 협약이 체결되었습니다. 2024년까지 5,151억 원의 투자로 지역 산업을 살리면서 5,761개의 일자리가 만들어질 것입니다. 방역의 어려움 속에서 듣는 반가운 소식입니다. 상생의 마음을 모아주신 시민들과 노사, 지자체 관계자들께 감사와 축하의 인사를 전합니다. 논산과 익산형 일자리의 핵심은 지역 농가와 식품기업 간 상생입니다. 이제 CJ, hy, 하림을 비롯한 식품기업들은 논산과 익산의 청정 농산물을 안정적으로 공급받아 더 맛있고 더 건강한 제품을 생산하게 됩니다. 지역 농가들도 K-푸드 열풍을 타고 세계로 판매망을 넓혀나갈 것입니다.

전주에서는 효성을 비롯한 대·중소기업이 손을 잡고 탄소섬유 산업 육성에 박차를 가합니다. 공동 R&D로 신제품을 개발하고, 항공기 부품과 같은 연관산업도 함께 키웁니다. 15년 전부터 탄소섬유 산업에 주력해온 전주시는 글로벌 첨단소재 산업 중심지로 발돋움할 것입니다.
2019년 1월, 광주에서 시작된 상생형 지역일자리가 꼭 3년 만에 열두 개로 늘었습니다. 전국 각지에서 노동자와 농민, 기업의 협력으로 새로운 성장동력이 피어나고, 제조업 유턴의 희망도 살아났습니다. 정부도 예산, 세제, 금융, 인프라까지 종합적인 지원으로 확실히 뒷받침하겠습니다. 논산, 익산, 전주시의 상생 도약을 국민과 함께 응원합니다.

2월

코로나19 중앙재난안전대책본부 회의 모두발언

'마티아스 코먼' 경제협력개발기구(OECD) 사무총장 접견 모두발언

'썬' 베트남 외교장관 접견 모두발언

문재인 대통령 연합뉴스 · 세계 7대 통신사와 인터뷰

자립준비청년 초청 오찬 간담회 모두발언

대외경제안보전략회의 모두발언

낙동강 하구 기수생태계 복원 비전 보고회 영상 축사

최고의 감동을 만들어낸 우리 선수단과 코치진, 대한체육회와 지원단에 감사합니다

2022년도 국가안전보장회의 및 대외경제안보전략회의 연석회의 모두발언

군산조선소 재가동 협약식 모두발언

육군3사관학교 57기 졸업 및 임관식 축사

코로나19 중앙재난안전대책본부 회의 모두발언

| 2022-02-07 |

빠르게 확산하는 오미크론에 총력으로 대응하기 위해 중대본 회의를 직접 주재하게 되었습니다. 우리나라도 오미크론 변이가 지배종이 되면서 연일 최대 확진자 기록을 경신하고 있습니다. 확진자 수가 얼마까지 늘어날지, 정점이 언제가 될지, 예측하기 어려운 엄중한 상황입니다. 하지만, 긴장도는 높이되 지나치게 두려워할 필요는 없습니다. 지금까지 보여준 우리 국민의 성숙한 시민의식, 우리 방역과 의료역량의 우수성이 십분 발휘된다면 오미크론 변이도 충분히 넘어설 수 있습니다.

그동안 우리는 코로나의 터널을 잘 헤쳐왔습니다. 새로운 상황과 문제에 직면할 때마다 대응 방법과 체계를 보완하고 발전시켰습니다. 그 결과 세계에서 가장 모범으로 평가받는 K-방역의 성과를 이룰 수 있었습니다. 전 세계 누적 확진자 수가 무려 4억 명, 누적 사망자 수가 600만 명에 이르는 상황에서도, 우리나라는 지금까지 인구비례 누적 확진자 수와 누적 치명률 모두 세계 최저 수준에서 관리되고 있습니다.

오미크론 대응에 있어서도 다른 나라들에 비해, 우세종이 되는 시기를 최대한 늦추었고, 그 시간만큼 오미크론에 맞춘 방역과 의료체계를 선제적으로 준비할 수 있었습니다. 사전 병상 확충과 함께 3차 백신 접종 속도를 높였으며, 선제적으로 재택 치료 중심의 의료체계로 전환하고 먹는 치료제도 조기 도입했습니다. 그 결과, 확진자 수가 급증하는 가운데서도 한때 1,000명이 넘었던 위중증 환자 수를 200명 대로 줄이고, 중증 병상 가동률을 20% 이하로 유지하며 의료 대응 여력을 높일 수 있었습니다.

이제부터가 오미크론 대응의 진짜 시험대입니다. 선제적으로 개편하며 준비해 온 오미크론 대응체계를 계획대로 전면 가동하면서 보완의 필요성을 점검해 주기 바랍니다. 전파력이 강한 반면 중증화율이 낮은 오미크론 특성에 맞게 속도와 효율을 높여 고위험군 관리에 역점을 두고 위중증과 사망 위험을 막는 데 역량을 집중해야 할 것입니다. 확진자 수가 증가하더라도 위중증과 치명률이 안정적으로 관리되고 의료 대응 여력을 유지해 나간다면 성공적으로 이 고비를 넘어설 수 있습니다.

새로운 방역·의료 체계라고 할만 한 전면적인 개편인 만큼, 정부와 지자체, 의료계가 힘을 합쳐 초기 혼선을 최소화하며 개편된 체계가 조속히 현장에 안착되도록 해야 할 것입니다. 무엇보다 새로운 검사체계와 치료체계에서 동네 병·의원의 역할을 높이는 것이 중요합니다. 적극적으로 참여하고 협조해 주신 의료계에 깊이 감사드립니다. 급증하는 환자 관리를 위해 더 많은 병·의원의 동참을 부탁드립니다. 정부는 참여 의료기관의 안정적이고 효율적인 진료를 위해 의료계와 긴밀히 소통하고 지원하겠습니다. 검사체계 개편에 따른 불편도 최소화해야 하겠습니다. 우리의 충분한 생산 역량을 바탕으로 자가검사 키트를 안정적으로 공급하면서 방역 취약 계층과 분야에 대한 지원방안도 강구해 주기 바랍니다. 먹는 치료제도 대상을 확대하여 위중증 환자를 낮추는 데 효과적으로 활용해야 할 것입니다.

한편으로는, 외국의 경우처럼 확진자 급증으로 사회 필수 기능이 마비되는 일이 없도록 철저히 대비해 주기 바랍니다. 특히 의료, 치안, 소방, 교육, 돌봄, 수송, 전력 등 분야별로 소관 부처가 필수 기능 유지 계획을 점검하고 차질없이 시행해 주기 바랍니다. 새 학년, 새 학기 시작이 얼마 남지 않은 상황에서 안전한 등교수업을 위한 준비에도 만전을 기해야 할 것입니다. 특히 학부모님들의 걱정이 클 것입니다. 신속 항원 검사의 활용 등 학교 방역에 만전을 기하여, 안심할 수 있도록 해 주시기 바랍니다.

방역과 의료 대응의 지역 사령탑으로서 지자체의 역할이 매우 중요합니다. 특히 검사, 역학조사, 재택치료자 관리 등 가중되는 업무를 일선 보건소만으로 감당하기가 어려울 수 있으므로 행정인력 등 지역의 모든 역량을 총동원하여 대응해 주시기 바랍니다. 국민들의 자발적 참여와 협력 또한 절실합니다. 방역수칙 준수와 백신 접종에 더하여 스스로 검사하는 신속 항원 검사, 스스로 기입하는 역학조사 등 개편된 방역·의료체계 전반에서 개인의 역할이 커졌습니다. 국민들께서 방역 주체로서 역할을 더욱 높여 주시길 당부드립니다.

2년 이상 지속된 코로나로 인한 상처가 깊습니다. 끝없이 헌신하고 있는 의료진과 방역진, 어려움이 누적되고 있는 소상공인들과 자영업자들, 오랫동안 일상의 불편함을 감수하고 있는 국민 모두에게 깊은 위로와 감사의 말씀을 드립니다. 조금만 더 힘을 내주시길 바랍니다. 동이 트기 전이 가장 어둡고, 봄이 오기 전이 가장 춥다고 합니다. 일상회복으로 가는 마지막 고비라고 생각합니다. 정부를 믿고 함께 힘을 모아주신다면 우리는 더 빠르게 일상회복으로 나아갈 수 있을 것입니다.

이상입니다.

'마티아스 코먼' 경제협력개발기구(OECD) 사무총장 접견 모두발언

| 2022-02-09 |

코먼 사무총장님의 방한과 청와대 방문을 환영합니다. 아시아 태평양 국가에서 최초로 OECD 사무총장으로 선출되신 것을 다시 한 번 축하드립니다. 오늘 오후부터 개최될 제2차 OECD 동남아프로그램(SEARP, Southeast Asia Regional Program) 각료회의의 성공적인 개최를 기원하며, 한국이 지난 4년간 공동의장국을 맡아 OECD와 동남아 간 협력 강화에 기여할 수 있었던 것을 기쁘게 생각합니다.

한국은 아세안을 전략적 동반자로 여기며 매우 중시하고 있습니다. 특히 우리 정부는 2017년부터 이어온 신남방 정책을 토대로 아세안과의 협력을 크게 강화하였습니다. 이번 각료회의의 키워드인 '더 스마트하고 환경친화적이며 포용적인 사람중심의 미래'는 그동안 아세안과 한국이 협력해 왔던 정신입니다. OECD와 아세안의 협력뿐만 아니라 포스트 코로나 시대의 글로벌 회복 전략에도 꼭 필요한 가치인 만큼 세계가 그 방향으로 나아가도록 OECD가 더 많은 역할을 해 주기를 기대합니다. 한국이 지난해 OECD 가입 25주년을 맞아 OECD 각료이사회의 부의장국을 수임하게 된 것을 매우 뜻깊게 생각하며, 그에 걸맞는 역할을 하도록 최선을 다할 것입니다.

감사합니다.

‘썬’ 베트남 외교장관 접견 모두발언

| 2022-02-09 |

썬 장관님의 방한과 청와대 방문을 환영합니다. 오늘 오후부터 개최될 제2차 OECD 동남아프로그램 각료회의의 성공적인 개최를 기원하며, 차기 공동의장국인 베트남에서 고위급이 직접 참석해 주신 것을 감사드립니다. 한국은 베트남을 특별한 동반자로 여기며 매우 중시하고 있습니다. 또한 우리 정부의 신남방 정책을 토대로 아세안과의 협력을 크게 강화하였습니다. 이번 각료회의의 키워드인 ‘더 스마트하고 환경친화적이며 포용적인 사람중심의 미래’는 그동안 아세안과 한국이 협력해 왔던 정신입니다. 우리 양국도 같은 정신을 공유하고 있다고 생각합니다.

지금 우리 양국 관계는 코로나 때문에 어쩔 수 없이 인적 교류가 위축된 것 외에는 최상의 관계를 유지하고 있다고 생각합니다. 지난해 코로나 상황 속에서도 교역액이 800억 불을 넘어선 것을 기쁘게 생각하며, 2023년까지 1,000억 불을 이룬다는 양국의 목표를 반드시 달성할 수 있을 것으로 기대합니다. 특히 올해는 한-베트남 수교 30주년인 만큼 양국 관계가 한단계 더 도약하는 그런 계기가 되기를 바랍니다.

감사합니다.

문재인 대통령 연합뉴스·세계 7대 통신사와 인터뷰

- 문재인 대통령은 2022년 2월, 세계 7대 통신사의 제안으로 연합뉴스 및 세계 7대 통신사 합동 서면 인터뷰를 진행했다.

□ 참여 통신사

연합뉴스(한국), AFP(프랑스), AP(미국), EFE(스페인), 교도통신(일본), 로이터(영국), 타스(러시아), 신화통신(중국)

Q. 역대 대통령 중 임기 말까지 가장 높은 지지율을 유지하고 있다. 대통령이 생각하는 이유는 무엇인가. 가장 잘했다고 생각하거나 평가할 만한 업적, 새로 취임하는 대통령이 이것만큼은 계승해서 발전시켜줬으면 좋겠다는 정책은 무엇인가. 반대로 가장 아쉬움이 남는 대목은 무엇

인지 혹은 제일 기억에 남는 에피소드는 무엇인가.

A. 지지를 보내주신 국민들께 깊은 감사를 드린다. 탄핵 정국의 혼란 속에서 인수위 없이 출범한 정부로서 북핵 위기, 일본의 수출규제, 세계 경제질서의 급변, 코로나 위기 등 숱한 위기를 헤치면서 여기까지 왔다. 위기일 때 더 단합하는 국민들 덕분에 우리나라는 위기 극복의 모범국가가 되고, 위기를 오히려 기회로 만들며 선도국가로 나아갈 수 있었다고 생각한다. 우리 정부는 위기 극복에 전력을 다했고, 국가의 미래를 위한 도전을 멈추지 않았다. 정부가 사심 없이 국정에 전념한 점을 국민들께서 긍정적으로 평가해 주셨다고 생각하며, 감사하게 여긴다.

위기 속에서 대한민국의 국력과 국제적 위상이 크게 높아졌다는 것을 업적으로 평가받고 싶다. 대한민국은 경제, 국방, 외교, 문화, 보건의료 등 종합적으로 '세계 TOP10' 국가가 되었고, 2차 세계대전 이후 개발도상국에서 선진국으로 승격한 유일한 나라가 되었다. 우리 정부는 1인당 국민소득 3만 달러 시대를 열었고, 지난해 3만 5천 달러를 넘어섰다. 신생 독립국으로서 전쟁의 폐허를 딛고 일어나 산업화, 민주화, 정보화를 성공적으로 이룬 데 이어 혁신과 문화에서도 세계에서 가장 앞서가는 나라가 되었고, 지난 70년간 세계에서 가장 성공한 나라로 국제사회의 찬사를 받게 되었다. 국민과 함께 이룬 놀라운 국가적 성취에 큰 자부심을 느낀다.

국가의 미래를 좌우할 국가적 전략과제는 어떤 정부가 들어서더라도 이어져야 한다고 생각한다. 첫째, 한국판 뉴딜을 통해 디지털과 그린 대전환과 지역 균형 발전을 이루고자 하는 국가발전 전략은 포스트 코로나 시대 선도국가로 나아가는 길이다. 둘째, 탄소중립 시대를 주도적으로 열어나가야 한다. 지속가능한 인류 공동체를 위해 책임을 다하는 일이며 국제 무역 질서의 변화에 능동적으로 대응하기 위해서도 피할 수 없는 길이다. 우리는 그 속에서 새로운 성장과 도약의 기회를 찾아야 한다. 셋째, 한반도 상황을 안정적으로 관리하면서 평화를 제도화하는 노력을 멈추지 말아야 할 것이다. 우리에겐 평화가 곧 경제이다. 우리 경제의 규모를 대륙으로 확장하는 길이며, 청년에게 고구려의 웅장한 꿈을 갖게 하는 일이다.

임기 절반을 코로나 위기 속에 보내면서 많은 국민들이 오랫동안 고통을 겪게 된 것이 무엇보다 안타까운 일이다. 정책에 있어서는 부동산 가격을 안정시키지 못한 점이 가장 아픈 일이 되었다. 개별적인 사건으로서는 북미 간의 하노이 2차 정상회담이 실패로 끝난 것이 참으로 아쉽다. 하노이 정상회담이 성공했다면, 북한의 비핵화와 함께 북미 관계와 남북 관계가 크게 달라졌을 것이다.

Q. 임기 후반기 남북미 대화가 교착 상태에 들어서면서 좀처럼 진전이 없었는데 그 원인을 무엇으로 보는가. '하노이 노딜'이 결정적 장면이었던 것으로 보이는데, 당시 핵 협상을 성사시키기 위해 대통령이 어떤 점에서 더 잘 접근했어야 한다고 보는가.

A. '하노이 노딜'은 그때까지 좋은 흐름을 타고 있던 북미대화와 남

북대화를 멈추게 하고, 장기간 교착국면을 초래하게 되어 두고두고 아쉽다. 70년이 넘는 긴 세월 동안 형성된 적대와 대립의 관계를 종식시키고, 새로운 평화 질서를 구축하는 것은 대단히 어려운 일이다. 하지만 결코 포기할 수 없는 일이다. 사상 최초 북미정상회담의 결과물 싱가포르 선언에서 합의한 한반도의 완전한 비핵화와 평화체제 구축, 북한에 대한 안전보장과 북미 관계 정상화라는 공동의 목표를 달성하기 위해 계속해서 함께 노력해야 할 것이다. 하노이 회담에서 '빅딜'이 성사되었다면 가장 좋았겠지만, 그것이 어려웠다면 단계적으로 접근해 나가는 '스몰딜'을 모색할 필요가 있었다고 생각한다. 최소한 '대화의 계속'이 담보되었어야 했는데, '노딜'로 끝난 것이 매우 아쉽다. 그 경험을 교훈 삼으면서, 지금이라도 싱가포르 선언에 입각해서 서로 수용 가능한 현실적인 방안에 대해 머리를 맞댄다면 해법을 충분히 찾을 수 있다고 믿는다.

지난해 한미정상회담에서 나와 바이든 대통령은 대북정책에서 단계적이며 실용적 접근, 대화와 외교를 통한 해결 방향에 합의했다. 내가 종전선언 논의를 제안한 것도 적대관계를 종식하고 신뢰를 더욱 튼튼히 하며 비핵화와 평화협정으로 나아가기 위한 과정으로서 내놓은 것이다. 북한과 미국이 다시 대화와 협상에 나선다면 진전된 결과를 만들어낼 수 있으리라 기대한다.

Q. 북한은 최근 무력도발을 이어가고 있다. 많은 사람들이 북한과의 관계가 5년 전으로 돌아갔다고 얘기한다. 대통령도 본인의 정책이 실패라고 보는지, 아니면 이런 분석에 대해 어떻게 반론을 제기할 것인가.

반대로 대통령이 생각하는 한반도 외교의 가장 큰 치적(legacy)은 무엇인가.

A. 최근 북한의 군사적 행동에 대한 우리 국민과 국제사회의 우려가 많다. 나 역시 현재 한반도에 조성되고 있는 상황을 엄중하게 바라보고 있다. 하지만, 5년 전 북한의 연속적인 핵실험과 ICBM(대륙간 탄도미사일) 발사로 한반도에 조성되었던 일촉즉발의 '전쟁 위기' 상황을 되돌아보기 바란다. 그 같은 위기 상황에서 극적으로 시작된 '남북' 및 '북미' 정상회담은 한반도에 드리웠던 전쟁의 먹구름을 일거에 몰아내고 지금까지 한반도의 평화와 안정을 지켜왔다. 그 자체로 큰 성과라고 생각한다. 남북 간의 세 차례 정상회담뿐 아니라, 북미 간에 사상 최초의 정상회담을 성사시킨 것 역시 큰 성과이다. 또한 대한민국 대통령으로 사상 최초로 평양 능라도 경기장에 모인 15만 명 평양 시민들 앞에서 연설한 것은 남북 관계에서 최고의 장면이었다고 평가하고 싶다.

나는 임기 5년간 전쟁 위기 상황을 극복하며 평화로 나아가는 길을 모색했고, 군사적 대결 대신 대화와 외교로 방향을 전환시킨 것을 가장 큰 보람으로 여긴다. 남북미가 함께 기울여 온 대화와 외교의 노력이 비핵화와 항구적 평화구축의 결실을 맺는다면 그야말로 남·북·미 정부 모두에게 역사적인 위업이 될 것이다. 만약 북한의 연이은 미사일 발사가 모라토리엄 선언을 파기하는 데까지 나아간다면 한반도는 순식간에 5년 전의 위기 상황으로 되돌아갈 수 있다. 끈질긴 대화와 외교를 통해 그 같은 위기를 막는 것이야말로 관련국들의 정치 지도자들이 반드시 함께

해내야 할 역할일 것이다.

Q. 임기 내에 남북 정상회담이 가능할 것으로 보는가. 대면이 어렵다면 화상으로라도 추진할 수 있을지, 혹은 남북회담이 성사되기 전까지 선결해야 할 조건은 무엇이 있다고 진단하나.

A. 대화 의지가 있다면 대면이든 화상이든 방식이 중요하지 않다. 북한이 원하는 방식으로 할 수 있다. 대화에 선결 조건을 내세우는 것도 바람직하지 않다. 그 선결 조건 역시 대화의 장에서 논의하는 것이 바람직하다고 본다. 나는 정상회담의 선결 조건이 있다고 생각하지 않는다. 다만 나에게 주어진 시간이 얼마 남지 않았기 때문에 다가온 선거 시기와 선거의 결과가 남북정상회담을 갖기에 부적절한 상황이 될 수는 있을 것이다.

Q. 핫라인의 가동 여부는 알려지지 않았는데 그동안 핫라인이 가동된 적이 있는지 혹은 친서 등의 소통이 수시로 이뤄졌나. 종전선언 진전 가능성도 궁금하다. 종전선언을 끌어내기 위한 카드가 무엇이 있다고 생각하는가. 최근 6천만 회분 이상의 대량 백신 제공을 활용해 북한과 소통의 물꼬를 트려는 시도도 있는데, 유효하다고 보는가.

A. 나와 김정은 위원장은 여러 차례 만나 장시간 대화하였고, 깊이 소통하며 신뢰 관계를 쌓아왔다. 만나지 못하는 동안에도 필요한 소통을

해왔다. 그동안 나와 김정은 위원장이 함께했던 많은 노력들이 유종의 미를 거둘 수 있기를 희망한다. 그동안 노력했던 것을 최대한 성과로 만들고, 대화의 노력이 다음 정부에서 지속되기를 기대한다.

종전선언은 적대관계의 종식과 함께 상호 신뢰를 증진시키고, 비핵화와 평화의 제도화로 나가기 위한 과정으로 유용성이 있다. 사실 '종전'은 남북 간에 여러 차례 합의했었고, 북미 간에도 싱가포르 공동선언에서 한반도의 항구적 평화체제 구축에 합의한 바 있다. 또한 지금 한미 간에는 북한에 제시할 '종전선언'의 문안까지 의견일치를 이룬 상태이다. 중국도 종전선언을 지지하고 있다. 우리 정부 임기 내에 종전선언을 이루겠다는 것은 물리적으로 지나친 욕심일 수 있지만, 적어도 종전선언을 할 수 있는 여건을 더욱 성숙시켜 다음 정부에 넘겨주고 싶다.

Q. 차기 정부는 미국이나 주변 국가인 일본, 러시아, 중국 등과 어떤 관계를 쌓아야 한다고 생각하는가. 6자회담 형식을 되살리는 것에 대한 의견은 무엇인가. 한국과 러시아의 백신접종 증명 상호 인정 합의는 어떤 조건에서 가능한가. 이미 한국에서 러시아 백신 일부가 생산되는 상황에서 2022년 한국 정부가 러시아 백신을 승인하는 것을 기대해도 되나

A. 우리 정부는 한반도의 평화 프로세스 추진을 통해 동북아 평화와 안정, 번영에 기여하는 역할에 최선을 다해왔고, 한미동맹을 근간으로 주변국들과 협력을 강화해 왔다. 이러한 노력은 다음 정부도 계속 이어나갈 것으로 기대한다. 또한 국익과 호혜적 관점에서 주변국들과 더욱

긴밀히 협력하며 전략적 협력 관계를 더욱 발전시켜 나가야 한다고 생각한다. 한미 동맹은 지난해 5월 바이든 대통령과의 정상회담을 계기로 안보동맹을 넘어 경제를 포함하는 포괄적 글로벌 동맹으로 발전하고 있다. 다음 정부는 한미가 공유하는 가치를 바탕으로 한미동맹을 더욱 발전시켜 나갈 것으로 기대하며 바이든 행정부가 우리의 변함없는 파트너가 될 것이라고 확신한다. 중국과는 우리 정부 초기에, 어려웠던 관계를 정상 궤도로 복원시키면서 양국관계를 발전시켜왔다. 특히 올해는 양국 수교 30주년을 맞는 해다. 양국관계는 소통이 매우 중요한 역할을 한다고 생각한다. 다방면의 교류와 협력을 더욱 활성화하면서, 미래지향적이면서도 성숙한 전략적 협력동반자 관계를 지속 추진해 나가야 할 것이다.

일본은 우리의 가까운 이웃으로서, 우리 정부는 과거사 문제와 실질 협력 사안을 분리하여 접근하면서 한일 관계를 안정적으로 발전시켜 나가고자 노력했다. 다음 정부도 여전한 숙제로서, 국민적 공감대를 바탕으로 현안에 대해 외교적 해결 노력을 지속하면서, 미래지향적 협력을 지속 발전시켜 나가야 할 것으로 본다.

러시아는 유라시아 평화와 번영을 위한 동반자이자 우리 신북방 정책의 핵심 협력국이다. 2020년 수교 30주년을 계기로 내실화된 전략적 협력동반자 관계를 더욱 발전시키고, '교역 300억 달러, 인적교류 100만 명 시대'를 열어가기 위한 안정적 협력과 교류를 지속 강화해 나가는 것이 필요할 것이다.

(6자 회담) 한반도 문제 해결을 위해 우리 정부는 미국과 긴밀히 공

조해 왔고, 중국, 러시아, 일본 등 주변국들과 긴밀히 소통하며 협력하고 있다. 한미 공조와 북미 대화 재개를 위한 외교적 노력에 집중하면서, 대화가 재개되고 진전을 이루게 되면 다자 차원의 협의를 진행하는 방안도 생각해 볼 수 있을 것이다.

(러시아 백신 인정) 국가 간 예방접종증명서 상호인정은 교류 필요성, 코로나 위험도 평가, 국내 방역에 미치는 영향, 백신 상호인정 용이성 등을 종합적으로 고려하여 검토하고 있다. 현재 우리나라 의약품 허가 당국에 러시아 백신 품목허가 신청이 되어 있지 않다. 허가 신청이 접수되면 식약처가 백신의 안전성과 효과성 유무를 면밀하게 검토하여 승인 여부를 결정하게 될 것이다.

Q. 한국 정부는 앞서 조 바이든 미국 대통령의 북한에 대한 '검증되고 실용적인 접근법'을 추구할 것이라는 주장을 높이 평가했다. 그러나 평론가들은 실제로는 이것이 오바마 전 대통령의 '전략적 인내'와 별반 다르지 않아 보인다고 평가한다. 현시점에서 바이든 행정부의 대북정책을 어떻게 평가하는가. 대북 포용 능력에 도움이나 방해가 됐다고 생각하는가. 조 바이든 미국 대통령과 김정은 북한 국무위원장의 회담이 이뤄질 가능성을 어떻게 점치고 있나.

A. 바이든 대통령은 북한 문제를 해결하기 위해, 외교와 대화를 통한 접근과 함께 적극적인 대화 의지를 거듭 밝히고 있다. 또한 대화를 재개하기 위한 실제적인 노력을 계속하고 있으므로 과거의 '전략적 인내'

로 되돌아간 것이 아니라고 본다. 과거 북미 간에 합의한 문서들을 계승했고, 지난해 5월 한미정상회담 공동기자회견에서 바이든 대통령이 직접 대북특별대표를 임명함으로써 북한과 대화할 준비가 되어 있다는 의지를 천명했다. 또한 한반도 비핵화 문제가 바이든 행정부의 외교정책에서 우선순위에 있고, 언제 어디서든 전제조건 없이 북한과 만날 준비가 되어 있다는 점도 꾸준히 강조하면서 실제적인 대북 접촉 노력을 기울이고 있다.

바이든 행정부의 대북정책은 우리 정부와도 긴밀히 협력한 결과로서 하노이 회담 결렬에 대한 객관적 평가를 통해 한반도 비핵화와 평화의 제도화를 이루기 위한 매우 실용적이며 현실적인 접근으로 크게 환영하며 지지한다. 하지만, 바이든 행정부 출범 이후에도 장기간 대화와 협상 국면이 열리지 못해 아쉬운 마음이다. 문제를 푸는 것은 대화일 수밖에 없으므로, 바이든 대통령과 김정은 위원장의 회담은 시간이 문제일 뿐 결국 성사될 것으로 기대한다. 북미 대화가 재개되고 북미 정상이 또다시 역사적 만남을 갖게 된다면, 이번에는 하노이에서와는 달리 한반도 비핵화와 평화체제 구축, 북미관계 정상화로 나아가는 실질적 진전이 이뤄질 것으로 기대하며 희망한다. 관련국들이 상황을 악화시키지 않으면서, 대화와 외교로 해결한다는 원칙 아래 지혜와 창의적 전략을 모색하는 노력이 필요하다고 본다.

Q. 한국 정부는 북한과의 관계 회복을 원하면서도 북한의 인권 문제에는 초점을 맞추지 않으려 하는 것으로 보인다. 이제 남북관계가 예

전처럼 경색된 것처럼 보이는 상황에서 북한 주민들의 어려운 인권 상황을 부각시키거나 돕기 위해 더 많은 일을 하지 않은 것을 후회하는 것은 아닌가.

A. 우리 정부는 인류 보편의 가치인 인권을 중시하며, 국제사회 및 민간과 협력하여 북한 주민들의 실질적인 인권 증진과 인도적 상황의 개선을 위해 지속적으로 노력하고 있다. 지난해 5월 한미정상회담에서도 북한의 인권 상황을 개선하기 위해 협력하고, 북한 주민들에 대한 인도적 지원 추진에 합의한 바 있다. 이와 같이 우리 정부는 북한 인권 문제와 관련하여 국제사회와도 긴밀히 협력해오고 있다.

남북관계와 북미 관계 개선, 한반도 평화정착을 위한 노력은 궁극적으로 북한의 인권 개선을 위해서도 매우 중요하다. 북한이 국제사회의 책임 있는 일원이 되고 국제사회와 활발히 교류하면서 보다 투명하고 개방된 사회로 나아가도록 이끌어나가는 것이 북한 인권의 실질적 증진으로 이어지는 지름길이 될 것으로 믿는다.

Q. 미중갈등 상황에서 중국과의 관계설정이 쉽지 않은 것 같다. 미국을 중심으로 하는 대중국 압박전선이 강해지고, 미국은 한미일 공조를 강조하고 있다. 미중 사이, 중일 사이 균형을 잡기 위해 차기 대통령에게 조언하고 싶은 점이 있다면 무엇인가. 국내에서는 젊은 층을 중심으로 중국에 대한 반감이 커지고 있다. 한중 수교 30주년을 맞아 미래지향적 한중관계를 위한 대책은 무엇인가. 임기가 얼마 남지 않았지만 시진

핑 국가주석과의 정상회담 가능성이 있을까.

A. (미중관계 등) 미국은 우리의 유일한 동맹국으로서 한미동맹은 우리 외교·안보 정책의 근간이자 한반도 평화·번영을 위한 초석이다. 중국은 한반도와 연결되는 가까운 이웃이자 최대 교역국이며 전략적 협력 동반자다. 우리 정부는 굳건한 한미동맹을 기반으로, 한중 관계도 조화롭게 발전시켜 나간다는 입장을 견지하면서 미중 양국과 긴밀히 협력해 왔다. 다음 정부도 이런 노력을 지속해 나갈 것으로 기대한다. 미중 관계는 양국뿐 아니라 동북아 평화와 안정에 지대한 영향을 미치는 것이 현실이다. 미중 간 소통과 협력을 촉진하기 위해 기여하는 것도 한국 정부에게 필요한 역할이라고 본다.

중일 관계 또한 역내 평화와 번영에 기여하는 방향으로 발전해 나가길 기대한다. 하지만 연례행사로 추진되던 한중일 3국 정상회의가 지난 2년간 열리지 못했다. 정치적인 이유로 3국 정상회의가 열리지 못하는 것은 결코 바람직하지 않다. 동북아 역내 협력 증진은 물론 한중일 3국 간 양자 관계도 발전하는 선순환 구조를 만들기 위해 모두 함께 노력해야 한다고 생각한다.

(한중관계) 한중관계는 1992년 수교 이후 30년 동안 괄목할 만한 발전을 이루어 왔다. 앞으로 30년을 바라보는 미래지향적인 관점에서 보다 성숙하고 견실한 관계로 만들어나가야 할 것이다. 경제협력을 계속 강화하여 양 국민에게 실질적인 혜택이 돌아가도록 함께 노력하면서 특히 양국 미래 세대인 젊은 층 상호 간의 이해를 제고하고 우호 정서를

넓혀 나갈 필요가 있다. 이를 위해 인적·문화적 교류를 더욱 활발하게 해나갈 필요가 있다. 양국은 2021~2022년을 '한중 문화교류의 해'로 선포하고, '한중관계 미래발전 위원회'를 통해 향후 30년의 양국관계 발전 청사진을 함께 구상해 나가기로 했다.

또한, 양국은 국제사회에서 높아진 위상에 걸맞게 한반도 문제만이 아니라 코로나 대응, 기후변화 등 글로벌 이슈에 대한 소통도 강화해 나가고 있다. 시진핑 주석과의 정상회담은 팬데믹 상황 때문에 제약을 받았지만, 필요할 때마다 다양한 방식으로 소통해 왔고, 앞으로도 그럴 것이다.

Q. 일본과의 관계에 있어 위안부 피해자 문제가 진척이 없다. 일제 강제노역 피해자 배상을 위해 한일 기업과 국민이 낸 성금으로 '기억·화해·미래재단'을 설립하는 '문희상 안(案)'도 흐지부지되는 모양새다. 이 같은 논의가 진전을 이루지 못한 근본 원인을 무엇이라고 보나. 이를 풀기 위한 복안이 있는지, 혹시 전격적인 한일 정상회담을 제안할 생각이 있나.

A. 한일 간에 풀어야 할 현안들을 외교적으로 해결하기 위해서 꾸준히 노력해왔으나, 아직까지 접점을 마련하지 못하고 있어서 안타깝게 여긴다. 과거사 문제의 본질은 인류보편적 가치인 인권의 문제로서, 문제 해결을 위해서는 피해자들이 받아들일 수 있는 해법이 되어야 하며 이는 국제사회에서 확립된 원칙이기도 하다. 피해자들이 납득할 수 있는

해법을 찾고 진정한 화해를 도모하기 위해서는 무엇보다도 역사 앞에 진정성 있는 자세와 마음이 가장 중요하다고 생각한다. 이런 관점에서 우리 정부는 어떠한 제안에 대해서도 열려 있으며, 대화로서 문제를 해결해 나가길 기대한다. 유감스러운 일은, 최근 일본 정부가 '사도 광산'의 유네스코 문화유산 등재를 추진하고 있다는 것이다. 과거사 문제 해결과 미래지향적 관계 발전을 모색해야 하는 시점에서 우려스러운 일이다. 과거사 문제의 진전을 위한 대화 노력과 함께 한일 간에 미래 협력과제를 강화해 나갈 필요성이 더욱 증대되고 있다. 일본 총리와의 소통에 항상 열려 있다는 입장은 여전히 변함이 없다.

Q. 5년 간의 한일관계를 어떻게 평가하는가. 이번 기회에 일본이라는 이웃에 대한 대통령의 생각을 묻고 싶다. 일본 국민에게 보낼 메시지가 있다면 무엇인가. 새 정권에게 한일관계에 있어 꼭 해주고 싶은 조언이 있다면.

A. 한·일 양국은 양국관계뿐 아니라 동북아와 세계의 평화, 번영을 위해서도 함께 협력해 나가야 할 가장 가까운 이웃 국가이다. 그동안 우리 정부는 과거사 문제 해결과 실질 분야의 미래지향적 협력을 구분하여 접근하면서 한·일 관계를 안정적으로 발전시켜 나가고자 노력해 왔다. 다음 정부도 한일 관계 발전을 위해 힘써 나갈 것으로 기대한다. 과거사나 한반도 문제뿐 아니라 기후변화 대응, 글로벌 공급망 문제 등 새로운 도전과제에 맞서 한일 양국 간 대화와 소통을 강화할 필요가 있다.

한국과 일본은 오랜 세월 역사와 문화를 공유해 왔다. 지금도 양국 국민들은 음식과 음악, 드라마 등 문화 콘텐츠를 공유하며 함께 즐기고 있다. 특히 젊은이들의 삶에 양국의 문화가 깊숙이 파고들며 서로에 대한 호감을 높이는 데 큰 기여를 하고 있다고 생각한다. 이 같은 활발하고 친숙한 문화적 교류는 한일관계를 미래지향적으로 발전시키는 기반이 될 것으로 기대한다. 다만 모든 역사에는 명암이 있기 마련이다. 어두운 부분이 상처로 남기도 한다. 그 점을 직시하면서 함께 상처를 치유해나간다면, 비온 뒤에 땅이 굳어지듯이 양국 관계가 더 튼튼히 발전해갈 수 있을 것이다. 코로나로 어려운 시기, 양국 국민이 함께 어려움을 극복하고 교류를 정상화하여 인적교류 1천만 시대를 다시 맞이했으면 하는 바람이다.

Q. 재임 기간 대통령은 라틴 아메리카 국가 중에는 단 한 곳, 아르헨티나를 방문했다. 한국은 점점 글로벌 무대에서 중요한 역할을 맡는 상황이며 라틴 아메리카 지역은 인구 6억 명 이상이 거주하는 전략지역으로 볼 수 있다. 한국과 라틴 아메리카 사이의 관계를 공고히 하기 위해 어떤 지역을 선호하는가.

A. 코로나 상황이 장기화하면서 중남미 지역을 더 많이 방문하지 못한 것을 매우 아쉽게 생각한다. 한국과 중남미는 민주주의, 시장경제 등 보편적 가치를 공유하는 가운데, 교역·투자, 건설·인프라, 인적·문화 교류 등 다방면에서 실질 협력 관계를 발전시켜왔다. 특히 우리 정부는

포스트 코로나 시대 미래지향적 파트너로서 중남미 국가들을 중시하면서 외교 다변화 노력을 기울여 왔다.

우리 정부는 코로나 상황에서도 중남미 주요 국가들과의 교류와 협력을 적극 추진해왔고, 특히 한-중미 FTA(자유무역협정) 발효, CABEI(중미경제통합은행) 가입, 태평양동맹 준회원국 가입 추진 등 중남미와의 경제·통상 협력 확대를 위한 노력을 지속해 왔다. 지난해 6월에는 11년 만에 한-SICA(한-중미 통합체제) 정상회의를 화상으로 개최하기도 했다.

우리 정부는 디지털 전환, 친환경·녹색성장, 보건 안보 등 중남미의 협력 수요에 적극 협력하고 있다. 중미 북부 3개국 과테말라, 온두라스, 엘살바도르 대상 ODA(공적개발원조)를 2021~2024년간 2억2천만 달러로 확대하는 등 개발 협력도 가속화 하였고, 지난해에는 미국, 스페인 등 주요 우방국과 정상회담 시 중남미 지역에서의 전략적 협력을 확대하기로 하였다. 올해는 한국과 중남미 15개국 수교 60주년을 맞이하는 해로서, 중남미 국가들과의 협력을 한층 더 심화하여 상생협력의 동반자로서 앞으로의 60년을 더욱 발전된 관계로 함께 만들어나가길 기대한다.

Q. 국내 경제에서 가장 아픈 대목으로는 부동산 문제가 꼽힌다. 지금 돌아보는 집값 폭등의 원인과 해결책은 무엇이라 보는가. 상대적으로 소득 불평등 지수가 나쁜 것으로 나타나고 있는데 이와 관련해 어떤 점을 개선해야 한다고 보는가. 나아가 국내외적으로 코로나로 인해 경제질

서가 큰 변화를 맞고 있는데, 이후 한국 경제 정책의 초점이 어디에 맞춰져야 한다고 보는가.

A. 부동산 문제가 임기 내내 가장 무거운 짐이었다. 저금리 기조가 장기간 유지되는 속에 유동성이 크게 확대되며 돈이 부동산으로 급격히 몰렸다. 이는 전 세계적으로 공통된 현상이기도 했다. 역대 어느 정부보다 많은 주택을 공급했지만, 수도권 집중화가 계속되고 1인 가구가 빠르게 증가하며 주택 공급이 수요를 따라가지 못했다고 판단한다. 주택 공급의 대규모 확대를 더 일찍 서둘렀어야 했다는 아쉬움이 크다.

하지만 정부는 상황 반전에 총력을 기울이고 있다. 우리 정부는 부동산 문제를 최고의 민생문제로 인식하고 투기 억제, 실수요자 보호, 공급 확대 정책을 일관되게 추진해왔다. 그 노력으로 부동산 가격은 최근 확실한 하락세로 접어들었으며 주택 공급은 속도감 있게 진행되고, 사전청약도 계속 늘려나가고 있다. 주거 안정을 위해 끝까지 노력하여 부동산 문제가 다음 정부의 부담이 되지 않도록 하겠다.

부동산 가격 상승 등으로 자산 격차가 심화된 것이 큰 과제로 남았지만, 소득 면에서는 소득불평등 지수가 정부의 정책적 효과로 지속적으로 개선되었다는 것이 지표로 확인되었다. 시장소득 격차가 커졌음에도 정부가 꾸준히 추진한 포용정책과 코로나 위기 시 펼친 적극적 확장 재정정책의 성과라고 본다. 정부 출범 이후 5년 내내 지니계수, 5분위 배율, 상대적 빈곤율 등 3대 분배지표가 모두 개선되었으며, 특히 코로나 타격이 가장 심했던 2020년에도 모든 계층의 소득이 증가한 가운데 특히 저소득층의 소득이 크게 늘어나 분배지표가 뚜렷하게 개선되었다. 위기 시에 소득불평등이 확대된다는 공식을 깬 것으로 매우 의미 있는 성과로 자부한다. 포용정책은 완성이라는 것이 없다고 생각한다. 모두 함께 잘 사는 나라를 위해 소득불평등을 개선하는 노력은 앞으로 더욱 강화되며 지속되어야 한다고 본다.

4차 산업혁명이 가속화되는 속에서 코로나 사태는 디지털 전환을 촉진하고 있고, 탄소중립 시대는 국제 무역질서를 새롭게 재편하고 있다. 그야말로 대격변, 대전환의 시대다. 이제 한국 경제는 디지털·저탄소 경제구조로의 전환에도 총력을 기울여야 할 것이다. 이미 우리는 한국판 뉴딜을 국가 프로젝트로 추진하면서 디지털, 그린, 휴먼 사회로 빠르게 전환하고 있고, 탄소중립 시대를 주도적으로 개척하기 위해 정부와 기업, 국민이 힘을 모으고 있다. 우리 경제의 미래가 달린 일로서, 미래 신성장 동력과 새로운 일자리 창출의 길이 여기에 있다고 생각한다.

Q. 코로나 대유행에 따른 반 세계화 여론의 확장 및 국제사회의 분열과 갈등, 점점 커지는 신냉전의 위험에 따라 세계는 좀 더 합리적인 글로벌 거버넌스 모델을 필요로 한다. 대통령이 생각하는 합리적인 국제정치 및 경제 질서는 무엇인가. 보호무역주의와 일방주의가 글로벌 공급 및 산업망의 안정성을 심각하게 위협하는 상황에서 한중 양국이 어떻게 글로벌 공급 및 산업망의 협력을 강화해야 한다고 보는가.

A. 감염병 유행, 기후변화 등 우리가 새롭게 당면한 글로벌 현안들

은 개별국가들의 노력으로는 해결하기 어려워 국제사회의 긴밀한 공조가 더욱 중요해지고 있다. '연대와 협력'을 통한 '상호 신뢰와 포용'을 기반으로 당면한 코로나 위기를 극복하고 국제사회가 함께 더 나은 미래를 향해 나아갈 수 있을 것이다. 우리 정부는 코로나 위기 극복을 위해 한국의 방역 대응 경험과 정보를 전 세계와 공유하고, 백신의 공평한 보급을 위한 국제적 노력에 적극 동참해 왔으며, 기후위기 대응을 위해서도 2050 탄소중립을 선언하고 NDC(국가온실가스 감축목표)를 대폭 상향하는 등 국제사회의 지지를 얻은 바 있다. 국제사회의 책임 있는 일원으로 국가 간 상생과 포용을 위해 더욱 노력하고 선진국과 개도국을 연결하는 가교국가로서 선도적인 역할을 다할 것이다.

코로나와 기후 위기 등 글로벌 현안은 세계 경제질서와 산업 지도에도 영향을 미쳐 각국은 글로벌 공급망 재편과 첨단기술 선점을 위한 도전에 직면하고 있다. 전 세계가 그동안 자유로운 교역과 투자를 통해 상생과 공동번영의 길을 걸어온 것과 같이, 다자주의와 호혜적 협력에 기반한 자유무역 질서의 복원이 코로나 위기를 극복하고 글로벌 공급망을 안정시키는 길이 될 것이다. 자유무역을 통해 성장한 한국은 FTA 네트워크가 잘 형성된 국가로서 개방적이고 공정한 무역 질서를 확립하는 데 적극 협력할 것이다.

중국은 한국의 제1교역국으로 양국 간 긴밀한 경제협력이 이뤄지며 산업구조적으로 복잡하게 연결되어 있어 양국의 상호보완적 협력이 매우 중요하다. 코로나 위기로 인한 공급 불안 속에서도 양국은 기업인 출입국 지원, 중국내 주요 공장 방역 지원 등을 통해 경제협력과 활동이 원활하게 유지되도록 한 바 있다. 앞으로도 양국은 기업의 경제활동이 불편하지 않도록 각별하게 지원해 나가면서 탄소중립 등 미래 경제질서의 변화에도 적극 협력해나갈 것이다.

Q. 취임사에서 대통령을 지지하지 않는 분도 우리 국민이라면서 국민통합 정신을 강조했다. 그러나 정치권에서는 문재인 정권에서 진영 간 대결 양상이 더 심화했다는 지적도 나온다. 여야정 협의체도 예상만큼 가동되지 못했다. 취임사에서 밝힌 국민통합이 얼마나 이행됐다고 생각하는가.

A. 우리나라가 통합의 정치로 나아가지 못하고 있다는 지적에 공감한다. 과거 노무현 전 대통령의 재임 중 탄핵 후폭풍과 퇴임 후의 비극적인 일을 겪고서도 우리 정치문화는 근본적으로 달라지지 않았다. 한편으로 극단주의와 포퓰리즘, 가짜뉴스 등이 진영 간의 적대를 증폭시키고, 심지어 지지자들 사이에서도 적대와 증오를 키우고 있다. 지금 선거 국면에서도 극단적으로 증오하고 대립하며 분열하는 양상이 크게 우려된다. 아무리 선거 시기라 하더라도, 정치권에서 갈등과 분열을 부추겨서는 통합의 정치로 갈 수가 없다. 누구에게도 이롭지 않고 사회 전체적으로도 바람직하지 않다. 대통령을 포함하여 정치권이 앞장서 갈등을 치유하며 국민을 통합시켜 나가야 할 의무가 있다고 생각한다.

정치문화부터 보다 통합적으로 바뀌어야 한다고 생각하고 협치를 제도화하여 국민들에게 희망을 드리고자 했다. 협치를 위해 약식 취임식

전에 야당부터 방문했고, 여야 지도부와 여러 차례 만나면서 초당적으로 힘을 모으기 위한 협치의 틀로서 여야정 국정상설협의체 설치를 끌어냈다. 여야와 정부가 국정을 상시적으로 논의하는 기구를 만든 것은 헌정사상 최초의 일이다. 그러나 안타깝게도 그것으로 끝이었다. 손바닥도 마주쳐야 소리가 나는 법인데, 정치적 이해득실 때문에 한 발짝도 나아가지 못했다.

야권의 유력 인사들에게 당적을 유지한 채 내각 참여를 제안하기도 했다. 개인적으로는 취지에 공감을 표하면서도 끝내 모두 고사했다. 진영으로 나뉘는 정치문화에서 자유로울 수 없었기 때문이다. 그런 가운데서도 코로나 위기 극복에 정치권이 예산과 입법으로 힘을 모아준 것은 매우 다행스럽고 고마운 일이라고 생각한다. 하지만 대화하고 타협하며 통합하는 성숙한 정치로 한 단계 더 나아가지 못해 아쉬움이 많다. 그럼에도 항상 감사하게 생각하는 것은 우리 국민들의 통합된 역량이다. 이번 코로나 위기 시에도 여실히 보여주었다. 우리 국민들은 성숙한 시민의식으로 통합된 역량을 발휘하며 위기 극복의 주체가 되었다. 이는 우리 사회가 계속 발전해 나가는 데 큰 힘이 될 것이다.

Q. 대통령은 한 때 '페미니스트' 대통령이 되겠다고 약속하고 성평등과 여성 인권 신장을 약속했다. 그러나 비평가들은 대통령 재임 동안의 진전이 실망스러웠다고 지적한다. 도지사와 시장 2명 등 여권 핵심인사들이 성범죄 혐의로 기소되거나 고발된 상태다. 그리고 이제는 집권 진보진영 여당과 보수진영 야당이 대선을 앞두고 남성 표를 얻기 위해

노력하면서 '안티 페미니스트'의 목소리에 영합하는 듯한 모습이다. 왜 이런 상황이 됐고, 해결책은 무엇이라고 보는가.

A. 우리 정부는 성평등 정책을 추진하는데 역대 어느 정부보다 많은 노력을 기울여 왔고, 그만큼 성과도 많았다고 생각한다. 공공부문과 민간부문에서 여성 대표성을 확대하기 위한 제도적 기반을 마련했고, 디지털 성범죄와 스토킹 범죄 등 젠더 폭력 방지와 피해자 지원을 위한 기본법과 제도를 정비했다. 또한 경력단절 문제나 성별 임금격차 해결을 위한 정책도 성과를 거두고 있다. 우리나라에서 미투운동이 활발했던 것도 성평등 의식이 그만큼 높아진 것을 반영하는 것이라고 본다. 하지만 우리나라의 성평등 관련 국제지수는 여전히 하위권에 머물러 있다. 사회 각 분야에서 실질적 성평등을 이뤄내는 노력이 지속될 필요가 있다. 분명한 것은, 다름을 존중하고 포용하는 사회야말로 가장 강하고 성숙한 사회라는 점이다. 우리 사회도 그 방향으로 계속 나아가야 할 것이다.

한국 사회에서 젠더 갈등이 청년층 사이에서 더욱 두드러지게 나타나고 있는 것은 심각한 일이다. 청년들이 어렵고 특히 기회가 제약되니 여성과 남성 모두 '내가 성차별의 피해자'라고 인식하고 있는 것 같다. 그러나 청년 세대의 어려움은 더 많은 기회와 공정의 믿음을 주지 못한 기성세대의 책임이지 '남성 탓' 또는 '여성 탓'이 아니다. 서로 생각이 다르더라도 건강한 토론으로 함께 해결방안을 찾아 나갔으면 하는 바람이다.

정부와 정치권의 책임과 역할이 매우 중요하다고 생각한다. 때로는 정치적 목적으로 갈등을 이용하며 키우고 있는 것은 아닌지 냉정히 돌아봐야 할 것이다. 정부는 진정한 성평등을 통해 갈등을 치유하고 통합하는 노력을 기울이면서, 극심한 경쟁 환경에 처한 청년들에게 일자리, 주거, 교육, 자산 형성 등 더 많은 기회가 보장될 수 있도록 최선을 다하겠다.

Q. 대통령이 전직 인권변호사임에도 정부와 여당이 차별금지 입법을 의미 있게 추진하지 못했다는 지적이 있다. 이에 대한 의견은.

A. 차별과 혐오를 배제하고 올바른 인권 규범을 정립하는 차별금지법 제정은 대한민국이 인권선진국으로 나아가기 위해 반드시 해결해야 할 과제이다. 시대의 변화에 따른 새로운 인권 규범을 만들어나가는 일에 우리 사회 전체가 역량을 모아나갔으면 한다. 정부는 의지를 가지고 남은 임기 동안 적극적으로 추진해 나갈 것이다. 국회에 법안들이 발의되어 있으므로 진지한 논의를 통해 사회적 합의와 입법이 이뤄지길 기대하고 있다.

Q. 퇴임 후 계획은. 잊혀진 사람으로 지내고 싶다고 하셨지만, 퇴임 후에도 여권에서의 영향력은 여전할 것으로 보인다. 지미 카터 전 미국 대통령처럼 한반도 평화프로세스를 위해 방북 특사 등의 요청이 있다면 수용할 수 있나.

A. 솔직히 퇴임 후를 생각할 겨를이 없었다. 퇴임 후 거주할 양산 사저 공사가 거의 다 되어가는데도, 뉴스에 보도된 사진으로만 봤지 한 번도 건축 현장에 가보지 못했다. 지금도 오미크론 대응에 집중해야 하는 상황이다. 현재로서는 마지막까지 위기관리에 전력을 다하겠다는 생각뿐이다. 퇴임 후 정치에 관여하지 않겠다는 생각에 변함이 없다. 전직 대통령으로서의 사회적인 활동도 구상하지 않고 있다. 질문과 같은 특별한 상황이 생긴다면 그때 가서 판단할 문제이다.

자립준비청년 초청 오찬 간담회 모두발언

| 2022-02-10 |

바람개비서포터즈 활동을 하는 자립준비청년 여러분, 반갑습니다. 자립준비청년들을 지원하는 분들도 함께 오셨는데, 고맙습니다. 보호아동과 자립준비청년들은 우리 사회의 가장 아픈 부분 중 하나입니다. 오늘 여러분의 꿋꿋하고 밝은 모습을 보니 매우 기쁩니다.

우리 정부는 보호부터 자립까지 국가의 책임을 크게 강화했습니다. 우선 호칭부터 '보호종료아동'에서 '자립준비청년'으로 바꿨습니다. 당사자들의 의견을 반영한 것인데, 더 당당한 호칭이 되었다고 생각합니다. 또한 자립할 준비가 되지 않은 채 사회로 나오게 되는 것을 막기 위해 보호기간을 만 18세에서 본인 의사에 따라 만 24세까지 연장할 수 있게 했습니다. 보호 종료 시 지급하는 자립정착금을 올해 1,000만원 수준까지 확대했고, 또 월 30만원의 자립수당을 신설한 데 이어 지급기간을 보호 종료 후 5년까지로 늘렸습니다.

자립준비청년의 기초생활보장, 부양의무자 기준을 2019년부터 제외한 데 이어서 디딤씨앗통장을 비롯한 자산 형성 지원도 확대하여 평균 수령액을 1,000만원으로 두 배 이상 늘렸습니다. 경제적 지원과 함께 금융교육과 재무상담도 병행해 소득과 지출, 저축 등을 보다 체계적으로 관리할 수 있도록 돕고 있습니다.

경제적인 지원만으로는 부족합니다. 청년들이 자신의 꿈이 무엇인지, 그 꿈을 이루기 위해 무엇을 해야 하는지 알 수 있어야 진정한 자립이 가능합니다. 정부는 연장된 보호기간 동안 자신의 적성과 진로를 찾을 수 있도록 도울 것입니다. 맞춤형 진로상담과 체험 프로그램을 늘리고, 직업계 고등학교 진학 기회와 전문기술훈련을 확대하고 있습니다. 국민취업지원제도와 청년도전 지원사업에도 자립준비청년들에 대한 특화된 취업지원체계를 마련했습니다. 자립준비청년들의 사회 진출 기회가 더욱 넓어질 것입니다. 대학에 진학한 청년들은 학비와 생계비라는 이중고를 겪습니다. 국가장학금과 근로장학금, 기숙사 지원을 강화해 학업에 보다 집중할 수 있도록 적극 뒷받침하겠습니다.

자립을 시작할 때 가장 먼저 마주하는 어려움은 주거 문제입니다. 자립준비청년들이 안정된 환경에서 살 수 있도록 역세권과 대학가 등지의 신축 임대주택 공급을 확대했습니다. 여럿이 함께 생활할 수 있는 공동주거 지원을 비롯해 각자의 여건과 특성에 맞는 다양한 형태의 주거환경을 제공함으로써 안정된 자립의 토대가 되도록 살피겠습니다. 현재 8개 지자체에만 있는 자립지원전담기관을 올해 6월까지 전국 17개 시·도로 확대합니다. 자립지원전담인력도 120명으로 대폭 확충해 전국 어디서든 맞춤형 지원을 받을 수 있도록 하겠습니다.

정부와 지자체가 전적으로 모든 것을 지원하면 좋겠지만 여전히 부족한 부분이 많을 것입니다. 자립에 나선 청년들은 사회 경험이 없어 모든 일이 막막합니다. 함께 고민을 나누고 대화할 사람이 없는 것이 가장 힘든 점입니다. 정서적으로 교류하고 일상을 함께 의논할 수 있는 사람의 존재 자체만으로도 큰 힘이 됩니다. 정부가 할 수 없는 부분입니다. 그래서 자립준비청년들의 선배이면서 멘토가 될 수 있는 바람개비서포터즈의 역할이 매우 중요합니다. 그 점에서 여러분에게 특별한 감사를 표하고 싶습니다. 정부는 바람개비서포터즈를 전국 17개 시·도로 확대할 계획입니다. 힘든 상황을 혼자 견뎌야 한다고 생각하는 자립준비청년들에게 바람개비서포터즈 여러분은 큰 힘이 될 것이며, 여러분 자신에게도 큰 보람이 될 것입니다.

자립준비청년 지원 대책의 궁극적 목표는 청년들을 우리 사회의 당당한 주역으로 성장시키는 것입니다. 든든한 사회적 관계망 속에서 함께 잘사는 세상에 대한 꿈과 희망을 키워 가기를 바랍니다. 사실 우리 사회에서 보호아동과 자립준비청년 문제에 대한 관심이 그리 높지 않습니다. 자립준비청년들을 진정으로 자립하게 하는 것은 우리 사회의 따뜻한 관심일 것입니다. 코로나 때문에 더 많은 분들을 초대하지 못했지만 오늘 조촐한 이 자리가 꿈을 향해 달려가는 청년들을 응원하고, 사회적 지지와 관심을 환기시키는 계기가 되기를 기대합니다.

감사합니다.

대외경제안보전략회의 모두발언

| 2022-02-14 |

최근 급변하고 있는 국제 경제질서의 핵심 화두는 '경제안보'입니다. 자국중심주의가 강화되면서 무역 갈등과 기술 패권 경쟁이 확대되고, 세계 주요국들이 자국 중심으로 공급망을 재편하려는 경쟁이 본격화되고 있습니다. 안보를 이유로 각국 정부의 수출규제가 증가하고, 기술과 자원이 무기화되는 등 상호호혜적인 국제분업체계와 평화로운 자유무역질서의 근간이 흔들리고 있습니다. 자유무역에 기반한 수출 주도 개방형 경제를 추구하는 우리에게 중대한 위협이 아닐 수 없습니다.

이제 경제와 안보를 분리해서 생각할 수 없게 되었고, 경제 안보가 곧 국가안보이며 국가경쟁력인 시대가 되었습니다. 정부는 공정하고 자유로운 국제무역 질서 복원을 위해 국제 연대와 협력을 강화하는 외교적 노력과 함께, 국제 정치·경제의 현실을 냉정하게 인식하고 우리의 경제주권과 국익을 지켜나가야 하겠습니다. 우리 정부는 경제와 안보가 밀접하게 결합되는 국제 질서의 변화에 능동적으로 대처해왔습니다. 지난해부터 NSC 상임위원회에 경제 분야 위원을 포함시켰고, 대외경제안보전략회의를 신설하여 경제 부처와 안보 부처가 원팀이 되어 머리를 맞대고 현안에 대처했습니다. 오늘은 국제경제의 당면과제가 되고 있는 글로벌 공급망과 우크라이나 사태 대응 전략을 논의하기 위해 대외경제안보전략회의를 개최합니다. 긴급하게 상황이 전개될 수도 있는 매우 중요한 사안이어서 대통령이 직접 주재하게 되었습니다.

제조업 비중과 무역의존도가 매우 높은 우리 경제 구조에서 글로벌 공급망 관리는 핵심 과제입니다. 특히 최근 공급망 위험이 확대되며 경제 안보적 관점에서 범정부적 신속한 대응이 긴요해졌습니다. 지금까지 우리 경제는 자유무역과 적시 공급체계에 대한 신뢰를 바탕으로 효율성에 중점을 두며 성장해왔지만, 날로 심화되는 공급망 위험에 선제적으로 대비하기 위해서는 안정성 중심의 공급체계 전환이 시급해졌습니다. 세계가 함께 겪을 수밖에 없는 글로벌 공급망의 위기를 우리 경제의 체질과 산업경쟁력을 강화하는 기회로 삼아야 하겠습니다. 우수한 제조업 생산기반, 탁월한 혁신역량, 위기에 대응하는 유연성을 살려나간다면, 공급망과 관련한 우리의 강점을 더 크게 활용할 수 있을 것입니다.

우리는 범정부적 대응과 민·관 협력으로 공급망 위기에 당당히 맞서며 기회를 만들어 왔습니다. 일본의 수출규제에 맞서 소재·부품·장비 자립화의 길을 개척하여 핵심 부품에 대한 대일 의존도를 크게 낮추었고, 자동차부품 수급의 차질에도 신속히 대응하여 세계 자동차 생산 7위 국가에서 5위 국가로 부상했습니다. 지난해 요소수 사태도 신속하게 극복했습니다. 한편으로는 경제 안보를 지키기 위한 법적 토대도 갖추어왔습니다. 2019년 소재부품장비특별법을 제정하고, 올해 초 첨단산업육성특별법을 제정하여 공급망 위험에 선제적으로 대응하기 위한 법적 기반을 구축했습니다. 그 성과를 더욱 발전시켜 보다 고도화되고 종합적인 대응체계를 구축해야 할 시점입니다. 산업 분야별로 대응하던 공급망 관리를 넘어서서, 공급망 전체에 대한 범정부 관리체계를 확립하는 것이 핵심입니다. 그 제도적 기반으로 '경제 안보를 위한 공급망 관리 기본법' 제정이 매우 시급해졌습니다. 첨단산업에서 범용제품에 이르기까지 포괄적으로 관리해 나가는 법적 완결성을 갖추는 것입니다. 컨트롤타워로서 대통령 직속 '경제 안보 공급망 관리위원회'를 신설하고, 재정적 뒷받침을 위한 공급망 안정화 기금을 도입하게 될 것입니다. 경제 안보 품목 지정과 조기경보시스템 운영 등에 대한 제도적 근거도 마련해야 합니다.

공급망 안정을 위해 정책금융 지원을 강화하고, 비축 물량과 품목 수를 확대하는 노력도 필요합니다. 양자 및 다자 간에 공급망에 대한 대외협력도 강화해 나가야 하겠습니다. 우크라이나 사태가 해결의 돌파구를 찾지 못한 채 정세 불안이 고조되고 있어 시급한 대비가 필요합니다. 정부는 급격한 상황 악화에 대비한 예방적 조치로써 여행금지 조치를 발령했습니다. 만약의 경우 우리 국민들의 안전한 대피와 철수에 만전을 기하고 우리 기업들의 피해를 최소화하는 방안을 미리 강구해야 할 것입니다.

국내 실물경제와 금융시장에 미치는 불확실성을 줄이는 노력도 강화해 주기 바랍니다. 당장 할 수 있는 조치는 즉각 시행하고, 최악의 상황에도 면밀히 대비를 해가야 합니다. 수출 기업과 현지 진출 기업에 대한 전방위적 지원과 함께 에너지, 원자재, 곡물 등의 수급 불안에 선제적으로 대처해야 할 것입니다. 수급 안정화 방안과 시장안정조치 등 비상계획을 철저히 점검하고, 발생 가능한 위험에 대한 대응계획을 각 분야별로 철저히 세워주기 바랍니다. 경제와 안보에는 임기가 없습니다. 경제팀과 안보팀이 힘을 모아 급변하는 대외경제안보 환경에 빈틈없이 대응하고, 우리 경제의 흔들림 없는 도약을 위해 끝까지 최선을 다해 주기 바랍니다. 이상입니다.

낙동강 하구 기수생태계 복원 비전 보고회 영상 축사

| 2022-02-18 |

존경하는 국민 여러분, 부산시민과 경남도민 여러분,

오늘, 35년 만에 낙동강 수문이 열리고, 물길이 트였습니다. 낙동강 물과 을숙도를 지나온 바닷물이 만나 다시 생명을 나누게 되었습니다. 부산시민과 경남도민들께서 건강한 생태환경과 행복한 삶이 공존하는 낙동강을 위해 많이 애써주신 덕분입니다.

지역 농·어민들께서도 넉넉한 마음으로 함께해 주셨습니다. 상생과 공존의 길을 선택해 주신 덕분에 우리는 낙동강 하구 생태계 복원의 가능성을 확인하고 오늘의 비전을 마련할 수 있었습니다. 깊은 존경과 감사의 인사를 드립니다. 저 자신도 2012년의 국회의원 선거와 대선 때부터 공약하고 노력해왔던 일이어서 감회가 깊습니다.

낙동강은 우리나라에서 가장 긴 생명의 강입니다. 낙동강 500km 물길에는 수많은 생명체와 함께 우리의 삶과 문화, 역사와 경제가 도도하게 흐르고 있습니다. 강물과 바닷물이 만나는 하구는 지구상의 생태계 중 생물다양성과 생산성의 가치가 가장 높은 곳입니다. 특히 낙동강 하구는 동양 최대의 갈대숲 경관과 철새도래지로 명성이 높았습니다. 낙동강의 명물 재첩은 지역 어민들과 재첩국 아주머니들에게 중요한 소득원이었습니다.

그러나 우리는 개발의 흐름 속에서 자연을 돌보지 못했습니다. 낙동강 하굿둑 건설로 생활, 공업, 농업용수를 확보하고 부산-경남 간 교통환경도 개선되었지만, 잃은 것도 많았습니다. 하구의 아름답던 갈대숲과 철새가 급격하게 줄어들었고, 기수대와 함께 재첩이 사라지고 어종과 수생식물의 다양성도 훼손되었습니다.

다행스럽게 지역에서 먼저 생태적 가치의 중요성을 깨달았습니다. 지역민들이 연어, 동남참게, 재첩을 방류하는 한편, 기수대 식물 군락지 복원에 나섰습니다. 정부도 낙동강 하구의 생태 복원을 위해 연구 용역 등의 준비과정을 거친 후 2019년부터 하굿둑 시범 개방을 시작했습니다. 결과는 놀라웠습니다. 용수 확보와 염분 피해 방지 같은 하굿둑의 기능을 안정적으로 유지하면서, 뱀장어, 농어, 숭어, 웅어 같은 회귀물고기가 낙동강으로 돌아왔고 기수생태계의 복원 가능성도 확인할 수 있었습니다. 우리가 지금처럼 협업하고 소통하며 생태계 복원을 위해 함께 노력한다면, 낙동강 하구는 서서히 예전의 건강하고 아름다운 모습을 다시 보여주는 모범적인 복원 사례가 될 것입니다.

국민 여러분, 부산시민과 경남도민 여러분,

정부는 지자체와 함께 낙동강 하구의 안정적인 복원과 지속가능한 관리를 위해 더욱 속도를 내며 노력하겠습니다. 기수대 조성에 따른 수질과 생태계 변화를 면밀하게 관찰하고 결과를 투명하게 공개하겠습니다. 식수와 농·공업용수 이용에 어려움을 겪지 않도록 꼼꼼하게 살피겠습니다. 연안과 해양의 지형과 생태 변화에도 주의를 기울이겠습니다. 무엇보다 낙동강 하구 복원이 지역주민들의 삶과 경제에 도움이 되도록 할 것입니다. 재첩과 갈대숲이 되살아나고, 나루터가 복원되어 생태 관광자원으로 활용될 수 있다면 지역 경제에도 큰 도움이 될 것입니다. 하구의 자연성 회복은 세계적인 관심사입니다. 기후 위기 시대의 하구는 자연의 방파제이자 뛰어난 탄소흡수원으로 더욱 높은 가치를 인정받고 있습니다.

미국, 영국, 네덜란드 등 세계 여러 국가들도 하굿둑 개방을 통해 생태계 복원에 힘쓰고 있는 우리를 주목하고 있습니다. 하굿둑 개방으로 낙동강 하구의 자연생태계 복원에 성공한다면, 다른 하굿둑들과 4대강 보의 개방 문제 해결에도 좋은 선례가 되고 희망이 될 것입니다. 낙동강과 함께 열어가는 공존과 상생의 길이 더욱 건강하고 지속가능한 대한민국을 만들어내리라 확신합니다.

감사합니다.

최고의 감동을 만들어낸 우리 선수단과 코치진, 대한체육회와 지원단에 감사합니다

| 2022-02-20 |

베이징동계올림픽이 막을 내립니다. 뜨거운 열정으로 빙판과 설원을 달군 65명의 대한민국 대표 선수들과 코치진, 정말 수고 많았습니다. 무엇보다 모두 건강하고 안전하게 경기를 마쳐 기쁩니다. 아낌없는 성원을 보내주신 국민들께도 감사드립니다.

선수들 모두 갈고닦은 능력을 마음껏 펼쳤고, 혼신의 힘을 다해 태극마크를 빛냈습니다. 쇼트트랙은 세계 최강을 다시한번 증명했고, 스피드 스케이팅에서도 좋은 성적을 내며, 우리 선수단은 목표를 뛰어넘는 아홉 개의 메달을 획득했습니다. 순간순간 최선을 다한 우리 선수들 모두 장하고 자랑스럽습니다. 모두가 승리자입니다.

스피드 스케이팅 매스스타트의 박지우 선수는 넘어진 선수를 도우며 메달 이상의 큰 울림을 만들어냈습니다. 김보름 선수는 마음속 부담을 털어내며 멋진 모습을 보여주었습니다. 이제 두 선수에게 웃는 일만 많기를 바랍니다. 크로스컨트리의 이채원 선수, 여섯 번째 올림픽 완주에 큰 박수를 보냅니다. 피겨 스케이팅의 차준환, 유영, 김예림 선수가 보여준 연기는 세계의 아름다움이 되었습니다. 스켈레톤의 정승기, 김은지, 루지의 임남규, 아일린 프리쉐, 스노보드 이상호 선수가 보여준 투혼은 우리 모두의 마음을 뜨겁게 했습니다. 여자 컬링 '팀 킴'은 이미 대한민국의 자랑입니다. 대표팀 막내 스노보드 이채운 선수의 멋진 비상도 앞으로를 기대하게 합니다.

무엇보다 메달 여부에, 색깔에 관계없이 "스스로 만족한 경기를 했다"며 당당하게 인터뷰하는 우리 선수들이 정말 대견했습니다. 어려움 속에 있는 국민들께 9개의 메달로, 65개의 멋진 파이팅으로 위로해주었습니다. 최고의 감동을 만들어낸 우리 선수단과 코치진, 대한체육회와 지원단에 감사합니다. 선수들이 최상의 경기력을 유지할 수 있도록 매끼니 살뜰히 챙겨준 조리사와 영양사들께도 각별한 마음을 전합니다. 곧 열리는 동계패럴림픽도 한마음으로 함께해주길 바랍니다. 모두 수고 많았습니다.

2022년도 국가안전보장회의 및 대외경제 안보전략회의 연석회의 모두발언

| 2022-02-22 |

안보뿐만 아니라 경제에도 큰 영향을 미칠 수밖에 없는 긴박한 상황이어서 국가안전보장회의와 대외경제안보전략회의의 연석회의를 개최하게 되었습니다. 지금 우크라이나 사태가 긴박하게 전개가 되고 있습니다. 러시아가 우크라이나 동부 분리주의 세력의 두 공화국 독립을 승인하고, 평화유지군이라는 명목으로 병력 파견을 지시한 것으로 알려졌습니다. 미국과 서방국가들은 우크라이나의 주권과 영토에 대한 침해이자 국제법 위반이라고 강력히 규탄하고, 즉각적인 제재조치를 준비하고 있습니다.

우크라이나의 주권과 영토 보존은 존중되어야 합니다. 대화를 통한 평화적 해결 방안을 적극 모색해야 합니다. 우크라이나 사태가 국제사회의 기대와 달리 무력충돌 상황으로 악화되는 것은 결코 바람직하지 않습니다. 유럽은 물론 전 세계의 정치·경제적으로 큰 파장을 일으키게 될 것입니다. 세계 각국은 우크라이나 문제가 조속히 평화적으로 해결될 수 있도록 힘을 합쳐서 노력해야 할 것이며, 한국도 국제사회의 책임있는 일원으로 이러한 노력에 적극 동참할 것입니다. 그간 우리 정부는 우크라이나 사태 초기부터 범정부적으로 상황을 예의주시하면서 향후 전개될 다양한 시나리오에 따라 재외국민 보호와 경제에 미치는 영향을 면밀히 점검해왔습니다. 사태가 급박하게 전개됨에 따라 이제는 보다 신속하고 적극적이고 구체적인 대응 태세를 갖추어야 합니다. 우크라이나 거주 교민들의 보호와 철수에 만전을 기하고, 관련국들과도 긴밀히 협력해 주기를 바랍니다.

우크라이나 사태가 경제에 미치는 영향도 더욱 면밀히 점검해야 합니다. 우리나라와 우크라이나의 교역 등 경제 관계는 크지 않지만 사태가 장기화되고 미국 등 서방국가들이 러시아에 대해 강도 높은 제재조치를 취하게 되면 우리 경제에도 큰 영향을 미칠 수 있습니다. 에너지, 원자재 등 공급망 차질 또 세계 금융시장 불확실 등이 우리 경제 전반에 영향을 미칠 수 있는 만큼 우리 경제가 불의의 피해를 입는 일이 없도록 선제적으로 다양한 가능성에 대한 대응 방안을 적극적으로 강구해 주기 바랍니다. 이상입니다.

군산조선소 재가동 협약식 모두발언

| 2022-02-24 |

존경하는 국민 여러분, 전북도민과 군산시민 여러분,

참으로 감개무량한 날입니다. 송하진 지사님, 강임준 시장님도 같은 마음일 것입니다. 군산이 회복과 도약의 봄을 맞게 되었습니다. 전북도민과 군산시민들이 100만 서명운동으로 군산조선소 살리기에 나선 지 5년 만입니다. 정부는 조선과 해운을 연계한 상생 전략으로 대한민국의 조선업과 해운업을 살렸고, 전북도와 군산시, 현대중공업과 국회는 군산조선소 재가동을 위해 협의하고, 또 협의했습니다. 그 노력들이 모여 오늘 드디어 현대중공업 군산조선소 재가동 협약식이라는 결실을 보게 되었습니다. 재가동의 결단을 내린 현대중공업과 노력을 아끼지 않은 지자체장, 의원님들께 큰 박수를 보냅니다. 마음을 모아 성원해 주신 전북도민과 군산시민들께도 진심으로 감사드립니다.

전북도민 여러분, 군산시민 여러분,

군산조선소는 군산의 주력산업인 조선산업을 이끄는 원동력이었습니다. 5,000여 명의 인력이 초대형 원유 운반선, 대형 LPG 운반선 등 모두 85척의 선박을 건조했습니다. 86개 협력업체, 62개 기자재업체와 협력하여 군산 경제의 4분의 1을 책임졌습니다. 군산조선소의 재가동으로 전북지역과 군산 경제가 살아날 것입니다. 일자리가 회복되고 협력업체, 기자재업체도 다시 문을 열게 될 것입니다. 완전 가동되면 최대 2조 원 이상의 생산유발효과가 창출될 것입니다. 우리 조선산업의 경쟁력에도 크게 기여할 것입니다.

지금 우리 조선산업은 고부가가치 선박 기술력을 바탕으로 세계 1, 2위의 수주실적을 다투고 있습니다. 군산조선소는 1,650톤의 국내 최대 골리앗 크레인과 700m의 국내 최장 도크를 갖춘 최적의 조선소입니다. 군산조선소의 가동으로 추가 건조공간이 확보되면 우리 조선산업의 수주경쟁력이 한층 강화될 것입니다. 특히 친환경 선박에서 큰 활약이 기대됩니다. 세계 조선, 해운 산업은 친환경 선박으로 급속히 전환하고 있습니다. 군산조선소에서 LNG, LPG 추진선 블록을 생산하게 되면 우리가 압도적인 경쟁력을 갖고 있는 친환경 선박의 세계 점유율을 더욱 높여줄 것입니다. 이미 군산은 GM대우 공장의 공백을 메우는 '군산형 일자리 사업'을 통해 전기차의 메카로 성장하고 있습니다. 지역 양대 노총, 기업, 군산시민이 함께 1,700여 개의 일자리를 창출하며 11만 대의 전기차 생산을 추진하고 있습니다. 친환경 선박은 전기차와 함께 탄소중립을 이끌 미래 핵심 산업입니다. 이제 군산조선소가 안정적으로 가동되면, 군산은 대한민국 미래산업 선도 지역으로 굳건히 자리매김 할 것입니다.

전북도민 여러분, 군산시민 여러분,

정부는 군산조선소 가동 중단 이후 군산 경제를 살리기 위해 많은 노력을 기울였습니다. 군산을 산업위기대응특별지역과 고용위기지역으로 지정하여 조선 협력업체, 소상공인에 대한 금융지원을 확대하고, 고용유지 지원금, 퇴직자 재취업을 통해 숙련인력을 최대한 유지하기 위해 힘썼습니다. 새만금과 연계하여 도로와 항만 등 인프라를 확충하고 해상태양광, 해상풍력, 관광산업과 같은 새로운 산업을 육성하여 지역 경제 기반을 보완해 나갔습니다.

정부는 군산조선소 정상화를 위해서도 최대한 지원할 것입니다. 전북도, 군산시와 협력하여 생산·기술인력 양성, 교육생 훈련수당 확대와 현장 맞춤형 특화훈련 등을 통해 가장 시급한 과제인 전문·기능인력을 확보하고 원활한 물류를 돕겠습니다. 4월에 만료되는 '산업위기대응특별지역' 지정을 연장해 조선소가 재가동될 때까지 군산의 지역 경제와 조선산업 회복을 지원하겠습니다. 무엇보다 1등 조선 강국의 경쟁력을 다시 키워 선박 수주물량을 흔들림 없이 확보하겠습니다. 지난해 64%였던 친환경 선박 세계 점유율을 2030년 75%까지 확대할 것입니다. LNG 추진선과 같은 저탄소 선박의 핵심기술을 고도화하고 수소, 암모니아 추진 선박 같은 무탄소 선박의 시대를 준비해 나가겠습니다.

협력업체와 기자재업체의 경쟁력도 강화하여 중소기업과 대기업이 상생 발전하는 생태계를 갖추겠습니다. 친환경 선박의 설계, 건조, 수리, 개조까지 전방위적인 기술력을 갖출 수 있도록 지원하고, 금융, 마케팅, 수출, 물류 지원을 통해 중소조선소, 기자재업체의 역량을 높이겠습니다.

존경하는 국민 여러분, 전북도민과 군산시민 여러분,

군산은 개항 이후 많은 위기가 있었지만 보란 듯이 위기를 기회로 만들어 왔습니다. 군산조선소 가동중단과 GM대우 군산공장 폐쇄로 인한 위기 역시 새로운 도전으로 극복해내고 있습니다. 지금 군산은 재생에너지, 전기차 같은 신산업을 앞장서 이끌고 있으며, '군산형 경제회복 프로젝트'는 전국의 벤치마킹 모델이 되고 있습니다. 이제 우리는 내년 1월, 현대중공업 군산조선소 재가동까지 힘을 모아나갈 것입니다. 군산은 친환경 선박의 전진기지로 다시 우뚝 서게 될 것입니다. 군산 조선소의 재가동이야말로 우리나라 조선산업의 완전한 부활을 알리는 상징이 될 것입니다. 군산의 봄소식을 임기가 끝나기 전에 보게 되어 매우 기쁩니다. 군산조선소의 재가동에 이르기까지 우리 정부가 함께 했다는 사실도 기억해 주시기 바랍니다.

감사합니다.

육군3사관학교 57기 졸업 및 임관식 축사

| 2022-02-28 |

육군3사관학교 57기 '백린' 생도 여러분,

눈부신 성취를 이룬 여러분을 격려하기 위해 대통령으로서 12년 만에 육군3사관학교를 찾았습니다. 고된 군사훈련과 학과 과정을 마치고, 문무를 겸비한 청년 장교로 거듭난 여러분의 졸업과 임관을 자랑스럽게 여기며 축하합니다. 477명의 강인하고 늠름한 정예 장교가 대한민국의 국군으로 우뚝 서게 되었습니다. 코로나로 인해 생도 생활이 더욱 힘들었을 것입니다. 가족과 친구가 가장 그리웠을 생도 첫해 단 한 차례의 면회도 갖지 못했지만, 여러분은 서로를 격려하며 이겨냈습니다. 어려운 여건 속에서도 생도들을 훌륭하게 지도한 고창준 학교장을 비롯한 교직원들의 노고를 치하하며, 생도들의 도전을 든든하게 지지해주신 가족들께 축하와 감사의 인사를 전합니다.

청년 장교 여러분,

여러분의 어깨 위에는 충성대의 자랑스러운 전통이 빛나고 있습니다. 충성대는 신라 화랑들이 심신을 수련하며 삼국 통일의 꿈을 키웠던 곳이자, 한국전쟁 당시 수많은 청년들이 목숨을 걸고 낙동강 방어선을 지켜냈던 곳입니다. 호국영령의 얼이 깃든 이곳에 1968년, 육군3사관학교가 설립되었습니다. 그동안 충성대를 거쳐간 15만8천 명의 장교들은 투철한 사명감으로 나라와 국민의 안보를 지켜왔습니다. 이제 여러분 차례입니다. '조국·명예·충용'의 교훈 아래 그동안 갈고 닦은 무예와 전문지식, 충의롭고 용맹한 기백을 마음껏 펼치며 조국 수호의 소임을 완수해줄 것을 명령합니다.

청년 장교 여러분,

우리가 누리는 평화와 번영은 튼튼한 안보의 토대 위에서 이룬 것입니다. 북핵 위기를 대화 국면으로 바꿔내고 한반도 평화 프로세스를 추진할 수 있었던 원동력도 강한 국방력이었습니다. 우리나라는 세계에서 안보의 부담이 가장 큰 나라입니다. 당장은 남북 간의 전쟁 억지가 최우선의 안보 과제이지만, 더 넓고 길게 보면, 한반도의 지정학적 상황 자체가 언제나 엄중한 안보 환경입니다. 우리는 어떠한 상황에서도 스스로를 지켜낼 힘을 갖춰야 합니다. 국제질서가 요동치고, 강대국 간 갈등이 표출되면서 세계적으로 안보 환경이 급변하고 있습니다. 경제가 안보가 되고 있고, 국경을 넘는 신종 테러 등 비전통적 안보 위협이 커지고 있습니다. 우리 군은 세계 6위의 국방력을 갖추고, '국방개혁 2.0'을 통해 최첨단 과학기술 군으로 진화하고 있습니다. 조기경보기, 이지스함, 고성능 레이더는 한반도 주변의 안보 상황을 실시간으로 탐지하고, 초음속 순항미사일, 고위력 탄도미사일, F-35A를 비롯해 유사시에 대비한 초정밀 타격 능력 또한 강화하고 있습니다. 지난해에는 세계 여덟 번째로 최첨단 초음속전투기, KF-21 보라매 시제 1호기를 출고했고, 세계 일곱 번째로 SLBM 발사에 성공했습니다. 최근 북한이 연이어 미사일 발사 시험을 하고 있지만, 우리는 우월한 미사일 역량과 방어 능력을 갖추고 있고, 어떠한 위협도 빈틈없이 막아낼 한국형 아이언 돔과 미사일 방어체계도 든든하게 구축해가고 있습니다.

우리 육군의 목표는 '비전 2030'의 추진으로 미래형 전투 강군이 되는 것입니다. 4차 산업혁명 기술을 활용한 '아미 타이거 4.0'이 전력화되고, 정찰 드론과 인공지능이 전황을 분석하여, 무장 드론과 무인 차량으로 적을 공격하게 될 것입니다. 방탄 헬멧과 방탄복, 개인화기까지 첨단기술을 접목하여, 전투 능력과 작전 수행 능력을 극대화하는 '워리어 플랫폼'도 확대하고 있습니다. 청년 장교 여러분이 바로 새로운 전투체계와 전략을 운용할 주역입니다. 최고의 군사전문가가 되어 '한계를 넘는 초일류 육군' 건설에 앞장서고, 우리의 국력과 군사력에 걸맞은 책임국방으로 한반도 평화를 지키고 만드는 주역이 되어 주길 바랍니다.

청년 장교 여러분,

육군3사관학교 1기 故 차성도 중위는 수류탄에 몸을 던져 전 소대원을 구했습니다. 13기 故 박춘태 대위는 지뢰를 밟은 척후병을 구하다 목숨을 잃었습니다. 살신성인의 정신으로 참된 지휘관의 모습을 보여준 선배들입니다. 청년 장교들에게 당부합니다. 자신보다 부하 장병을 먼저 생각하며 솔선수범하는 지휘관이 되어주길 바랍니다. 한사람, 한사람의 가치를 소중히 생각하며 소통과 포용의 리더십을 발휘해야 합니다. 진정한 전우애는 서로를 아끼고 배려할 때 커집니다. 강한 군대는 전 장병이 굳건한 전우애로 혼연일체가 될 때 완성됩니다. 지휘관부터 병사까지 모든 장병이 긍지와 자부심으로 뭉칠 수 있도록 인권이 존중받는 선진병영문화를 함께 만들어 나갑시다.

존경하는 국민 여러분, 자랑스러운 청년 장교 여러분,

육군3사관학교는 세계에서 유일한 편입학 사관학교입니다. 생도들은 충성대에 모이기까지 각자의 전공 분야에서 전문성을 키웠고, 다양한 사회 경험을 쌓았습니다. 오늘 임관하는 57기 중에는 병사와 부사관을 거쳐 군번이 세 개가 된 졸업생도 일곱 명이나 됩니다. 여러분은 편안하고 안락한 삶 대신에 조국과 국민에 헌신하는 삶을 선택했습니다. 결코 쉬운 길이 아니지만, 충성벌을 달구었던 열정을 잊지 않고 두려움 없이 전진한다면 명예와 보람이 함께하는 길이 될 것입니다. 조국이 여러분에게 보답할 것입니다. 개성 넘치는 생도들을 하나로 묶어준 것은 남다른 도전정신과 뜨거운 애국심이었을 것입니다. 지난 2년, 고된 생도 생활을 함께 이겨낸 것처럼 앞으로도 어려움이 닥칠 때마다 서로에게 힘이 되어 주길 바랍니다. 국민들도 힘찬 응원을 보내주실 것입니다. 여러분의 앞날에 영광이 가득하길 빕니다.

감사합니다.

3월

제1회 한국에너지공과대학교 입학식 및 비전 선포식 영상 축사

세계 여성의 날입니다

국군간호사관학교 62기 졸업 및 임관식 축사

해군사관학교 76기 졸업 및 임관식 축사

신임경찰 경위·경감 임용식 축사

의용소방대의 날을 축하합니다

제13회 국무회의(영상) 모두발언

이수지 작가의 한스 크리스티안 안데르센상 수상을 진심으로 축하합니다

오늘은 제7회 서해수호의 날입니다

수석보좌관회의 모두발언

조계종 제15대 종정 추대 법회 축사

제1회 한국에너지공과대학교 입학식 및 비전 선포식 영상 축사

| 2022-03-02 |

한국에너지공과대학 신입생 여러분,

반갑습니다. 여러분의 입학을 축하하며, 청춘의 도전을 뜨겁게 응원합니다. 한국에너지공대는 세계 유일의 에너지 특화 연구·창업 대학입니다. 여러분은 첫 입학생으로 미래 에너지 선도국가를 향한 꿈을 품게 되었습니다. 코로나 상황 속에서 여러분은 최고 수준의 경쟁률을 이겨내며 오늘 자랑스러운 입학에 이르렀습니다. 기대가 매우 큽니다. 부모님들께서도 무척 대견해하실 것입니다. 이제 '작지만 강한 대학' 한국에너지공대는 여러분과 함께 '에너지 분야 세계 10위권 대학'으로 도약하기 위한 담대한 도전을 시작합니다. 여러분이 그 여정의 주인공입니다. 여러분이 가는 길이 곧, 대학의 역사가 되고 여러분이 개척하는 길이 대한민국의 길이 될 것입니다.

국민 여러분, 신입생 여러분,

한국에너지공대는 두 가지 큰 꿈을 품고 있습니다. 첫째는 국가균형발전의 꿈이며 둘째는 미래에너지 강국의 꿈입니다. 한국에너지공대에는 노무현 정부에서 문재인 정부로 이어지는 일관된 국정철학이 담겨 있습니다. 노무현 정부는 국가균형발전시대를 열기 위해 나주를 혁신도시로 지정하고, 한국전력공사를 이전시켰습니다. 에너지와 관련된 공공기관, 민간기업, 연구소들이 나주에 자리잡게 되었고, 광주와 전남이 힘을 합쳐 초광역 '빛가람 혁신도시'를 완성했습니다. 지금 나주는 광주에 이르는 인근 4개 산업단지와 함께 '에너지밸리'를 조성 중이며, 문재인 정부는 그에 더해 세계 최대의 신안 해상풍력단지를 비롯하여 서남해안을 신재생 에너지의 메카로 육성하고 있습니다. 광주·전남은 기존 에너지와 신재생 에너지를 망라하는 대한민국 에너지의 중심이 되었고, 에너지 산학연 클러스터를 통해 글로벌 에너지 허브로 도약을 추진하고 있습니다. 한국에너지공대가 그 심장이 될 것입니다. 그동안 많은 분의 노력이 있었습니다. 한전과 지자체, 국회와 중앙정부가 힘을 모았고 윤의준 초대 총장님과 교직원들이 차근차근 개교를 준비하여 오늘의 가슴 벅찬 성과를 이뤘습니다. 노고를 아끼지 않으신 모든 분들께 깊이 감사드립니다. 이제 한국에너지공대는 국가균형발전의 새로운 활력이 될 것입니다. 한국에너지공대를 구심점으로 지자체와 공공기관, 지역대학과 에너지업체들이 협력하고 나주와 광주·전남은 성공적인 지역혁신 클러스터로 거듭날 것입니다. 청년 인재가 찾아오고 정주하는 선순환이 이루어진다면 국가균형발전의 성공적인 모델이 될 수 있을 것입니다.

신입생 여러분,

미래에너지 강국이라는 한국에너지공대의 두 번째 꿈은 여러분의 열정으로 이뤄질 것입니다. 인류는 에너지와 함께 눈부신 발전을 거듭해왔고, 앞으로도 우리는 에너지 없이 살 수 없을 것입니다. 그러나 지금까지처럼 지구를 아프게 하고 우리의 삶을 위협하는 방식으로 에너지를 생산하는 것은 지속 가능하지 않습니다. 우리는 자연과 공생하는 에너지와 함께 살아야 합니다. '탄소중립'이라는 인류의 새로운 질서 속에서 에너지 대변혁기를 선도해야 합니다. 그것이 여러분이 걸어가야 할 목표입니다. 여러분은 앞으로 '에너지 인공지능', '에너지 신소재', '수소에너지', '차세대 그리드', '환경·기후 기술' 같은 미래에너지 5대 분야 30개 기술을 연구하게 될 것입니다. 모두 에너지 생산과 수송, 소비에 이르는 전주기에 걸쳐 산업파급력이 매우 높은 분야들입니다. 여러분이 마음껏 탐구하며 역량을 발휘할 수 있도록 해외석학과 '노벨 클래스'를 비롯한 우수한 교수진이 항상 함께해주실 것입니다. '프라운호퍼 연구조합'과 같은 세계적인 연구기관과 교류하고 협업할 기회도 열려 있습니다. 국내 최초로 도입된 '미네르바 교육과정' 또한 여러분의 훌륭한 길잡이가 되어줄 것입니다.

우리 에너지 기술력은 다른 선도국가에 비해 뒤처져 있습니다. 하지만 수소차와 2차전지처럼 앞서가는 분야도 적지 않으며, 무엇보다도 생명을 생각하는 마음만큼은 가장 선두에 있다고 생각합니다. 선도국가를 넘어 에너지 분야의 세계 최고가 되겠다는 자신감을 갖고, 청춘을 만끽하면서 학우들과 열정을 나누길 바랍니다. 여러분의 노력이 빛을 발할 수 있도록 정부 또한 지원을 아끼지 않겠습니다.

국민 여러분, 전남도민과 광주·나주 시민 여러분,

한국에너지공대의 발전과 신입생들의 성취를 위해 깊은 애정을 부탁드립니다. 우리 자랑스러운 신입생들이 미래에너지 분야의 핵심 인재가 되어 지역과 대한민국에 보답할 것입니다.

신입생 여러분,

실패를 두려워하지 마십시오. 모든 '시작'에는 무한한 가능성이 있고, 실패 또한 성공의 든든한 벗입니다. 다시 한번 입학을 축하합니다. 여러분의 도전을 설레는 마음으로 기대합니다.

감사합니다.

세계 여성의 날입니다

| 2022-03-08 |

세계 여성의 날입니다. 114년 전, 인간다운 권리를 외친 여성 노동자들의 용기 있는 목소리가 오늘까지 이어지고 있습니다. 평등사회를 위해 연대하고 협력해오신 모든 분들께 감사드립니다. 〈유엔 위민〉이 정한 올해의 주제는 '지속가능한 내일을 위한 오늘의 성평등'입니다. 우리는 작은 불평등이 큰 격차를 부르고, 가까운 곳에서의 차별이 더 큰 불행으로 돌아오는 것을 자주 보아왔습니다. 보다 성평등한 사회가 될 때 여성도, 남성도 지속가능한 내일을 맞이할 수 있을 것입니다.

우리 정부는 '경력단절여성법'을 전면 개정하여 기존 경력단절여성 재취업 지원에 더해 재직여성의 경력단절 예방을 위해 노력했습니다. '스토킹 처벌법'을 제정했고, 디지털 성범죄 처벌도 강화해 젠더 폭력의 대응체계도 튼튼히 구축했습니다. 코로나 상황의 돌봄 공백이 여성 부담으로 가중되지 않고, 일자리도 잘 지켜질 수 있도록 끝까지 최선을 다하겠습니다. 일과 가정의 양립은 여성과 남성 모두의 목표입니다.

우리나라는 국가발전 정도에 비해 성평등 분야에서는 크게 뒤떨어져 있습니다. 우리 정부에서 적지 않은 진전이 있었지만 아직도 많이 부족한 것이 사실입니다. 여성들에게 유리천장은 단단하고, 성평등을 가로막는 구조와 문화가 곳곳에 남아 있습니다. 다음 정부에서도 계속 진전해 나가길 기대합니다. 여성이 행복해야 남성도 행복할 수 있습니다.

지난해 양성평등 작품 공모전 대상을 받은 주표승 어린이는 '계 이름 모두가 서로를 돋보이게 함께하여 아름다운 하모니를 이루는 음악'을 표현했습니다. 표승이의 소망처럼 '도'와 '레', '미'와 '솔'이 서로의 삶을 이해하고 존중할 때 자신도 존중받는 세상이 될 것입니다. 세계 여성의 날을 축하하며, 내 곁에 있는 소중한 사람들의 목소리에 더욱 귀 기울여보는 하루가 되길 권합니다.

국군간호사관학교 62기 졸업 및 임관식 축사

| 2022-03-10 |

국군간호사관학교 62기 생도 여러분의 졸업과 임관을 진심으로 축하하며 태국 팃티따 생도에게도 각별한 격려를 보냅니다. 오늘 임관하는 '별하리' 77명은 코로나에 의연하게 맞서는 용기를 키워가며 훌륭한 간호장교로 성장했습니다. 가족들께 축하와 감사의 인사를 드리며, 강점숙 교장을 비롯한 교직원들의 노고를 치하합니다.

간호장교들은 우리 국민과 군이 필요로 하는 순간마다 큰 힘이 되어주었습니다. 전상환자를 간호하고, 해외 파병으로 세계 평화를 위해 봉사했습니다. 보건안보의 중요성이 커진 지금, 충성심과 전문성을 겸비한 신임 간호장교들의 역할이 막중합니다. 이제 여러분은 군 의무발전의 주역으로 명예로운 역사를 이어나갈 것이며 국민이 필요로 할 때는 언제든지 국민 곁으로 달려갈 것입니다. 여러분의 마음에 밝혀둔 '나이팅

게일의 촛불'이 조국의 미래를 환히 비출 것입니다. 여러분의 앞날에 영광이 가득하길 기원합니다.

해군사관학교 76기 졸업 및 임관식 축사

| 2022-03-11 |

해군사관학교 76기 사관생도들의 졸업과 임관을 진심으로 축하하며, 필리핀, 태국, 베트남, 카자흐스탄, 투르크메니스탄, 페루 사관생들도 각별한 마음으로 격려합니다. 정예 해군·해병대 장교로 거듭난 '창파(滄波)' 여러분이 참으로 자랑스럽습니다. 응원해주신 가족들께도 감사와 축하의 인사를 드리며, 148명의 호국간성을 길러낸 이성열 학교장을 비롯한 교직원 여러분의 노고를 치하합니다.

여러분은 대한민국 해군 최초로 북극권 베링해를 항해하고 알래스카항에 기항해 신 북방항로를 개척했습니다. 충무공의 후예다운 투지와 기상으로 거친 파도와 어려움을 이겨내고 우리 해양의 역사를 새롭게 쓴 주인공이 되었습니다. 우리의 지도를 위·아래를 뒤집어보면 대한민국의 앞에 광활한 해양이 있습니다. 해양강국이야말로 대한민국의 미래입니다. 해양강국을 이끄는 대양해군이 여러분의 사명입니다. 여러분 앞에는 세계의 바다가 펼쳐져 있습니다. 해군·해병대 신입 장교로서 거침없이 항진해 나가길 바랍니다. 여러분의 앞날에 언제나 영광이 함께하길 기원합니다.

신임경찰 경위·경감 임용식 축사

| 2022-03-17 |

존경하는 국민 여러분, 경찰 가족 여러분,

오늘, 166명의 청년 경찰이 첫걸음을 내딛습니다. 지금, 이 순간부터 국민의 생명과 안전과 자유를 보호하는 영예로운 임무가 여러분에게 주어집니다. 힘든 훈련과 교육과정을 완수해낸 청년 경찰 여러분이 참으로 자랑스럽습니다. '국민을 위한 봉사자'가 되겠다는 숭고한 열정을 응원해주신 가족들께도 축하와 감사의 인사를 드리며, 이철구 경찰대학장을 비롯한 교직원들의 노고를 치하합니다.

청년 경찰 여러분, 14만 경찰 가족 여러분,

대한민국 경찰은 민주 경찰, 인권 경찰, 민생 경찰로 거듭나고 있습니다. 국민의 안전과 일상을 더욱 굳건히 지켜주고 있습니다. 지난해 1월 출범한 국가수사본부는 경찰의 수사 능력을 강화하고 책임감을 높였습니다. '여성청소년 강력수사팀'과 '아동학대 특별수사팀'을 신설해 사회적 약자를 대상으로 한 강력범죄에 적극 대응했고, N번방·박사방 사건을 비롯한 디지털성범죄와 서민경제 침해사범, 부동산투기사범을 특별 단속하여 엄정하게 수사했습니다. 나아가 불법 촬영물의 신속한 삭제와 차단을 지원하여 피해자를 보호했습니다. 2017년 50만여 건이던 5대 강력범죄는 2021년 42만여 건으로 감소했고, 국민의 체감안전도에서도 최고 수준을 기록했습니다. 지난해 7월 전면 시행된 자치경찰제는 지역 주민들에게 맞춤형 치안 서비스를 제공하고 있습니다. 치안행정과 자치행정의 협력이 더 긴밀해지면 주민을 위한 보다 두터운 치안 서비스가 제공될 것입니다.

교통안전에 대한 경찰의 집중적인 노력으로 지난해 교통사고 사망자가 2016년에 비해 32% 감소하여 통계 작성 이래 최저를 기록했으며, 특히 어린이 사망사고는 66%나 감소했습니다. 코로나 극복에도 앞장섰습니다. 비대면 경찰 서비스를 확대했고, 교민수송 지원, 경찰교육원 시설 지원, 릴레이 헌혈 동참, 백신수송과 역학조사 지원까지 방역망 곳곳을 지켜주었습니다. 무엇보다 국민들이 체감하는 경찰의 변화는 국민 권익 보호와 피해 회복에 최선을 다하는 모습입니다. 접수와 내사에서부터 수사진행, 영장신청, 종결·보완까지 치안행정의 전 영역에 걸친 인권보호시스템이 갖춰졌습니다. 집회 현장의 '대화 경찰'은 시민들과 소통하는 집회시위 문화의 새로운 지평을 열었습니다. 경찰과 검찰 사이에서 국민의 불편을 초래하는 이중 조사가 줄어들고 한 해 46만 명에 이르는 국민이 피의자라는 굴레에서 신속히 벗어나게 되었습니다.

인권은 경찰의 기본가치입니다. 이제 경찰 수사에서 인권 침해라는 말이 사라졌습니다. 인권을 위한 경찰의 성찰과 실천은 치안 현장의 변화로 이어졌고, 치안 서비스를 경험한 국민 10명 중 8명이 경찰에 대한 인식이 긍정적으로 변했다고 응답했습니다. 치안고객 만족도가 크게 높아진 것입니다. 오늘 청년 경찰 여러분도 '인권 경찰 다짐'을 선서했습니다. 지난 5년, 개혁에 매진해온 경찰의 노력에 격려의 마음을 전하며 청년 경찰 여러분이 인권수호의 주역이 되길 바랍니다.

청년 경찰 여러분,

경찰은 국가의 도움이 필요한 국민이 가장 먼저 만나는 국가의 얼굴입니다. 국민들은 언제 어디에서든 경찰이 보호해줄 것이라는 믿음을 갖고 있습니다. 이 믿음을 지켜내는 것이야말로 여러분의 존재 이유임을 잊어서는 안 됩니다. 부단한 훈련과 교육으로 어떠한 상황에서도 당당히 맞설 수 있는 자질과 역량을 갖춰야 합니다. 특히, 현장 대응능력에서 최고가 되어야 합니다. 최근 '경찰관 직무집행법'이 개정되어 보다 적극적인 직무수행이 가능해졌습니다. 국민이 든든하게 믿을 수 있도록 항상 준비되어 있어야 할 것입니다. 사회적 약자 보호에 각별하게 힘써주길 바랍니다. 여성과 아동에 대한 위협이 갈수록 심각해지고, 노인과 장애인에 대한 비정한 범죄도 그치지 않고 있습니다. 선제적 예방과 적극적인 수사, 피해자 보호를 위한 촘촘한 대응체계를 갖춰 나가야 합니다.

신종 범죄 대응에도 소홀함이 없어야 합니다. 인공지능·드론·빅데이터 등을 활용한 범죄 예방과 수사는 물론 미래 과학 치안을 위한 연구·교육과 조직 개편을 통해 미래를 선도하는 조직으로 나아가야 합니다. 안보수사 역량 강화에도 힘써주길 당부합니다. 2024년 국정원 대공수사권 폐지에 대비해 테러·방첩·산업기술까지 업무영역과 조직 확장 등 국정원과 협업 강화에 소홀함이 없어야 할 것입니다.

이제 경찰의 희생과 헌신만을 요구할 수 있는 시대는 지났습니다. 정부는 경찰의 막중한 책임에 걸맞은 예우와 처우 개선을 위한 노력을 멈추지 않을 것입니다. 정부는 출범 이후 민생치안 역량에 직결되는 치안 인프라 확충에 힘써 왔습니다. 인력충원을 차질없이 추진하고 경찰활동을 뒷받침하는 법과 제도를 마련했습니다. 승진제도와 근무 여건을 개선하고 건강관리체계와 순직·공상 경찰관에 대한 예우를 강화했습니다. 처우 개선과제가 여전히 적지 않지만, 그 혜택은 결국 국민에게 돌아갈 것입니다. 경찰의 중단없는 개혁을 뒷받침하는 정부의 노력은 계속될 것입니다.

자랑스러운 청년 경찰 여러분,

삶의 궤적은 각자 다를지라도 오늘 여러분은 같은 제복을 입은 대한민국의 당당한 경찰관입니다. 이제 여러분은 현장으로 갑니다. 국민안전을 수호하는 길이 결코 쉽지만은 않을 것입니다. 힘든 순간마다 여러분 곁에 국민의 믿음과 기대가 함께하고 있다는 사실을 기억해주길 바랍니다. '불의와 타협하지 않는 경찰'이라는 명예와 자긍심을 잊지 말길 바랍니다. 여러분의 시선이 언제나 국민의 눈높이와 마주하고 여러분의 심장이 국민의 마음과 맞닿아 있을 때 누구도 가질 수 없는 영광과 보람을 느낄 것입니다. 여러분이 걷는 길에 국민의 신뢰가 가득하길 기원합니다.

감사합니다.

의용소방대의 날을 축하합니다

| 2022-03-19 |

의용소방대의 날을 축하합니다. 지난해 의용소방대의 날을 제정하고 '제1회 의용소방대의 날'을 맞았습니다. 고귀한 봉사정신을 함께 나눌 수 있게 되어 기쁩니다. 우리의 이웃으로 국민의 안전과 생명을 지켜오신 전국의 10만 의용소방대원 한 분 한 분께 축하와 함께 깊은 존경의 말씀을 드립니다.

의용소방대의 역사는 매우 오래되었습니다. 세종대왕은 '금화도감' 설치로 화재를 상설 관리했고, 통행금지 시간인 밤 10시가 지난 뒤에도 불을 끌 수 있도록 신패를 만들어주었습니다. 1915년부터 활동 기록을 남긴 지금의 의용소방대는 1958년 '소방법'이 제정되면서 공식적인 민간소방관 자격을 갖게 되었습니다. 의용소방대는 광역과 기초자치단체별로 전국에 3,921곳이 구성되어있고, 안전관리와 긴급구호, 자원봉사

등 폭넓은 활동을 펼치고 있습니다. 지난해에만 연인원 126만여 대원이 각종 화재와 사고 현장은 물론 방역의 최전선에서 활약했으며, 이달 초 발생한 경북과 강원의 대형산불 현장에는 5천 명이 넘은 대원이 진화작업과 복구지원에 나섰습니다.

정부는 의용소방대원들의 자긍심을 높이고 숭고한 정신을 기리기 위해, 매년 3월 19일을 '의용소방대의 날'로 명명하고 법정기념일로 정했습니다. 의용소방대법을 개정하여 재해보상과 포상에서 실직적인 예우도 가능해졌습니다. 개인 안정 장비 확충과 교육훈련 지원에 더욱 힘을 기울여, 의용소방대의 활동 기반을 강화하고 복리를 증진해 나가겠습니다. 보람과 긍지로 따뜻한 이웃이 되어온 우리 대원들이 참으로 자랑스럽습니다. 더욱 안전한 대한민국을 만들기 위해 모두 함께 힘써나가길 기원합니다.

감사합니다.

제13회 국무회의 모두발언

| 2022-03-22 |

제13회 국무회의를 시작하겠습니다. 국정에는 작은 공백도 있을 수 없습니다. 특히 국가안보와 국민 경제, 국민 안전은 한순간도 빈틈이 없어야 합니다. 정부 교체기에 조금도 소홀함이 없도록 마지막까지 최선을 다해 주기 바랍니다. 안팎으로 우리는 엄중한 상황에 직면해 있습니다. 신냉전 구도가 새롭게 형성되고 있는 국제 안보 환경 속에서 한반도 정세도 긴장이 고조되고 있습니다. 우리 군이 최고의 안보 대비태세를 유지해야 할 때입니다. 안보에 조그마한 불안 요인도 있어서는 안 됩니다. 정부 교체기에 더욱 경계심을 갖고, 한반도 상황을 안정적으로 관리할 수 있도록 매진해야 할 것입니다.

국제 경제 상황도 급변하고 있습니다. 공급망 문제와 에너지 수급, 국제 물가 상승 등의 불안요인에 선제적으로 대처하면서 기술패권 경쟁과 디지털 전환, 탄소중립이라는 거대한 도전을 성공적으로 수행해야 하는 상황입니다. 정부는 대외 위협 요인과 도전으로부터 국민 경제를 보호하고 민생을 지키는 역할을 다하면서 다음 정부로 잘 이어지도록 노력해 주기 바랍니다. 한편으로, 정점을 지나고 있는 오미크론을 잘 이겨내고 극복해야 하는 중대한 국면이기도 합니다. 정점을 지나더라도 위중증과 사망자는 상당 기간 증가할 것으로 예상되는 만큼 정부는 위중증과 사망자 관리에 집중한 의료 대응 안정화에 총력을 기울여 국민의 생명과 안전을 지키는 사명을 다해야 할 것입니다.

안보와 경제, 안전은 정부 교체기에 현 정부와 차기 정부가 협력하며 안정적으로 관리해야 할 과제이며 정부 이양의 핵심 업무입니다. 이 부분에 집중하면서 각급 단위에서 긴밀한 소통과 협의가 이뤄지길 기대합니다. 우리 정부 임기가 얼마 남지 않지 않았지만 헌법이 대통령에게 부여한 국가원수이자 행정수반, 군 통수권자로서의 책무를 다하는 것을 마지막 사명으로 여기겠습니다. 각 부처도 국정에 흔들림 없이 매진하면서 업무 인수인계 지원에 충실히 임해 주길 당부합니다.

오늘 국무회의에서 '기후위기 대응을 위한 탄소중립·녹색성장 기본법' 시행령을 의결합니다. 다른 선진국에 비해 늦게 시작한 발걸음이지만, 2050 탄소중립 선언 이후 매우 빠른 속도입니다. 지난해 P4G 정상회의를 성공적으로 개최했고, 2030년 온실가스 감축 목표를 최대한 의욕적이며 도전적으로 발표했습니다. 세계에서 열네 번째로 탄소중립을 법제화한 국가가 되었으며, 오늘 시행령 의결로 본격 실천 단계에 이르렀습니다. 이제 탄소중립 사회 전환을 위한 법적·제도적 기반이 완비

된 만큼 중앙정부뿐 아니라 지역 단위까지 탄소중립 이행 체계가 촘촘히 구축되길 기대합니다.

2050 탄소중립은 인류 공동체의 생존을 위한 국제적 책임을 다하는 것이면서 우리나라의 미래 경쟁력과 직결되는 국가적 과제입니다. 정부의 의지만으로 이룰 수 없는 대단히 어려운 도전 과제입니다. 다행히 우리 산업계와 기업들이 ESG 경영과 RE100 운동에 적극적으로 참여하고 있고, 산업별로 온실가스 감축과 기술 혁신에 힘을 모으고 있습니다. 정부는 기업들이 무거운 부담을 떠안지 않도록 할 수 있는 모든 지원을 다해 주기 바랍니다.

탄소중립 활동에 동참하고 있는 국민들의 참여도 활발해지고 있습니다. 종교계, 시민사회, 지역사회 곳곳에서 일어나고 있는 탄소중립 실천 운동에 기대가 큽니다. 국민들의 작은 일상의 변화가 인류 공동체를 구하는 위대한 실천이 될 것입니다.

이수지 작가의 한스 크리스티안 안데르센상 수상을 진심으로 축하합니다

| 2022-03-22 |

이수지 작가의 한스 크리스티안 안데르센상 수상을 진심으로 축하합니다. 안데르센상은 세계 아동문학계 최고 권위의 상으로 '아동 문학계의 노벨상'으로 불립니다. 이 작가는 '현실과 환상 사이에 놓인 긴장과 즐거움을 탐구하는 작가'라는 호평을 받으며, 줄곧 그림책의 혁신을 추구해왔습니다. 형식 면에서도 늘 새로운 도전을 거듭하며, 세계 그림책의 새 역사를 만들었습니다.

그림책은 아동과 성인 모두에게 사랑과 희망의 메시지를 주는 공감의 언어입니다. 한국의 그림책은 아름다운 그림과 독창적인 내용으로 국내뿐 아니라 세계 각국에서 그 작품성과 대중성을 인정받고 있습니다. 이 작가를 비롯한 여러 작가들의 노력이 일군 성과입니다. '출판 한류'의 위상을 높인 이 작가가 자랑스럽습니다. 코로나로 지친 국민들께도 큰 기쁨과 위로가 될 것입니다. 앞으로도 전 세계 어린이와 어른들에게 계속해서 큰 즐거움을 선사해 주기 바랍니다. 다시 한번 이수지 작가의 자랑스러운 수상을 축하합니다.

오늘은 제7회 서해수호의 날입니다

| 2022-03-25 |

오늘은 제7회 서해수호의 날입니다. 바다 위 호국의 별이 된 서해수호 55용사를 기리며, 영웅들께 깊은 경의를 표합니다. 그리움을 안고 계실 유가족들과 참전 장병들에게도 위로의 마음을 전합니다.

올해로 제2연평해전 20년이 되었고, 천안함 피격과 연평도 포격전 발발 12주기가 되었습니다. 그동안 영웅들은 결코 잊혀지지 않았습니다. 압도적 국방력으로 부활하여 우리 곁으로 돌아왔습니다. 제2연평해전의 영웅 윤영하, 한상국, 조천형, 황도현, 서후원, 박동혁의 이름을 단 유도탄고속함은 국토수호의 임무를 수행하고 있습니다. 천안함은 홍상어 어뢰 등 국산 무기를 탑재한 더욱 강력한 신형 호위함으로 다시 태어났습니다. 제2연평해전 조천형 상사의 외동딸 조시은 후보생과 천안함 김태석 원사의 장녀 김해나 후보생은 아버지의 뒤를 이어 영예로운 충무공의 후예가 되었습니다.

지난해 국군의 날, 연평도 포격전의 주역들은 11년 만에 훈장과 포장을 받았습니다. 포격전 당시 작전에 성공했음에도 불구하고 공적을 인정받지 못했던 장병들이 명예를 되찾았습니다. 故 정종률 상사의 배우자가 별세함에 따라 홀로 남게 된 고등학생 자녀의 생활 안정을 위해 전몰·순직 군경 자녀의 지원 방안도 강화했습니다. 보상금 지급 연령을 만 19세 미만에서 만 25세 미만으로 확대하여 26명의 자녀가 추가 보상금을 받게 되었습니다. 생존 장병에 대한 국가유공자 등록도 지속적으로 이뤄졌습니다. 지난해 말, 제2연평해전 예비역 중 신청자 13명에 대한 등록을 완료했으며 올해 천안함 장병 21명, 연평도 포격전 장병 13명이 등록되는 등 국가유공자 등록이 계속되고 있습니다.

어제 북한이 장거리 탄도미사일을 발사하여 한반도 안보 상황이 매우 엄중해지고 있습니다. 강한 안보를 통한 평화야말로 서해 영웅들에게 보답하는 최선의 길입니다. 우리 국방 예산은 2020년 50조 원을 돌파했고, 2022년 54.6조 원으로 확정되며 연평균 6.3% 증가율을 기록했습니다. 한국형 전투기 KF－21 시제 1호기를 출고하고, 독자 개발한 3,000톤급 잠수함인 도산안창호함을 전력화한 것도 의미 있는 성과입니다. '한미 미사일 지침' 종료와 세계 7번째 SLBM 발사 성공으로 우리는 국방과학기술의 새 시대를 열게 될 것입니다. 우리는 철통 같은 국방력과 평화를 만들어가고 있습니다. 서해수호 용사의 희생과 헌신 위에서 한반도의 항구적 평화는 완성될 것입니다. 언제나 영웅들의 안식을 기원합니다.

수석보좌관회의 모두발언

| 2022-03-28 |

현재는 과거로부터 축적된 역사입니다. 대한민국은 고난과 굴곡의 근현대사 속에서도 끊임없이 전진해 왔고, 이제 경제력과 군사력은 물론 민주주의, 문화, 보건의료, 혁신, 국제 협력 등 소프트파워에서도 강국의 위상을 갖춘 나라가 되었습니다. 개도국에서 선진국으로 진입한 유일한 국가이며, 2차 세계대전 이후 지난 70년간 세계에서 가장 성공한 나라라는 국제적 찬사를 받으며 다방면에서 세계 10위권 안에 드는 나라가 되었습니다. 국민의 땀과 눈물, 역동성과 창의력이 만들어낸 자랑스러운 국가적 성취입니다. 역대 정부가 앞선 정부의 성과를 계승하고, 부족한 부분을 보완하며 발전시켜온 결과이기도 합니다. 그야말로 통합된 역량이 대한민국의 성공을 이끈 원동력입니다.

우리나라는 늘 시끄럽고 갈등 많은 나라처럼 보이지만 밑바닥에는 끝내 위기를 이겨내고 역사의 진전을 이뤄내는 도도한 민심의 저력이 흐르고 있습니다. 아직도 우리는 뒤떨어진 분야가 많고, 분야별로 발전의 편차가 큽니다. 어느 정부에서든 우리가 더 발전시켜 나가야 할 과제들입니다. 그러나 우리의 부족한 점들 때문에 우리 국민이 이룬 자랑스러운 성과들이 부정되어서는 안 될 것입니다. 대한민국의 역사가 총체적으로 성공한 역사라는 긍정의 평가 위에 서야 다시는 역사를 퇴보시키지 않고 더 큰 성공으로 나아갈 수 있다고 믿습니다.

최근 오미크론이 정점을 지나며 확산세가 조금씩 꺾이고 있습니다. 다행히 지금까지 의료대응체계를 큰 흔들림 없이 안정적으로 유지해 왔고, 위중증과 사망률도 대폭 낮아졌습니다. 특히 위중증 환자 수는 당초 우려했던 것에 비하면 훨씬 안정적으로 관리되고 있습니다. 국민들의 적극적인 협력으로 이뤄낸 높은 백신 접종률 덕분이기도 하고, 위중증 관리 중심으로 검사체계와 의료체계를 신속히 개편하여 의료 대응 여력을 최대한 확보한 결과이기도 합니다.

그러나 아직 고비를 넘어선 것이 아닙니다. 확진자 감소세가 확연하게 나타나기까지 시간이 필요하고, 확진자가 줄더라도 누적효과로 인해 위중증과 사망자 증가가 당분간 이어질 수 있기 때문입니다. 정부는 우리의 의료 대응 능력과 중증병상 확보 능력을 넘지 않도록 위중증과 사망자 수를 억제하는데 각별한 노력을 기울여 나가겠습니다. 국민들께서도 힘들더라도 조금만 더 협조해 주시길 당부드립니다. 정부가 사회적 거리두기와 방역 조치를 완화하고 있지만 의료대응체계의 변화와 함께 강제 방역에서 자율 방역으로 점차 전환하고 있는 것이므로 자율 방역의 책임성을 높여 주셔야 기대하는 효과를 거둘 수 있습니다.

또한 우리나라는 1, 2차 접종률이 매우 높은 데 비해 3차 접종률은 최근 정체되고 있습니다. 그런 가운데 5세부터 11세까지의 아동 예방접종도 곧 시작될 예정입니다. 정부가 3차 접종과 아동 접종을 권장하는 이유는 접종 부작용의 위험보다 감염될 경우의 위험이 훨씬 크기 때문입니다. 접종 부작용의 위험보다 접종의 이익이 훨씬 크다는 사실이 전 세계적으로 그리고 의학적으로 충분히 증명되고 있습니다. 모두의 안전을 위해 적극적인 협력을 당부드립니다. 정부는 지금의 고비를 잘 넘기고 빠른 일상회복을 이룰 수 있도록 전력을 다하겠습니다.

조계종 제15대 종정 추대 법회 축사

| 2022-03-30 |

오늘, 중봉 성파 대종사께서 대한불교조계종 제15대 종정으로 추대되셨습니다. 두 손 모아 축하드립니다. 생명이 약동하는 봄, 조계사 곳곳에 봉축 도량등의 물결이 넘실대고, 이웃의 아픔을 함께 나누겠다는 대승의 보살정신이 몸과 마음을 따뜻하게 물들이고 있습니다. 뜻깊은 자리에 함께해주신 불자 여러분과 내외 귀빈들께 감사드리며, 총무원장 원행 스님과 원로 고승대덕 스님들께 존경의 마음을 담아 인사드립니다.

저는 영축총림 통도사에서 종정 예하를 여러 번 뵌 적이 있습니다. 그때마다 큰 가르침을 받았고, 정신을 각성시키는 맑고 향기로운 기억으로 간직하고 있습니다. 철마다 들꽃이 만발하고, 수천 개의 장독마다 역사와 전통이 담겨있던 서운암도 눈에 선합니다. 부처님은 행동과 지혜는 수레의 두 바퀴, 새의 두 날개와 같다고 말씀하셨습니다. 종정 예하께서는 일과 수행, 삶과 예술, 자연과 문화가 결코 둘이 아니라는 선농일치와 선예일치를 실천하셨습니다. 우리 산야의 햇살과 바람으로 전통 장을 담그셨고, 우리 흙으로 도자삼천불과 통일을 염원하는 16만 도자대장경을 빚어내셨습니다. 30여 종의 우리 꽃과 식물로 천연염색을 복원하고, 옻칠기법을 개발해 불화와 민화를 새롭게 그리셨습니다. 이 모두가 불교문화와 전통문화의 정수이자 과거와 현재, 미래를 잇는 소중한 문화유산입니다. 불교문화와 정신문화를 길러온 종정 예하의 선근이 헤아릴 수 없을 만큼 깊고 큽니다. 종정 예하와 조계종이 품어온 정신과 예술의 향기가 세상에 널리 퍼져나가길 바랍니다.

불자 여러분, 내외 귀빈 여러분,

우리 불교는 긴 세월 민족의 삶과 함께해왔습니다. 불교가 실천해 온 자비와 상생의 정신은 우리 국민의 심성에 녹아 이웃을 생각하고 자연을 아끼는 마음이 되었습니다. 불교는 코로나 유행 속에서도 동체대비의 정신을 실천하며 국민들께 희망의 등불을 밝혀주셨습니다. 천년을 이어온 연등회를 취소하는 고귀한 용단을 내려주셨고, 아낌없는 기부와 나눔, 봉사로 지친 국민과 의료진의 손을 따뜻하게 잡아주었습니다. 국민들 역시 이웃을 생각하며 자신의 일상을 양보했고, 모두의 자유를 위해 희생과 헌신을 감내했습니다. 지금의 고난을 더 나은 삶으로 나아가는 디딤돌로 만들고 있습니다. 오미크론의 마지막 고비를 넘고 계신 국민들께 불교가 변함없는 용기와 힘을 주리라 믿습니다. 종정 예하께서는 모두를 차별 없이 존중하고 배려하는 '상불경 보살'의 정신과, 국민 한 사람 한 사람의 선한 마음을 강조하셨습니다. 그 가르침대로 우리 사회가 갈등과 대립을 넘어 화합과 통합의 시대로 나아가길 바라마지 않습니다. 다시 한번 종정 예하의 취임을 축하드리며, 늘 강건하시면서 이 나라와 이 사회에 많은 가르침을 주시길 바랍니다. 새로운 봄, 부처님의 자비와 광명이 온 누리에 가득하길 기원합니다.

감사합니다.

4월

11회 수산인의 날을 축하합니다

74주년 제주 4·3, 올해도 어김없이 봄이 왔습니다

한국판 뉴딜 격려 오찬 간담회 말씀

수석보좌관회의 모두발언

4월의 봄, 다시 세월호 아이들의 이름을 불러봅니다

예수님의 부활을 기쁨으로 축하합니다

4·19혁명 62주년입니다

제18회 국무회의(영상) 모두발언

편견을 넘는 동행이 우리 모두의 삶이 되길 바랍니다

오늘은 지구의 날입니다

청와대 출입기자단 초청 행사 모두발언

프랑스 공화국 대통령 선거에서 재선에 성공한 것을 진심으로 축하합니다

방역 관계자 격려 오찬 간담회 발언

軍 주요직위자 격려 오찬 간담회 모두발언

11회 수산인의 날을 축하합니다

| 2022-04-01 |

11회 수산인의 날을 축하합니다. 바닷일은 어느 하나 쉬운 게 없습니다. 어업은 극한직업입니다. 지난 한 해, 코로나와 고수온으로 유난히 어려운 한 해를 보냈지만, 어민들은 갯바람을 온몸으로 받고 거친 파도를 이겨내며 382만 톤의 수산물을 밥상에 올려주셨습니다. 수산물 수출도 28.2억 달러로 역대 최고 실적을 달성했습니다. 한국의 김이 세계적인 인기를 얻고 있습니다. 정말 큰 성과입니다. 우리 바다를 일궈오신 94만 수산인 한 분 한 분께 깊은 존경과 감사를 드립니다. 어촌이 활기차고 어민들의 삶이 좋아져야 바다의 가치를 제대로 누릴 수 있습니다. 정부는 지난해 시작된 수산공익직불제를 통해 조건불리지역 지원과 어촌공동체 유지, 수산자원보호, 친환경 수산물 생산지원에 최선을 다했습니다. 수산업의 공익적 가치를 높이고 어가소득을 안정시키는 든든한 초

석이 될 것입니다.

어촌의 정주 여건도 많이 개선되고 있습니다. '어촌뉴딜300사업'은 사업지 선정이 목표대로 완료되었고, 성과도 속속 나타나고 있습니다. 전남 신안군의 만재도는 현대식 접안시설이 갖춰지면서 주민이 거주한 지 320년 만에 여객선으로 섬까지 다닐 수 있게 되었습니다. 올해는 선정된 사업지 절반이 완공을 앞두고 있어 더욱 편안한 어촌을 만날 수 있게 되었습니다. 수산업법 개정으로 어구 관리를 전 주기에 걸쳐 강화했습니다. '어구 보증금제', '어구 일제회수제' 등 해양 폐기물 문제를 해결하는데 꼭 필요한 제도를 마련할 수 있게 되었습니다. '수산 부산물법' 제정으로 굴 껍데기의 재활용도 가능하게 되었습니다. 해양환경을 지켜 인간과 자연, 모두에게 이로움을 줄 것입니다.

바다는 우리에게 없어서는 안될 삶의 터전입니다. 우리는 바다와 함께 공존해야 합니다. 우리 갯벌은 매년 자동차 11만 대 분량의 이산화탄소를 흡수합니다. 건강하고 풍요로운 바다와 더불어 더욱 잘 사는 어촌을 만들어나가겠습니다. 다시 한번 고귀하고 숭고한 땀방울에 감사드리며 수산인들의 안전과 만선을 기원합니다.

74주년 제주 4·3, 올해도 어김없이 봄이 왔습니다

| 2022-04-04 |

74주년 제주 4·3, 올해도 어김없이 봄이 왔습니다. 제주는 상처가 깊었지만 이해하고자 했고, 아픔을 기억하면서도 고통을 평화와 인권으로 승화시키고자 했습니다. 다시금 유채꽃으로 피어난 희생자들과 슬픔을 딛고 일어선 유족들, 제주도민들께 추모와 존경의 인사를 드립니다. 얼마 전, 4·3 수형인에 대한 첫 직권재심과 특별재심 재판이 열렸습니다. 4·3특별법의 전면개정으로 이뤄진 재심이었습니다. 검사는 피고인 전원 무죄를 요청했고, 판사는 4·3의 아픔에 공감하는 특별한 판결문을 낭독했습니다. 일흔 세분의 억울한 옥살이는 드디어 무죄가 되었고, 유족들은 법정에 박수로 화답했습니다. 상처가 아물고 제주의 봄이 피어나는 순간이었습니다.

많은 시간이 걸렸습니다. 김대중 정부의 4·3특별법 제정, 노무현 정부의 진상조사보고서 발간과 대통령의 직접 사과가 있었기에 드디어 우리 정부에서 4·3특별법의 전면개정과 보상까지 추진할 수 있었습니다. 그러나 무엇보다 제주도민들의 간절한 마음이 진실을 밝혀낼 수 있는 힘이었습니다. 군과 경찰을 깊이 포용해주었던 용서의 마음이 오늘의 봄을 만들어냈습니다. 이제 우리는 4·3특별법 개정을 통해 완전한 진상규명과 명예회복에 한 걸음 더 다가섰습니다. 2018년, 8년 만에 재개한 유해 발굴에서 열한 구의 유해를 찾았고, 올해 3월부터 4·3에 대한 추가 진상조사가 시작되었습니다. 하반기부터 희생자에 대한 합당한 보상이 이뤄질 것입니다. 30년 전, 장례도 없이 바다에 뿌려졌던 다랑쉬굴의 영혼들이 이번 다랑쉬굴 특별전시회를 통해 위로받기를 숙연한 마음으로 기원합니다.

"죽은 이는 부디 눈을 감고 산 자들은 서로 손을 잡으라."

2020년, 제주 하귀리 영모원에서 보았던 글귀가 선명합니다. 이처럼 강렬한 추모와 화해를 보지 못했습니다. 아직 다하지 못한 과제들이 산 자들의 포용과 연대로 해결될 것이라 믿습니다. 다음 정부에서도 노력이 이어지기를 기대합니다. 5년 내내 제주 4·3과 함께 해왔던 것은 제게 큰 보람이었습니다. 언제나 제주의 봄을 잊지 않겠습니다.

한국판 뉴딜 격려 오찬 간담회 말씀

| 2022-04-07 |

임기 마무리 한 달을 앞두고 우리 정부가 역점을 두고 추진한 한국판 뉴딜의 성과를 점검하고 그간의 노고를 격려하는 자리를 마련했습니다. 특히 민간 분야에서 모범적인 성공사례를 창출한 한국판 뉴딜 유공자들과 수상자들을 모시고 함께하게 되어 무척 뜻깊습니다. 한국판 뉴딜은 코로나 대유행으로 전 세계가 최악의 경제위기에 직면한 상황에서 탄생했습니다. 어려운 위기 상황을 극복하고 위기를 기회로 만들겠다는 대담한 출사표였고, 선도국가로 도약하기 위한 대한민국 대전환 선언이었습니다. 정부는 범국가적 추진체계를 마련하며 재정투자에 과감히 나섰습니다. 디지털과 그린 경제·사회로의 전환에 속도를 냈고, 고용·사회 안전망을 튼튼히 하며 사람에 대한 투자를 확대했습니다. 새로운 과제들을 발굴하고 사업 영역을 지속적으로 확장하며 진화의 길을 걸었고

추진력을 높였습니다.

2년도 안 되는 짧은 기간에 한국판 뉴딜은 다방면에서 성과가 가시화되고 있습니다. 디지털 뉴딜로 세계 최고 수준의 D·N·A 기반을 구축하며 우리나라는 디지털 선도국가 위상이 더욱 굳건해졌습니다. 데이터 산업이 비약적으로 성장하고 있고, 신산업과 혁신 서비스가 활성화되며 사회 곳곳에서 눈에 보이는 디지털 전환이 일어나고 있습니다. 그린 뉴딜을 통해서는 녹색경쟁력을 더욱 높이고 탄소중립의 확고한 기반을 마련했습니다. 수소차, 전기차 등 그린모빌리티가 빠르게 보급되고 있고, 신재생에너지와 수소경제에 대한 대규모 투자가 이어지며 미래 성장 동력 창출은 물론 기후변화 대응력을 높여 나가고 있습니다. 또한 건물, 도시, 산단 등 삶의 공간 전반이 녹색공간으로 변모하고 있습니다.

휴먼 뉴딜도 강력히 추진하여 안전망과 포용성을 더욱 강화했습니다. 고용보험 수혜자를 단계적으로 확대하고 취약계층과 청년에 대한 지원도 늘려나가고 있습니다. 또한 신산업 유망분야에 대한 인재와 인력을 적극적으로 양성하는 등 사람투자도 지속적으로 확대하고 있습니다. 또한 한국판 뉴딜은 지역과 민간으로 빠르게 확산되고 있습니다. 지역균형 뉴딜이 구체화되며 지역 특성에 맞는 균형발전이 활발히 추진되고 있습니다. 민관 협력 모델도 확산되고 있고, 뉴딜펀드 조성 등을 통한 민간투자 확대와 함께 법과 제도적 기반도 구축되며 지속 가능성도 높이고 있습니다한국판 뉴딜은 특히 국제사회에서 높은 평가를 받고 있습니다. 4차산업혁명과 탄소중립 시대의 대표적 국가발전전략으로 국제적으로 환영을 받게 되었고, 우리가 먼저 시작한 길에 주요국들도 뒤따르며 세계가 함께 가는 길이 되고 있습니다. 우리나라뿐 아니라 인류 공동체의 보편적 정책방향이 된 것입니다.

한국판 뉴딜은 대한민국의 미래이며 세계를 선도하는 길입니다. 디지털·그린 대전환과 포용성 강화는 정부를 초월하여 흔들림 없이 추진해야 할 방향입니다. 국가의 미래를 위한 반드시 가야 할 길로서 다음 정부에서도 계속 발전시켜나가길 기대합니다. 대한민국이 세계의 흐름에 발맞추며 국제사회와 협력해 나가기 위해서 반드시 가야 할 길입니다. 대한민국이 선도국가로 나아갈 수 있는 길이기도 합니다. 정책의 이름은 바뀌더라도 정책의 내용만큼은 지키고 더 발전시켜나가면서 대한민국의 대표 브랜드 정책으로 만들어주기를 바라는 마음입니다.

감사합니다.

수석보좌관회의 모두발언

| 2022-04-11 |

오늘 수보회의에 외부 전문가분들이 함께해 주셨습니다. 이창훈 한국환경연구원 원장님, 또 윤순진 탄소중립위원회 위원장님, 김희 포스코 상무님, 오늘 의제에 대한 발제와 토론에 참여해 주시겠습니다. 다들 감사와 환영의 박수 보내 주시기 바랍니다.

시작이 있으면 끝이 있기 마련입니다. 우리 정부 임기도 끝을 향해 가고 있습니다. 지금까지 과분한 사랑을 보내주신 국민들께 깊이 감사드리며, 안보와 국정의 공백이 없도록 마지막까지 최선을 다하는 것으로 보답하겠습니다. 우리 정부의 성공적인 마무리는 다음 정부의 성공적인 출범으로 이어지게 됩니다. 국민들께서 끝까지 성원해 주시길 바랍니다. 무엇보다도 다행스러운 점은, 오미크론의 고비를 넘어서며 드디어 일상 회복 단계로 나아갈 수 있게 된 것입니다. 오랜 기다림 끝에 모두의 인내와 노력으로 일상을 되찾아갈 수 있게 되어 무척 기쁘고 감사한 마음입니다. 정부는 사회적 거리두기 해제, 일상적 방역과 의료체계로의 전환, 감염병 등급 조정 등 포스트 오미크론의 대응 채비를 차질없이 갖춰 나가겠습니다. 아직도 세계를 뒤흔들고 있는 코로나 위기 국면에서 방역 모범국가, 경제회복 선도국가로 도약했던 자부심을 바탕으로 일상회복에서도 세계를 선도해 나갈 수 있도록 마지막까지 최선을 다하겠습니다. 나아가, 코로나 대응 과정에서 얻은 경험과 교훈을 차기 정부로 잘 이관하여 새로운 변이나 감염병에 대응할 수 있는 국가적 역량을 계속해서 키워나갈 수 있도록 노력하겠습니다.

한편으로, 대외경제 여건이 더욱 악화되는 상황에서 국민 경제와 민생 안정을 위한 긴장감도 한시도 늦출 수 없습니다. 세계적으로 물가 급등과 공급망 불안을 증폭시키고 있는 우크라이나 전쟁이 길어지고 있는 가운데, 최근에는 중국에서 코로나 확산에 따라 강력한 지역 봉쇄조치가 시행되면서 우리 경제에 부담이 가중되고 있습니다. 우리의 최대 교역국이며 긴밀히 연결된 공급망으로 인해 국내 산업 전반에 파급력이 커질 수 있습니다. 정부는 핵심품목들의 공급망을 점검하고, 봉쇄지역 내 생산과 물류 차질 등에 선제적인 대비태세를 구축해야 할 것입니다. 현 시기 민생 안정을 위해서는 물가 관리와 함께 주거 안정이 특히 중요합니다. 범정부적으로 물가 관리에 총력을 기울이고 있는 상황에서 한편에서는 하향 안정화 추세가 지속되던 부동산 시장이 불안한 조짐을 보이고 있어 걱정입니다. 지금의 물가 불안은 외부 요인이 매우 큽니다. 그에 따라 전 세계적으로 금리가 오르고 있는 상황에서 가계부채 관리와 금융 건전성 유지가 더욱 중요합니다. 어렵게 안정세를 찾아가던 부동산 시장에 영향을 줄 수 있는 전반적인 규제 완화는 매우 신중을 기해야 할 것입니다. 우리 정부는 위기 극복 정부로서 마지막까지 역할을 다하면서, 임기 동안 역점을 두고 추진해 왔던 국정 성과와 과제들을 잘 정리하여 대한민국이 계속 도약해 나아갈 수 있는 기반을 마련해 나가겠습니다.

대한민국은 이미 선진국이며 다방면에서 세계 10위권 안에 드는 선도국가입니다. 신장된 국력과 국가적 위상에 맞게 정치의식도 함께 높아지길 기대합니다. 짧은 기간 안에 압축성장하며 성공의 길을 걸어온 대한민국입니다. 이제는 옆도 보며 함께 가는 성숙한 사회로 나아가길 희망합니다.

특히 정치의 역할이 큽니다. 혐오와 차별은 그 자체로 배격되어야 합니다. 혐오와 차별이 아니라 배려하고 포용하는 사회, 갈등과 대립이 아니라 다름을 존중하고 다양성을 인정하는 사회, 그것이 진정한 통합으로 나아가는 길이며 품격 높은 대한민국이 되는 길이라고 생각합니다.

역사는 때론 정체되고 퇴행하기도 하지만 결국 발전하고 진보한다는 믿음을 가지고 있습니다. 우리의 지나온 역사도 그랬습니다. 격동의 근현대사를 헤쳐 오며 때론 진통과 아픔을 겪었지만 그것을 새로운 발전 동력으로 삼아 결국에는 올바른 방향으로 전진해 왔습니다. 앞으로의 역사도 계속 발전하고 진보해 나가리라 확신합니다. 우리의 역사를 총체적으로 긍정하며 자부심을 가지기를 희망합니다. 그 긍정과 자부심이야말로 우리가 더 큰 도약으로 나아갈 수 있는 힘이 되기 때문입니다.

4월의 봄, 다시 세월호 아이들의 이름을 불러봅니다

| 2022-04-16 |

해마다 4월이면 더 아픕니다. 여전히 아이들의 숨결을 느끼고 계실 가족 한 분 한 분께 깊은 위로를 드립니다. 한결같은 걸음으로 함께 해주시는 모든 분께도 고마운 마음 전합니다.

'4.16기억교실'에 안겨 있는 아이들의 꿈이 8년의 세월만큼 우리에게 공감의 마음을 심어주었습니다. 시민들이 모여 '다시, 빛'을 노래하고, 지역 청소년들이 힘을 합해 꽃을 심은 화분을 나누고 있습니다. 비극을 되풀이하지 않겠다는 우리의 마음이 '기억의 벽'을 넘어 새로운 희망을 품어낼 것입니다. 모두의 행동이 귀중하게 쌓여 생명존중 세상을 열어갈 것입니다.

세월호의 진실을 성역 없이 밝히는 일은 아이들을 온전히 떠나보내는 일이고, 나라의 안전을 확고히 다지는 일입니다. 지난 5년, 선체조사위원회와 사회적 참사 특별조사위원회, 검찰 세월호 특수단, 세월호 특검으로 진실에 한발 다가섰지만, 아직도 이유를 밝혀내지 못한 일들이 남아있습니다. 진상규명과 피해지원, 제도개선을 위해 출범한 사회적 참사 특별조사위원회가 마지막까지 최선을 다해주길 당부합니다.

티셔츠에 붙어있던 아이의 머리카락을 만져보며 세월호 가족은 하루하루를 이겨내고 있습니다. 잊지 않겠습니다. 온 국민이 언제나 함께 기억할 것입니다.

예수님의 부활을 기쁨으로 축하합니다

| 2022-04-17 |

고난과 죽음을 이기신 예수 그리스도의 부활은 온누리를 환히 비추는 희망의 메시지입니다. 우리는 고통 뒤에서 우리 자신의 가치를 만날 수 있었고, 우리 곁에 머물러 아픔을 주었던 모든 것들은 언제나 새로운 시작의 동기가 되었습니다. 부활의 영광으로 우리의 믿음이 더욱 강해졌듯 회복과 도약의 믿음도 한층 커지길 기원합니다.

나라를 위한 교회의 기도에 감사드립니다. 교회의 사랑이 통합의 미래를 앞당길 것입니다. 예수님의 은총이 늘 함께하시길 바랍니다.

4·19혁명 62주년입니다

| 2022-04-19 |

4·19혁명 62주년입니다.

"강산이 다시 깃을 펴는 듯했다"는 감격의 말처럼, 독재에 억눌렸던 나라를 활짝 펼쳤던 국민의 함성이 들리는 듯합니다. 4·19혁명은 국민이 나라의 주인이라는 사실을 증명하며, 부마민주항쟁과 5·18민주화운동, 6월 민주항쟁과 촛불혁명에 이르는 우리 민주주의 발전의 도화선이었습니다. 오늘 아침에도 4·19민주묘지에는 여전히 민주주의가 눈부신 꽃을 피워내고 있었습니다.

정부는 민주화 운동을 기리는데 최선을 다해왔습니다. 2·28대구민주운동과 3·8대전민주의거를 국가기념일로 제정했고, 4·19혁명 유공자를 추가로 포상했습니다. 이달 들어 유공자 두 분을 새로 4·19민주묘지에 안장했으며, 4·19혁명 관련 기록물의 세계기록유산 등재를 추진하고 있습니다.

민주주의는 국민의 관심으로 성장합니다. 정치를 넘어 경제로, 생활로 끊임없이 확장될 때 억압과 차별, 부당한 권력으로부터 우리를 지켜줄 것입니다. 우리는 코로나 속에서도 민주주의를 확장했습니다. 감염병의 극복과 탄소중립 같은 국제적 과제 역시 서로를 더 깊이 이해하고 포용하는 민주주의만이 해결의 열쇠가 될 것입니다. 오늘 다시 숭고한 4·19 혁명의 정신을 되새기며 희생자와 유공자를 기립니다.

제18회 국무회의(영상) 모두발언

| 2022-04-19 |

제18회 국무회의를 시작하겠습니다. 마침내 사회적 거리두기가 전면 해제되어 국민들께서 일상을 되찾을 수 있게 되었습니다. 감염병 등급을 조정하여 정상 의료 체계로 돌아갈 수도 있게 되었습니다. 우리 정부 임기 안에 모두가 그토록 바라던 일상으로 돌아가게 되어 무척 감개무량하며, 그렇게 될 수 있도록 협조해 주신 국민들과 방역진, 의료진의 헌신에 마음 깊이 감사드립니다.

국민 여러분 정말 수고 많으셨습니다. 정부는 K-방역 모범국가를 넘어 일상회복에서도 선도국가가 될 수 있도록 마지막까지 최선을 다하겠습니다. 오늘 국무회의에서 대한민국 최초의 특별지자체로서 '부산울산경남특별연합'의 공식 출범을 국민들께 보고드릴 수 있게 되어 매우 기쁘고 뜻깊게 생각합니다. 오늘의 결실을 맺기까지 관계부처와 3개 광역지자체의 노고가 많았습니다. 감사의 마음과 함께 부울경특별연합의 출범을 진심으로 축하합니다.

지역이 균형있게 골고루 잘 사는 대한민국을 향한 발걸음은 무엇보다 중요한 국가적 과제입니다. 수도권은 과밀로 인한 폐해가 날로 심화되는 반면 지방은 소멸의 위기까지 걱정되는 상황에서 국가균형발전은 국가의 미래가 걸린 중차대한 과제입니다. 우리 정부는 출범 초기부터 다방면에서 강력한 균형발전 정책을 추진했습니다. 하지만 수도권 집중 흐름을 되돌리지 못했습니다. 그 흐름을 바꾸기 위한 절박한 심정으로, 기존의 정책에 더해 새롭게 추진한 균형발전 전략이 초광역협력입니다. 초광역협력은 지자체의 경계를 넘어 수도권처럼 경쟁력을 갖춘 광역 경제생활권을 만들어나감으로써 대한민국을 다극화하고 수도권과 지방이 모두 상생하고자 하는 담대한 구상입니다. 이를 실현하기 위해 초광역협력을 지원하기 위한 법과 제도적 기반을 신속하게 마련했고, '범정부 초광역지원협의회'를 통해 적극적으로 뒷받침했습니다. 지자체들도 스스로 초광역협력에 적극 나섰고 특히 부·울·경이 가장 선도해 나가고 있습니다. 작년 2월, '동남권 메가시티 구축전략'을 세운 이후 지자체 간 소통과 협력의 강도를 높이며 청사진과 같았던 구상을 현실 속에서 구체화해 나갔습니다. 끝내 오늘 '분권협약'과 '초광역협력 양해각서'를 체결하기에 이르렀고, 부울경특별연합이 드디어 출범하게 된 것입니다.

국가 균형발전과 해당 지역의 발전을 위해 부울경특별연합에 거는 기대가 매우 큽니다. 동북아 8대 메가시티로 도약하겠다는 목표를 향해 힘차게 나아가길 바랍니다. 자동차, 조선, 해운, 항공, 수소 등 전략산업 육성과 함께 인재양성의 공동 기반을 마련하고, 공간혁신과 교통망 확충으로 수도권처럼 1일 경제생활권을 확장해 나간다면 충분히 성공할 수 있습니다. 부울경특별연합이 초광역협력의 선도모델로 안착할 수 있도록 지자체와 관계부처가 더욱 긴밀히 협력해 주길 바라며, 우리 정부에서 첫발을 내딛는 새로운 도전이 다음 정부에서 더욱 발전하며 꽃을 피우길 기대합니다. 또한 초광역협력 모델이 대구·경북, 광주·전남, 충청권 등 전국으로 확산되어 새로운 국가균형발전 시대를 여는 희망의 열쇠가 되기를 바라는 마음 간절합니다.

이상입니다.

편견을 넘는 동행이 우리 모두의 삶이 되길 바랍니다

| 2022-04-20 |

장애인 활동가 이형숙 님이 "장애인의 속도가 이것밖에 안 돼서 죄송합니다"라고 사과하는 모습이 가슴에 간절하게 와닿았습니다. 오늘 제42회 장애인의 날을 맞아 우리 모두의 이동권과 이형숙 님의 사과에 대해 생각해보았으면 합니다.

조선왕조시대 청각장애인이었던 문신 이덕수와 유수원은 여러 관직에 올라 국정에서 중요한 역할을 수행했고, 시각장애인들은 세계 최초의 장애인단체 '명통시'에 소속돼 국운을 길하게 하고 백성에게 복을 전하는 일을 맡았습니다. 조선시대에도 장애인의 역량과 권리를 그처럼 존중했던 전통이 있었습니다. 우리는 선조들로부터 그 같은 정신을 배워야 합니다.

지난 5년, 우리 정부도 많이 노력했습니다. 장애인 예산을 두 배로 늘렸고, 31년 만에 장애등급제를 폐지해 장애인 중심의 종합지원체계를 구축했습니다. 발달장애인 생애주기별 종합대책도 마련했습니다. '탈시설 장애인 자립지원 로드맵'을 수립하고, 장애인연금을 30만원으로 인상해 자립기반을 높였습니다. 장애인들 스스로의 노력에 더해 기꺼이 뜻을 모아주신 국민들 덕분입니다.

우리는 각자의 속도로 삶을 살아갑니다. 남들보다 빨리 인생의 전성기에 도달하는 사람이 있는가 하면, 천천히 성장하며 자신만의 세계를 만들어가는 사람도 있습니다. 장애인과 비장애인의 속도 또한 서로 다를 뿐, 우리는 함께 살아가고 있습니다. 우리는 느린 사람을 기다려줄 수 있는 세상을 만들어야 합니다. 장애인들의 이동권에 더 배려하지 못한 우리 자신의 무관심을 자책해야 합니다. 차별 없는 세상이 우리가 가야 할 길입니다. 편견을 넘는 동행이 우리 모두의 삶이 되길 바랍니다.

오늘은 지구의 날입니다

| 2022-04-22 |

오늘은 지구의 날입니다. 세계 시민들이 뜻을 모아 정한 날로, 52년 전 미국의 대규모 원유 유출 사고를 계기로 시작되었습니다. 세계적인 비영리단체 'Earth Day'가 정한 올해 지구의 날 주제는 '지구에 투자하자'입니다. 우리는 저녁 8시, 10분의 소등으로 함께할 것입니다. 어둠 속에서 잠시 우리의 특별한 행성, 지구를 생각해보았으면 합니다.

지금 인류는 지구 위기의 심각성을 느끼며 지구 생명체의 한 구성원으로서 탄소중립을 실천하고 있습니다. 우리나라 역시 세계에서 14번째로 탄소중립을 법제화했고, 2030년 국가 온실가스 감축목표도 40%로 상향하며 우리의 강력한 탄소중립 실현 의지를 국제사회에 알렸습니다.

쉽지 않은 일이지만 지금처럼 국민과 산업계, 정부가 힘을 합한다면 우리가 앞장서 새로운 시대를 열어갈 수 있을 것입니다.

우리 국민들은 세계 어느 나라보다 탄소중립 의지가 높고, 강한 실천력이 있습니다. 에너지 절약과 분리배출, 플라스틱 줄이기에도 성숙한 시민의식을 보여주고 있습니다. 불편함을 보람으로 바꿔내 주신 국민들의 참여와 노력만큼 탄소중립 정책이 다음 정부에서도 성공적으로 추진되길 바랍니다.

우리의 지구사랑, 아직 늦지 않았습니다.

저도 오늘 금강송 한 그루를 지구에 투자하겠습니다.

청와대 출입기자단 초청 행사 모두발언

| 2022-04-25 |

춘추관 기자 여러분, 그리고 언론인 여러분,

이렇게 많은 분들과 함께하는 시간 보내게 되어서 아주 기쁘고 또 반갑습니다. 사실 오늘 이런 자리는 그전에도 몇 번 시도가 되었었습니다. 2020년도에도, 2021년도에도 간사단하고의 사이에 일정 조율까지도 하고 했었는데, 그때마다 코로나 이런 상황들이 나빠지면서 함께하는 시간을 갖지 못했습니다. 올해 신년 기자회견도 오미크론 확산되면서 예정했던 기자회견을 미루게 되기도 했고요. 북악산 전면 개방할 때 우리 기자님들과 함께 산행하는 그런 기회도 갖고 싶었는데, 그것도 하지 못했습니다. 그런 말로 다 면피가 되는 것은 아니겠지만 어쨌든 오미크론, 코로나 이런 상황 때문에 더더욱 우리 기자님들과 만날 수 있는 기회, 그리고 또 소통, 이런 것이 부족했다는 점에 대해서 미안하게 생각하고, 또 한편으로 양해의 말씀을 드립니다.

오늘 이 행사 시작 이전부터 먼저 오셔서 아마 청와대도 둘러보시고 하신 것으로 아는데, 나중에 행사 후에도 좀 더 살펴보시고, 사진도 많이 찍으시고 하시기 바랍니다. 아마 앞으로 '청와대 시대'라는 그런 말이 남을 것이라고 생각합니다. 여러분은 청와대 시대 마지막을 지켜보는 그런 증인들이십니다. 아마 춘추관 기자라는 말도 이제는 마지막이 될지 모르겠습니다. 청와대 시대가 끝난다 이렇게 생각하는 약간의 소회가 있는데, 혹시라도 이 청와대 시대를 끝내는 것이 그동안의 우리 역사, 또는 청와대의 역사에 대한 어떤 부정적인 평가 때문에 뭔가 청산한다는 의미로 청와대 시간을 끝낸다 그러면 저는 그것은 조금 다분히 우리 역사를 왜곡하고, 우리의 성취를 부인하는 것이라고 그렇게 생각합니다. 초대 이승만 대통령으로부터 곧 떠날 저에 이르기까지 역대 대통령마다 공과 과가 있습니다. 어떤 대통령은 과가 더 많아 보이기도 하고, 또 사법적으로나 역사적으로 심판을 받았던 그런 대통령들도 계십니다.

그러나 이승만 대통령으로부터 지금에까지 우리 역사를 총체적으로 평가한다면 2차 세계대전 이후에 가장 성공한 나라가 대한민국이다, 그렇게 평가받고 있습니다. 이것은 국제적인, 객관적이고 엄연한 그런 평가입니다. 지금까지 대한민국의 역사를 말하자면 뭔가 청산하고 바꿔야 된다는 대상으로 여긴다면 저는 그것은 맞지 않다고 생각하고, 오히려 성공한 역사를 더욱 축적해 나가는 그런 것이 매우 중요하다고 생각합니다.

한편으로는 청와대는 한때 '구중궁궐' 그런 말을 들었을 때도 있었지만, 그러나 전체적으로는 역시 계속해서 개방을 확대하고 열린 청와대로 나아가는 그런 과정이었다고 봅니다. 우리 정부에서만 해도 우선 청와대 앞길이 전면 개방되었고 인왕산, 북악산이 또 전면 개방되었고, 청와대 경내 관람도 크게 늘어서 코로나 상황 속에서도 연간 20만 명 국민들이 청와대를 관람했습니다. 아마 코로나 상황이 없었다면 훨씬 많은 분들이 또 훨씬 더 개방된 그런 공간을 즐길 수 있었을 것이라고 생각합니다.

그렇게 청와대가 개방돼 나가고, 또 열려 나가는 그런 가운데 우리는 정말 세계적으로 대격변의 시대를 겪었습니다. 그 격변의 시대 속에서 그래도 우리나라가 성공적으로 그 격변을 이겨내면서 그것을 오히려 기회를 삼아 말하자면 더 선도국가로 이렇게 나아갈 수 있었습니다. 그런 격변의 현장을 여러분께서 늘 생생하게 국민들께 잘 전달해 주시고, 또 기록해 주신 것에 대해서 감사 말씀을 드립니다.

우리 정부와 언론은 서로 맡은 역할은 다르지만, 대한민국의 발전이라는 이런 같은 방향을 바라보면서 나아가는 같은 배를 탄 사이라고 생각을 합니다. 우리가 가끔은 역할의 차이 때문에 그 사실을 잊어버립니다. 정부는 언론이 좀 사실과 다르게, 또는 너무 과하게 비판한다고 섭섭해하기도 하고, 언론은 정부가 또는 청와대가 언론과 더 소통하지 않는다고 이렇게 지적을 합니다. 그러나 그 역시 지금 와서 크게 넓게 보면 우리가 지난 5년간 어쨌든 대한민국을 훌쩍 성장시키지 않았습니까. 그 속에 정부와 청와대가 고생했던 만큼 우리 언론인 여러분도 정말로 많은 수고를 해 주셨다고 생각합니다. 감사합니다.

앞으로 다음 정부에서도 그처럼 정부와 함께 대한민국을 발전시켜 가는 그런 역할을 계속해 주시기를 바라고요. 저는 이제 곧 끝납니다만 끝나면 그냥 평범한 국민, 평범한 시민으로 그렇게 살아갈 생각입니다. 오며가며, 혹시 또 우연히 이렇게 보게 되면 서로 반갑게 인사를 나눌 수 있기를 바라겠습니다. 혹시 제가 못 알아보거든 청와대 시대 마지막 출입기자였다고 소개를 해 주시기 바랍니다. 오늘 좋은 소통 시간되길 바라겠습니다.

감사합니다.

프랑스 공화국 대통령 선거에서 재선에 성공한 것을 진심으로 축하합니다

| 2022-04-26 |

프랑스 공화국 대통령 선거에서 재선에 성공한 것을 진심으로 축하하며, 대통령님의 리더십으로 프랑스 공화국이 계속해서 발전해 나갈 것으로 기대합니다. 대통령께서 프랑스 공화국 현직 대통령으로 20년 만에 재선에 성공함으로써 프랑스 공화국 국민들의 폭넓은 지지와 성원이 재확인된 것으로 평가합니다. 대한민국과 프랑스 공화국은 한 세기가 넘는 기간 동안 어려움을 함께 극복하며 정무, 경제, 문화 등 다양한 분야에서 협력을 심화시켜 왔습니다. 특히 나의 2018년 프랑스 국빈 방문을 계기로 양국 간 '21세기 포괄적 동반자 관계'를 재확인한 것을 기쁘게 생각합니다. 대통령님 재임 기간 중 양국 관계가 더욱 견실해질 것으로 기대하며 대통령님의 건안과 프랑스 공화국의 무궁한 발전을 기원합니다.

Recevez toutes mes félicitations sincères pour votre réélection à la présidentielle. Je suis convaincu que votre leadership contribuera au développement continuel de la République française. Vous avez réussi à vous faire réélire en tant que Président sortant, ce qui n' était pas arrivé depuis 20 ans. Cela témoigne la réaffirmation du soutien du peuple français pour vous. La République de Corée et la République française ont renforcé la coopération dans divers domaines tels que la politique, l'économie et la culture, tout en surmontant ensemble des difficultés pendant plus d'un siècle. Tout particulièrement, je suis ravi d'avoir reconfirmé notre Partenariat global pour le 21ème siècle, lors de ma visite d'état en France J' espère que les relations entre nos deux pays vont être davantage consolidées pendant votre prochain mandat. Je vous souhaite le succès et la prospérité éternelle pour la République française.

방역 관계자 격려 오찬 간담회 발언

| 2022-04-28 |

여러분, 반갑습니다.

임기 마치기 전에 이 자리를 꼭 갖고 싶었습니다. 어느 자리보다도 뜻깊고 감회가 남다릅니다. 2년 이상의 긴 기간 동안 코로나 대응에 헌신해 주신 모든 분께 한없는 감사와 존경의 마음을 드립니다. 여러분 덕분에 미증유의 감염병 위기에 성공적으로 대응하며 국민의 생명과 안전을 잘 지켜낼 수 있었고, 드디어 다시 일상으로 돌아갈 수 있게 되었습니다. 그동안 정말 수고 많으셨습니다.

코로나의 긴 터널을 헤쳐 온 과정이 파노라마처럼 생생합니다. 코로나 극복을 위해 연대하고 협력했던 그 순간 그 장면 하나하나가 눈에 선합니다. 우한 교민들을 긴급하게 귀국시키기 위해 기울였던 노력과 그

분들을 따뜻하게 맞아주셨던 진천, 아산, 이천 주민들, 현업을 중단하고 전국 각지에서 대구로 달려간 의료진과 자원봉사자들, 방역과 치료에 혼신의 노력을 기울인 방역진과 의료진, 군과 보건소와 지자체 공무원들, 마스크와 진단키트 배포에 힘써 준 약사들, 환자 이송에 최선을 다해 준 구급대원들, 보육, 돌봄, 택배 운송 등 누군가는 해야 할일을 마다하지 않은 필수 노동자들, 치료제와 백신 개발에 전력을 기울이고 있는 연구진과 기업들, 기부와 나눔에 동참하며 이웃의 고통을 함께 나눈 시민들, 일일이 다 열거할 수 없는 수많은 노력과 연대의 마음이 있었습니다. 국민들께서는 방역의 주체가 되어 마스크 쓰기와 사회적 거리두기, 백신 접종에 적극적으로 참여해 주셨습니다. 모두가 코로나 극복의 영웅이라 해도 과언이 아닙니다.

얼마 전 세계보건기구(WHO)는 성공적 감염병 관리 모델로 우리나라를 꼽았습니다. 중증화율이 높았던 초기에는 코로나 확산 차단에 주력하여 매우 낮은 감염률을 유지했고, 전파력이 강한 오미크론의 확산 시기에는 위중증과 치명률을 낮추는 데 집중하여 국민의 희생과 사회적 비용을 최소화했다는 점이 높은 평가를 받았습니다. 특히 그 과정에서 국경 봉쇄와 지역 봉쇄 등 다른 나라들 같은 과도한 통제 없이 효과적으로 감염병을 관리해내었다는 점이 특별한 주목을 받았습니다. 효과적인 감염병 대응은 경제적 피해를 최소화하면서 빠른 경제회복을 이루는 토대가 되었습니다. 그야말로 방역과 경제 두 마리 토끼를 모두 잡는 밑거름이 되었습니다. K-방역이 성공적이었던 것은 사스와 메르스 사태를 교훈삼아 국가 방역체계를 발전시켜 왔고, 공공의료체계와 건강보험 보장성 강화 등으로 선도적인 방역과 의료체계를 구축해 온 것이 든든한 밑바탕이 되었습니다.

또한 방역당국의 혁신적 정책과 유연한 대응이 큰 역할을 했습니다. 검사-추적-치료로 이어지는 3T 전략을 효과적으로 시행했고, 드라이브스루와 선별진료소 운영, 생활치료센터와 재택치료 도입 등 창의적인 방법과 상황에 따른 신속하고 유연한 조치로 코로나에 대한 대응력을 높였습니다. 이제는 국제사회의 주목을 받으며 우리의 전략대로 일상회복을 질서 있게 추진해 나갈 수 있게 되었습니다. 물론 코로나가 아직 종식된 것이 아닙니다. 여전히 긴장하며 개인 방역을 잘하고, 새로운 변이나 새로운 감염병에 대한 대비도 해 나가야 합니다. 완전한 일상회복으로 나아가면서 그동안의 성과를 잘 축적하고, 부족한 점을 보완하여 방역 선도국가로 더욱 발전해 나가길 기대합니다.

K-방역은 우리의 자부심입니다. 세계가 인정하는 성공 모델로서 대한민국의 국제적 위상을 높이는 데 크게 이바지했습니다. 우리 스스로도 우리의 역량을 재발견할 수 있었습니다. 우리 역시 때때로 위기를 겪었지만 우리는 해냈습니다. 국민들의 높은 시민의식과 함께 방역진과 의료진의 헌신이 만들어 낸 국가적 성취입니다. 결코 폄훼될 수 없는 자랑스러운 성과입니다. 오늘 이 자리가 그 자부심을 함께 나누는 자리가 되기를 바라며, 대통령으로서 다시 한 번 한없는 감사를 드립니다.

고맙습니다.

軍 주요직위자 격려 오찬 간담회 모두발언

| 2022-04-29 |

여러분, 반갑습니다.

지난 5년간 우리는 각고의 노력을 기울여서 대한민국의 평화와 안보를 잘 지켜 왔습니다. 우리에게 평화와 안보는 생존의 조건이고, 또 번영의 조건이기도 합니다. 오늘 우리 국방장관님, 합참의장님, 3군 총장님, 한미연합사부사령관님, 해병대사령관님을 비롯해서 우리 군의 최고 지휘관들과 또 병무청장, 방사청장, 국방과학연구소장 이런 군 관련 주요 직위자들과 이렇게 함께 식사를 같이 하면서 그동안 우리의 평화와 안보를 지키기 위해서 각고의 노력을 기울여 주신 데 대해서 이렇게 치하하고 격려할 수 있는 그런 시간을 임기 내에 그렇게 가질 수 있게 되어서 매우 기쁘게 생각을 합니다.

우리가 평화, 안보, 이것을 잘 지키고 있기 때문에 많은 사람들이 평화와 안보라는 것이 마치 공기처럼, 그냥 저절로 있는 것처럼, 늘 있는 것처럼 그렇게 쉽게 당연한 것처럼, 그렇게 생각하는 분들이 많습니다. 그러나 우리가 2017년 정부 출범 그 초기에 북한의 계속된 미사일 발사와 핵실험, 그것으로 인해서 빚어졌던 우리 한반도의 위기, 그리고 또 북한과 미국 간의 강대강 대치로 빚어졌던, 말하자면 금방 폭발이라도 할 수 있을 것 같은 일촉즉발의 전쟁 위기의 상황, 그 상황에서 우리는 혼신의 노력을 다해서 대결의 국면에서 대화와 외교의 국면으로 전환시켰고, 그리고 그것을 통해서 지금까지 평화와 안보를 지켜 올 수 있었습니다.

그 중심에 우리 군이 있었습니다. 우리는 대화와 외교에만 의존하거나 치중한 것이 아니라 항상 어느 때보다 강한 국방력을 유지하고 상승시키기 위해서 최선의 노력을 다했습니다. 역대 어느 정부보다 많은 국방비 예산을 증액하고, 또 많은 방위력 개선에 투자를 하고, 이래서 세계적으로 종합군사력 6위라는 그런 평가를 받기에 이르렀고, 그렇게 강한 국방력을 바탕으로 한 대화와 외교, 또 힘을 바탕으로 한 평화, 그런 것을 이룰 수가 있었습니다. 그 노고에 대해서 다시 한 번 감사를 드리고 싶습니다. 그렇게 감사에 대해서 우리의 각 군 전군 장병들에게도 잘 전해 주시기를 바랍니다.

우리가 국방력이 높아지니 자연히 우리의 방위산업 능력도 높아지고, 국방과학의 능력도 높아져서 이제는 방산 수출에 있어서도 우리가 공개하지는 않습니다만 지난해에 70억 불 이상 그런 성과를 올려서 우리의 종합군사력 순위가 비슷한 그런 방산 수출의 실적을 올려서 이제는 드디어 방산 수출이 수입보다 많은 나라가 되었고, 올해에는 훨씬 더 많은 실적을 높일 것으로 그렇게 전망하고 있습니다. 우리 방위산업과 국방과학의 발전은 그것이 바로 민간산업의 발전, 성장에 기여하는 것이기도 합니다. 우리 군은 국방이라는 본연의 임무 외에도 포괄적 안보라는 측면에서 정말 다양한 안보에 큰 역할을 해 주셨습니다. 가장 대표적인 것이 코로나 방역입니다. 검역과 백신 수송, 그리고 또 군의료진을 통한 치료, 이렇게 코로나 방역에 있어서도 군은 아주 핵심적인 역할을 해 주었고, 우리가 성공적인 방역을 이루어내면서, 또 경제에서도 가장 빠르게 회복할 수 있는 토대가 되어 주었습니다.

뿐만 아니라 고성 산불 같은 자연 재난, 아프리카돼지열병 같은 확산을 막아내는 그런 일까지도 정말 군이 없었으면 제대로 하지 못했을 것이라는 생각이 듭니다. 앞으로 산불 같은 경우에 우리가 산림청이 보다 많은 장비, 특히 또 강풍이나 야간 진화에도 할 수 있는 그런 대형 헬기를, 소방헬기를 갖춘다든지 하는 노력을 기울여 나가야겠지만 그것이 하루아침에 되지 않을 것이라고 생각하면 역시 그 기간 동안 군의 역할이 매우 중요하다고 생각합니다. 소방당국하고도 끊임없이 합동훈련 등을 통해서 군이 보유하고 있는 대형 헬기 장비들이 산불 진화에도 유용하게 활용될 수 있도록 그렇게 노력해 주시기 바랍니다.

한편으로 우리가 그동안 애써서 지켜온 그런 평화와 안보 덕분에 우리 정부 5년 동안 우리는 단 한 건도 북한과 군사적 충돌이 없는 그런 성과를 이룰 수 있었습니다. 그것은 노무현 정부에 이어서 두 번째의 일이라고 생각합니다. 역대 과거 정부에서 천안함, 연평도, 목함지뢰 같은 여러 군사적 충돌이 있었고, 그 때문에 항상 전쟁의 공포들이 있었던 것과 비교하자면 정말 우리가 얻은 아주 소중한 성과라고 생각합니다. 그런데 지금 최근의 북한이 ICBM 발사나 북한이 보여주고 있는 여러 가지 징후들을 보면 이제 다시 또 한반도의 위기가 엄중해질 수 있다, 또 경우에 따라서는 과거 우리 정부 출범 초기에 겪었던 것과 같은 그런 비상한 상황이 정권 교체기나 다음 정부 초기까지 계속될 수도 있겠다라는 그 우려를 가지고 있습니다. 그런 우려를 불식할 수 있도록 우리 군이 빈틈없는 그런 방위태세를 잘 유지해 주시기 바랍니다.

특히 요즘 대통령 집무실의 이전과 그로 인한 국방부와 합참의 이전, 이런 것 때문에 혹시라도 그런 부분에 빈틈이 있지 않을까 이런 염려들을 국민들이 하시는데, 그런 걱정을 하시지 않도록 더 철저한 방위태세를 유지해 주시기를 당부드리겠습니다. 다시 한 번 5년간의 우리 군이 이룬 안보, 평화 성과에 대해서 감사드리고, 또 그것이 다음 정부에까지 그런 평화와 안보가 이어질 수 있도록 계속해서 우리 군이 역할을 잘해 주시기를 당부드리겠습니다.

고맙습니다.

5월

132주년 세계 노동절을 축하합니다

제15차 세계산림총회 개회식 기조연설

제20회 국무회의 모두발언

백서 발간 기념 국정과제위원회 초청 오찬 말씀

100번째 어린이날을 축하합니다

부처님 오신 날 봉축합니다

132주년 세계 노동절을 축하합니다

| 2022-05-01 |

노동은 지루하게 반복되지만, 조금씩 겸손하게 세상을 좋은 방향으로 밀어갑니다. 우리가 노동을 존중할 때 노동은 행복이 되고, 노동의 결과물에서 땀방울의 고귀함을 느낄 때 노동은 자긍심이 될 것입니다. 정부는 지난 5년, 노동 기본권 보장에 온 힘을 기울였습니다. ILO 핵심 협약을 비준했고, 최저임금 인상과 52시간제 시행으로 노동 분배를 크게 개선했고 일과 생활의 균형에 진전을 이뤘습니다. 특히 코로나 위기 이전의 고용 수준을 조기에 회복한 것은 봉쇄 없는 방역의 성공 덕분이었습니다.

노동은 고용안전망의 보호를 받아야 합니다. 정부는 사각지대에 놓인 예술인, 특수형태근로종사자, 플랫폼종사자에 대한 고용보험 적용을 확대하여 전 국민 고용보험 시대로 한 걸음 더 나아갔습니다. 중대재해

처벌법의 시행이 산재사고의 획기적인 감축으로 이어지길 기대합니다. 우리는 코로나를 이겨내며 필수 노동자의 헌신이 얼마나 고마운지 알게 되었습니다. 노동의 숭고함은 우리가 발견하는 것이며, 우리의 인식을 바꾸는 것입니다. 노동절을 맞아, 보건의료와 돌봄서비스, 환경미화, 배달운송 노동자들을 비롯해 이 나라의 모든 노동자들께 다시 한 번 깊은 존경과 감사의 인사를 드립니다.

제15차 세계산림총회 개회식 기조연설

| 2022-05-02 |

존경하는 요르단의 알리 공주님, 또 취동위(Qu Dongyu) 유엔식량농업기구 사무총장님, 전 세계의 산림관계자 여러분,

제15차 세계산림총회 개막을 축하합니다. 이번 행사를 위해 서울을 찾아주신 분들과 온라인으로 함께하고 계신 분들 모두 진심으로 환영합니다. 우리는 코로나를 겪으며 자연과의 공존이 얼마나 중요한지 절실하게 깨닫고 있습니다. 100년의 역사를 쌓으며 숲의 보존과 복원에 앞장서 온 산림총회의 노력이 어느 때보다 소중하게 다가옵니다. 오늘, 코로나 이후 처음으로 전 세계 산림전문가들이 한곳에 모였습니다. '숲과 함께 만드는 푸르고 건강한 미래'를 위해 새로운 백년대계를 준비하는 자리를 갖게 되어 매우 기쁩니다.

전 세계 산림관계자 여러분,

숲은 그 자체로 살아있는 생태계이며 육상 동식물의 80%가 서식하는 생물다양성의 보고입니다. 우리는 숲이 지닌 생명력과 풍요로움을 활용해 생존과 번영에 필요한 식량과 목재, 연료를 얻었고, 숲이 주는 상상력으로 다양한 종교와 문학과 예술을 창조했습니다. 지금 생명의 원천인 숲이 안타깝게 사라지고 있습니다. 매년 470만 헥타르씩 전 세계 산림 면적이 줄어들고 있습니다. 대한민국 서울의 80배에 달하는 크기입니다. 지난 30년 동안 감소한 산림 면적은 한반도의 8배인 1억8천만 헥타르에 이릅니다.

숲의 위기는 곧 인간의 위기입니다. 살아있는 온실가스 흡수원이며 물을 보존하는 숲이 줄어들면서 기후 위기가 가속화되고, 자연재해가 급증하며, 야생동물과 인간 간의 접촉이 늘어나 코로나와 같은 신종 감염병 위험이 증가했습니다. 숲에 의존해 살아가는 수억 명 인구의 생활기반 또한 흔들리고 있습니다. 숲을 울창하게 지키고 가꾸는 것은 지구 생명 공동체의 일원으로서 우리 모두에게 주어진 의무입니다. 다음 세대를 위해 지속가능한 미래를 만드는 일입니다.

지난해 11월, 141개국 정상들은 영국 글래스고에 모여 2030년까지 산림손실을 막고 숲을 되살리기 위해 노력하기로 합의했습니다. 이제 구체적인 실천계획을 수립하고 함께 행동해야 합니다. 익숙한 생활 습관부터 경제·사회 전반에 이르기까지 광범위한 변화가 필요합니다. 결코, 쉽지 않은 일입니다. 숲을 지키고 가꾸면서도 새로운 소득과 일자리를 창출할 수 있는 방법을 찾아야 모든 나라 국민과 기업의 지속적인 지지와 참여를 담보할 수 있습니다.

선진국과 개발도상국이 함께 보조를 맞춰 나가는 것도 매우 중요합니다. 숲을 개간해 농지와 산업용지를 늘리고 산림자원을 활용해 산업을 키워야 하는 개발도상국은 산림 보존과 복원 목표가 매우 버거울 수밖에 없습니다. 선진국은 선진국대로 이미 많은 개발과 도시화가 이루어져 새롭게 산림을 늘리기가 수월치 않을 수 있습니다. 숲과 인간이 상생하는 지속가능한 번영의 길로 함께 나아갈 수 있도록 선진국과 개도국이 서로 다른 여건을 이해하며 보다 적극적으로 협력하고 부담을 나누어야 합니다.

전 세계 산림관계자 여러분,

한국 국민들은 식민 지배와 전쟁으로 인해 산림이 파괴되었던 아픔을 실제로 경험했습니다. 황폐해진 국토를 바라보며 숲이 우리 삶에 얼마나 중요한지를 깨달았고, 온 국민이 함께 100억 그루 이상의 나무를 심어 산과 들을 다시 푸르게 바꾸어 냈습니다. 유엔식량농업기구로부터 '2차 세계대전 이후 산림녹화에 성공한 유일한 나라'라는 평가도 받게 되었습니다. 한국은 연대와 협력을 통해 산림 회복을 이루어낸 경험을 바탕으로 숲을 지키고 가꾸기 위한 국제사회의 노력에 적극 동참할 것입니다.

첫째, 개도국의 산림 복원을 위한 재정에 기여하겠습니다. 한국은 2030년까지 ODA 규모를 2배 이상 늘릴 계획입니다. 산림 분야 ODA도 이에 맞춰 확대해 나가겠습니다. 지난해 '글로벌 산림 재원 서약'에 동참하며 약속했던 6천만 달러 공여도 차질없이 이행할 것입니다.

둘째, 개도국의 지속가능한 산림자원 활용을 돕겠습니다. 한국은 베트남 맹그로브 숲 복원사업을 추진하면서 맹그로브 숲의 갯벌을 활용한 친환경 양식 기술을 함께 지원하고 있습니다. 되살아난 나무들은 수상 생물들이 잘 자라날 수 있는 양분을 제공하고 현지 주민들에게 새로운 일자리를 만들어줄 것입니다. 주민들도 지속적인 소득 창출을 위해 산림 보호에 더 많은 노력을 기울이게 될 것입니다. 앞으로도 단순한 재정지원을 넘어 개도국 국민들이 숲과 더불어 살아갈 수 있도록 돕겠습니다. 생태관광, 휴양림 조성, 혼농임업과 같이 다양한 협력사업 모델을 개발해 나갈 것입니다.

셋째, 한국 내에서의 산림 확충에도 최선을 다하겠습니다. 한국은 2050 탄소중립을 위한 자연 기반 해법으로서 산림의 온실가스 흡수량을 2배가량 확대한다는 목표를 세웠습니다. 유휴토지에 나무를 심고 도시 숲을 가꾸며 산림 면적을 넓혀나갈 것입니다. 특히, 나무를 더 많이 심고 가꾸어 수확하는 산림 순환경영이 확대될 수 있도록 경제림 조성부터 인프라 확충까지 종합적으로 지원할 계획입니다. 이미 한국의 다양한 기업들이 ESG 경영에 나서며 숲 가꾸기와 산림 분야 기술개발에 참여하고 있습니다. 해외 산림 보존 사업에 참여하고자 하는 기업도 늘어나고 있습니다. 민관 파트너십을 통한 산림 확충의 성공사례를 만들어 국제사회와 함께 나누도록 하겠습니다.

취동위 사무총장님, 전 세계 산림관계자 여러분,

서울에서 약 200킬로미터 떨어진 경상북도 봉화에는 전 세계에 둘밖에 없는 종자 금고, 시드 볼트(Seed vault)가 있습니다. 자연재해, 핵폭발과 같은 지구 대재앙을 대비해 식물 유전자원을 보존하는 현대판 노아의 방주입니다. 종자 금고의 지하 저장고에는 6만 종의 야생식물 씨앗들만 담겨있는 것이 아닙니다. 미래 세대를 생각하고 지구를 사랑하는 우리 모두의 마음이 간직되어 있습니다. 나무와 나무가 어우러져 푸른 숲을 이루듯 숲과 자연을 아끼는 마음이 하나로 모인다면 우리는 지속가능한 녹색 미래를 만들 수 있을 것입니다. 인간이 자연과 공존하는 새로운 시대를 향해 마음과 지혜를 더해 행동의 속도를 높여 나아갑시다. 제15차 세계산림총회가 그 출발점이 될 것입니다.

감사합니다.

제20회 국무회의 모두발언

| 2022-05-03 |

제20회 국무회의를 시작하겠습니다. 대통령으로서 주재하는 우리 정부 마지막 국무회의입니다. 오늘 국무회의는 시간을 조정하여 개최하게 되었습니다. 국회에서 통과되어 정부에 공포를 요청한 검찰청법과 형사소송법 개정안 등 검찰개혁 관련 법안에 대해 우리 정부 임기 안에 책임 있게 심의하여 의결하기 위한 것입니다.

우리 정부는 촛불정부라는 시대적 소명에 따라 권력기관 개혁을 흔들림 없이 추진했고 공수처 설치, 검·경수사권 조정, 자치경찰제 시행과 국가수사본부 설치, 국정원 개혁 등 권력기관의 제도개혁에 큰 진전을 이뤘습니다. 견제와 균형, 민주적 통제의 원리에 따라 권력기관이 본연의 역할에 충실하도록 하면서 국민의 기본권을 보장하기 위한 것입니다. 이와 같은 노력과 성과에도 불구하고 검찰수사의 정치적 중립성과 공정성, 선택적 정의에 대한 우려가 여전히 해소되지 않았고 국민의 신뢰를 얻기에 충분하지 않다는 평가가 있었습니다. 국회가 수사와 기소의 분리에 한 걸음 더 나아간 이유라고 생각합니다.

오늘 공포 여부를 심의하는 검찰청법과 형사소송법 개정안은, 검찰이 수사를 개시할 수 있는 범죄를 부패범죄와 경제범죄로 한정하는 등 검찰의 직접 수사범위를 축소하고, 검찰 내에서도 수사와 기소를 분리해 나가는 한편, 부당한 별건 수사를 금지하는 등의 내용을 담고 있습니다. 입법 절차에 있어서는, 국회 의장의 중재에 의해 여야 간 합의가 이루어졌다가 합의가 파기되면서 입법 과정에 적지 않은 진통을 겪은 아쉬움이 있습니다. 국민의 삶과 인권에 지대한 영향을 미치는 만큼 국무위원들은 부처 소관을 떠나 상식과 국민의 시각에서 격의 없이 토론하고 심의해 주시길 바랍니다. 코로나 상황이 안정되면서 국무위원 모두 한자리에 모인 자리에서 마지막 국무회의를 주재할 수 있게 되어 무척 뜻깊습니다. 마지막이 될 청와대에서, 화상회의실이 아닌 역대 정부부터 우리 정부에 이르기까지 전통적으로 사용해 왔던 국무회의실에서 마지막 국무회의를 갖게 된 것도 무척 감회가 깊습니다.

국무위원 여러분,

그동안 정말 수고 많았습니다. 소관 부처의 사령탑으로서 뿐만 아니라 국익과 국민을 중심에 두고 다른 부처들과 긴밀하게 소통하고 협력하며 대격변과 대전환의 시기를 헤쳐 나가는 핵심적 역할을 해 주었습니다. 덕분에 우리 정부는 거듭되는 위기 속에서도 많은 성과를 남기며 무사히 임기를 마칠 수 있게 되었습니다. 우리 정부 5년은 국가적 위기를 범정부적 역량을 총동원하여 극복했던 시간이었고, 위기를 기회로 만들며 더 크게 도약해 나갔던 과정이었습니다. 일본의 부당한 수출 규제에 맞서 소·부·장 자립의 길을 걸으며 '아무도 흔들 수 없는 나라'의 토대를 확고히 만들었습니다. 미증유의 코로나 위기에서는 방역중대본, 경제중대본 양날개로 범정부비상체제를 가동하며 국민의 생명과 경제를 보호하는 데 총력을 다했으며, 봉쇄 없는 방역과 경제 대응 모두에서 세계적 모범이란 평가를 받았습니다. 특히 위기 극복 과정에서 사람 중심 회복과 포용성 강화의 방향을 지켰고, 신성장동력 창출과 디지털 전환, 탄소중립 시대 개척이라는 새로운 도전에 과감히 나섰습니다. 한편으로는, 튼튼한 국방과 한반도 평화 구축을 위해 매진했고, 국제 협력을 강화하면서 외교 지평을 크게 확대해 나갔습니다. 최근 급변하는 대외경제안보 환경을 마주해서는 경제 부처와 안보 부처가 손을 잡고 기민하게 대응해 나가고 있습니다. 우리 정부는 마지막까지 위기 극복에 전력을 기울이며 선도국가 도약을 위해 최선을 다한 정부입니다. 지난 5년의 성과와 노력이 다음 정부에 도움이 되고, 대한민국이 계속 발전해 나가는 밑거름이 되길 기대합니다.

각 부처 장관들과 공무원 여러분,

정말 고생 많았습니다. 그동안 한마음이 되어 국민과 나라를 위해 헌신한 노고를 잊지 않겠습니다. 오늘 마지막 국무회의에 참석해 주신 우리 오세훈 서울특별시장님께도 감사드립니다. 고맙습니다.

백서 발간 기념 국정과제위원회 초청 오찬 말씀

| 2022-05-04 |

조대엽 정책기획위원장님과 또 국정과제위원장님들, 문성현 경사노위 위원장님 그리고 또 정책기획위원회의 여러 특별위원회와 분과위원장님들 반갑습니다.

저는 국정과제위원회를 생각하면 늘 고마움과 함께 또 한편으로 미안한 마음을 갖습니다. 보통 인수위라는 과정을 겪게 되면 그 기간 동안 국정과제들을 정리해서 선정하고 그에 따라서 전체 국정과제위원회가 설계가 되면서 국정과제위원회별로 과제와 목표 이런 것이 부각이 되고 또 전체적으로 국정과제위원회가 국민들로부터 주목을 받는 그런 과정들이 있기 마련인데, 우리 정부는 인수위라는 과정 없이 바로 국정에 돌입하면서 국정과제위원회도 곧바로 국정의 밑그림을 그리는 그런 작업을 하게 되었습니다.

뿐만 아니라 우리 국정과제가 출범 당시의 과제에 머물러 있지 않고 또 코로나의 위기 속에서 여러모로 대전환, 대변화를 겪으면서 국정과제도 진화하지 않을 수 없었고, 국정과제위원회는 그 진화된 국정과제들에 대한 밑그림이나 로드맵들을 아주 잘 만들어주셨습니다. 정말 깊이 감사드립니다. 한편으로 코로나는 또 대통령과 국정과제위원회 사이의 좀 더 활발한 교류를 제약하는 그런 요인이 되기도 했습니다. 그 점에서 제가 늘 미안한 마음을 갖고 있습니다.

우리나라 공무원 사회는 굉장히 유능하고 그리고 책임감이 강합니다. 저는 대한민국을 끊임없이 발전시켜나가는 근간이 대한민국 공무원 사회라고 생각을 합니다. 그러나 크게 전환하고, 크게 변화하고, 크게 개혁해 나가는 데는 공무원 사회가 한계가 있을 수밖에 없습니다. 그런 큰 개혁, 변화에 대해서 몸을 움츠리는 것도 있고 또 개별 부처의 틀을 벗어나지 못하는 것도 있고 그래서 전문가들로 구성된 국정과제위원회의 비전과 공무원 사회의 유능함이 만날 때 비로소 우리 공무원 사회가 더더욱 더 큰 유능함을 발휘할 수 있고, 국민들이 바라는 그런 변화와 개혁을 이루어낼 수 있다고 그렇게 생각을 합니다. 이 국정과제위원회가 정부와 국민 간 그리고 또 정부와 민간 간 또 전문가와 전문가 간 또 전문가와 공무원 사회 간의 가교 역할을 이렇게 잘 해 주신 것에 대해서 다시 한 번 감사드립니다.

그런 국정과제위원회의 역할을 다한 데 이어서 오늘 드디어 우리 정부 5년의 국정 기록을 스물두 권이라는 대단히 방대한 분량으로 이렇게 집대성해 주셨습니다. 오늘 집대성된 국정백서를 받아보니 정말 뿌듯한 마음이 듭니다. 우리가 많은 일을 했다, 많은 성과를 거두었다는 것도 뿌듯한 일이기도 하지만 이 국정백서가 중요한 것은 기록의 중요함 때문입니다. 결국은 역사는 기록입니다. 기록되어야만 역사가 되는 것입니다. 지금은 우리의 국정이 항상 공개되고 항상 언론들에게 취재되고 있어서 모든 것이 기록될 것 같지만 언론은 아주 선택해서, 취사선택해서 그것을 취재하고 보도할 뿐입니다. 때로는 편향적이기도 합니다. 그래서 전체의 균형된 국정기록을 남기는 것은 그 정부가 해야 될 하나의 책무라고 생각을 합니다.

옛날에, 옛날 이야기해서 미안합니다만 옛날에 노무현 대통령님은 훗날 나중에 시간이 지나면 역사가 알아줄 것이다. 이런 말을 좀 좋아하지 않았습니다. 그 말속에는 지금은 평가받지 못하지만 나중에 시간이 지나면 정당한 평가를 받게 될 거라는 위로, 위안, 그런 말이 내포되어 있었습니다. 그렇지만 실제로 그 말대로 되었습니다. 노무현 정부의 성과 또 노무현 대통령의 업적은 시간이 지날수록 더 높이 평가되고 있습니다. 그것은 노무현 정부가 국정기록을 통해서 당시의 국정자료와 통계자료들을 남겼기 때문입니다. 그 통계자료와 지표들은 또 다음 정부, 그 다음 정부와 늘 비교가 되었습니다. 그 비교를 볼 때마다 오히려 노무현 정부가 민주주의뿐만 아니라 경제에서도 안보에서도 훨씬 유능했구나라는 사실을 사람들이 점점 많이 알게 되는 것이고 그만큼 평가가 높아지게 되는 것이라고 생각합니다.

우리는 그때에 비하면 굉장히 여건이 좋아졌습니다. 우리 스스로 우리가 이룬 성과에 대해서 자부를 하고 있고 또 세계에서도 객관적으로 평가를 받고 있습니다. 오늘 그런 자료들을 모아서 방대한 우리 국정자료와 통계자료들을 다 포함한 국정백서를 남기게 되었기 때문에 아마 이 자료들은 앞으로 이어지는 다른 정부들과 비교를 하게 될 것이라고 생각합니다. 특히 다음 정부의 경우에는 우리 정부의 성과를 전면적으로 거의 부정하다시피 하는 가운데 출범을 하게 되었기 때문에 더더욱 우리 정부의 성과, 실적, 지표와 비교를 받게 될 것이라고 생각을 합니다. 우리와 많은 점에서 국정에 대한 철학이 다르다고 느끼고 있지만, 그러나 철학이나 이념 이런 것을 떠나서 오로지 국민과 국익 또 실용의 관점에서 우리 정부가 잘한 부분들은 더 이어서 발전시켜나가고, 우리 정부가 부족했던 점들은 그것을 거울삼아서 더 잘해 주길 바라는 그런 마음입니다. 그렇게 생각한다면 오늘 남기는 우리의 방대한 국정기록은 우리 스스로 우리들끼리 남기는 기록에 그치는 것이 아니라 앞으로 미래의 정부들에게 계속해서 지침이 되고, 참고가 된다는 점에서 매우 뜻깊은 의미가 있다고 생각합니다.

오늘 방대한 국정기록은 우리 정책기획위원회를 비롯한 국정과제위원회와 청와대 대통령비서실 그리고 또 각 부처의 합작품인데 그 가운데서도 정책기획위원회가 처음 구상에서부터 감수에 이르기까지 가장 중요한 역할을 해 주셨습니다. 다시 한 번 감사드리고 또 임기가 끝나기 전에 이렇게 함께 모여서 이렇게 또 식사도 하고 함께 인사를 나눌 수 있는 그런 기회를 갖게 되어서 더없이 기쁘게 생각합니다.

감사합니다.

100번째 어린이날을 축하합니다

| 2022-05-05 |

어린이는 어른에게 삶의 지혜를 배우고, 어른은 어린이에게 삶의 순수함을 배웁니다. 아이들에게만 돌봄이 필요한 것이 아니라, 어른들도 아이들을 돌보면서 보람과 성숙함을 얻습니다. '어린이'에는 존중의 의미가 담겨있습니다. 사랑만으로 부족합니다. 어린이의 인권과 인격을 존중하는 것도 못지않게 중요합니다. 모든 어린이를 나의 아이처럼 밝은 내일을 꿈꾸며 쑥쑥 자랄 수 있도록 함께 아껴 주시길 바랍니다.

정부는 최초로 아동수당을 도입하여 아이들에 대한 국가의 책임을 강화했습니다. 지난해 1월에는 63년 만에 민법의 친권자 징계권 조항을 폐지하여 아이에 대한 어떠한 체벌도 용인되지 않음을 확고히 하였습니다. 아이들을 온전한 인격체로 존중해야 한다는 국민적 합의가 있었기 때문입니다. 따뜻하게 품어 주고 보듬어 주신 엄마 아빠, 선생님들께도 각별한 감사를 드립니다.

저는 오늘 아이들과 청와대 녹지원에서 만납니다. 지난해 랜선을 통해 초청을 약속했던 평창 도성초등학교와 보령 청파초등학교 녹도분교 어린이들도 함께하게 되었는데, 약속을 지킬 수 있게 되어 기쁩니다. 코로나로 인해 신나게 뛰놀 수 없는 상황에서도 어린이들은 밝고 씩씩하게 자라 주었습니다. 정말 대견하고 자랑스럽습니다. 엄마 아빠는 아이들이 잘 자라는 것만 보아도 행복합니다.

어린이 여러분, 예쁘고 멋진 우리 어린이 친구들이 마스크를 벗고 마음껏 뛰어놀면 좋겠다는 대통령 할아버지의 소원이 이루어지게 되어 정말 뿌듯합니다. 우리 어린이들 모두가 건강하고 씩씩하게 잘 자라고 꿈도 꼭 이뤄내길 바랍니다. 대통령 할아버지도 늘 마음을 다해 응원하겠습니다. 어린이 여러분, 사랑합니다!

부처님 오신 날 봉축합니다

| 2022-05-08 |

불기 2566년 봄, 사찰과 거리에 활기가 돌아왔습니다. 부처님 오신 날을 봉축하며, 불자들에게 감사드립니다. 불교는 자비와 나눔으로 포용과 상생의 마음을 깨웠고, 우리는 서로를 위하는 마음으로 일상을 되찾았습니다. 불교는 귀한 연등회를 미루며 회복의 힘을 보태주셨고, 이제 연등은 인류무형문화유산으로 더욱 밝아졌습니다. 부처님 오신 날, 치유와 희망의 봄을 기원합니다. 부처님의 가피와 함께 삶이 연꽃처럼 피어나길 바랍니다.

"모든 분야에서 알파벳 K는
한국을 의미하는 수식어가 되었습니다."

문재인

대통령 문재인의 5년
: 새로운 100년의 여정을 담다

초판 1쇄 펴낸날 2022년 5월 31일

엮은이 편집부
펴낸이 장영재
펴낸곳 (주)미르북컴퍼니
자회사 더휴먼
전 화 02)3141-4421
팩 스 0505-333-4428
등 록 2012년 3월 16일(제313-2012-81호)
주 소 서울시 마포구 성미산로32길 12, 2층 (우 03983)
E-mail sanhonjinju@naver.com
카 페 cafe.naver.com/mirbookcompany
S N S www.instagram.com/mirbooks

* (주) 미르북컴퍼니는 독자 여러분의 의견에 항상 귀 기울이고 있습니다.
* 파본은 책을 구입하신 서점에서 교환해 드립니다.
* 책값은 뒤표지에 있습니다.